Sommaire

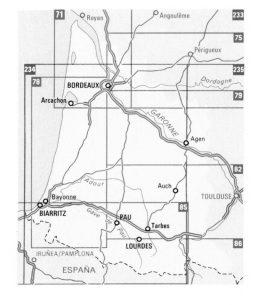

Avec ce guide
voici les
Cartes Michelin
qu'il vous faut :

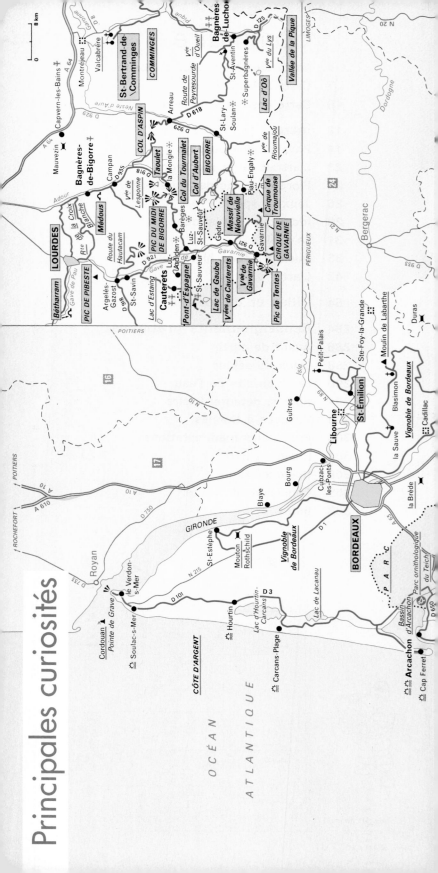

Principales curiosités

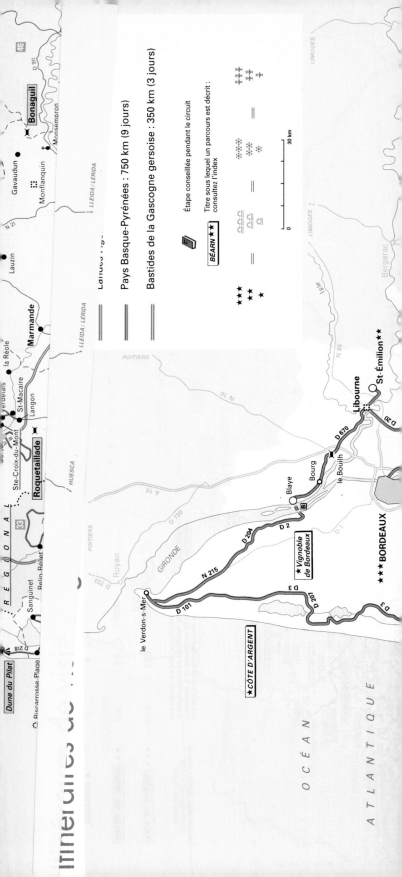

Itinéraires de visite

Landes ...

Pays Basque-Pyrénées : 750 km (9 jours)

Bastides de la Gascogne gersoise : 350 km (3 jours)

Étape conseillée pendant le circuit

Titre sous lequel un parcours est décrit : consultez l'index

BÉARN ★★

★★★
★★
★

Bonaguil

Gavaudun

Lauzin

Monflanquin

Monsempron

Marmande

la Réole

St-Macaire

Langon

Roquetaillade

Ste-Croix-du-Mont

Sanguinet

Dune du Pilat

Biscarrosse-Plage

OCÉAN

ATLANTIQUE

le Verdon-s-Mer

CÔTE D'ARGENT

GIRONDE

Royan

Blaye

Bourg

le Bouilh

Vignoble de Bordeaux

★★★ BORDEAUX

Libourne

St-Émilion ★★

POITIERS

LIMOGES

Bergerac

LLEIDA / LÉRIDA

HUESCA

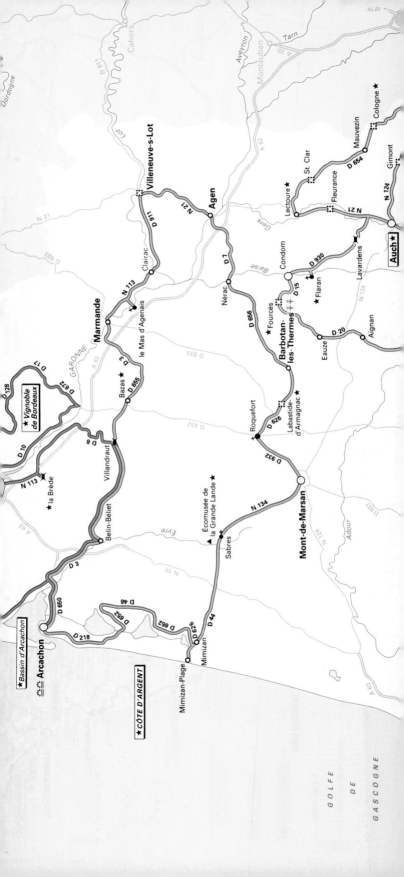

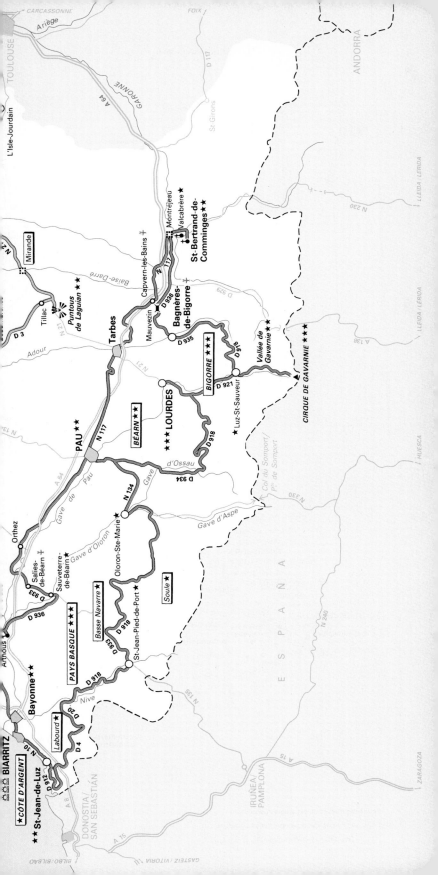

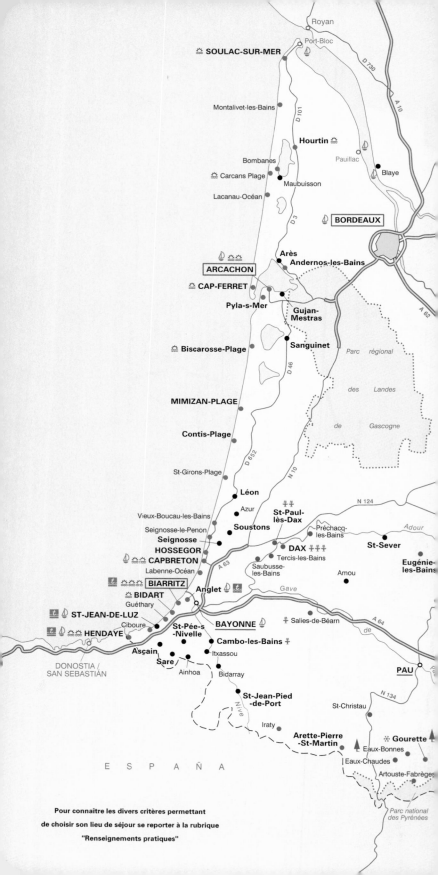

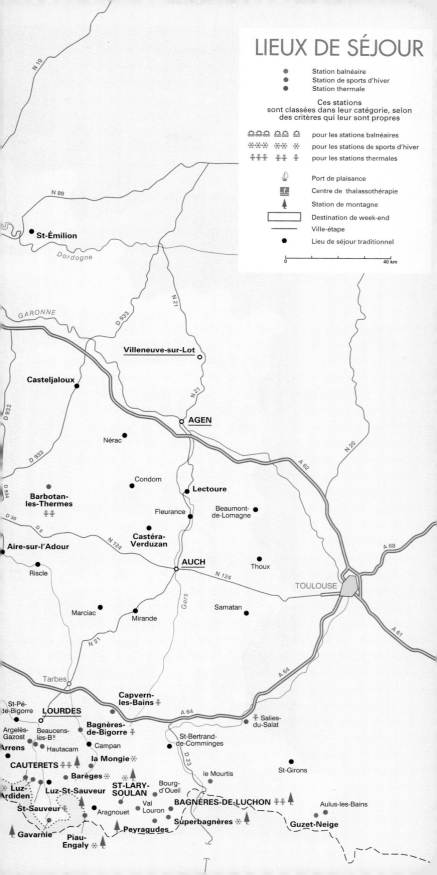

LIEUX DE SÉJOUR

- ● Station balnéaire
- ● Station de sports d'hiver
- ● Station thermale

Ces stations
sont classées dans leur catégorie, selon
des critères qui leur sont propres

- ⛱⛱⛱ ⛱⛱ ⛱ pour les stations balnéaires
- ❄❄❄ ❄❄ ❄ pour les stations de sports d'hiver
- ♁♁♁ ♁♁ ♁ pour les stations thermales

- ⛵ Port de plaisance
- 🛁 Centre de thalassothérapie
- 🌲 Station de montagne
- ▭ Destination de week-end
- — Ville-étape
- ● Lieu de séjour traditionnel

0 _____ 40 km

Le cirque de Gavarnie

12

Introduction
au voyage

Physionomie du pays

LES PYRÉNÉES

La division habituelle des Pyrénées en trois grandes régions naturelles d'Ouest en Est est justifiée par des différences de structure, de climat, de végétation. Une partie des Pyrénées centrales ainsi que les Pyrénées méditerranéennes sont traitées dans le guide Vert Michelin Pyrénées Roussillon Albigeois.

La formation de la chaîne – La chaîne des Pyrénées, que l'on voit de Pau se dessiner au-dessus des coteaux béarnais, frappe par la continuité de ses crêtes finement échancrées, ne laissant place, vue à cette distance, ni à des cimes maîtresses, hormis le pic du Midi d'Ossau, ni à des seuils.

L'obstacle que dresse la chaîne, sur 400 km en territoire français, de l'Atlantique à la Méditerranée, est mince (30 à 40 km sur le versant français) mais massif et continu : l'altitude moyenne des Pyrénées atteint 1 008 m, ne le cédant que d'une centaine de mètres à celle des Alpes françaises, alors que, si l'on s'en rapporte aux altitudes maximales, le mont Blanc surpasse de 1 400 m le pic d'Aneto.

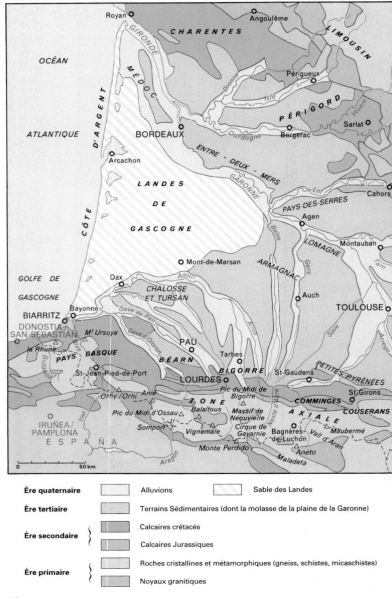

Ère quaternaire		Alluvions		Sable des Landes

Ère tertiaire		Terrains Sédimentaires (dont la molasse de la plaine de la Garonne)

Ère secondaire — Calcaires crétacés / Calcaires Jurassiques

Ère primaire — Roches cristallines et métamorphiques (gneiss, schistes, micaschistes) / Noyaux granitiques

L'histoire du massif – Il y a environ 250 millions d'années, sur l'emplacement actuel des Pyrénées s'élevaient des montagnes hercyniennes comme le Massif Central ou les Ardennes. Mais alors que celles-ci ont connu une carrière relativement tranquille, le bloc pyrénéen s'est trouvé inclus dans une zone particulièrement instable.

Les formations hercyniennes, déjà vigoureusement plissées, furent, après un premier stade de nivellement, il y a 200 millions d'années environ, submergées et recouvertes de dépôts (formations secondaires), puis reprises littéralement « de fond en comble » par le plissement alpin dont les tout premiers spasmes se firent sentir ici.

Sous l'effort du plissement, les couches les plus récentes, encore relativement plastiques, plient sans se rompre ; mais le vieux socle rigide se brise et se disloque. Au voisinage des fractures, des sources thermales jaillissent, des gîtes métallifères se constituent.

Pendant tout ce temps, l'érosion ne cesse de niveler l'édifice. Multipliant ses attaques contre les régions surélevées, elle fait réapparaître, par décapage, les formations sédimentaires primaires et même, en certains endroits, le noyau cristallin. Lors des premières grandes invasions glaciaires, à l'aube du Paléolithique (*voir p. 39*), les Pyrénées apparaissent à nouveau démantelées, ayant perdu plusieurs milliers de mètres d'épaisseur depuis la phase alpine. Les matériaux arrachés à la montagne s'épandent sur l'avant-pays.

L'ossature de la chaîne – Le bourrelet de la chaîne, vu en plan, paraît régulièrement tronçonné en bastions par des vallées transversales perpendiculaires à la ligne de faîte principale. Mais, dans le détail, la chaîne n'en répond pas pour autant à la figuration sommaire – genre arête de poisson – qu'en donnaient les atlas de jadis.

Les Pyrénées centrales

La structure pyrénéenne se caractérise par la juxtaposition de grandes unités géologiques disposées longitudinalement. En venant de la Haute-Garonne, on rencontre :

- Les Petites Pyrénées, hauteurs modestes, mais remarquables par la disposition alignée de leurs crêtes calcaires témoignant de plissements de style jurassien.
- Les contreforts proprement dits : terrains d'ère secondaire, crétacés ou jurassiques, plissés de façon plus violente.
- La **zone axiale**, la véritable échine pyrénéenne où, parmi les sédiments primaires, surgissent des noyaux granitiques reconnaissables surtout au modelé de leurs crêtes finement ciselées par l'érosion glaciaire : massif du Balaïtous, de Néouvielle, des Pyrénées luchonnaises, de la Maladetta. Au granit franc ne correspondent pas toujours des points culminants car il existe des variétés très dures de schistes et de calcaires, encore plus résistantes à l'érosion.

Les massifs granitiques sont les zones les plus riches en lacs de la montagne pyrénéenne.

- Au Sud, soulevée jusqu'à plus de 3 000 m d'altitude au mont Perdu, la couverture de sédiments secondaires se développe surtout en Espagne. Le relief calcaire y compte deux « chefs-d'œuvre » : en Espagne, le canyon de la vallée d'Ordesa (parc national), en France, le fond du cirque de Gavarnie, aux gigantesques assises empilées.

Les vallées – L'absence d'un grand sillon qui, à l'intérieur de la chaîne, relierait, parallèlement à la ligne de faîte, les vallées transversales reste un obstacle aux communications internes, tributaires dans les Pyrénées centrales de cols impraticables en hiver. Chaque vallée transversale est donc restée longtemps étroitement cloisonnée et cette disposition a favorisé la survivance des modes de vie de petits « pays » comme le Pays Toy, les Quatre Vallées, le Couserans. Ces percées sont loin d'être inhospitalières : malgré les défilés qui les rétrécissent, elles semblent prolonger en pleine montagne les plaines du bas-pays aquitain, avec le privilège d'un climat bien abrité.

Les Pyrénées pittoresques – La vallée de Cauterets illustre les attraits des Pyrénées traditionnelles, qui pénétrèrent tant d'« âmes sensibles » et inspirèrent tant de talents : vallées fortement encaissées mais dont les abrupts laissent rapidement place, en altitude, à de vastes étendues pastorales doucement modelées, nombreux lacs, gaves puissants et limpides. Ces attraits, joints aux bienfaits des cures thermales, s'accordaient à merveille au goût romantique, flatté de surplus par l'originalité des coutumes locales et le piment exotique de l'Espagne toute proche. Malgré l'abandon progressif des habitations temporaires (bordes, cortals), des vieux chemins et des pâturages en altitude, les Pyrénées centrales maintiennent, tout au moins dans la zone axiale, l'image aimable de montagnes humanisées.

Les glaciers – A ces contrastes de couleurs et de formes s'ajoutent les accidents dont sont responsables les anciens glaciers, qui poussaient, il y a une centaine de siècles, leur langue terminale jusque sur l'emplacement actuel de Lourdes et de Montréjeau. Ces géants ont été ramenés depuis à des surfaces infimes (moins de 10 km² pour toutes les Pyrénées, contre 400 km² dans les seules Alpes françaises) et l'on ne compte dans la chaîne qu'un seul glacier complet (avec langue glaciaire), le glacier d'Ossoue, sur le versant Est du Vignemale.

Le touriste doit encore aux glaciers ce qui fait l'imprévu d'une excursion au cœur des Pyrénées : vallées tour à tour étranglées et épanouies, cimes déchiquetées, cirques, lacs (plus de 500 dans les Pyrénées françaises), vallées suspendues, cascades, buttes et levées morainiques, blocs erratiques. Sans leur empreinte, l'aménagement de hautes chutes pour la production d'énergie hydro-électrique aurait pu difficilement être envisagé.

Les sommets – Si des pics tels que le Balaïtous (alt. 3 146 m), le Vignemale (alt. 3 298 m) sont sur la ligne de partage des eaux, des ensembles aussi puissants que ceux du Posets (alt. 3 371 m), de la Maladetta (alt. 3 404 m au pic d'Aneto, le point culminant de la chaîne) sont entièrement sur le versant espagnol. En revanche, sur le versant français, le pic du Midi d'Ossau (alt. 2 884 m) doit la majesté de sa silhouette à des pointements de roches volcaniques et le pic du Midi de Bigorre (alt. 2 865 m) sa réputation à sa position avancée, au-dessus de la plaine. Le massif de Néouvielle enfin (alt. 3 192 m au pic Long, 3 173 m au pic de Campbieil) constitue un extraordinaire château d'eau dont les réserves sont maintenant presque totalement utilisées au profit de l'équipement hydro-électrique des vallées du gave de Pau et de la haute Neste.

Les Pyrénées atlantiques

Elles se caractérisent, géographiquement, par la disparition de la zone axiale. Cette particularité engendre une confusion accrue des reliefs et l'on ne trouve plus là de ligne de faîte continue, propre à fixer une frontière « naturelle ».
Les accidents de relief les plus remarquables apparaissent à l'Est, dans la couverture calcaire de la zone axiale : pic d'Anie (2 504 m), traits de scie des gorges de Kakouetta et d'Holçarté. Le sous-sol de ces calcaires fissurés et criblés de gouffres est devenu pour les spéléologues un immense domaine d'exploration et d'étude. Ces « Basses » Pyrénées présentent une montagne abondamment boisée et relativement peu pénétrable (forêt d'Iraty).
Plus près de l'océan règne une topographie plus calme, témoin d'une réapparition de roches gréseuses ou cristallines composant le décor du Pays Basque : sommet de la Rhune, mont Ursaya (Cambo), monts encadrant St-Jean-Pied-de-Port. Mais, dans l'ensemble, le paysage entre l'Adour et l'Espagne fait la plus grande place à des collines modelées dans une masse hétérogène de sédiments de formation marine.

Les Pyrénées basques – La cohésion et le charme de la région tiennent surtout au climat océanique, abondant dispensateur d'humidité, à l'armature que lui confèrent la langue et la civilisation basques, aux liens étroits tissés avec les provinces voisines du Guipuzcoa et de la Navarre. Le trafic transpyrénéen est canalisé surtout par la route côtière, mais les autres passages restent aussi très utilisés par les touristes et les frontaliers, depuis la grande époque des pèlerinages de Compostelle *(détails p. 40)*.
Ces passages ne sont excentriques que du point de vue de l'observateur français : replacés dans l'alignement de la façade Nord de la péninsule Ibérique, côte cantabrique comprise, ils occupent une position sensiblement médiane et sont donc les mieux placés pour les communications avec le centre de l'Espagne.

La côte – Les dunes landaises et leurs pinèdes se prolongent au-delà de l'embouchure de l'Adour jusqu'à la pointe de St-Martin, près de Biarritz. Mais, plus au Sud, la ligne de rivage tranche les plis pyrénéens. Les roches, fortement plissées et feuilletées, forment des petites falaises inclinées qui ont fait la réputation pittoresque de la « corniche basque ».

L'avant-pays gascon

Le Bassin Aquitain fait partie des bassins sédimentaires français résultant du comblement d'une fosse ma-

rine. La particularité de la région entre les Pyrénées et la Garonne moyenne réside dans l'importance du remblaiement par d'énormes masses de débris provenant de la désagrégation de la chaîne, à partir de la fin de l'ère tertiaire.

La **molasse** est la formation la plus répandue dans le Pays gascon. Ses bancs de sable, souvent cimentés en grès mous jaunâtres et entrecoupés de lits calcaires et marneux discontinus, déterminent un paysage de collines confus. Les sols de culture se partagent entre les **terreforts**, argileux et lourds à travailler, et les **boulbènes** limoneuses et plus légères mais moins fertiles et plus indiquées pour l'élevage.

Les coteaux de Gascogne – Leurs rivières affluentes de la Garonne divergent vers le Nord en éventail et découpent les collines de l'Armagnac en fines lanières. A la sortie des grandes vallées pyrénéennes (Neste d'Aure, gave de Pau), les torrents se sont déchargés des débris qu'ils charriaient. Ces dépôts auxquels se mêlent d'anciens matériaux morainiques entraînent la pauvreté des sols : on suit ainsi une bande de landes entre le haut **plateau de Lannemezan**, le plateau de Ger à l'Ouest de Tarbes et la lande de Pont-Long, au Nord de Pau.

Les rivières gasconnes, vraisemblablement alimentées par les eaux pyrénéennes avant les dernières glaciations, ont été coupées de leurs sources vives par les moraines qui ont dévié vers l'Est, à la rencontre de la Garonne, l'abondante Neste d'Aure dès sa sortie de la chaîne. Aussi un canal de dérivation branché sur la Neste réalimente-t-il, depuis 1860, en période de sécheresse, la Baïse, le Gers, la Gimone et la Save. Après 1945, le plan d'aménagement des coteaux de Gascogne a mis en œuvre un programme d'irrigation faisant appel non seulement à la Neste, mais aussi aux pompages dans la Garonne et aux réserves de lacs stockant les eaux de ruissellement.

Un arrosage régulier conditionne sur les coteaux de Gascogne la pratique de certaines cultures comme celle des melons et des fraises. Aussi a-t-on vu apparaître dans la région de Nérac et de Lectoure de petites retenues faisant office de réserves d'eau, ainsi que de longues chenilles de plastique jouant le rôle de serres au ras du sol.

Dans le Pays gascon, la vigne ne constitue qu'un des éléments de la polyculture traditionnelle ; la part des vins d'appellation contrôlée, comme le Jurançon et le Madiran, ainsi que celle des vins délimités de qualité supérieure, de Béarn et de Tursan, reste limitée dans l'activité économique.

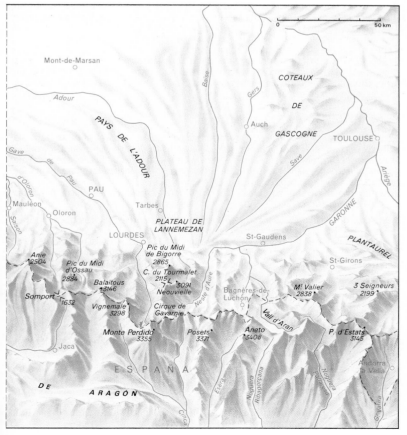

Le pays de l'Adour – La courbe de l'Adour crée une nouvelle ligne maîtresse dans l'hydrographie. La convergence de toutes les rivières et gaves vers Bayonne est l'indice d'un enfoncement persistant du socle sous les mers, depuis la fin de l'ère secondaire.

A l'intérieur de ce grand arc de l'Adour règne un paysage de collines lacérées par les affluents du fleuve. Les versants s'abaissent en terrasses vers les fonds alluviaux cultivés des **rivières** – par exemple la dépression dite Rivière Basse drainée par l'Adour, entre Maubourguet et Aire, et par l'Arros. La géophysique, à l'occasion des sondages de Lacq, a permis de reconnaître, en profondeur, le prolongement des structures plissées pyrénéennes.

L'AGENAIS

Couvrant le département du Lot-et-Garonne, cette région de transition entre le Périgord méridional, le Bas-Quercy et les Landes doit son unité à la vallée de la Garonne.

Dans la partie Nord au climat humide, sur les terrains argileux de Lauzun couverts de pâturages abondent les vaches laitières. Plus à l'Est, entre Monflanquin et Gavaudun, les bois de châtaigniers, de chênes et de pins apparaissent. Dans la région de Fumel, l'exploitation des sables riches en minerai de fer a jadis permis la création de petites usines métallurgiques.

Le pays des Serres – Il s'étend au Sud du Lot. Abandonnant les cultures diverses du Quercy, le paysan tend à spécialiser ses productions. Sur les plateaux limoneux de Tournon-d'Agenais, le blé domine. Sur les pentes, les vignes se multiplient.

La vallée du Lot – C'est un immense verger coupé de jardins et de champs de tabac. Les petits pois, haricots verts et melons de Villeneuve-sur-Lot sont renommés.

La vallée de la Garonne – Elle porte des cultures délicates très variées s'étageant en terrasses, favorisées par la qualité des alluvions et la douceur du climat. Chaque ville ou bourgade possède une spécialité : Agen produit prunes d'ente et oignons. Le **pruneau d'Agen** est obtenu en partant d'une prune fraîche, calibrée à la cueillette et séchée au four ou à l'étuve ; elle provient d'un arbre greffé appelé « prunier d'ente ».

Il en existe plusieurs variétés ; la « Robe-Sergent », sélectionnée, fournit la presque totalité des plantations actuelles. L'origine des pruniers d'ente remonterait à l'époque des croisades. Les moines de Clairac, près de Tonneins, en faisaient au 16e s. une culture rationnelle ; ils furent les premiers à entrevoir l'utilisation de ce fruit. Deux siècles plus tard, le marché de la prune avait pris une telle extension qu'il dut être réglementé. Ste-Marie produit pêches et cerises. Marmande, qui se rapproche du Bordelais, tomates et potirons.

Depuis le 18e s., des plantations de peupliers permettent de tirer profit des terres inondables, le bois servant en menuiserie et papeterie. L'Agenais bénéficie de l'attraction des grandes villes actives, telles Paris, Limoges, Bordeaux, Toulouse, et de la région méditerranéenne.

LE BORDELAIS

Cœur de l'ancienne province de Guyenne, au point de convergence de la Garonne et de la Dordogne, le Bordelais couvre à peu près le département de la Gironde. Drainé par la Garonne et ses affluents vers la zone affaissée de la Gironde, il forme transition entre les plaines calcaires de la Charente et les vastes étendues sableuses des Landes.

La dominante du paysage est, bien entendu, la vigne *(détails sur les vins de Bordeaux p. 33)* à laquelle succède, au Sud, la forêt des Landes.

L'estuaire de la Gironde – L'estuaire évoque, modestement, les étendues marines qui couvraient le Bassin aquitain à l'époque tertiaire.

Sa rive droite est bordée par les collines calcaires des « côtes » de Blaye et de Bourg. Sur la rive gauche, plus basse, des formations calcaires semblables ont été recouvertes de graviers sur lesquels poussent les vignes du Médoc.

Recouvrant ce socle calcaire, les apports de la Garonne et de la Dordogne, brassés par la marée, ont déterminé la formation de marais, séparés de l'eau vive par un cordon alluvial, le « palus ».

Certains de ces marais ont été transformés en polders propices aux prairies ; les autres restent le domaine des oiseaux aquatiques et des chasseurs ; sur les « palus » poussent des vignes (« vins de palus ») et des artichauts.

De grandes îles allongées et des bancs de sable découvrant à marée basse s'étirent au fil de l'eau.

Le Médoc – On divise le Médoc en trois zones : la zone viticole, la forêt en bordure de l'océan et les « palus » qu'interrompent les buttes calcaires de Pauillac et St-Estèphe. La zone viticole produit des vins rouges réputés : au Nord de St-Seurin-de-Cadourne, ces vins sont élaborés en grande partie par des caves coopératives et commercialisés sous l'appellation Médoc ; au Sud, de St-Seurin à Blanquefort, s'étend l'aristocratique Haut-Médoc.

LES LANDES *(1)*

Ce nom de « Landes » évoque l'aspect désolé que présenta la région jusqu'au 19ᵉ s. Une prodigieuse transformation en a fait une immense forêt de pins.

Côtes et dunes – La vaste plaine (14 000 km²) des Landes a la forme d'un triangle ; sa base, de 230 km, est constituée par la côte, de la Gironde à l'Adour : son sommet se trouve à 100 km à l'intérieur.

Cette côte rectiligne, dite **Côte d'Argent**, ne forme, tout d'abord, qu'une immense plage où se déposent les sables apportés par la mer, à raison de 15 à 18 m³ par mètre de côte et par an. Ces sables desséchés, surtout dans la partie du rivage atteinte seulement aux marées d'équinoxe, et transportés par le vent d'Ouest vers l'intérieur, se sont accumulés jusqu'au siècle dernier, formant des dunes qui progressaient à une vitesse de 7 à 25 m par an. Aujourd'hui, boisées et fixées, ces dunes bordent la côte sur une largeur d'environ 5 km. Ce sont les plus étendues et les plus hautes d'Europe.

Étangs et plaine – Les cours d'eau ont été arrêtés par la barrière de dunes. Seule la Leyre (appelée aussi Eyre dans son cours inférieur) fait exception : par le bassin d'Arcachon, elle se déverse directement dans l'océan.

Partout ailleurs se sont formés des étangs dont le plan d'eau se trouve de 15 à 18 m au-dessus du niveau de la mer. Ils communiquent entre eux et leurs eaux se frayent avec difficulté un passage jusqu'à l'océan par des « courants » capricieux dont la descente fait la joie des amateurs de sports nautiques. Les plus typiques sont les courants d'Huchet et de Contis.

La plupart des étangs et courants sont très poissonneux : anguilles, truites, tanches, etc., et procurent des pêches parfois miraculeuses. Mais les vastes plans d'eau des étangs côtiers se prêtent surtout à des équipements nautiques de grande envergure, comme à Bombannes, sur le lac d'Hourtin-Carcans.

Les sables épandus à l'intérieur du pays proviennent de matériaux arrachés aux Pyrénées par les glaciers quaternaires. Ils forment, à environ 50 cm de profondeur, une couche de grès brun, l'**alios**, qui empêche l'infiltration des eaux et arrête les racines. Il fallut plus tard vaincre cet obstacle qui, se conjuguant avec le mauvais drainage de plaines aux pentes insignifiantes, concourait à l'humidité et à la stérilité du sol.

Jusqu'au milieu du 19ᵉ s., la zone intérieure n'a été qu'une lande insalubre, que les pluies transformaient en marécage et où vivait une population de bergers, se déplaçant sur des échasses à la suite de moutons élevés davantage pour l'engrais de leur fumier que pour leur viande ou leur laine.

Le lac de Lacanau

L'Adour, fleuve vagabond – Dans un lointain passé géologique, l'Adour a creusé une profonde vallée, aujourd'hui sous-marine. A 35 km au large, l'entaille atteint 1 000 à 1 500 m de profondeur : c'est le **Gouf de Capbreton**, qui ne se résorbe dans la grande déclivité océanique qu'à 50 km de la côte.

Grâce à des documents anciens, on peut suivre la course capricieuse imposée à l'Adour par les sables. En 907, il abandonne Capbreton et remonte jusqu'à Vieux-Boucau-Port-d'Albret, devenu aujourd'hui Vieux-Boucau-les-Bains. En 1164, il s'ouvre un chemin vers Bayonne, puis revient à Capbreton. Au 14ᵉ s., une terrible

---

(1) Pour plus de détails, lire « Connaître les Landes » (Capbreton, Chabas).

tempête obstrue la passe et l'Adour retourne à Port-d'Albret. Pendant ce temps, Bayonne, ensablée, périclitait. En 1569, Charles IX ordonne d'assurer à l'Adour une embouchure définitive qui sauvegarde le port. Louis de Foix – architecte de l'Escurial – mène l'opération, aidé par une crue providentielle de la Nive. En 1578, un chenal direct est ouvert à travers 2 km de dunes ; Boucau-Neuf est créé. De l'ancien bras, il ne reste que de petits lacs, dont celui d'Hossegor.

La fixation des dunes – L'ingénieur des Ponts et Chaussées **Brémontier** met au point, à partir de 1788, le projet de fixation des dunes envisagé dès le Moyen Âge.

Il construit d'abord une digue destinée à arrêter le cheminement des sables au point de départ. A environ 70 m de la ligne atteinte par les plus hautes mers, il dispose une palissade de madriers contre laquelle le sable s'accumule. Relevant les madriers à mesure que le sable monte, il crée une « dune littorale » de 10 à 12 m de haut, formant barrière. Le sable de la surface est fixé par les semis de **gourbet**, espèce végétale dont l'épais lacis de racines s'étend rapidement. Brémontier s'attaque ensuite au problème de la fixation des dunes intérieures. Des graines de pin maritime, mélangées à des graines d'ajonc et de genêt, sont semées sous une couverture de fagots de branchages qui maintiennent provisoirement les sables. Au bout de 4 ans, le genêt atteint près de 2 m de hauteur. Le pin, d'une croissance plus lente, grandit ainsi protégé et distance bientôt les autres plantes qui, en pourrissant, apportent des éléments organiques, fertilisateurs.

En 1867, le travail est pratiquement terminé : 3 000 ha de dunes littorales sont couverts de gourbet, 80 000 ha de dunes intérieures sont plantés en pins.

L'assainissement de l'intérieur – Au début du 19e s., la plaine intérieure reste mal drainée et rebelle à toute tentative de colonisation agricole. On cherche en vain des palliatifs ; mais c'est finalement sous le Second Empire que l'ingénieur **Chambrelent** met au point la solution décisive.

Après avoir eu l'idée de défoncer la couche d'alios, il établit un plan de drainage, de défrichement et d'ensemencement forestier. Les résultats obtenus justifient la plantation massive de pins maritimes, de chênes-lièges et chênes verts.

Le département des Landes devient alors le plus riche de France et quand certains dénoncent les risques de la monoculture, on passe outre : le pin, c'est la fortune.

Le pin des Landes – Le pin maritime est un arbre peu fourni, mais élégant, dont la croissance est rapide. Depuis l'Antiquité, il a été, dans les Landes, à l'origine d'une activité traditionnelle aujourd'hui révolue : le **gemmage** (ou récolte de la résine). Autrefois, le gemmeur incisait périodiquement le pin à l'aide d'un « hapchot ». Par cette plaie, la gemme coulait dans des petits pots de terre « cramponnés » au fût ou dans des sachets en plastique. Les techniques modernes avaient introduit l'acide sulfurique qui activait le processus et avait l'avantage de réduire considérablement la blessure faite à l'arbre. Aujourd'hui ne subsistent plus que les industries de transformation utilisant la résine des pays producteurs (Grèce, Portugal, Chine) pour assurer la production de produits dérivés (colophane, essence de térébenthine).

La forêt en danger – Les pins maritimes couvrent 950 000 ha environ.

Pour préserver cette magnifique forêt, très vulnérable à l'incendie, un corps de sapeurs-pompiers forestiers a été créé. De nombreux observatoires reliés par téléphone et radio permettent la détection rapide des feux. Un réseau de pare-feu, et surtout de pistes facilitant l'accès en tous temps et dans les moindres délais du matériel de lutte, a été fortement amélioré. Des points d'eau ont été établis. Enfin, pour obtenir des coupures plus larges et en même temps assurer le maintien sur place des populations, l'extension des cultures a été encouragée. Par ailleurs, les exploitations, la circulation et le camping sont strictement réglementés.

LES GROTTES

Voir également le guide Vert Michelin Pyrénées Roussillon Albigeois.

Les grottes offrent au touriste des spectacles de la nature inconnus à la surface du sol : formes rocheuses défiant les caprices de l'imagination, concrétions délicates étincelantes de blancheur, miroirs d'eau ou calmes lacs souterrains incroyablement limpides, gisements attestant le passage des hommes de la préhistoire.

L'infiltration des eaux – Sur les massifs calcaires très fissurés – comme on en rencontre dans les Pyrénées du bord de la Méditerranée (Font-Estramar) aux soubassements du mont Perdu à près de 3 000 m d'altitude – les eaux de pluie ne circulent pas à la surface du sol ; elles s'infiltrent. Chargées d'acide carbonique, elles dissolvent le carbonate de chaux contenu dans le calcaire. Alors se forment des dépressions générale-ment circulaires et de di-

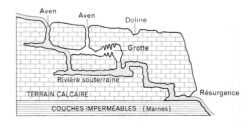

Circulation souterraine des eaux

mensions modestes appelées **dolines.** Si les eaux de pluie s'infiltrent plus profondément par les innombrables fissures qui fendillent la carapace calcaire, le creusement et la dissolution de la roche engendrent la formation de puits ou abîmes naturels : les **avens.** Peu à peu les avens s'agrandissent, se prolongent par des galeries souterraines qui se ramifient, communiquent entre elles et s'élargissent en grottes.

Rivières souterraines et résurgences – Les eaux d'infiltration atteignant le niveau des couches de terrains imperméables (marnes ou argiles) sont à l'origine d'un véritable réseau de rivières souterraines dont le cours se développe parfois sur plusieurs kilomètres. Les eaux se réunissent, finissent par forer des galeries, élargissent leur lit et se précipitent souvent en cascades. Lorsque la couche imperméable affleure au long d'une pente au flanc d'un versant, le cours réapparaît à l'air libre en source plus ou moins puissante ; c'est une **résurgence.**

La circulation souterraine des eaux à travers les puits et les galeries est tout à fait instable car la fissuration de la roche affecte continuellement le drainage du sous-sol. Nombreux sont les anciens lits abandonnés au profit de galeries plus profondes qu'emprunte la rivière actuelle. L'exemple de Bétharram est remarquable à cet égard.

Lorsqu'elles s'écoulent lentement, les eaux forment de petits lacs délimités par des barrages naturels festonnés. Ce sont les **gours** dont les murettes sont édifiées peu à peu par dépôt du carbonate de chaux sur le bord des flaques d'eau qui en sont saturées.

Il arrive qu'au-dessus des nappes souterraines, la dissolution de la croûte calcaire se poursuive : des blocs se détachent alors de la voûte, une coupole se forme, dont la partie supérieure se rapproche de la surface du sol. Lorsque la voûte de cette coupole devient très mince, un éboulement découvre brusquement la cavité et ouvre un gouffre.

Formation des concrétions – Au cours de sa circulation souterraine, l'eau abandonne le calcaire dont elle s'est chargée en pénétrant dans le sol. Elle édifie ainsi un certain nombre de concrétions aux formes fantastiques. Dans certaines cavernes, le suintement des eaux donne lieu à des dépôts de calcite (carbonate de chaux) qui constituent des pendeloques, des pyramides, des draperies, dont les représentations les plus connues sont les stalactites, les stalagmites, les excentriques.

Les **stalactites** se forment à la voûte de la grotte. Chaque gouttelette d'eau qui suinte au plafond y dépose, avant de tomber, une partie de la calcite dont elle s'est chargée.

Peu à peu s'édifie ainsi la concrétion le long de laquelle d'autres gouttes d'eau viendront déposer leur calcite.

Les **fistuleuses** sont des stalactites offrant l'aspect de longs macaronis effilés pendant aux voûtes.

Les **stalagmites** s'élèvent du sol vers le plafond : les gouttes d'eau tombant toujours au même endroit déposent leur calcite qui forme peu à

Grotte à concrétions (Bétharram)
1. Stalactites – 2. Stalagmites
3. Colonne en formation
4. Colonne formée.

peu un cierge. Celui-ci s'élève, à la rencontre d'une stalactite avec laquelle il finira par se réunir pour constituer une colonne.

La formation de ces concrétions est extrêmement lente ; elle est, actuellement, de l'ordre de 1 cm par siècle sous nos climats.

Les **excentriques,** très fines protubérances dépassant rarement 20 cm de longueur, se développent en tous sens sous forme de minces rayons ou d'éventails translucides. Des phénomènes complexes de cristallisation les libèrent des lois de la pesanteur.

Les campagnes d'E.-A. Martel et de Norbert Casteret – Envoyé dans les Pyrénées en mission hydrologique par le ministère de l'Agriculture, **E.-A. Martel** (1859-1938) a visité de nombreuses cavités, durant quatre mois de campagnes étalées de 1907 à 1909 : grottes ou résurgences de Bétharram, gorges de Kakouetta et d'Holçarté, etc. Fort de la somme considérable de ses observations, Martel, particulièrement intéressé par les eaux courantes souterraines, voulut surtout promouvoir la lutte contre la pollution des sources contaminées par les transits des eaux dans des gouffres servant de décharge aux paysans.

Norbert Casteret (1897-1987) a relaté ses premières aventures, parfois téméraires (franchissement d'un siphon en plongée libre, en 1922), puis les expéditions auxquelles il a collaboré, dans une trentaine d'ouvrages qui suscitèrent de très nombreuses vocations. Il prouva en 1931 l'existence d'une percée hydrogéologique de la Garonne sous le massif de la Maladetta en Espagne.

Les grands réseaux – Leur exploration devint, surtout à partir de 1950, le but d'expéditions méthodiquement organisées. L'allègement du matériel de descente, mis au point dès 1930 par Robert de Joly et perfectionné depuis suivant des techniques proches de l'alpinisme, permet de limiter l'importance des équipes de surface.

LES EAUX SOUTERRAINES
◇ Grand réseau et rivière souterraine   ◆ Résurgence reconnue
▨ Zone calcaire fissurée

Le réseau Trombe – La prospection du massif d'Arbas-Paloumère, commencée en 1940 par la reconnaissance du gouffre de la Henne-Morte par Norbert Casteret et Marcel Loubens, a abouti, à partir de 1956, à la découverte du réseau Trombe, percée hydrogéologique de 30 km de développement total, entre 1 410 m et 480 m d'altitude.

Le réseau de la Pierre-St-Martin – En août 1950, au cours d'une prospection des « arres » *(voir p. 57)*, le physicien belge Max Cosyns et le spéléologue Georges Lépineux font descendre leur sonde par un orifice tout proche du col jusqu'à une profondeur de 346 m, reconnaissant ainsi un abîme d'une exceptionnelle verticalité. Dès lors les expéditions se succèdent. En 1951, Lépineux descend au fond du puits, qui porte son nom, et Marcel Loubens, le relayant, entend puis atteint vers 450 m de profondeur une rivière souterraine. Endeuillée par la mort de Loubens (1952) trahi par le serre-câble du câble de suspension, l'équipe reconstituée en 1953 dévale un chapelet de grandes salles et découvre la gigantesque salle de la Verna (longueur : 230 m, largeur : 180 m, hauteur : 150 m).
Compte tenu de la découverte de nouveaux puits, la dénivellation du réseau de la Pierre-St-Martin atteignait 1 332 m en 1979.

« Les parois sont tapissées, surchargées de myriades de houppettes, de pompons blancs qui forment le plus délicat et le plus somptueux décor que l'on puisse imaginer. Je m'arrête stupéfait devant d'énormes floraisons scintillantes qui pendent du plafond comme des brassées de lilas blancs. Ces gerbes de fleurs minérales sont suspendues à hauteur de mon visage. Je les scrute en détail, j'en fais le tour, retenant instinctivement mon souffle tant ces édifices en dentelle paraissent fragiles. Cependant, dans le calme solennel de la caverne où rien ne bouge, où aucun souffle d'air n'existe, où la température demeure immuable, ces *Lilas blancs* se sont élaborés, ont fleuri au cours de siècles et de millénaires sans nombre. [...]
J'ai dépassé les bouquets de lilas ; le décor se prolonge aussi féerique. Non seulement les parois sont toujours tendues de velours de calcite et d'aragonite, mais le sol lui-même scintille car il est parsemé d'aiguilles et de fils de gypse aussi fins que les fils d'araignée. Je m'efforce de marcher sans écraser ces merveilles. Du plancher, mes regards remontent vers le plafond d'où descendent en girandoles renversées et extravagantes un assortiment de stalactites excentriques les plus tourmentées et les plus originales que j'aie admirées sous terre. »
(Norbert Casteret, *Ma vie souterraine – mémoires d'un spéléologue, 1960*)

L'attrait de la montagne

LE PYRÉNÉISME

Le pyrénéisme – c'est-à-dire l'étude et la pratique de la montagne pyrénéenne – a gardé de ses origines une empreinte de ferveur et d'élégance, héritée du tempérament des premiers grands ascensionnistes, férus de fortes impressions ou de douces rêveries.

Les contemplatifs – **Ramond de Carbonnières** (1755-1827), secrétaire du cardinal de Rohan, arrive aux eaux de Barèges en 1787. Du sommet du pic du Midi de Bigorre, il contemple, fasciné, le mont Perdu, « la plus belle montagne calcaire ». Ses pérégrina-tions, interrompues par l'instabilité des carrières politiques, le conduisent enfin en 1802 à la cime convoitée.

Foller/VISUEL

Le comte **Henry Russel** (1834-1909), de sang irlandais et gascon à la fois, a déjà contemplé les Andes et l'Hima-laya au cours de ses voyages. Pourtant c'est à l'exploration des Pyrénées qu'il se voue à partir de la trentaine. Il a une dilection particulière pour le Vigne-male – qu'il gravit 33 fois – se faisant aménager près du sommet 7 « villas » (grottes-abris). Ses ouvrages suscitè-rent de nombreuses vocations.

Le pyrénéisme professionnel – Les relevés géodésiques et topographi-ques préparant l'édition de la carte d'état-major ont fourni l'occasion d'exploits restés longtemps inconnus *(voir p. 107)*. Outre les militaires, de grands cartographes ont œuvré à titre privé pour une meilleure connaissance des Pyrénées. Le Bordelais **Franz Schra-der** (1844-1924), géographe et alpi-niste, auteur d'un fameux atlas de géographie, réunissait des capacités de topographe, de dessinateur et de graveur qu'il employa à lever et à dresser une carte des Pyrénées cen-trales au 1/100 000. La moisson de renseignements réunis par Schrader, Wallon, de Saint-Saud sur le versant espagnol et exploités par le colonel Prudent pour une carte de France officielle au 1/500 000 (1871-1893) est si abondante que certains membres du Club Alpin Français s'étonnèrent à l'époque de la part trop belle faite aux Pyrénées dans leur annuaire.

LA CONQUÊTE DES SOMMETS

Les pyrénéistes avaient de la montagne une conception esthétique et sentimentale autant que sportive ; aussi la période de l'escalade athlétique ne débuta-t-elle qu'après 1870.

Les grands terrains d'escalade – Le **massif de Luchon** prend tout son caractère dans le cirque d'Espingo (refuge du CAF), à l'origine de la vallée d'Oô, aux parois de granit franc et à la fine guirlande glaciaire. Le souvenir du Dr Jean Arlaud (1896-1938), pionnier du ski et animateur de l'alpinisme auprès des jeunes, y reste vivant.

Henri Brulle (1854-1936), le précurseur des grandes escalades, inaugura après 1870 les courses appelées plaisamment « jeux du cirque » sur les parois de **Gavarnie**. Les guides de Gavarnie coopérèrent de façon étroite à ses victoires.

Le **Vignemale** montre dans l'enfilade du val de Gaube le couloir de Gaube, « fascinante et provocante cheminée de neige et de glace... vertigineuse et haute de 600 m », selon le récit des premiers ascensionnistes, Brulle et le guide Célestin Passet (1889). Les difficultés et obstacles accumulés sur cette voie – pente variant entre 45° et 65°, bloc coincé surplombant, mur de glace – firent échouer longtemps les autres tentatives. La seconde victoire ne fut acquise qu'en 1933.

Le **Balaïtous**, massif granitique le plus secret des Pyrénées centrales, n'offre pas d'escalades présentant de très hautes difficultés techniques mais un parcours aérien admirable : la crête du Diable.

Le **pic du Midi d'Ossau** est le stade d'escalade des Palois, très fréquenté en fin de semaine. Le **cirque calcaire de Lescun** offre le dernier ensemble « alpin » des Pyrénées, à l'Ouest (aiguilles d'Ansabère).

Flore et faune des Pyrénées

LA VÉGÉTATION DANS LES PYRÉNÉES

La végétation des Pyrénées est de trois types, selon l'aire géographique à laquelle elle se rattache. A l'Ouest, elle est atlantique, dans les Pyrénées centrales, elle est continento-montagnarde et à l'Est, elle est méditerranéenne *(voir le guide Vert Michelin Pyrénées Roussillon Albigeois).* Sa diversité dépend également, comme partout ailleurs en montagne, de son étagement, c'est-à-dire de son altitude. A l'étage le plus bas, c'est-à-dire en-dessous de 800 m (étage collinéen), la montagne pyrénéenne se couvre de forêts de chênes : chênes pédonculés et chênes pubescents sont deux espèces typiquement atlantiques. Entre 800 et 1 700 m d'altitude, l'étage montagnard est le domaine du hêtre (en bas des pentes) et du sapin (en haut des pentes) dont les forêts abritent en sous-bois une végétation touffue. Entre 1 700 et 2 400 m d'altitude, l'étage subalpin est couvert de pins à crochets (très présents autour du cirque de Gavarnie), qui se mêlent, vers 1 700 m, aux bouleaux ou aux sorbiers des oiseleurs. Vers 2 400 m, des forêts claires avoisinent les landines couvertes de rhododendrons et les pelouses alpines parsemées de fleurs. De 2 400 à 2 800 m d'altitude, à l'étage alpin, peu d'arbres subsistent à part le saule nain ; une végétation bariolée et basse, voire à ras de terre, règne en maître. Au-delà de 2 800 m, le paysage de l'étage nival est composé de rocs sur lesquels s'accroche une végétation rudimentaire : mousses et lichens, qui résistent pendant les longs mois d'enneigement.

La flore pyrénéenne est exceptionnelle du fait du nombre important d'espèces endémiques : ce sont des fleurs qu'on ne trouve nulle part ailleurs et dont les origines remontent parfois à l'ère tertiaire, lorsque le climat était subtropical, telle la ramondia, petite plante aux fleurs d'un violet profond et aux feuilles veloutées. On peut découvrir d'innombrables espèces aux étages montagnard, alpin et subalpin : **lys des Pyrénées,** saxifrage à feuilles longues, chardon bleu des Pyrénées, silène acaule, vélar des Pyrénées, pavot du Pays de Galles, iris xiphoïde (que l'on rencontre surtout autour du cirque de Gavarnie), etc. Leur période de floraison se situe en juin-juillet ainsi qu'en août pour la haute montagne.

LA FAUNE MONTAGNARDE

A chaque étage correspond une faune spécifique. Parmi les animaux protégés, l'**ours brun,** malheureusement rarissime, vit aujourd'hui dans les forêts de l'étage montagnard où survivent aussi les derniers lynx (on ne sait pas exactement combien il en reste). L'**isard** préfère la pelouse et les rochers de l'étage alpin, terrain de prédilection pour ses sauts acrobatiques à flanc de montagne. A plus de 1 500 m d'altitude, les berges des torrents abritent le **desman,** rongeur spécifiquement pyrénéen, ressemblant à une taupe qui mesurerait 25 cm de longueur. Autrefois vides de poissons, les lacs et les rivières sont aujourd'hui peuplés de saumons et de truites, dont la truite fario, introduite par le Parc National en raison de sa bonne adaptation au milieu naturel. L'**euprocte des Pyrénées,** sorte de triton au ventre jaune, se cache sous les galets des rivières pyrénéennes. Dans les airs, on peut voir planer plusieurs espèces de rapaces : l'aigle royal, qui vole en solitaire, et le **vautour fauve,** qui se déplace toujours en groupe. Le gypaète barbu, le plus grand des rapaces d'Europe, reste très rare. Le **grand tétras** se rencontre dans les sous-bois, où il trouve de quoi se nourrir (graines, myrtilles, framboises, bourgeons de résineux). A la saison des amours, il exécute une parade amoureuse animée et bruyante. Enfin, c'est au petit matin que l'on peut voir les **marmottes** sortir de leur terrier et s'adonner à leurs occupations quotidiennes : repas, siestes, jeux et séances de guet.

Observer les animaux des montagnes

La rencontre fortuite d'animaux sauvages est assez rare, ces derniers se retranchant généralement le plus loin possible des hommes. Il s'agit donc de favoriser la rencontre. La première technique consiste à marcher silencieusement, c'est-à-dire en évitant les branches qui craquent et les conversations à voix haute. Au milieu de ce silence, d'une part les animaux sauvages ne s'enfuiront pas, d'autre part, vous aurez peut-être l'occasion d'entendre des cris, des pas, tout bruit indiquant la présence d'un animal dans les parages. Un sens de l'observation développé peut, à défaut de voir de visu un animal, éveiller votre curiosité à l'égard de celui-ci : les traces de pas dans la neige ou la terre, les restes de nourriture (coquilles de noix, pommes de pin rongées, baies grignotées...) ainsi que les excréments apportent nombre de renseignements sur les habitudes de vie. Enfin, il faut savoir que certains moments de la journée ou époques de l'année sont plus propices que d'autres à l'observation des animaux : la plupart d'entre eux sortent au crépuscule ou à l'aube, tandis qu'au printemps les mâles cherchent leur femelle, s'avançant parfois près des sentiers parcourus par les humains. En hiver, les animaux de montagne hibernent pour la plupart, il vaut donc mieux attendre la fonte des neiges pour espérer les rencontrer.

Faune des Pyrénées

① Vautour fauve

③ Isard

② Grand tétras

④ Desman des Pyrénées

⑤ Ours brun

⑥ Euprocte des Pyrénées

⑧ Truite fario

⑦ Marmotte

Jeux et sports

La pelote basque – Depuis 1900, la formule de pelote basque la plus goûtée des touristes est le jeu au **grand chistera**, tirant son nom de la caractéristique gouttière en osier prolongeant le gant protecteur. Ce « grand jeu », à 2 équipes de 3 joueurs, fut popularisé par les prouesses de Joseph Apesteguy (1881-1950), devenu célèbre sous le nom de Chiquito de Cambo.

La pelote, plus grosse qu'une balle de tennis, doit allier la dureté à l'élasticité. Elle comporte un noyau de buis ou de caoutchouc enrobé de laine et garni de cuir de chevrette ou de veau. Lancée contre le mur du fronton, elle est reprise, de volée ou après un premier rebond, à l'intérieur des limites tracées sur le terrain.

Une variante du jeu de chistera, très spectaculaire et athlétique aussi, connaît une

F. Jalain/EXPLORER

faveur plus récente : c'est la **cesta punta**, importée d'Amérique latine. Elle se joue sur un fronton espagnol couvert (jaï alaï) à 3 murs (devant, derrière, à gauche). Le but se marque, sur le « mur à gauche », entre deux des lignes verticales numérotées. Les connaisseurs basques préfèrent d'autres jeux, plus anciens et plus subtils : le « jeu net » (**yoko-garbi**) au petit gant (chistera de petit format), le jeu **à main nue**. Le jeu de **rebot** se joue à deux équipes se faisant face. Pour engager le point, le buteur fait rebondir la pelote sur un billot et la lance à la volée, vers le mur, dans le camp adverse.

On retrouve dans les jeux en **trinquet**, pratiqués en salle, le cadre des anciens jeux de paume. L'aménagement abonde en chicanes favorisant l'astuce aux dépens de la force. La pelote est lancée soit à main nue, soit avec une palette de bois (paleta), soit avec la raquette argentine (jeu de sare).

Dans le jeu de **pasaka**, pratiqué avec le gant, les joueurs se font face comme au tennis, de part et d'autre d'un filet.

Partie de pelote basque
à St-Pée-sur-Nivelle

Dans les grandes parties, les « pelotaris » des deux camps rivaux, en chemise et pantalon blancs, se distinguent par la couleur de leur ceinture (cinta), bleue ou rouge. Ils bondissent d'un bout à l'autre de la piste et renvoient la balle d'un puissant moulinet de bras. Le « chacharia » (crieur) compte les points d'une voix sonore.

La force basque – Le goût du défi est un trait essentiel du caractère basque. Ainsi la force basque met en concurrence des équipes de 12 colosses venus défendre l'honneur de leur village. Chacun des équipiers a sa spécialité parmi les huit épreuves, inspirées des activités quotidiennes à la ferme : **orga yoko** (lever de la charette) consiste à faire tourner à bout de bras une charette de 350 kg sur son timon, en parcourant la plus grande distance possible ; **aizkolari** (bûcherons) à couper à la hache des troncs de 35 à 60 cm de diamètre le plus vite possible ; **segari** (scieurs de bois) à scier 10 troncs de 60 cm de diamètre, toujours le plus rapidement possible ; **zakulari** (porteurs de sac) à courir avec un sac de 80 kg sur les épaules ; **lasto altsari** (lever de bottes de paille) à hisser à 8 mètres de hauteur une botte de paille de 45 kg le plus grand nombre de fois possible en deux minutes ; **harri altxatzea** (lever de pierres) à lever des pierres de 250 ou 300 kg le plus de fois possible ; **esneketariak** (épreuve des bidons de lait) à parcourir la plus grande distance avec deux bidons de 40 kg à chaque main ; enfin **soka tira** (tir à la corde), épreuve reine, oppose deux équipes de 8 hommes tirant chacun de leur côté une corde afin que le milieu de la corde (marqué par un foulard noué) franchisse un repère au sol.

Le festival de force basque a lieu tous les ans à la mi-août à St-Palais, en Basse-Navarre, et ce, depuis 1951. On peut voir d'autres démonstrations (championnats de force basque) à St-Jean-Pied-de-Port, Hendaye, St-Étienne-de-Baïgorry et St-Sébastien, côté espagnol. A Mauléon a lieu le Challenge des villages de Soule.

Jeux de force basque

Lasto altsari
(lever de bottes
de paille)

Aizkolari aidian
(bûcheron en l'air)

Zakulari
(port de sac)

Orga yoko
(lever de la charette)

Soka tira
(tir à la corde)

Segari
(scieurs de bois)

Le rugby – Le rugby, dont l'ancêtre est la « soule » pratiquée au Moyen Âge en France et en Grande-Bretagne, s'est vigoureusement installé le long de la chaîne pyrénéenne à partir de 1900. Il a modelé un nouveau type de Gascon, successeur étoffé des mousquetaires : stature imposante, tenue soignée, verbe haut allant dans les moments d'émotion jusqu'aux violences verbales, mais sans grossièreté.

Le rugby a sa presse (Midi Olympique), sa bibliothèque (une centaine de titres), son sanctuaire (Notre-Dame-du-Rugby à Larrivières, Landes – Carte Michelin nº 82 pli 1, Sud de Grenade-sur-l'Adour) et ses hérétiques, les tenants languedociens du jeu à XIII (Carcassonne, Lézignan, Limoux).

On trouve en Gascogne quelques équipes féminines, jouant la « barette » (les « Lionnes » d'Auch). La barette est un jeu dérivé du rugby dans lequel le placage a été supprimé.

On l'appelle également rugby du toucher, le joueur en possession du ballon doit aussitôt faire une passe dès qu'il a été touché par un adversaire.

La course landaise – Depuis des siècles, la passion de « faire courir » habite les Gascons. Bien que la course espagnole (corrida ou novillada) se soit acclimatée aujourd'hui dans les Landes, entre l'Adour et le bassin d'Arcachon, la course landaise reste la forme la plus goûtée de la tauromachie en Gascogne.

Dérivée de courses plus ou moins « sauvages » de vaches dans les rues, la course landaise devint plus palpitante vers 1850 avec l'intervention des écarteurs. L'écarteur doit affronter une vache de course, dont l'origine espagnole ou camarguaise garantit la combativité. Il doit esquiver par un saut, un écart ou une « feinte » – mouvement tournant du buste et des bras – le coup de tête de la bête maintenue en ligne par un teneur de corde au poignet souple et précis. Par souci de sécurité, les cornes sont emboulées ; il n'y a pas de mise à mort.

D'autres formules plus facétieuses ont été introduites : ce sont les tours d'adresse de la course mixte (par exemple prise d'une cocarde fixée au frontal de la vache). Les sauts périlleux de « l'ange », à pieds joints, à la course, au-dessus de la vache sont très appréciés du public. La Chalosse est la région la plus passionnée par ce jeu.

La corrida – Ce sport espagnol s'est imposé dans le Sud-Ouest au 19e s. Le spectacle débute par le passage des *bandas* (groupes musicaux) à travers les rues de la ville puis la corrida se déroule dans une arène, suivant les mêmes règles qu'en Espagne, ne prenant fin qu'à la mort du taureau. Quatre principales férias se déroulent chaque saison : la Féria de Vic-Fezensac (Pentecôte), les fêtes de la Madeleine à Mont-de-Marsan (2e quinzaine de juillet), les corridas de Bayonne (autour des 5 et 6 août et vers le 15 août) et celles de Dax (vers le 15 août et le 2e week-end de septembre).

Le surf – Plus de 300 km de littoral séparent la Pointe de Grave d'Hendaye, constituant un véritable paradis pour les amateurs de sports de glisse sur eau : c'est en automne, durant les grandes marées, que les vagues sont les plus hautes et les plus longues. Toutefois la Côte d'Argent a l'avantage d'offrir aux surfeurs de bonnes vagues durant toute l'année. Aussi les « spots », plages propices au surf, sont-ils nombreux sur la côte atlantique.

Né aux îles Hawaï, le surf était à l'origine réservé à l'élite locale, avant de se répandre en Californie, en Australie puis dans le monde entier. Il arrive en France en 1936 et les premiers championnats de France ont lieu en 1965. Ce sport de glisse consiste à gagner le large allongé sur une planche longue de 1,75 m à 2,10 m et large de 50 cm puis à regagner le rivage en se laissant porter par une vague déferlante. Figures diverses et virages font partie de l'épreuve.

D'autres sports de glisse, dérivés du surf, sont pratiqués sur la côte atlantique. Le **longboard**, pratiqué sur une planche plus longue, privilégie les figures acrobatiques sur les longues vagues ; le **skimboard** consiste à prendre la vague à l'envers, en courant de la plage vers le large et lançant la planche sur l'eau avant de sauter dessus ; avec le **bodyboard**, ou morey, le sportif reste allongé sur la planche et, en s'aidant de palmes, effectue diverses figures (tour, saut, etc.) ; enfin, le **bodysurf**, très pratiqué dans le golfe de Gascogne, consiste à prendre la vague déferlante sans aucun accessoire (éventuellement en s'aidant de palmes).

Trois grandes manifestations ont lieu tous les ans : le Biarritz Surf Festival (dernière semaine de juillet), le Quick Silver Biarritz Surf Master (fin août) et la Coupe de France de Surf, sur la côte basque (14 juillet). D'autre part, quelques-unes des plus importantes étapes du Championnat professionnel de Surf se déroulent à Lacanau, Biarritz et Hossegor.

Pour organiser vous-même votre voyage
vous trouverez, au début de ce guide,
la carte des principales curiosités et un choix d'itinéraires de visite.

Identités linguistiques

LA LANGUE D'OC

De la fusion du latin vulgaire en usage parmi les populations de l'Empire romain avec la langue parlée en Gaule avant l'invasion est né un groupe de langues « romanes ». Le groupe se divise en langue d'Oïl et langue d'Oc, ainsi nommées pour la façon dont on disait « oui » en chacune d'elles.

Cette distinction qui se dessine dès l'époque mérovingienne est assez avancée aux 10e et 11e s. pour que ces deux langues entrent séparément dans la littérature.

Approximativement, la langue d'Oc – ou occitan – était en usage au Sud d'une ligne qui, partant du confluent de la Garonne et de la Dordogne, remonterait vers Angoulême, passerait à Guéret, Vichy, St-Étienne, Valence, jusqu'à la frontière italienne. Plusieurs dialectes la composent : le limousin, l'auvergnat, le provençal, le languedocien, le gascon. Le catalan et le corse, expressions de cultures indépendantes, ont, dans le domaine linguistique, de nombreuses affinités avec l'occitan. L'emploi des termes, naguère savants ou littéraires, d'« Occitanie », de « peuple occitan » s'est vulgarisé de nos jours pour manifester une communauté de culture, à l'intérieur de ces limites.

La langue des troubadours – Du Limousin à la Méditerranée, les troubadours n'ont pas écrit dans leur dialecte propre mais dans une langue littéraire harmonisée. Ce phénomène du « classicisme » donne à la langue occitane sa dignité : Dante hésita entre le provençal et le toscan pour écrire sa *Divine Comédie*.

Étapes d'une renaissance – La langue d'Oc, qui était au Moyen Âge la seule langue administrative écrite, avec le latin, perdit son caractère officiel avec l'édit de Villers-Cotterêts.

Depuis le 19e s., l'espoir renaît d'enrayer son déclin, tout au moins comme langue de culture.

1819 – Le Parnasse occitanien, de Rochegude (publication des poésies originales des troubadours).

19e s. – Nombreuses études savantes des « romanistes » germaniques.

1854 – Fondation du Félibrige *(voir le guide Vert Michelin Provence)*. Avec Mistral et Roumanille, le provençal littéraire devient le principal bénéficiaire d'une première réforme de l'orthographe et de l'épuration de la langue d'Oc.

Vers 1900 – Le terme « occitan » se vulgarise. La recherche d'une certaine unité de langue s'impose aux poètes et aux érudits languedociens, qui tendent à s'écarter de la tradition du Félibrige.

1919 – Fondation de l'Escola Occitana. Les spécialistes se basent sur le parler languedocien et mettent au point une orthographe normalisée, tenant le plus grand compte de l'ancienne langue des troubadours et compatible avec tous les parlers d'Oc.

1945 – Création à Toulouse de l'Institut d'Études Occitanes, qui diffuse cette réforme linguistique.

1951 – La « loi Deixonne » revient sur l'interdiction des « patois » à l'école.

1970-1971 – Les langues régionales sont introduites parmi les épreuves facultatives du baccalauréat.

Le « bordeluche »

Issu du gascon, le « bordeluche » fut longtemps le parler des quartiers populaires de Bordeaux. Sur le marché des Capucins, au contact des « étrangers » venus du Périgord, de l'Agenais, du Médoc, de la Chalosse et même d'Espagne, il s'est enrichi d'expressions truculentes et imagées. C'est un parler vrai et affectif qui, aujourd'hui, réapparaît sur les places et les marchés de Bordeaux.

Loin des conventions, le « bordeluche » est fait de mots simples, évoquant la vie de tous les jours : une *mounaque*, c'est une poupée et par extension une femme quelconque ; *grigoner* signifie nettoyer, se *harter* se goinfrer ; une *escarougnasse* est une égratignure ; être *dromillous*, c'est être mal réveillé, attardé ; une *bernique* est une femme maniaque du ménage et de la propreté, un *sangougnas* un homme sans goût ; celui qui est *quintous* est coléreux ; s'il est *pignassous*, c'est qu'il est fâché ; enfin, avoir les *monges*, c'est avoir peur.

Quelques lieux où entendre parler « bordeluche » : le marché des Capucins, rue Elie-Gintrac, le marché de la place St-Pierre, les estaminets de Bacalan, l'ancien quartier des marins et des dockers, le café-théâtre l'Onyx, rue Philippard, et la rue des Faussets, la nuit.

EUZKARA – LA LANGUE BASQUE

Les origines du basque restent, encore aujourd'hui, inconnues mais on sait que son implantation est antérieure à celle des langues indo-européennes. Sa longue histoire perdure de nos jours puisque 21 % de la population basque le parle, en particulier en famille et entre amis. En Basse-Navarre et dans la Soule, plus de la moitié de la population le pratique quotidiennement.

L'alphabet basque est phonétique ; on prononce toutes les lettres. Certaines lettres se prononcent différemment du français : le E se dit é, le U ou, le G gu, le N nn, le Z s, le S sh et le X ch. La grammaire du basque est d'une grande complexité et sa syntaxe parfois originale (par exemple, l'élément le plus important d'un point de vue sémantique se place devant le verbe).

Des écrivains de langue basque ont publié des œuvres littéraires dès le 16e s., en particulier au Sud, en Espagne. Au 17e s., **Pedro de Agerre Axular** publie *Gero* (1643), œuvre phare de la littérature basque. Un siècle plus tard naît une grande école littéraire autour d'auteurs espagnols comme **Mendiburu, Kardaberaz** et **Ubillos,** malgré l'interdiction qui est faite de publier dans une autre langue que le castillan. Ainsi, c'est de ce côté de la frontière que commencent la défense et le développement du basque qui aboutissent, au 19e s., à un véritable nationalisme linguistique, largement exploité par Sabino Arana Goiri, fondateur du Parti Nationaliste Basque (1892). En 1919 est créée l'Académie de la Langue Basque, **Euskaltzaindia,** qui rassemble les intellectuels basques espagnols puis français. Des poètes comme Lizardi, Larraxeta et Orixe se font connaître dans le monde littéraire des années 1930, élan vite coupé par la guerre civile. De 1937 à 1950, le régime franquiste oblige les Basques espagnols à pratiquer leur langue clandestinement. Dans les années 60, le basque reprend ses droits et il est introduit dans les textes scolaires. Aujourd'hui, Euzkara est enseigné de la maternelle au secondaire dans des écoles appelées **ikastola** (17 du

Panneau bilingue franco-basque

côté français, 168 du côté espagnol). Au Pays Basque français, le jeune étudiant peut, s'il le désire, poursuivre un cursus universitaire en basque (depuis 1984). Les médias ne sont pas en reste puisque le quotidien unilingue **Egunkaira** est tiré à 12 000 exemplaires et que les enfants ont leur mensuel, Xirrista (2 000 abonnés). Du côté espagnol, une chaîne de télévision, Euskal Telebista 1, diffuse des programmes en basque. Du côté français, Radio France Pays Basque propose une heure d'émission en basque chaque jour. Notons enfin que la signalisation routière est partout bilingue.

Petit lexique basque

Aita : père
Ama : mère
Arbola : arbre
Éliza : église
Ez : non
Gasna : fromage
Harroka : rocher
Hedoi : nuage
Itsaso : océan, mer
Pastiza : gâteau
Su : feu
Uri : pluie

Les jours de la semaine :

Astelehen : lundi
Astearte : mardi
Asteazken : mercredi
Ortzegun : jeudi
Ortzivale : vendredi
Neskenegun, irakoitz, larunbat : samedi
Igande : dimanche

La table

De l'embouchure de la Gironde à celle de la Bidassoa, de l'embouchure de la Bidassoa aux rives de la Garonne, des rives de la Garonne à celles de la Dordogne, sans oublier celles du Gers, la gastronomie est à l'honneur. Elle reflète le caractère de chaque province dont elle contribue à maintenir la renommée.

La cuisine bordelaise – La cuisine bordelaise dépend en partie de la pêche dans l'estuaire de la Gironde qui lui apporte des produits de qualité : aloses, saumons, éperlans, lamproies (poissons de forme allongée à chair délicate), anguilles.
Bon nombre de plats sont agrémentés d'une sauce au vin (quoi de plus naturel dans une région productrice de vins sublimes) dite « bordelaise ». Ainsi dégustera-t-on lamproies, moules, cèpes, aubergines, entrecôtes « à la bordelaise ».
Les huîtres du bassin d'Arcachon combleront les amateurs de fruits de mer.

La cuisine basque – La cuisine basque, fortement assaisonnée et pimentée (piments rouges d'Espelette), fait largement appel aux produits de la mer : morue, merlu (merluza), thon et bonites. La bouillabaisse basque, le **ttoro**, est à base de congre, de lotte et de grondin. Les **chipirones**, sortes de petites seiches, se mangent farcis ou cuits à la casserole. La **piperade** est une omelette aux piments verts piquants et à la tomate, mais la préparation, sans œufs, peut servir d'assaisonnement ou être mise en service. Le Pays Basque apporte également une délicieuse charcuterie, les **loukinkos**, petites saucisses à l'ail, le **tripotcha**, boudin de mouton, et le fameux **jambon de Bayonne**. Le dessert est le célèbre **gâteau basque** généralement garni de confiture de cerises. Les **chocolats** de Bayonne et les **macarons** de St-Jean-de-Luz combleront l'amateur de sucreries.

La cuisine gasconne et béarnaise – Ses ingrédients de fond sont la graisse de porc et la graisse d'oie. La graisse d'oie présente pour les fritures l'intérêt de ne se décomposer qu'à 250° (beurre : 130°, graisse de porc : 200°) ; elle fait aussi office d'agent de conservation. L'hospitalière Gascogne, pays d'« Ancien Régime » où la plus modeste auberge de chef-lieu de canton n'a pas rogné sur la composition des menus, est un foyer d'art culinaire, favorisant les recherches et les essais de grands « chefs ».
Le maïs est valorisé par l'engraissement et le gavage des oies et des canards.

La garbure – C'est le potage de campagne typique en pays gascon. Chaque saison a sa garbure car ce potage généreux demande à être fait de légumes frais. Choux, fèves, haricots, pois, persil, thym, ail en sont la base avec la viande confite de canard ou d'oie, mais aussi de porc, plongée dans le bouillon en cours de cuisson.

La poule au pot – Servie avec des légumes, un mets favori du bon roi Henri.

Foies d'oie et de canard – Le gavage a lieu trois fois par jour. On maintient la tête de la bête, on introduit un entonnoir dans le gosier et on y verse le maïs. Si le volatile n'avale pas, on pousse le grain

Garbure

avec un petit bâton au bout arrondi et poli. Au bout d'un mois, l'oie est si lourde qu'elle ne marche plus qu'avec peine. Quand elle refuse de se lever, elle est « à point ». Les foies d'oie et de canard sont négociés sur les marchés des « gras » des Landes (Aire) et du Gers, aux environs de la Sainte-Catherine.

Les confits – Toutes les volailles et le porc peuvent être confits, c'est-à-dire conservés dans la graisse de leur cuisson avec un complément de panne de porc.

Les salmis – En voici la recette résumée : du volatile rôti détacher les morceaux, dont les cuisses et les ailes. Par ailleurs hacher menu la carcasse, les chairs restantes et les abats pour obtenir une sauce épaisse. Passer au tamis fin, compléter l'assaisonnement et après cuisson, ajouter les morceaux de gibier.

Les magrets – La rationalisation de l'élevage du canard a permis de présenter un nouveau morceau, le magret, filet détaché des flancs de la bête, qui se mange frais et grillé, plus ou moins saignant selon les goûts.

Les fromages de brebis des Pyrénées – Les fromages de brebis (pâtes pressées non cuites ou demi-cuites) gardent, en montagne, la saveur des produits locaux. Parmi les points de vente sur les lieux de production ou à proximité, il faut citer : Iraty (brebis et vache), disponible sur le plateau d'Iraty, et Laruns (brebis pur), disponible à Gabas. Il existe d'autre part des fabrications « laitières » aux environs de Laruns. Citons encore Sost (brebis pur), disponible en Barousse (carte n° 85 pli 20, Sud de Mauléon-Barousse).

Les desserts – Un bon repas peut se terminer par une tourtière, gâteau feuilleté garni de pruneaux, un pastis, sorte de tourtière qui peut être parfumée au rhum, ou bien de succulents pruneaux arrosés d'Armagnac.

QUELQUES RECETTES TYPIQUES

Sauce bordelaise – Cette sauce accompagne admirablement les grillades de bœuf. Hacher finement 4 échalotes préalablement lavées et séchées. Dans une casserole, mettre à bouillir deux verres de Bordeaux rouge avec une cuillerée à soupe de Cognac. Ajouter les échalotes hachées, un peu de sel, deux grains de poivre blanc écrasés, une branche de thym, une pincée de muscade. Laisser bouillir pour réduire le mélange aux trois quarts. Hors du feu, ajouter 60 g de moelle de bœuf hachée, qu'on aura pris le soin d'ébouillanter auparavant, ainsi qu'une pincée de persil haché. Pour finir, ajouter quelques noisettes de beurre et remettre à cuire sans laisser bouillir.

Poule au pot – Choisir de préférence une poule de deux ans et la barder. Préparer la farce en pétrissant à la main les ingrédients suivants : le foie de la volaille et 200 g de jambon de Bayonne, coupés en petits morceaux, trois œufs battus avec du sel, du poivre et un peu de muscade, un hâchis d'échalote, d'ail, de persil et d'estragon, 30 g de mie de pain préalablement trempée dans du lait froid.
Dans une marmite à pot-au-feu, porter 3 l d'eau à ébullition avec les bouts de patte et le gésier vidé. Mettre la poule dans la marmite et attendre la nouvelle ébullition. A ce moment, écumer, saler modérément et laisser frémir pendant une heure à petits bouillons. Ajouter les légumes classiques du pot-au-feu : carottes, navets, poireaux, oignon piqué de clous de girofle, branche de céleri, gousse d'ail. Poursuivre la cuisson pendant une heure et demi. Servir avec une sauce tomate bien onctueuse.

Gâteau basque – Dans une grande terrine, disposer 300 g de farine en fontaine ; au milieu, mettre deux jaunes d'œuf et un œuf entier, 200 g de sucre, 200 g de beurre, une pincée de sel, un zeste de citron râpé ou une cuillère à café de rhum. Amalgamer le tout et laisser reposer une heure au frais. Foncer un moule à manqué avec les 2/3 de la pâte, puis couvrir avec de la crème patissière ou, mieux, avec de la confiture de cerises d'Itxassou. Recouvrir le tout avec la pâte restante abaissée et dorer à l'œuf. Cuire à four moyen une demi-heure.

Pastis gascon – Dans un saladier, faire un puits avec 500 g de farine et y casser un œuf entier. Ajouter une pincée de sel, un filet d'huile, une cuiller à café d'eau de fleur d'oranger et mélanger à la main en ajoutant, petit à petit, un peu d'eau tiède jusqu'à ce que la pâte se détache du saladier. Travailler cette pâte pour en faire une boule. La laisser reposer une nuit en la recouvrant d'un torchon. Le lendemain, étaler la pâte pour lui donner l'épaisseur d'une feuille de papier à cigarette. Laisser sécher une heure.
Déposer sur la pâte de fines goutelettes de graisse d'oie fondue puis saupoudrer de sucre. Découper des ronds égaux. Sur une plaque graissée, mettre l'une sur l'autre la moitié des rondelles de pâte puis les pommes émincées. Recouvrir avec le reste des ronds de pâte. Cuire au four une dizaine de minutes. Au sortir du four, arroser légèrement le pastis d'armagnac.

L'ARMAGNAC

La région délimitée d'appellation « Armagnac » (35 000 ha) couvre la plus grande partie du département du Gers et empiète sur le Lot-et-Garonne et les Landes. L'Armagnac se divise en trois sous-régions : à l'Est le **Haut-Armagnac** (région d'Auch), au centre la **Ténarèze** (région de Condom), à l'Ouest le **Bas-Armagnac** (région d'Eauze). Seuls les vins blancs issus de cépages réglementaires au nombre de 10 peuvent être distillés. Leur caractéristique essentielle est une acidité fixe forte. Les cépages les plus appréciés sont principalement l'Ugni Blanc et la Folle-Blanche (appelé gros plant dans le pays nantais).

La vinification est réalisée avec une grande minutie, le vin devant demeurer sur « lie » jusqu'à son passage à l'alambic où se produit la distillation. Lors de cette opération, le bouilleur de cru dompte le combustible, accélère ou ralentit la course du vin. Au sortir de l'alambic, l'eau-de-vie incolore, titrant entre 52° et 72°, est recueillie dans un fût neuf de chêne d'environ 400 litres appelé pièce ; là par imprégnation de tanin et oxydation, elle commence à prendre sa robe ambrée. Au bout de deux ans elle est soutirée dans un autre fût où elle dormira de longues années avant d'atteindre 42° et sa plénitude. Ce sera alors la mise en bouteilles.

Au maître de chai appartient le soin des « coupes » donnant à chaque marque ses caractères propres en dosant les produits du Bas-Armagnac, suaves et fruités, et les eaux-de-vie plus étoffées de la Ténarèze.

Le Floc – Floc est le mot gascon pour fleur. Le Floc de Gascogne, vin de liqueur titrant entre 16° et 18°, se boit frais en apéritif, rouge ou blanc. Issu de cépages sélectionnés, produit dans la région d'appellation Armagnac, il résulte du mélange de moût de raisin et d'Armagnac supérieur à 52°. Il vieillit dans des fûts de chêne.

Le pousse-rapière – Création de Blaise de Monluc *(voir à Condom, Château Monluc)*.

LES VINS DE BORDEAUX

Le vignoble bordelais, qui s'étend sur 105 km du Nord au Sud et sur 130 km d'Ouest en Est, a représenté ces dernières années une surface cultivée de 105 000 ha.

La diversité des produits de ce vignoble, qui est le premier du monde pour les vins fins, est prodigieuse : on y recense près de 12 000 « châteaux »… Il existe 53 appellations réparties en 6 grandes familles, auxquelles se rattache le « Crémant de Bordeaux », vin effervescent, et la « Fine de Bordeaux », eau-de-vie de Bordeaux. Au total, la production est composée d'environ 75 % de vins rouges et 25 % de vins blancs ; annuellement, elle est de l'ordre de 600 millions de bouteilles, dont 33 % sont exportées en premier vers la Belgique, la Grande-Bretagne, l'Allemagne et les Pays-Bas.

Nous proposons, p. 133 à 142, cinq itinéraires touristiques dans le vignoble de Bordeaux.

LES VINS DE BORDEAUX

Les vins rouges – Leur aptitude au vieillissement est remarquable ; suivant l'expression locale, « tous les angles s'arrondissent dans la bouteille ». A l'élégance des Médoc *(voir p. 139)* – les grands Bordeaux rouges – auxquels s'apparentent les Graves rouges fins et séveux, fait pendant l'arôme puissant, le caractère corsé des St-Émilion *(p. 252)*. Les Pomerol, chauds et colorés, rappellent à la fois les Médoc et les St-Émilion. Les Fronsac fermes et charnus, un peu durs en primeur, s'affinent avec l'âge. Plus en aval, les régions du Bourgeais et du Blayais sont bien connues pour leurs « grands ordinaires », rouges aussi bien que blancs. La production est pareillement diversifiée en ce qui concerne les « Premières Côtes de Bordeaux », sur la rive droite de la Garonne.

Les vins de St-Émilion

Les vins blancs – Ils présentent une gamme non moins harmonieuse. Ici, la place d'honneur revient aux grands vins de Sauternes *(voir p. 137)* et à ceux de Barsac, les premiers vins blancs liquoreux du monde, obtenus à partir d'un raisin commençant à subir les atteintes d'une maturation particulière : la fameuse « pourriture noble » *(voir p. 137)*. Sur la rive opposée de la Garonne, signalons les Ste-Croix-du-Mont et Loupiac.

A l'autre pôle du goût, les Graves blancs secs, vins nets, nerveux, personnifient dans l'esprit de maint consommateur le type du Bordeaux blanc. Les produits des vignobles de Cérons forment le trait d'union entre les meilleurs vins de Graves et les grands vins de Sauternes. Dans les « Premières Côtes de Bordeaux », déjà citées, le « Cadillac » donne des vins blancs veloutés, moelleux, d'une fraîcheur agréable. La vaste région de l'Entre-Deux-Mers *(p. 134-136)*, avec son organisation de caves-coopératives, est enfin une très grosse productrice de vins blancs secs et de vins rouges « grands ordinaires ».

Les appellations – En fonction de ses terroirs, le Médoc est classé en huit zones d'appellation d'origine : Médoc, Haut-Médoc, Saint-Estèphe, Pauillac, Saint-Julien, Moulis, Listrac, Margaux *(voir carte p. 33)*.

Le service des vins de Bordeaux – Pour bien apprécier les différents vins de Bordeaux – les rouges ne doivent pas être bus trop jeunes mais les blancs, par contre, surtout les blancs secs, gagnent à être consommés assez tôt –, nous recommandons de choisir :
- *avec huîtres, coquillages, poissons :* Graves blanc ou Entre-Deux-Mers, servi frais (8° à 10°) ;
- *avec volailles, viandes blanches et plats légers :* Médoc ou Graves rouge, servi à la température de la cave ;
- *avec le gibier, viandes rouges, cèpes, fromages :* St-Émilion, Pomerol, ou Fronsac, chambré ;
- *avec desserts :* Barsac, Ste-Croix-du-Mont, Sauternes, Loupiac, servi très frais (5°).

Dans le Bordelais on déguste souvent le vin avec un peu de fromage « vieux Hollande ».

Visites des chais et des vignobles – *Voir le chapitre des « Renseignements pratiques » en fin de guide.*

LES VINS DU BÉARN

Le Béarn produit des vins célèbres : Jurançon, Madiran, Pacherenc et Rosé du Béarn. Les versants bien exposés des coteaux calcaires conviennent parfaitement bien à la culture de la vigne. Le cru le plus fameux est le **Jurançon**, vin capiteux, dont on a chanté « la couleur de maïs », la « couleur d'ambre ». Dès le Moyen Âge, le Jurançon était connu des amateurs étrangers ; mais il est à jamais lié à l'histoire de France puisque ce fut le premier liquide qui humecta les lèvres frottées à l'ail du jeune Henri de Navarre.

Les vignobles du Jurançonnais s'étendent sur la rive gauche du gave de Pau, englobant 25 communes (production moyenne : 15 000 hl). Le Jurançon vieillit fort bien. Les plants, tardifs (gros mansenc, petit mansenc, courbu), sont vendangés souvent après la Toussaint au stade de la pourriture noble et le type traditionnel est le vin moelleux dégusté seul ou avec le foie gras.

Toutefois, suivant la mode, la production de vin blanc sec qui peut accompagner le saumon grillé, les fruits de mer, le thon frais, se développe.

Les vignes du **Vic-Bihl** (les vieux villages), qui avaient presque disparu, sont l'aire du **Pacherenc**, vins blancs originaux, secs ou moelleux. Cette région vinicole s'étend au Nord-Est du département et touche aux Hautes-Pyrénées et au Gers. Le Gers est également réputé pour les vins rouges de **Madiran,** à la vigueur tanique, qui accompagnent bien le confit d'oie.

Le **Rosé du Béarn**, également de vieille réputation – au 17e s., il était expédié en Hollande et jusqu'à Hambourg –, est produit principalement près de Salies et Bellocq, c'est un vin léger et fruité qui se marie bien avec la cuisine régionale.

EN PAYS BASQUE

Les versants des vallées de Baïgorry, Anhaux et Irouléguy portent un vignoble de montagne produisant des rouges un peu mordants d'appellation **Irouléguy**. L'**izzara**, jaune ou verte, est une liqueur obtenue avec des plantes de montagne.

Comment déguster un vin

La dégustation des vins fait appel à trois de nos cinq sens : la vue, l'odorat et le goût. Nul besoin d'être un expert pour les apprécier ; un peu de curiosité, beaucoup de passion et quelques heures de pratique suffisent.

La vue – La dégustation commence par un examen visuel de la « robe » et du « disque » du vin. La robe est le terme employé pour parler de la couleur et de la limpidité du vin : elle diffère selon chaque vin. Le disque est la surface du vin dans le verre : il doit être brillant et ne déceler aucune particule (si c'est le cas, un accident à l'ouverture de la bouteille est certainement arrivé).

L'odorat – La dégustation continue par un examen olfatif. Les odeurs évoquées par les vins sont classées en 11 familles : la famille animale (musc, gibier, fourrure), la famille boisée (odeurs résultant souvent d'un contact prolongé entre le vin et le bois neuf), la famille épicée, la famille balsamique (pin, résine, térébenthine, encens, huile de cade, vanille, huile de genevrier), la famille chimique (alcool, chlore, soufre, iode), la famille florale, la famille fruitée, la famille végétale, la famille empyreumatique (fumée, amande grillée, pain grillé, bois brûlé, pierre brûlée, silex, caramel, café, cacao, cuir) et la famille éthérée et odeurs de fermentations (bougies, laitage, levure, cidre). Il faut savoir qu'un vin qui prend de l'âge dégage des odeurs plus sauvages et épicées. Un vin qui a du « nez » est un vin très riche en odeurs.

On commence par inhaler sans remuer le verre, puis en tournant le verre (les arômes sont libérés), à chaque fois en essayant de définir les odeurs en faisant appel à ses souvenirs olfactifs.

Le goût – L'examen gustatif clôt la séance de dégustation. Il se fait en trois phases successives. La première, l'« attaque en bouche », dure quelques secondes, le temps que le vin entre en contact avec la langue. L'« évolution en bouche » permet d'apprécier plus longuement toutes les nuances du vin. On peut alors avaler une gorgée et apprécier la « fin de bouche » (l'excédent est rejeté).

Un vin « bien en bouche » est un vin riche et équilibré, qui remplit la bouche ; un vin « charnu » est un vin qui a du corps, qui donne la sensation de mordre dans un fruit ; un vin « gras » est un vin à la fois moelleux, charnu, corsé et riche en alcool (signes d'un grand vin). Parler de la « charpente » d'un vin rouge c'est parler de sa constitution, particulièrement équilibrée en alcool, en tanin et en extrait.

Quelques faits historiques

AVANT J.-C.
De l'âge des métaux à la conquête romaine

De 1800 à 50	De grands mouvements de peuples fixent la physionomie ethnique de l'Occident. Les populations des Pyrénées atlantiques forment déjà une souche homogène résistant aux influences extérieures.
72	Fondation, par Pompée, de Lugdunum Convenarum (St-Bertrand-de-Comminges), capitale religieuse des peuples du Sud de la Garonne.
56	Crassus, lieutenant de César, conquiert l'Aquitaine.

APRÈS J.-C.
Les invasions, l'Empire carolingien

276	Invasion germanique.
5e s.	Royaume Wisigoth d'Aquitaine. Les Wisigoths perpétuent la culture latine et le droit romain écrit.
Fin du 6e s.	Les Vascons, montagnards basques du Sud refoulés par les Wisigoths, se répandent dans le plat pays, la « Gascogne ».
778	Charlemagne crée le royaume d'Aquitaine. L'arrière-garde de Charlemagne est écrasée à Roncevaux.
801	Charlemagne prend Barcelone aux Arabes.
848	Les Normands détruisent Bordeaux.
1058	Union des duchés d'Aquitaine et de Gascogne.

L'Aquitaine anglaise des « Rois-Ducs »

12e-13e s.	Au début du 12e s., apparition de la littérature de langue d'Oc.
1137	Le prince Louis, fils du roi de France, épouse Aliénor (Éléonore), fille unique du duc Guillaume d'Aquitaine, qui lui apporte en dot le duché de Guyenne, le Périgord, le Limousin, le Poitou, l'Angoumois, la Saintonge, la Gascogne et la suzeraineté sur l'Auvergne et le comté de Toulouse. Le prince Louis deviendra Louis VII.
1152	Aliénor d'Aquitaine, épouse divorcée de Louis VII, se remarie avec Henri II Plantagenêt, comte d'Anjou, puis roi d'Angleterre.
1154	Henri Plantagenêt, duc d'Aquitaine.
1290	Les comtes de Foix héritent du Béarn.
1345	Début de la guerre de Cent Ans en Aquitaine.
1360	Traité de Brétigny : l'Aquitaine devient possession du roi d'Angleterre.
1362	Création de la principauté d'Aquitaine.
1380	Les Anglais sont réduits à Bordeaux et Bayonne.
1450-1500	Liquidation de la Gascogne « anglaise ». Rattachement à la couronne de France des comtés d'Armagnac et de Comminges.
1453	Dernière bataille de la guerre de Cent Ans, gagnée à Castillon-la-Bataille par les frères Bureau *(p. 138)*.

L'ÉTAT PLANTAGENÊT À SON APOGÉE (Milieu du 12ème s.)

Possessions des Plantagenêts
— — — Frontière du Royaume de France
- - - - - Frontière actuelle

0   300 km

Rivalité franco-espagnole, rattachement à la couronne de France

1484	Les Albret, « rois de Navarre », deviennent prépondérants dans les Pyrénées gasconnes (Foix-Béarn-Bigorre).
1512	Dépossédés par Ferdinand le Catholique, les Albret ne conservent que le pays au Nord des Pyrénées (Basse-Navarre).
1555-72	Jeanne d'Albret, reine de Navarre.
1559	Naissance d'Henri de Navarre à Pau, fils de Jeanne d'Albret.
1570-71	Durant les guerres de Religion, Jeanne d'Albret impose le calvinisme au Béarn *(voir p. 91)*. Son lieutenant, **Montgomery**, et, du côté catholique, Blaise de Monluc, rivalisent d'atrocités.
1589	Avènement de Henri IV.
1607	Henri IV réunit à la France son propre domaine royal (Basse-Navarre) et les fiefs qu'il détient comme héritier de la maison d'Albret (Foix-Béarn).
1659	Traité des Pyrénées. Mariage de Louis XIV et de Marie-Thérèse d'Autriche à St-Jean-de-Luz.
1685	Révocation de l'édit de Nantes par Louis XIV. Persécutions en Béarn contre les protestants, exécutées par les dragons du roi (dragonnades).

Musée Condé, Chantilly/GIRAUDON

Jeanne d'Albret

Naissance du pyrénéisme, essor de Bordeaux

1748	A La Brède *(p. 143)*, Montesquieu compose *l'Esprit des Lois.*
1743-57	Tourny, intendant de Guyenne, donne au développement économique de Bordeaux une impulsion décisive.
1751-67	D'Étigny, administrateur exemplaire de la généralité d'Auch.
1754	La thèse de **Théophile de Bordeu** sur les eaux minérales d'Aquitaine contribue à la spécialisation des stations de cure et à l'essor du thermalisme.
1771	Le trafic maritime de Bordeaux est à son apogée.
1787	Séjour à Barèges de Ramond de Carbonnières, premier « pyrénéiste ».
1852-70	Second Empire, période faste pour la Côte Basque et les stations thermales des Pyrénées centrales.
1860	La construction de la Route thermale (Eaux-Bonnes – Bagnères-de-Bigorre) est décrétée.

Expansion et replis

1914	Devant l'offensive allemande, le Président Poincaré, le Gouvernement et les Chambres s'installent temporairement à Bordeaux.
1920	Les Pyrénées se convertissent à la « houille blanche ». **J.-R. Paul**, directeur de la Cie des Chemins de fer du Midi, suscite d'importantes réalisations touristiques.
1936-39	Guerre d'Espagne. De nombreux réfugiés se fixent dans le Sud-Ouest.
1940-44	Les Français décidés à poursuivre le combat franchissent clandestinement les « ports » des Pyrénées. La résistance intérieure s'organise.
1951	Éruption du gaz de Lacq.
1954	Début de l'exploitation du pétrole à Parentis.
1962	Après les accords d'Évian, les rapatriés d'Algérie s'installent en Gascogne.
1967	Création du Parc national des Pyrénées. A Bordeaux, inauguration du pont d'Aquitaine.
1970	Création du Parc naturel régional des Landes de Gascogne.
1990	Mise en service du Train à Grande Vitesse (TGV) Atlantique reliant Paris à Bordeaux en moins de trois heures.

*Pour tout ce qui fait l'objet d'un texte dans ce guide
(villes, sites, curiosités isolées, rubriques d'histoire ou de géographie, etc.),
reportez-vous à l'index.*

LA PRÉHISTOIRE

L'apparition de la vie sur la Terre remonterait à l'ère précambrienne qui inaugura les temps géologiques. Les reptiles, les poissons et les batraciens apparaissent au cours de l'ère primaire (début, il y a 570 millions d'années), les dinosaures puis les mammifères et les oiseaux au cours de l'ère secondaire (début, il y a 260 millions d'années). Les primates se manifestent à la fin de l'ère tertiaire (début, il y a 65 millions d'années) ; l'homme, espèce évoluée de primate, développe ses premières civilisations au commencement de l'ère quaternaire qui remonte à 2 millions d'années.

ÂGE DE LA PIERRE

PÉRIODES		CLIMATS	FAUNE	RACES HUMAINES	STADES DE CIVILISATION	SITES
2 500 NÉOLITHIQUE					Pointes de flèches Haches en pierre polie	
7 500 MÉSOLITHIQUE		Période chaude				
	AZILIEN					
10 000	MAGDALÉNIEN	Glaciation de Würm	Âge du renne Mammouth, Ours Hyène des cavernes Rhinocéros laineux Hippopotame	Race de Cro-Magnon Homo sapiens	Art des Vénus Aiguilles à chas Burins Harpons Lame à dos rabattu convexe Sagaies Outillage osseux varié	Lespugue Brassempouy Gargas Aurignac
	SOLUTRÉEN					
SUPÉRIEUR	AURIGNACIEN					
	PÉRIGORDIEN					
35 000	MOUSTÉRIEN	Période chaude	Âge du mammouth Éléphant Apparition du mammouth	Homme de Néandertal	Éclats de forme ovale Lames, Disques Pointes, Racloirs Industrie du silex à " biface"	
MOYEN	LEVALLOISIEN					
150 000	TAYACIEN	Glaciation de Riss				
	ACHEULÉEN	Période chaude	Bœuf Lion Bison Rhinocéros Tigre		Coups de poing taillés en silex ou en quartzite Perçoirs Racloirs Scies	
PALÉOLITHIQUE						
INFÉRIEUR		Glaciation de Mindel	Hippopotame Rhinocéros	Homme de Montmaurin	Coups de poing Silex taillés sur les deux faces ou " bifaces"	Montmaurin
	CLACTONIEN					
	ABBEVILLIEN (PEBBLE CULTURE)	Période chaude	Grand ours	Homme de Java Pithécanthrope (Insulinde)		
		Glaciation de Günz				
2 millions						
3 millions				Lucie Australopithèque (Ethiopie) Homo erectus		

Lire ce tableau de bas en haut

L'évolution de l'espèce humaine – Aux plus anciens ancêtres de l'homme, les primates, succèdent au cours de l'ère quaternaire des espèces de plus en plus évoluées.

Paléolithique inférieur – L'Australopithèque d'Afrique orientale et australe, le Pithécanthrope de Java, le Sinanthrope de Chine du Nord, l'Atlanthrope d'Afrique du Nord, se distinguent déjà par leur station verticale, par leur maîtrise du feu (800 000 ans) et leur faculté d'aménager (choppers) puis de tailler (bifaces) des noyaux de roche dure, silex ou quartzite.

Paléolithique moyen – L'homme de Néandertal, de petite taille, au crâne allongé, riche uniquement d'un outillage de pierre qu'il perfectionne, s'identifie à la culture moustérienne. Il façonne le silex à l'aide de percuteurs en os ou en bois pour obtenir des pointes triangulaires, des racloirs. Des silex fixés à un manche de bois lui servent de massues pour la chasse. Il inhume ses morts, élabore des rites (80 000 ans), mais ne crée pas d'œuvres d'art.

Paléolithique supérieur – L'« Homo sapiens » (sage, intelligent) est caractérisé par le fort volume de son crâne et par son langage articulé. Ses outils sans cesse perfectionnés, il peut consacrer une part de son temps à la création d'œuvres artistiques telles que les peintures pariétales de la grotte de Gargas et les sculptures de la Vénus de Lespugue et de la Dame de Brassempouy. Cet art des cavernes, essentiellement animalier, connaît sa suprême élévation à la période magdalénienne ; les hommes, installés pour se protéger du froid à l'abri des surplombs de rocher ou à l'entrée des cavernes, ont utilisé les parois de la roche pour exprimer leurs émotions artistiques par la sculpture, la gravure ou la peinture.

Près de 3 millions d'années ont été nécessaires à l'homme pour apprendre à polir la pierre ; par contre, les quelques millénaires récents ont vu se développer dans le Proche et le Moyen-Orient de brillantes civilisations dont la construction des grandes pyramides marque l'apogée. Quelques siècles plus tard un nouveau pas est franchi avec la découverte du bronze, puis celle du fer en 900 environ avant J.-C.

Le mésolithique – Des périodes fraîches ou tempérées engendrent la migration du renne vers le Nord et le développement d'une faune sylvestre identique à la nôtre. Avec la culture azilienne l'outillage de pierre se miniaturise.

Le néolithique – L'événement le plus marquant de cette époque (3000 à 1500 avant J.-C.) est l'apparition des mégalithes (dolmens, cromlechs) et des tumulus. La répartition des dolmens correspond à une occupation dense de la moyenne montagne pyrénéenne par des peuples de pasteurs (brebis à l'Ouest, chèvres à l'Est). Au néolithique naissent l'agriculture et la vie sédentaire, la transhumance règne en montagne et certaines grottes restent encore occupées. De grandes routes de migration se dessinent.

Le milieu pyrénéen, au paléolithique – Durant 1 million d'années, les Pyrénées ont été marquées par les avancées et les reculs des glaciers, dont l'étude a apporté des bases chronologiques solides aux sciences de la terre et de l'homme. La dernière grande glaciation, dite de Würm, a duré quelque 110 000 ans et correspond au paléolithique moyen et supérieur. En périodes froides, l'avant-pays offrait à l'homme l'abri des surplombs et des cavités de ses falaises, refuge précaire mais bien placé à proximité des terrains de chasse de la plaine que recouvrait alors, suivant les oscillations du climat, la steppe (bison, cheval) ou la toundra (renne). Aussi les Pyrénées sont-elles une des zones les plus intéressantes du globe pour l'étude des premiers âges de l'humanité. En 1949, une grotte proche de Montmaurin a livré aux chercheurs une mâchoire humaine remontant à 300 000 ou à 400 000 ans. 21 ans plus tard, les restes d'un homme « de Tautavel » ont été identifiés comme ceux d'un chasseur de la steppe vivant il y a quelque 450 000 ans.

Les chercheurs – Science d'origine essentiellement française, la préhistoire a fait ses premiers pas à l'aube du 19e s. mais n'a réellement progressé qu'à partir de 1850. A **Boucher de Perthes** (1788-1868) revient l'honneur d'avoir fait admettre l'existence de la préhistoire, science de la vie de l'humanité avant l'invention de l'écriture. **Édouard Lartet** (1801-1871) effectue de nombreuses fouilles dans la vallée de la Vézère *(voir le guide Vert Michelin Périgord Quercy)* et établit une première classification des diverses époques de la préhistoire. **Gabriel de Mortillet** (1821-1898) reprend et complète cette classification en faisant apparaître les noms de chelléen, moustérien, aurignacien, solutréen, magdalénien, qui correspondent aux localités où furent mis au jour les gisements les plus caractéristiques. **Émile Cartailhac** (1845-1921) fait entrer l'enseignement de la préhistoire à l'Université en 1890. L'**Abbé Henri Breuil** (1877-1961) diffuse la connaissance de l'art pariétal de France et d'Espagne par ses relevés graphiques.

Centres d'intérêt ou d'études de la préhistoire

Les intéressants travaux de typologie de l'**Abbé Jean Bouyssonie** (1877-1965) contribuent à la distinction des divers faciès du paléolithique supérieur du Sud-Ouest de la France.

Sur le terrain, de nombreuses fouilles sont effectuées en Aquitaine et dans les Pyrénées dès la fin du 19e s. **Edmond Piette** (1827-1906) fouille Brassempouy, Arudy, Lourdes, etc. **Henri Begouën** (1863-1955) explore les cavernes peintes de l'Ariège. Le **comte** (1877-1950) et la **comtesse** (1890-1978) **de Saint-Périer** ont collaboré aux fouilles de la grotte d'Isturitz occupée durant 30 millénaires, du moustérien au magdalénien, et à l'exploration des cavités voisines de Montmaurin (Vénus de Lespugue).

LES PÈLERINS DE ST-JACQUES

L'apôtre Jacques, évangélisateur de l'Espagne et enterré sur la côte de Galice, devient le patron des chrétiens lors de la reconquête de l'Espagne sur les Maures. Un jour, en effet, il serait apparu dans un combat sur un cheval blanc et terrassant les Maures (ou Mores), d'où son surnom de Matamore.

Le pèlerin – La pratique des pèlerinages lointains, en particulier celui de Compostelle, amenait pour quelques heures, dans un village, un étranger, souvent loqueteux, tout désigné à la méfiance des autorités locales, mais apportant des nouvelles et des récits bien propres à enflammer l'imagination populaire. Le costume du pèlerin ressemblait à celui des voyageurs de l'époque, mis à part le gros bâton à crosse, ou bourdon, et les insignes du pèlerinage : coquille et médaille. De nombreux tableaux et des statuettes en montrent la vaste cape (pèlerine) et le mantelet court (esclavine) couvrant les épaules ; une panetière (musette), une gourde, un couvert, une écuelle, un coffret en tôle abritant les papiers et les sauf-conduits complétaient son attirail. Le fidèle qui avait pris la coquille et le bourdon était, à son retour, considéré comme une manière de notable. Les confréries de St-Jacques avaient leur chapelle particulière dans les églises ; elles constituaient des fraternités (frairies) au budget bien géré et conservaient les comptes rendus de voyage permettant de tenir à jour les informations sur l'itinéraire.

Le chemin de St-Jacques-de-Compostelle *(1)* – Au Moyen Âge, le tombeau de saint Jacques le Majeur attire en Espagne une foule considérable de pèlerins. La dévotion envers « Monsieur St-Jacques » est si vivante dans toute l'Europe que Santiago (Compostelle) devient un centre de rassemblement exceptionnel aussi réputé que Rome ou Jérusalem. Depuis le premier pèlerinage français accompli par l'évêque du Puy en 951, des millions de **Jacquets**, Jacquots ou Jacobits se sont mis en chemin pour aller vénérer les reliques de l'apôtre à partir des centres de regroupement que constituaient pour l'Europe entière Paris, Vézelay, Le Puy, Autun et Arles.

Une organisation très complète d'hospices, mise au point par les Bénédictins de Cluny, secondés par d'autres grands ordres religieux : Cîteaux, Prémontrés et aidés par les Hospitaliers de St-Jean de Jérusalem dans leurs commanderies, voire par de simples laïcs comme à Harambels, facilite le voyage et pourvoit, le long des principaux itinéraires, à l'hébergement des pèlerins et au maintien de leur bonne santé spirituelle. Tout est prévu pour leur réconfort et leur sécurité, même un guide touristique du pèlerin, assaisonné de remarques parfois dépourvues d'aménité sur les mœurs des habitants et la mentalité indigène.

Les grands itinéraires convergeaient en Basse-Navarre avant le franchissement des Pyrénées ; ils opéraient leur jonction principale à Ostabat. Et St-Jean-Pied-de-Port représentait la dernière étape avant l'ascension vers le col frontière.

Les pèlerins gagnaient Roncevaux par la route des hauteurs, section de l'ancienne voie romaine de Bordeaux à Astorga, de préférence au chemin du défilé de Valcarlos, seul praticable aujourd'hui de bout en bout (D 933). C'était une forêt vivante qui gravissait la montagne. Chaque pèlerin portait une croix de feuillage faite de ses mains avant la montée. Au terme de la première escalade, près de la « Croix de Charles », le pèlerin prie, chante et plante sa croix ; si bien, affirme le chroniqueur, qu'un millier de ces croix pouvaient être observées là à la fin de l'été. A l'ermitage du col d'Ibaneta, la cloche sonnait par temps de brouillard et pendant une partie de la nuit afin de rallier les égarés.

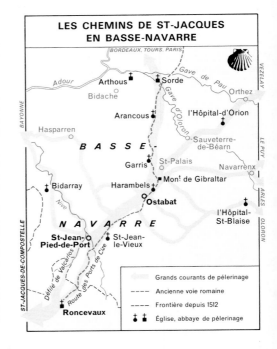

LES CHEMINS DE ST-JACQUES EN BASSE-NAVARRE

---

(1) Pour plus de détails, lire : « Les Pèlerins du Moyen Âge », par R. Oursel (Paris, Fayard, coll. « Résurrection du Passé ») ; le « Guide du pèlerin de St-Jacques-de-Compostelle », présenté par Jeanne Vielliard (Paris, Vrin) – traduction d'un « guide » en latin du 12e s.

Mais, au cours des siècles, la foi des Jacquets s'émousse. Des perspectives de lucre et de brigandage rassemblent des bandes de « Coquillards », faux pèlerins, dont fit partie le poète Villon. Avec les guerres de Religion, le protestantisme et le jansénisme, les mentalités changent et la méfiance populaire voit volontiers sous la pèlerine un aventurier ou un escroc.

Au 16e s., les pérégrinations se raréfient et, au 18e s., quiconque voulait se rendre à St-Jacques-de-Compostelle devait se munir d'un extrait de baptême légalisé par l'autorité de police, d'une lettre de recommandation de son curé, elle-même légalisée, et d'un formulaire, dûment rempli, de son évêque.

LA PAIX PYRÉNÉENNE

Les hautes surfaces pastorales qui adoucissent le relief des Pyrénées au voisinage de 2 000 m d'altitude ont été exploitées aux siècles passés avec un grand raffinement de pratiques communautaires. L'essentiel n'était pas de placer des bornes, mais de s'accorder entre voisins sur l'utilisation des pâturages et sur la transhumance : ainsi, les dates de la montée et de la descente du bétail étaient-elles réglées une fois pour toutes.

Les « valléens », réfractaires aux allégeances féodales, et forts de leurs privilèges, géraient leur patrimoine en gardant le souci, sinon d'empêcher les querelles de voisinage entre bergers, du moins d'éviter les dégâts d'une petite guerre au milieu des troupeaux.

Au 14e s., cet esprit de paix se manifeste d'abord par des suspensions de luttes, sans qu'il soit statué sur le fond du désaccord, et l'on convient de se rencontrer à dates régulières, à la limite des territoires intéressés, pour renouveler le pacte.

Au 15e s., les conventions s'étendent du domaine pastoral au domaine commercial et la solidarité entre les vallées fait de nouveaux progrès avec les traités de **lies et passeries** (ou faceries). Ces alliances, impliquant des activités diplomatiques, sont entérinées de bon ou de mauvais gré par les suzerains, quand il s'en trouve, et les souverains.

Des foires s'ouvrent sur les lieux du rassemblement annuel, parfois en pleine montagne : le nom de « marcadau », en vallée de Cauterets, en perpétue le souvenir. Il se crée ainsi à cheval sur la crête frontière une véritable zone franche où les monarchies tolèrent d'intenses échanges frontaliers en temps de guerre comme en temps de paix. En cas d'invasion par des troupes régulières et quel qu'en soit le parti, les vallées alliées promettent, en dépit de la réprobation des militaires, de se donner l'alerte assez tôt pour mettre leurs troupeaux en sûreté. Cette zone-tampon préserva les vallées françaises des Pyrénées centrales des guerres napoléoniennes.

De nos jours les antiques pactes, vidés de leur substance politique, ont surtout une valeur d'exemple et de symbole. Les collectivités françaises et espagnoles gardent encore de nombreux droits d'usage ouvrant au bétail des terrains situés au-delà de la frontière. Mais, dans les Pyrénées centrales, le trafic commercial frontalier n'est plus qu'un souvenir.

La Junte de Roncal

Tous les ans, le 13 juillet, à la borne-frontière 262 de la Pierre-St-Martin, les maires des villages de la vallée de Barétous et ceux des villages espagnols de la vallée de Roncal renouvellent la « Junte de Roncal ». Ce traité de 1375 stipulait que trois génisses françaises devaient être données aux Espagnols en échange du droit de pacage dans la vallée de Roncal. Cette cérémonie vieille de six siècles donne lieu à un rituel précis : les mains superposées au-dessus de la borne, les maires scandent « Paz Abant ! » (« Paix d'abord ! ») avant de procéder à l'échange. Une grande fête suit la cérémonie, où les Espagnols exhibent leurs costumes traditionnels : grandes capes noires et collerettes pour les hommes, robes brodées pour les femmes.

L'art

ÉLÉMENTS D'ARCHITECTURE

Architecture religieuse

BORDEAUX – Plan de la cathédrale St-André (11e-14e s.)

La nef de la cathédrale de Bordeaux ne possède pas de bas-côtés. Elle était primitivement divisée en trois travées carrées dont le nombre fut doublé aux 13e puis 16e s.

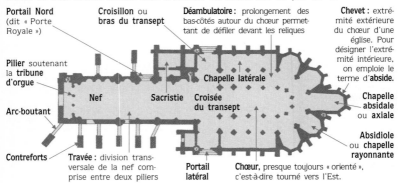

Portail Nord (dit « Porte Royale »)

Croisillon ou **bras du transept**

Déambulatoire : prolongement des bas-côtés autour du chœur permettant de défiler devant les reliques

Chevet : extrémité extérieure du chœur d'une église. Pour désigner l'extrémité intérieure, on emploie le terme d'**abside**.

Pilier soutenant la **tribune d'orgue**

Chapelle latérale

Chapelle absidiale ou **axiale**

Arc-boutant

Nef

Sacristie

Croisée du transept

Absidiole ou **chapelle rayonnante**

Contreforts

Travée : division transversale de la nef comprise entre deux piliers

Portail latéral

Chœur, presque toujours « orienté », c'est-à-dire tourné vers l'Est.

MARMANDE – Coupe longitudinale de l'église Notre-Dame (13e-16e s.)

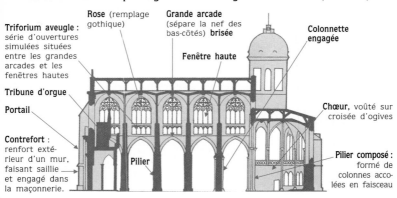

Triforium aveugle : série d'ouvertures simulées situées entre les grandes arcades et les fenêtres hautes

Rose (remplage gothique)

Grande arcade (sépare la nef des bas-côtés) **brisée**

Colonnette engagée

Fenêtre haute

Tribune d'orgue

Portail

Chœur, voûté sur croisée d'ogives

Contrefort : renfort extérieur d'un mur, faisant saillie et engagé dans la maçonnerie

Pilier

Pilier composé : formé de colonnes accolées en faisceau

MOIRAX – Chœur de l'église Ste-Marie (11e-12e s.)

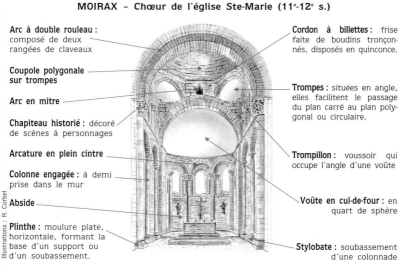

Arc à double rouleau : composé de deux rangées de claveaux

Cordon à billettes : frise faite de boudins tronçonnés, disposés en quinconce.

Coupole polygonale sur trompes

Arc en mitre

Trompes : situées en angle, elles facilitent le passage du plan carré au plan polygonal ou circulaire.

Chapiteau historié : décoré de scènes à personnages

Arcature en plein cintre

Trompillon : voussoir qui occupe l'angle d'une voûte

Colonne engagée : à demi prise dans le mur

Abside

Voûte en cul-de-four : en quart de sphère

Plinthe : moulure plate, horizontale, formant la base d'un support ou d'un soubassement.

Stylobate : soubassement d'une colonnade

Illustrations : R. Corbel

42

PETIT-PALAIS – Église St-Pierre (fin 12ᵉ s.)

La façade occidentale de l'église de Petit-Palais s'inspire de l'art saintongeais *(voir le guide Vert Michelin Poitou-Vendée-Charentes)*, caractérisé par la superposition d'arcatures et le pignon triangulaire.

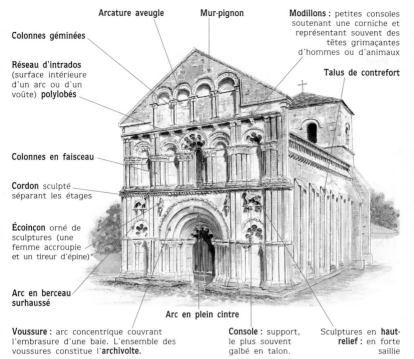

Arcature aveugle

Mur-pignon

Modillons : petites consoles soutenant une corniche et représentant souvent des têtes grimaçantes d'hommes ou d'animaux

Colonnes géminées

Réseau d'intrados (surface intérieure d'un arc ou d'un voûte) **polylobés**

Talus de contrefort

Colonnes en faisceau

Cordon sculpté séparant les étages

Écoinçon orné de sculptures (une femme accroupie et un tireur d'épine)

Arc en berceau surhaussé

Arc en plein cintre

Voussure : arc concentrique couvrant l'embrasure d'une baie. L'ensemble des voussures constitue l'**archivolte**.

Console : support, le plus souvent galbé en talon.

Sculptures en **haut-relief :** en forte saillie

VALCABRÈRE – Chevet de la basilique St-Just (11ᵉ-12ᵉ s.)

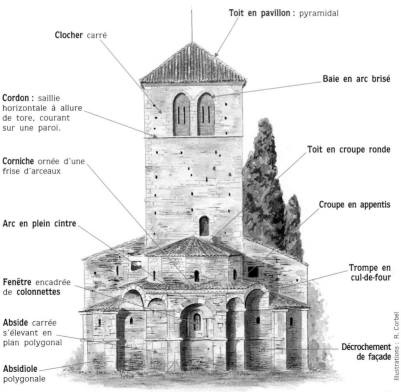

Toit en pavillon : pyramidal

Clocher carré

Baie en arc brisé

Cordon : saillie horizontale à allure de tore, courant sur une paroi.

Corniche ornée d'une frise d'arceaux

Toit en croupe ronde

Arc en plein cintre

Croupe en appentis

Fenêtre encadrée de **colonnettes**

Trompe en cul-de-four

Abside carrée s'élevant en plan polygonal

Décrochement de façade

Absidiole polygonale

Illustrations : R. Corbel

AUCH – Façade occidentale de la cathédrale Ste-Marie (15e-16e s.)

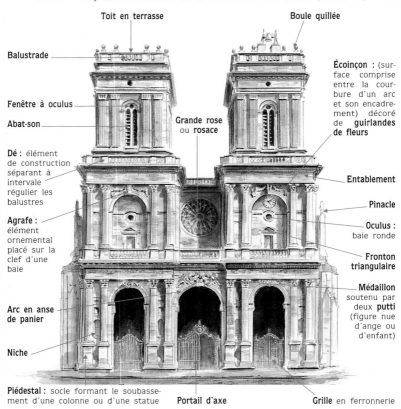

Toit en terrasse

Boule quillée

Balustrade

Écoinçon : (surface comprise entre la courbure d'un arc et son encadrement) décoré de **guirlandes de fleurs**

Fenêtre à oculus

Abat-son

Grande rose ou **rosace**

Dé : élément de construction séparant à intervalle régulier les balustres

Entablement

Pinacle

Oculus : baie ronde

Agrafe : élément ornemental placé sur la clef d'une baie

Fronton triangulaire

Médaillon soutenu par deux **putti** (figure nue d'ange ou d'enfant)

Arc en anse de panier

Niche

Piédestal : socle formant le soubassement d'une colonne ou d'une statue

Portail d'axe

Grille en ferronnerie

ST-JEAN-DE-LUZ – Intérieur de l'église St-Jean-Baptiste (17e s.)

Transformées pour la plupart au 17e s., les églises basques se distinguent par leur nef unique sur les murs latéraux de laquelle sont posées des galeries. Un retable monumental occupe le chœur.

Lambris (revêtement en bois, en stuc ou en marbre) formant une fausse voûte. La **fausse voûte** est un couvrement non maçonné imitant les dispositions d'une voûte.

Galerie en bois sur trois étages, réservée aux hommes.

Balustre

Abat-voix

Chaire

Arc triomphal : sépare la nef centrale du transept ou du chœur

Nef unique, d'où les femmes assistent aux offices.

Voûte en cul-de-four

Voûte sur croisée d'ogives, éclairée d'un lanternon

Retable monumental du chœur

Architecture militaire

LUZ-ST-SAUVEUR – Église fortifiée (12e-14e s.)

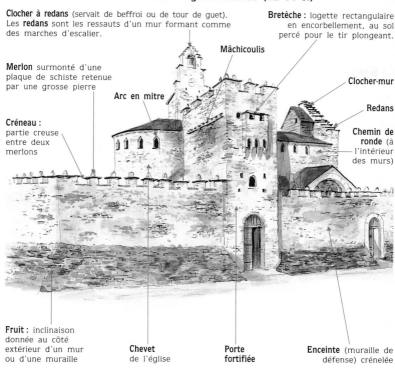

Clocher à redans (servait de beffroi ou de tour de guet). Les **redans** sont les ressauts d'un mur formant comme des marches d'escalier.

Bretèche : logette rectangulaire en encorbellement, au sol percé pour le tir plongeant.

Mâchicoulis

Merlon surmonté d'une plaque de schiste retenue par une grosse pierre

Arc en mitre

Clocher-mur

Redans

Créneau : partie creuse entre deux merlons

Chemin de ronde (à l'intérieur des murs)

Fruit : inclinaison donnée au côté extérieur d'un mur ou d'une muraille

Chevet de l'église

Porte fortifiée

Enceinte (muraille de défense) crénelée

ROQUETAILLADE – Château neuf (14e s. – restauré au 19e s.)

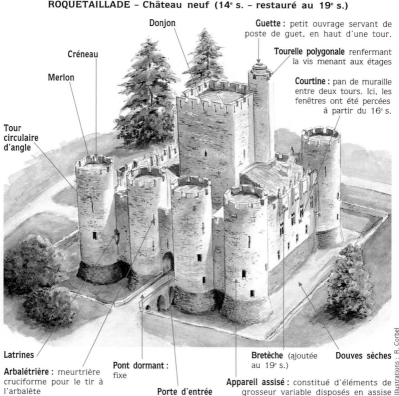

Donjon

Guette : petit ouvrage servant de poste de guet, en haut d'une tour.

Créneau

Tourelle polygonale renfermant la vis menant aux étages

Merlon

Courtine : pan de muraille entre deux tours. Ici, les fenêtres ont été percées à partir du 16e s.

Tour circulaire d'angle

Latrines

Arbalétrière : meurtrière cruciforme pour le tir à l'arbalète

Pont dormant : fixe

Porte d'entrée

Bretèche (ajoutée au 19e s.)

Douves sèches

Appareil assisé : constitué d'éléments de grosseur variable disposés en assise

45

Architecture civile

Château de MALLE (17ᵉ s.)

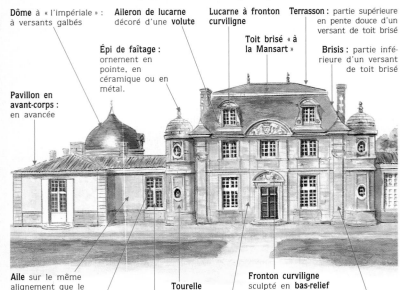

Dôme à « l'impériale » : à versants galbés

Aileron de lucarne décoré d'une **volute**

Lucarne à fronton curviligne

Terrasson : partie supérieure en pente douce d'un versant de toit brisé

Épi de faîtage : ornement en pointe, en céramique ou en métal.

Toit brisé « à la Mansart »

Brisis : partie inférieure d'un versant de toit brisé

Pavillon en avant-corps : en avancée

Aile sur le même alignement que le corps de logis

Tourelle

Fronton curviligne sculpté en **bas-relief**

Traverse : élément horizontal d'un remplage

Meneau : élément vertical d'un remplage

Corps de logis ou **corps principal** : masse principale d'une maison d'habitation, d'un château.

Pilastre ionique

BORDEAUX – Palais de la Bourse (18ᵉ s.)

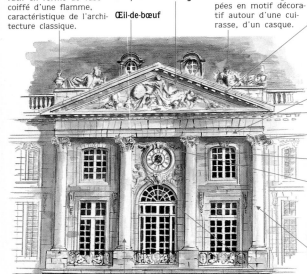

Pot à feu : élément décoratif en forme de vase coiffé d'une flamme, caractéristique de l'architecture classique.

Fronton triangulaire sculpté d'une **allégorie**

Œil-de-bœuf

Trophée d'armes : armes diverses groupées en motif décoratif autour d'une cuirasse, d'un casque.

Denticules : frise formée de petites découpures rectangulaires en ressaut

Architrave : partie de l'entablement qui porte horizontalement sur les colonnes

Chapiteau ionique à cornes

Baie couverte en segment

Cartouche : ornement disposé autour d'un espace vide destiné à recevoir une inscription

Colonne à tambours, en délit : isolée de la paroi par un bref intervalle

Imposte : partie supérieure d'une baie de porte ou de fenêtre

Mascaron décorant l'**agrafe**

Ordre colossal : ordre d'architecture embrassant plusieurs étages

Appareil en bossage. Le **bossage** est une saillie laissée sur le parement d'une pierre taillée.

Refend : ciselure profonde marquant les joints de l'appareil de bossage

Illustrations : R. Corbel

BORDEAUX – Cage d'escalier du Grand Théâtre (fin 18e s.)

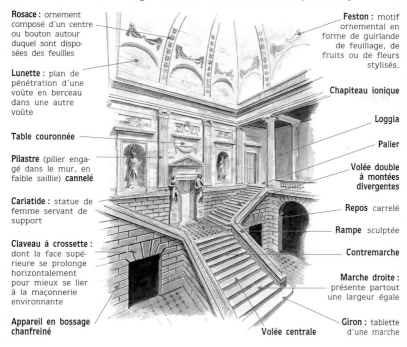

Rosace : ornement composé d'un centre ou bouton autour duquel sont disposées des feuilles

Lunette : plan de pénétration d'une voûte en berceau dans une autre voûte

Table couronnée

Pilastre (pilier engagé dans le mur, en faible saillie) **cannelé**

Cariatide : statue de femme servant de support

Claveau à crossette : dont la face supérieure se prolonge horizontalement pour mieux se lier à la maçonnerie environnante

Appareil en bossage chanfreiné

Feston : motif ornemental en forme de guirlande de feuillage, de fruits ou de fleurs stylisés.

Chapiteau ionique

Loggia

Palier

Volée double à montées divergentes

Repos carrelé

Rampe sculptée

Contremarche

Marche droite : présente partout une largeur égale

Giron : tablette d'une marche

Volée centrale

ARCACHON, Ville d'hiver – Villa Trocadéro (fin 19e s.)

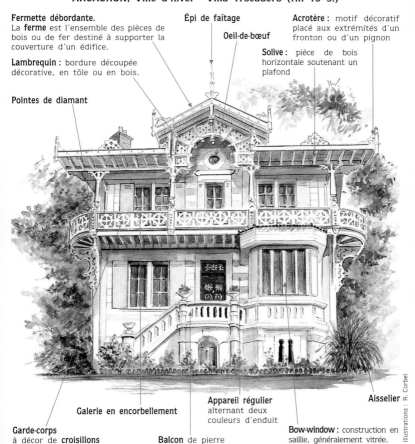

Fermette débordante. La **ferme** est l'ensemble des pièces de bois ou de fer destiné à supporter la couverture d'un édifice.

Lambrequin : bordure découpée décorative, en tôle ou en bois.

Pointes de diamant

Épi de faîtage

Oeil-de-bœuf

Acrotère : motif décoratif placé aux extrémités d'un fronton ou d'un pignon

Solive : pièce de bois horizontale soutenant un plafond

Garde-corps à décor de **croisillons**

Galerie en encorbellement

Balcon de pierre

Appareil régulier alternant deux couleurs d'enduit

Bow-window : construction en saillie, généralement vitrée.

Aisselier

ARCHITECTURE ET URBANISME MÉDIÉVAUX

Architecture militaire

De l'émiettement de l'autorité féodale résulta au Moyen Âge une dispersion générale des points fortifiés. Le Sud-Ouest et particulièrement l'ancienne Aquitaine, partagée trois siècles durant entre deux couronnes, furent alors saupoudrés de châteaux forts.

En dehors des cités dont la défense pouvait être assurée par la consolidation d'une enceinte gallo-romaine, des fortifications grossières se multiplièrent en rase campagne : un fossé, une palissade d'enceinte (« pau » en langue d'Oc, « plessis » en langue d'Oïl), une tour de bois puis de pierre élevée sur une « motte » suffisaient, pour un simple refuge.

Les donjons – Au début du 11e s. apparaissent des donjons défensifs de pierre rectangulaires. Leur rôle est d'abord simplement protecteur : maçonneries peu épaisses, absence de meurtrières permettant de tirer à l'arc. Le rez-de-chaussée, obscur, sert de magasin. L'accès se fait uniquement par le 1er étage au moyen d'une échelle ou d'une passerelle escamotable. Cette pratique illustrée par le donjon de Bassoues, courante jusqu'au 14e s., explique le dispositif des escaliers à vis, en pierre, qui ne s'amorcent qu'au 1er étage.

Les **salles**, variantes gasconnes du donjon des 13e et 14e s., antérieures à la guerre de Cent Ans sont des logis fortifiés accostés d'une ou de deux tours rectangulaires disposées en diagonale. Seuls les étages sont habitables et percés de fenêtres. Plus élaboré et plus important que la salle mais datant de la même époque, le **château gascon** adopte une forme rectangulaire flanquée de deux tours inégales placées de part et d'autre de la même façade. L'intérieur est aménagé en longues pièces, sur un ou deux étages. Le château gascon, dont celui de Ste-Mère est un exemple typique, était entouré d'une enceinte protégeant la ville.

Les châteaux de brique – Certains châteaux du Béarn portent la marque de **Sicard de Lordat**, ingénieur militaire de Gaston Fébus. Ils sont construits en brique par souci d'économie. Leur unique tour carrée, à cheval sur l'enceinte polygonale, forme donjon-porte. Les casernements et le logis d'habitation s'adossent intérieurement aux courtines. Morlanne et surtout Montaner sont les exemples les plus achevés de ce type.

Les châteaux clémentins – Bertrand de Got devient le pape Clément V en 1305. Ne pouvant résider à Rome alors en pleine révolution, il demeure dans la région de Bordeaux d'où il est natif. Il ordonne la construction du château de Villandraut et donne à chacun de ses neveux une terre pour construire un château. Ces constructions qualifiées de « châteaux clémentins », aujourd'hui au nombre de cinq (Villandraut, Roquetaillade, Duras, Budos et Fargues), sont des « palais-forte-resses » : elles ont un rôle défensif et servent en même temps de résidence au seigneur. Elles adoptent sensiblement la même architecture. Leur plan rectangulaire porte à chaque angle une tour cylindrique. Un des côtés des murailles est percé d'une entrée accostée de deux tours cylindriques de mêmes proportions que les tours d'angle. Cette entrée est précédée d'une bastille. L'intérieur est bordé sur trois côtés par les appartements, vastes salles superposées voûtées. Seul le château de Roquetaillade échappe à ce plan intérieur puisqu'il possède un donjon carré central plus élevé que les tours *(voir illustration p. 45)*.

Le château est entouré de fossés mouillés dont le talus extérieur est surmonté par le mur de contrescarpe. Une troisième enceinte (presque entièrement disparue) englobait le château, l'église et le village.

Les églises fortifiées – Nombreuses dans le Sud-Ouest, elles occupent une grande place dans l'histoire de l'architecture militaire.

Les deux types de mâchicoulis seraient apparus pour la première fois en France, à la fin du 12e s., sur des églises des pays de langue d'Oc : mâchicoulis classiques sur corbeaux ; mâchicoulis ménagés sur des arcs bandés entre les contreforts (Beaumont-de-Lomagne).

Traditionnel lieu d'asile – l'aire d'inviolabilité proclamée par les trêves de Dieu s'étendait à 30 pas autour de l'édifice –, l'église représentait, avec son architecture robuste et son clocher tout désigné comme poste de guet, un refuge pour les populations. Les trêves de Dieu prescrites par les conciles aux 10e et 11e s. imposaient la cessation des guerres pendant certains jours de la semaine et pendant l'Avent, le Carême et Pâques. Toute violation pouvait entraîner l'excommunication. Des églises forteresses complètes subsistent dans les hautes vallées pyrénéennes exposées aux raids aragonais. Les plus connues sont celle de Luz, enfermée dans une enceinte crénelée, et celle de Sentein, surmontée de trois tours.

Les « villes nouvelles » du Moyen Âge

Le Sud-Ouest ne compte que trois fondations urbaines du Moyen Âge dignes encore du nom de ville : Montauban (1144), création du comte de Toulouse, le « bourg » (ville basse) de Carcassonne (1247), construit sur la rive gauche de l'Aude par Saint Louis pour les habitants sans abri des quartiers rasés, au pied de la Cité, Libourne

(1270) dont le nom vient de Sir Roger Leyburn, sénéchal d'Édouard Ier d'Angleterre. *Montauban et Carcassonne sont traitées dans le guide Vert Michelin Pyrénées Roussillon Albigeois.* Mais l'Aquitaine, d'abord ponctuée de sauvetés et de castelnaux, a été surtout marquée par le mouvement des bastides, « villes nouvelles » mi-rurales, mi-urbaines, qui ne dépassent guère aujourd'hui le rang de chef-lieu de canton.

Sauvetés et castelnaux

(11e et 12e s.) – Les **sauvetés** (« Salvetat », « Sauveterre », etc.) procèdent d'initiatives ecclésiastiques. Prélats, abbés ou dignitaires d'un ordre militaire de chevalerie font appel à des « hôtes » pour assurer le défrichement et la mise en valeur de leurs terres.

Les **castelnaux** (« Châteauneuf », « Castets », etc.) ont pour origine des agglomérations créées par un seigneur dans la dépendance d'un château. Muret, Auvillar, Mugron, Pau étaient à l'origine des castelnaux. En Gascogne, le nom de Castelnau est complété par un nom de fief : Castelnau-Magnoac, Castelnau-Barbarens, etc.

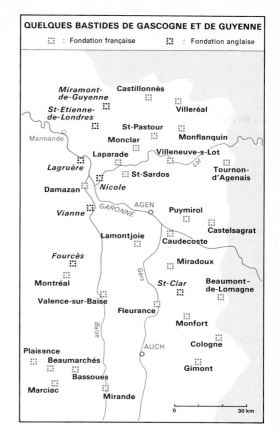

QUELQUES BASTIDES DE GASCOGNE ET DE GUYENNE

:: : Fondation française   :: : Fondation anglaise

Les bastides (1220-1350 environ) – On compte environ 300 bastides, « bastidas » en langue d'Oc, du Périgord aux Pyrénées. Elles atteignent en Gascogne et en Guyenne une densité qui laisse penser qu'elles constituent le premier habitat aggloméré dans cette région. Bien qu'elles ne se soient pas toutes développées et malgré leur alanguissement actuel – certaines ont même disparu –, les bastides sont, par leur création, une réponse à des besoins démographiques, financiers et économiques ou à des préoccupations politiques et militaires.

Nombre de bastides sont nées d'un contrat de paréage entre le roi et le seigneur du lieu ou entre un abbé et le seigneur laïc. Dans un tel contrat, deux seigneurs voisins délimitaient leurs pouvoirs et leurs droits sur un territoire qu'ils tenaient en fief, en commun (c'était le cas jusqu'en 1993 de la principauté d'Andorre qui avait comme coprinces l'évêque d'Urgel et le Président de la République française). Ce contrat précise le statut des habitants, le programme du lotissement, les redevances à payer par les acquéreurs, etc. Le peuplement était encouragé, entre autres dispositions, par la garantie du droit d'asile et l'exemption du service militaire dû au seigneur. Les nouveaux venus avaient capacité de disposer librement de leurs biens en faveur de leurs héritiers. En contrepartie, des pénalités pouvaient sanctionner un retard à construire.

Création – Les grands fondateurs de bastides furent :

Le frère de Saint Louis, **Alphonse de Poitiers** (1249-1271), devenu comte de Toulouse. Il multiplie les fondations, du Comminges au Rouergue, et peut compter ainsi sur d'importantes rentrées de fonds et sur les progrès de la francisation.

Le sénéchal de Toulouse, **Eustache de Beaumarchés** (1272-1294), sous les règnes de Philippe le Hardi et de Philippe le Bel. Ses bastides gasconnes montrent de très beaux damiers (Mirande, Marciac) et des plans originaux (Fleurance, dans un triangle).

Le duc d'Aquitaine et roi d'Angleterre, **Édouard Ier Plantagenêt** (1272-1307), et son sénéchal pour l'Agenais, Jean de Grailly. Leurs visées répondent à des préoccupations stratégiques et leurs créations font pièce aux bastides françaises, au-delà de la « frontière ».

Toponymie – Le nom de la bastide évoque soit son statut : Villefranche ; soit son fondateur : Montréjeau (Mont royal), Beaumarchés, Hastingues (Hastings) ; soit le parrainage symbolique d'une cité illustre : Valence (de Valence en Espagne), Fleurance, Cologne, Mirande (Miranda), Tournay, etc.

Urbanisme – Le plan des bastides se rapproche souvent d'un modèle type original, en échiquier carré ou rectangulaire (à l'exception de Fourcès, originale bastide circulaire), mais s'en éloigne parfois en raison du relief et de la nature du site choisi pour ses possibilités de peuplement ou de défense. On reconnaît l'intervention d'un arpenteur professionnel dans le tracé rectiligne des rues se coupant à angle droit et dans le découpage de lots de valeur égale. Les colons recevaient, outre une parcelle à bâtir, une parcelle de jardin et, hors de l'agglomération, mais à proximité, une parcelle cultivable. La voirie est en avance sur son temps : les rues principales ont couramment 8 m de largeur, chiffre élevé alors que les maisons n'ont qu'un étage.

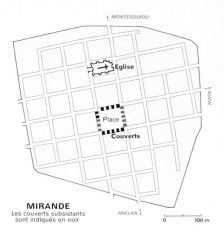

MONTESQUIOU

AUCH

Église

Place

Couverts

MIELAN

MIRANDE
Les couverts subsistants
sont indiqués en noir

0   100 m

L'unique place principale, réservée aux marchés, comme le rappellent les halles encore élevées en leur centre, était habituellement soustraite au trafic. La place n'est autre qu'un îlot en lacune, sur les côtés duquel les rues, passant de l'air libre aux « couverts », gardaient leur continuité et même leur nom.

L'église est édifiée près de la place centrale ou à la périphérie, solidaire du cimetière.

Les **couverts**, malheureusement amputés ou disparus, s'ouvrent sous des arcades de pierre ou sous un étage charpenté supporté par des poteaux de bois (les « embans » gascons).

Les églises de bastide – La multiplication des bastides à partir du 13e s. a engendré de nombreux chantiers d'églises. Là aussi, la nef unique, caractéristique du gothique languedocien, convenait, car l'îlot assigné à l'emplacement de l'édifice était strictement mesuré.

Les églises des bastides gasconnes (département du Gers) ont un air de famille avec leur clocher-porche (Mirande, Marciac) et leur large nef sombre éclairée principalement par la claire-voie d'une abside étriquée.

Le gothique toulousain

L'Est du Gers a été influencé par le gothique toulousain, au 13e s. Ce style se caractérise par l'emploi systématique de la brique et par la présence d'un clocher ajouré d'arcs en mitre inspiré de celui de la basilique St-Sernin à Toulouse *(voir le guide Vert Michelin Pyrénées Roussillon Albigeois)*. En l'absence d'arcs-boutants, la butée des voûtes est assurée par des contreforts massifs, entre lesquels se logent des chapelles.

A l'intérieur, la nef unique est relativement sombre, presque aussi large que haute et terminée par une abside polygonale plus étroite. La légèreté de la brique permet aussi de voûter des édifices primitivement couverts de charpentes.

ÉPOQUE CLASSIQUE

La fin de la Renaissance avait été une époque de stagnation pour l'art français. Avec Henri IV commence une ère de prospérité matérielle qui permet à l'art de s'engager dans une voie nouvelle. L'avènement de la dynastie des Bourbons amène un changement radical. L'art dit classique s'étend de 1589 à 1789.

Fortifications classiques

Nées au 16e s., elles protègent surtout les cités frontalières, courtines et bastions étant couronnés d'une plate-forme où sont placés les canons ; des tourelles suspendues permettent de surveiller fossés et alentours.

Au temps de Vauban – **Sébastien le Prestre de Vauban** (1633-1707) fut le maître incontesté en matière de fortifications. Il s'inspire de ses prédécesseurs ingénieurs du roi pour établir son système caractérisé par des bastions que complètent des demi-lunes, le tout étant environné de profonds fossés. Profitant des obstacles naturels, utilisant les matériaux du pays, il s'attache en outre à donner aux ouvrages qu'il conçoit une valeur esthétique, en les agrémentant d'entrées monumentales en pierre, souvent sculptées.

En Gironde son empreinte reste manifeste à Blaye, où la citadelle protectrice du port de Bordeaux faisait partie d'un système de défense comprenant Fort Pâté et Fort Médoc. Dans les Pyrénées-Atlantiques, Bayonne et Navarrenx témoignent également de la présence de ce grand architecte militaire.

Architecture religieuse basque au 17ᵉ s.

La plupart des églises basques ont été remaniées dès 1556, après le Concile de Trente, surtout au 17ᵉ s. L'architecture extérieure varie en fonction du type de clocher adopté. Les églises soulétines montrent de curieux **clochers-calvaires** (à Gotein par exemple) : il s'agit d'une façade-clocher à trois pignons surmontés chacun d'une croix. Cette forme évoque la Trinité et les trois croix rappellent celles de la Crucifixion. En Basse Navarre et en Labourd, le **mur-pignon** est arrondi et terminé par des courbes ou volutes évoquant la forme d'un fronton (c'est le cas à Bidarray). Certaines églises, comme celle d'Ascain, possèdent un massif **porche-clocher** à plusieurs étages. Le porche, quelle que soit sa forme, est le plus souvent surmonté d'une salle servant au conseil municipal ou au catéchisme.

Un type de disposition intérieure est particulier aux seules provinces basques du Nord (Labourd et Basse Navarre) : une large nef est entourée par deux ou trois étages de **galeries,** en principe réservées aux hommes. La chaire fait corps avec la galerie inférieure. Le maître-autel porte généralement un **retable baroque** monumental utilisant à profusion l'or, les sculptures et les volutes (thèmes empruntés au vocabulaire architectural baroque catholique, partout présent en Europe).

Dans les cimetières, les tombes les plus caractéristiques et les plus anciennes – antérieures au 16ᵉ s. parfois – sont dite « **stèles discoïdales** » : la stèle s'orne d'un disque de pierre fréquemment sculpté de la « croix basque », qui pourrait être une métamorphose du svastika (croix gammée, d'origine hindoue, à branches coudées).

Architecture Louis XVI

De majestueux bâtiments évoquent le style Louis XVI, inspiré de l'art antique, dont l'architecte parisien Louis fut un insigne représentant : sa manière, noble et sobre, s'exprime au Grand Théâtre de Bordeaux et dans maints châteaux du Bordelais.

Les chartreuses – Ces petits châteaux sont caractéristiques de la Guyenne et plus particulièrement du vignoble bordelais. Datant du 18ᵉ s. ou du début du 19ᵉ s. ils ont été conçus par l'aristocratie locale pour servir de retraite à proximité de la ville mais à l'écart des rumeurs. Basses, habituellement sans étage, les chartreuses comprennent parfois un pavillon en marquant le centre. Elles s'ouvrent de plain-pied sur une terrasse ou un parterre fleuri : celle de Beychevelle compte parmi les plus charmantes.

Château Beychevelle

51

1830-1930 : L'ARCHITECTURE SUR LA CÔTE ATLANTIQUE

L'éclectisme du 19e s.

Au 19e s., l'architecture européenne se caractérise par un éclectisme prononcé, remettant au goût du jour tous les styles passés (antique, roman, gothique, Renaissance et classique) et empruntant largement aux styles architecturaux étrangers, avec un goût appuyé pour l'Orient. On rencontre ce type d'architecture de la Gironde au Pays Basque, le plus souvent sur la côte ou dans les Pyrénées thermales. Il est prétexte à des constructions parfois très originales, à des villas somptueuses qui font la réputation de certaines stations.

En Bordelais, c'est le style néo-classique qui prime (au début du 19e s.), notamment pour les châteaux viticoles. Mais on trouve également de curieux mélanges au Château Lanessan (Renaissance espagnole et style batave) ou au Château Cos d'Estournel (orientalisme et classicisme).

Le Bassin d'Arcachon est lui aussi terrain de prédilection pour les constructions éclectiques du 19e s. Fréquenté par les Bordelais, il se couvre de bâtiments de tous styles : Villa algérienne au-dessus du cap Ferret, et surtout villas de la Ville d'Hiver à Arcachon, conçue par les frères Pereire (chalets suisses, maisons basques, cottages anglais, villas mauresques, etc. *Voir illustration p. 47*).

Favorisé par les séjours de Napoléon III qui fait construire la villa Eugénie dans le style néo-classique, Biarritz devient une station balnéaire à la mode. De somptueuses villas sont bâties, adoptant un parti pris éclectique qui perdure jusque dans les années 30 : la villa de la Roche-Ronde est de style néo-médiéval (tourelles, échauguettes...), le château Boulard (1870-1871) est un bâtiment néo-Renaissance, la villa Françon adopte le style *Old England.* A Hendaye, le château d'Abbadia imite l'architecture gothique tandis que les aménagements intérieurs sont de style mauresque, disposition qu'on retrouve par ailleurs au Casino de la Plage (toujours à Hendaye).

Les Pyrénées découvrent le tourisme dès 1860, sous l'influence de Napoléon III qui fait là aussi plusieurs séjours. C'est lui qui crée une route reliant les stations thermales, lesquelles bénéficient de la vague d'éclectisme qui déferle déjà sur la côte : à Eaux-Chaudes, l'établissement thermal est de style néo-classique, à Salies-du-Béarn, établissement thermal et casino sont résolument orientaux.

L'Art Déco

Il est surtout présent sur la côte basque : casino municipal, musée de la Mer (1932-1935) et décor intérieur de villas à Biarritz, Atrium-Casino (1928) et Splendid Hôtel (1932) à Dax, villa Leïhora (1926-1928) à Ciboure. L'architecture Art Déco garde de l'Art Nouveau qui la précède le goût pour la décoration ; mais cette fois, les formes sont épurées et les lignes se redressent. Les architectes ont souvent recours à la ferronnerie, à l'art du verre (de nombreuses verrières sont installées, aménageant un espace lumineux à l'intérieur des bâtiments) et à la céramique, faisant jouer la polychromie.

**Pour tous ceux qui veulent voyager autrement,
voici quelques idées de visites insolites**

Pénétrer dans l'église monolithe de **St-Émilion**, creusée dans la roche, p. 254 ;

Atteindre le sommet de la **dune du Pilat**, la plus haute d'Europe, p. 65 ;

Parcourir le **cirque de Gavarnie**, entassement de plis rocheux, p. 182 ;

Découvrir la vie quotidienne des marins à bord du **croiseur Colbert**, aujourd'hui amarré à Bordeaux, p. 131 ;

Se laisser glisser en barque sur le **courant d'Huchet**, à travers la « forêt vierge landaise », p. 189 ;

Atteindre le **phare de Cordouan**, chef-d'œuvre de style classique au milieu des eaux, p. 162 ;

Faire le pèlerinage de **Lourdes**, p. 205 ;

Suivre la **transhumance** des brebis sur les versants des Pyrénées, p. 109 ;

Descendre dans les sinueuses **gorges de Kakouetta**, p. 274 ;

Participer au concours des menteurs de **Moncrabeau**, p. 305 ;

Partir à la recherche des derniers ours, dans les **vallées d'Aspe et d'Ossau**, p. 93 et 95.

Port de Ciboure

54

Villes
et curiosités

E. Baret

AGEN

Agglomération 60 684 habitants
Cartes Michelin n°s 79 pli 15 ou 235 pli 17

Au centre d'une région fertile, Agen s'étale dans la plaine entre la Garonne et le coteau de l'Ermitage ; sa situation en fait un gros marché de primeurs et de fruits : pêches, chasselas (raisin blanc) et surtout prunes, à tel point qu'Agen et pruneau sont étroitement associés dans l'esprit des gourmets.

Elle présente l'aspect d'une ville aérée et moderne avec ses larges avenues et son esplanade du Gravier. Le carrefour des boulevards de la République et Carnot ainsi que les rues piétonnes avoisinantes constituent le centre animé de la ville.

Entre Bordeaux et Toulouse, elle est le pôle d'attraction des pays de la moyenne Garonne.

UN PEU D'HISTOIRE

Un cénacle d'artistes et d'érudits – La Renaissance brille à Agen d'un éclat tout particulier : chassé de Milan par la proscription, **Bandello** (1485-1561), qui excelle dans les contes et les nouvelles, trouve un asile doré sur les rives de la Garonne ; **Jules-César Scaliger** (1484-1558), né à Padoue et établi à Agen, donne à sa ville adoptive une grande célébrité par le rayonnement de sa personnalité, par son érudition et par son influence sur de nombreux hommes de lettres ; son fils, Joseph-Juste Scaliger (1540-1609), est un éminent philologue.

Bernard Palissy (1510-1590), né près de Monpazier, fut l'auteur d'ouvrages techniques et philosophiques, mais il est surtout connu comme verrier et potier. Au prix d'un labeur acharné et de sacrifices très lourds – on rapporte qu'il brûla ses meubles pour alimenter ses fours –, il s'acharna à retrouver la composition de l'émail. Il créa une poterie intermédiaire entre la faïence italienne et la terre vernissée et obtint un vif succès en réalisant des bassins décorés en « rustique » (moulages colorés d'animaux tels que serpents, lézards, poissons, écrevisses).

Le perruquier-poète – Jacques Boë, dit **Jacques Jasmin**, né à Agen en 1798, s'établit comme perruquier dans sa ville natale. Il composait des chansons et de petits poèmes qu'il récitait à ses clients. Encouragé à persévérer par des amis puis par des critiques, il écrivit des œuvres plus importantes, utilisant la langue occitane à laquelle il donna une impulsion nouvelle. Reçu à la cour de Napoléon III, fêté dans les salons parisiens, il connut la célébrité et la gloire littéraire.

Fruits et primeurs – Formé par les collines et les plateaux du « pays des Serres » que limitent les vallées du Lot et de la Garonne, l'Agenais concentre dans ces vallées l'essentiel de son économie. Voies de passage naturelles entre l'Atlantique et la Méditerranée, elles doivent à la douceur de leur climat les importantes cultures maraîchères et fruitières qui font leur renommée.

LA VIEILLE VILLE *visite : 2 h*

Cet itinéraire permet de faire la connaissance d'une partie du vieil Agen. Partir de la place Docteur-Pierre-Esquirol.

Place Docteur-Pierre-Esquirol (**AY 10**) – Sur la place, du nom d'un ancien maire de la ville, se dressent l'hôtel de ville, ancien présidial du 17ᵉ s., le théâtre Ducourneau et le musée des Beaux-Arts.

Prunes d'ente

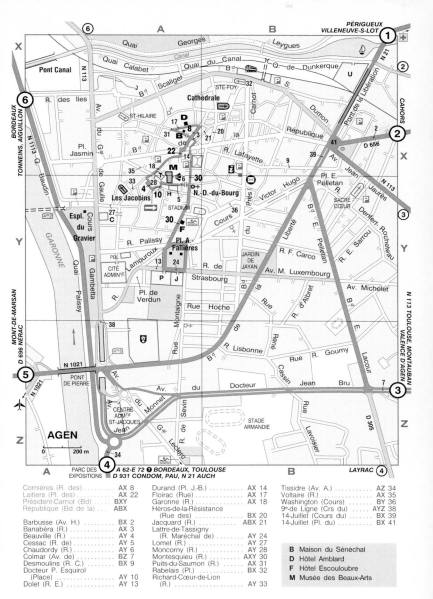

B Maison du Sénéchal

D Hôtel Amblard

F Hôtel Escouloubre

M Musée des Beaux-Arts

Les noms des rues principales sont soit écrits sur le plan soit répertoriés en liste et identifiés par un numéro.

★★ **Musée des Beaux-Arts** (**AXY M**) ⊙ – Il bénéficie d'une excellente présentation dans le cadre d'élégants bâtiments des 16e et 17e s., les hôtels mitoyens d'Estrades, de Vaurs, Vergès et Monluc. Dans l'ensemble, les façades des hôtels ont gardé leur aspect d'origine alors que les murs intérieurs ont été abattus pour permettre l'agrandissement du musée.

Sous-sol – Dans les caves voûtées de l'hôtel de Vaurs, anciennes prisons de la ville comme en témoignent les chaînes et bracelets fixés aux murs, ont trouvé place les **collections de préhistoire,** des plus anciens galets taillés aux formes les plus évoluées du néolithique agenais ainsi que la collection de minéraux du legs Maisani.

Rez-de-chaussée – On visite d'abord la grande salle d'archéologie médiévale, dont la pièce principale est le **tombeau d'Étienne de Durfort** et de son épouse ; les gisants reposent sur un socle sculpté de personnages s'inscrivant dans des arcatures trilobées.

Les murs latéraux sont garnis de chapiteaux romans et gothiques ornés de feuillages et d'animaux fantastiques. Remarquer également une tapisserie de Bruxelles du 16e s., *Le Mois de mars,* ainsi que diverses pierres tombales.

Dans les salles d'archéologie gallo-romaine du pays agenais, la **Vénus du Mas** constitue, au milieu des mosaïques, amphores et petits bronzes, la plus belle œuvre du musée. Ce marbre grec (1er s. avant J.-C.), découvert au siècle dernier près du Mas d'Agenais, est admirable par la grâce de son modelé, le mouvement harmonieux de la draperie, la perfection de ses proportions.

Une pièce voisine, dotée d'une cheminée monumentale Renaissance, a pour thème la chasse et la guerre : armes anciennes (remarquer une dague de chasse du 16e s., dont le fourreau est décoré d'une danse macabre), tapisserie (*Chasse au cerf*, 17e s., d'après un carton de Van Orley), profil féminin en marbre du 15e s., attribué à Mino da Fiesole.

Premier étage – Par le bel escalier à vis de l'hôtel de Vaurs (dont l'axe lui-même est en spirale) on accède aux collections de peintures et d'arts décoratifs. Au milieu de la salle, le Minotaure en bronze est l'œuvre de François-Xavier Lalanne, artiste natif d'Agen.

A côté d'une reconstitution de la pharmacie de l'hôpital d'Agen avec ses pots en faïence de Bordeaux, sont présentées des peintures françaises et étrangères des 16e et 17e s., où l'on remarque une *Kermesse* de Téniers le Jeune ainsi que des porcelaines et surtout des **faïences** françaises et étrangères depuis Bernard Palissy. On verra, au même étage, de l'Agenais Boudon de Saint-Amans (1774-1856), une étonnante série de **sulfures** aux sujets religieux, historiques et mythologiques, et les exemplaires uniques de faïence fine par laquelle il tenta de concurrencer l'Angleterre.

Un corridor, où l'on peut admirer un portrait de la comtesse du Barry, conduit aux **salles de peinture française des 17e et 18e s**. : série de portraits de grande qualité comme celui du comte de Toulouse par François de Troy, toiles de Watteau (*Le Conteur*), Nattier, Lancret, Hubert Robert... Tout à côté se trouve l'une des gloires du musée d'Agen : une **série de Goya** dont un *Autoportrait* particulièrement expressif (noter la vivacité du regard au milieu des traits plutôt lourds), l'*Ascension d'une montgolfière*, et une petite toile surréaliste avant la lettre intitulée *Caprices* (voir Castres, guide Vert Michelin *Gorges du Tarn Cévennes Languedoc*) où des êtres humains horrifiés sont survolés par un âne, un taureau et un éléphant, sous une lumière mystérieuse. D'autres peintures espagnoles enrichissent cette salle ainsi qu'un beau Tiepolo (*Page expirant*).

La peinture du 19e s. est représentée par un chef-d'œuvre de Corot : l'**Étang de Ville-d'Avray**, Isabey, Courbet, une collection de pré-impressionnistes (nombreux Boudin) et d'impressionnistes (Lebourg, Caillebotte) ; du peintre roumain Grigoresco, on remarque une *Tête de paysanne roumaine*.

Deuxième étage – Les peintures du 19e s. se poursuivent avec de beaux paysages impressionnistes (Sisley, Guillaumin, Lebasque). Le 20e s. s'annonce avec un Picabia un peu insolite par son côté impressionniste, *Bord du Loing*, tandis qu'une très belle salle à fenêtres géminées présente, autour d'œuvres de **Bissière** (né dans le Lot-et-Garonne) – nature morte, vitraux –, des toiles et dessins de Le Moal et Manessier.

Revenir à la salle de la pharmacie et à l'escalier à vis de l'hôtel de Vaurs pour poursuivre la visite dans les étages de cet hôtel.

Deuxième étage (suite) – La salle Lalanne expose des gravures offertes par l'artiste lui-même. Dans la salle voisine ou salle du Docteur-Esquirol, tableaux, meubles et figurines asiatiques font partie du legs de l'ancien maire de la ville. Parmi les tableaux, remarquer une lumineuse *Vierge et l'Enfant Jésus* aux tons bleutés, œuvre de Philippe de Champaigne ; deux Clouet, *Portrait de Charles IX* et *Portrait d'Élisabeth d'Autriche* ; ainsi qu'un Greuze, *Tête d'enfant*.

Troisième étage – Consacré à des œuvres d'artistes locaux de différentes époques.

Terrasse – De la tour, belle vue sur la ville et les coteaux de Gascogne.

Rue Beauville (AY 4) – Au n° 1, une très belle maison à pans de bois et à encorbellement abrite des services administratifs.

Tourner à droite dans la rue Richard-Cœur-de-Lion.

Au carrefour avec la rue Moncorny, autre maison à pans de bois (débit de tabac).

La rue Garonne mène à la place des Laitiers.

Place des Laitiers (AX 22) – Elle fait partie du cœur du vieil Agen, avec ses arcades et nombreux commerces.

Traverser le boulevard de la République.

Rue des Cornières (AX 8) – Cette rue commerçante ne manque pas de pittoresque avec ses maisons à pans de bois (nos 13, 17, 19) et en pierre sur arcades.

Prendre à gauche la rue Puits-du-Saumon.

Maison du Sénéchal (AX B) – Cette maison du 14e s. est percée à l'étage de fenêtres gothiques.

Au rez-de-chaussée, à travers une porte vitrée, elle présente divers objets (cloche de l'ancien hôtel de ville, bustes féminins du 17e s., sarcophages) appartenant au musée des Beaux-Arts.

Hôtel Amblard (**AX D**) – S'ouvrant au n° 1 de la rue Floirac, il date du 18ᵉ s.

Reprendre la rue des Cornières à droite puis la rue Banabéra à gauche.

A l'angle de la rue Jacquard s'élève une charmante maison à pans de bois.

Traverser le boulevard de la République en direction du marché couvert que l'on laisse à gauche avant d'arriver rue Montesquieu.

Rue Montesquieu (**AXY 30**) – Pittoresque église, **N.-D.-du-Bourg** (13ᵉ-14ᵉ s.), en pierre et brique avec un clocher-mur, et au n° 12 l'**hôtel Escouloubre** (**Y F**) du 18ᵉ s.

Place Armand-Fallières (**AY**) – Sur cette place ombragée voisinent l'imposant palais de justice du 19ᵉ s. et la préfecture, ancien palais épiscopal du 18ᵉ s. Au Nord de la place, face à l'immeuble de la sécurité sociale, l'hôtel Lacépède (18ᵉ s.) abrite la bibliothèque municipale.

Revenir sur ses pas par la rue Montesquieu et prendre à gauche sous une voûte la rue Chaudordy qui ramène à la place Docteur-Pierre-Esquirol.

Au passage remarquer les belles fenêtres géminées de l'hôtel Monluc (elles sont également visibles de l'intérieur en visitant le musée des Beaux-Arts).

AUTRES CURIOSITÉS

Cathédrale St-Caprais (**BX**) – Fondée au 11ᵉ s., l'ancienne collégiale de St-Caprais fut élevée au rang de cathédrale en 1802. La partie la plus remarquable est le chevet du 12ᵉ s. : abside flanquée de trois absidioles ajourées par des fenêtres en plein cintre aux modillons sculptés de têtes humaines et d'animaux. L'intérieur, restauré au siècle dernier et décoré de fresques représentant les saints tutélaires de l'Agenais, frappe par la disproportion entre la nef, très courte (2 travées), sans doute inachevée, et le carré du transept, très ample, prévu à l'origine pour être couvert d'une coupole.

De la place Raspail, vue sur le chevet de la cathédrale.

Pont-canal (**AX**) – Cet ouvrage, long de 500 m et comprenant 23 arches, permet au canal latéral à la Garonne de franchir le fleuve. Bonne vue d'ensemble depuis la N 113 *(sortie ⑦ du plan).*

Esplanade du Gravier (**AY**) – Cet espace planté de platanes et aux pelouses séparées par un bassin circulaire permet de se promener agréablement le long de la Garonne. La passerelle offre une belle vue sur le pont-canal, le fleuve et la ville.

Église des Jacobins (**AY**) – C'est l'unique vestige du couvent des Frères Prêcheurs fondé au 13ᵉ s. Le vaste édifice gothique en brique présente deux nefs identiques séparées par des piliers à section circulaire et, contrairement à celui de Toulouse, des chevets plats.

ENVIRONS

Walibi Aquitaine ⓥ – *4 km au Sud-Ouest par la D 656, route de Nérac, en venant du centre-ville. En venant de l'autoroute A 62, Bordeaux-Toulouse, prendre la sortie n° 7 Agen.*
Ce parc de loisirs propose diverses attractions conçues pour faire passer une agréable journée de détente.
Les attractions familiales se nomment la Coccinelle, l'Aquachute, le Labyrinthe aquatique, le Tam-Tam-Tour, etc. Les amateurs de sensations fortes dévaleront la Radja River à bord de bateaux gonflables, emprunteront les wagons ultra-rapides du Boomerang ou encore partiront à la découverte des Vikings à bord du Drakkar. Des balades en « vieux tacots » ou à bord du petit train font apprécier les frondaisons du parc. Deux spectacles complètent la gamme des divertissements : les fontaines musicales (650 jets d'eau animés) et les évolutions des otaries.
Plusieurs formules de restauration sont proposées, du pique-nique au restaurant.

LE BRULHOIS

Circuit de 32 km – environ 1 h. Quitter Agen par ⑥ puis prendre la D 656 à gauche.

Le Brulhois, bordé à l'Ouest par l'Auvignon et à l'Est par l'Auroue, révèle un paysage de collines, combinant pentes douces et abrupts calcaires.

Environ 6 km après Roquefort, tourner à gauche dans la D 208.

Laplume – Ancienne capitale du Brulhois, ce bourg se tient sur une crête dans un site très dégagé. De nombreux moulins à vent tournaient jadis sur ces hauteurs.

Aubiac – L'église romane fait corps avec le village qu'elle semble défendre. A l'intérieur, le chœur tréflé est éclairé par une tour-lanterne élevée sur la travée carrée faisant office de croisée du transept. Observer à l'étage des baies de cette tour une frise de billettes prolongeant le motif du tailloir des chapiteaux et une frise de palmettes marquant le soubassement des demi-colonnes engagées.

Estillac – Le château, masqué par les arbres, surveille la plaine de la Garonne agenaise du haut du dernier ressaut des collines du Brulhois. **Blaise de Monluc** (vers 1500-1577) s'y installa aux environs de 1550. Nommé lieutenant du roi en Guyenne, en 1563, il surveillait les menées huguenotes et dictait ses « Commentaires ».

La D 931 ramène à Agen.

Le guide Vert Michelin France.

Destiné à faciliter la pratique du grand tourisme en France,
il vous propose des programmes de traversée tout prêts, en cinq jours,
et vous offre un grand choix de combinaisons et de variantes possibles
auxquelles il est facile d'apporter une adaptation personnelle.

AINHOA★

539 habitants (les Aïnhoars)
Cartes Michelin n°s 85 pli 2 ou 234 pli 33 – 8 km au Sud-Ouest de Cambo-les-Bains

Aïnhoa est un village basque caractéristique, issu d'une bastide fondée à la fin du 12e s. par les Prémontrés comme relais vers St-Jacques-de-Compostelle. Elle est traversée par la D 20, une des plus anciennes voies de pèlerins et de marchands, dans le pays de Nive-Nivelle, en direction de l'Espagne.

Aïnhoa – Maisons basques

★ **Rue principale** – Elle ne manque pas de pittoresque avec ses maisons des 17e et 18e s. aux toits débordants, asymétriques parfois, recouverts de vieilles tuiles, leurs façades reblanchies à la chaux chaque année aux approches de la Saint-Jean, leurs volets et leurs colombages peints, leurs poutres maîtresses parfois ornées d'inscriptions et de dates comme la maison Gorritia.

Église – Elle est intéressante par les boiseries dorées du chœur, son plafond de bois, ses 2 étages de galeries. A l'entrée du cimetière, le monument aux morts est conçu dans le style des stèles discoïdales.

Notre-Dame-de-l'Aubépine ⓥ – *Prendre la rue à gauche de la mairie et suivre le balisage du GR. Compter 2 h A/R.*
Empruntant le tracé du GR 10, ce sentier pierreux est un chemin de croix (vue d'ensemble d'Aïnhoa) menant à Notre-Dame-de-l'Aubépine, petite chapelle perchée au flanc du mont Ereby et lieu d'un important pèlerinage basque, tous les ans le lundi de Pentecôte. De là, beau panorama sur la rade de St-Jean-de-Luz et Socoa ainsi que sur les premiers villages espagnols au pied des hautes montagnes navarraises.

AIRE-SUR-L'ADOUR

6 206 habitants (les Aturins)
Cartes Michelin n⁰ˢ 82 plis 1, 2 ou 234 pli 27

La ville est massée entre l'Adour, dont les berges sont aménagées en promenades, et le coteau de la Chalosse, alors que la plaine de la rive droite s'est prêtée à des extensions industrielles (Centre National d'Études Spatiales). Ses marchés des « gras » (oies, canards, foies d'oies et foies de canards) offrent, de novembre à février, un spectacle pantagruélique.

Église St-Pierre-du-Mas (dite de Ste-Quitterie) ⊘ – A mi-versant du plateau, l'église est, depuis l'évangélisation de la région au 4ᵉ s., le sanctuaire le plus vénérable de la cité. Elle est placée sous le patronage de sainte Quitterie, martyrisée lors des persécutions ariennes du 5ᵉ s.

Le grand portail gothique, consacré au Jugement dernier, montre aux registres inférieurs du tympan les élus, vêtus de la robe nuptiale, les damnés, engloutis par un monstre, et les âmes du Purgatoire, souffrant dans des chaudières.

Le chœur a été remanié au 18ᵉ s., mais il a conservé deux belles séries d'arcatures romanes du 12ᵉ s. décorées de billettes en damier. Remarquer les chapiteaux historiés, particulièrement à droite, le 3ᵉ : personnages chevauchant à l'envers des monstres ; à gauche, le 2ᵉ : supplices infernaux et le 4ᵉ : le prophète Balaam sur son ânesse. De part et d'autre du chœur des marches donnent accès aux absidioles.

Crypte ⊘ – Elle remonte à la fin du 11ᵉ s. et a été aménagée sur les restes d'un édifice pré-roman. Dans la niche d'un mur très ancien, le **sarcophage de Ste-Quitterie**★ constitue un chef-d'œuvre antique (4ᵉ s.) admirable par la beauté du marbre et par la douceur du modelé. De droite à gauche, on reconnaît Dieu (vêtu de la toge romaine) créant l'homme, le Péché originel, la Synagogue (matrone romaine voilée), le Bon pasteur, Daniel dans la fosse aux lions, la résurrection de Lazare. Sur les côtés : à droite, Jonas endormi sous un ricin ; à gauche, Jonas jeté à la mer. Parmi les dalles, on remarque une pierre sculptée de feuilles de laurier, vestige d'un temple élevé au dieu Mars.

EXCURSIONS

Château de Mascaraàs-Haron ⊘ – *25 km. Quitter Aire-sur-l'Adour par la route de Pau, N 134. A 17 km, prendre à gauche vers Garlin par la D 16, puis vers Mascaraàs par la D 104 via Castelpugon.*

Couronnant une butte autrefois fortifiée surplombant la vallée du Lées et les moutonnements verdoyants du Vic-Bilh *(voir p. 35)*, cette ancienne demeure seigneuriale a belle allure avec son corps de logis cantonné de gros pavillons d'angle. A proximité, l'église du 16ᵉ s. faisait partie de l'ensemble castral. Le chai, de style béarnais, instruit sur le vignoble de Madiran. Le relais de chasse construit au 16ᵉ s., selon la tradition pour Jeanne d'Albret, mère de Henri IV, fut largement transformé aux 17ᵉ s. et 18ᵉ s. par la famille de Batz-Diusse. A l'intérieur, principalement meublé avec du mobilier flamand et brabançon des 17ᵉ s. et 18ᵉ s., on visite notamment le grand salon, orné d'une belle fontaine en marbre de la fin du 17ᵉ s., la bibliothèque riche d'éditions rares, le petit salon aux murs couverts de scènes mythologiques peintes en camaïeu de bleu et la spacieuse cuisine rustique.

Église de Mazères – *30 km. Quitter Aire-sur-l'Adour par la D 935 en direction de Tarbes. Au carrefour d'accès Nord de Castelnau-Rivière-Basse, prendre, à l'opposé de la rampe du bourg, un chemin traversant sous voûte un corps de bâtiment.* L'**église** ⊘ fortifiée romane présente en façade un clocher-pignon flanqué d'échauguettes sur contreforts. A l'intérieur, l'arcature décorative ornant le chœur a conservé des chapiteaux romans : Daniel dans la fosse aux lions, le Christ bénissant entre deux anges ; aux retombées de l'arc triomphal : Adoration des Mages, Visitation. A l'opposé, dans la salle sous clocher, la châsse en marbre de sainte Libérate (1342), en qui la croyance populaire voyait la sœur de sainte Quitterie d'Aire, est dressée sur un piédestal formant « confession » : en rampant sous le monument, le pèlerin se mettait « sous » la protection des reliques.

ARCACHON ⚏⚏

11 170 habitants
Cartes Michelin n⁰ˢ 78 plis 2, 12 ou 71 pli 20 ou 234 pli 6 – Schéma p. 67

Station balnéaire ouverte sur le bassin, centre ostréicole renommé, Arcachon se compose de quatre quartiers. La **ville d'été**, étalée le long du front de mer entre la jetée de la Chapelle et la jetée d'Eyrac, offre l'attrait de ses terrasses, de ses distractions mondaines (casino) et sportives (régates à la voile, compétitions motonautiques). La **ville d'automne** est le quartier maritime, où se côtoient l'important port de plaisance et le port de pêche animé par le trafic des chalutiers. La **ville d'hiver**, en retrait, mieux abritée des vents du large, présente de belles artères jalonnées de villas fin 19ᵉ s., début 20ᵉ s., au milieu d'une forêt de pins. A l'Ouest, le parc Pereire avec son complexe sportif et ses résidences cossues forme la **ville de printemps**. La source des Abatilles, fournit une eau parfaitement minéralisée, aujourd'hui commercialisée.

ARCACHON

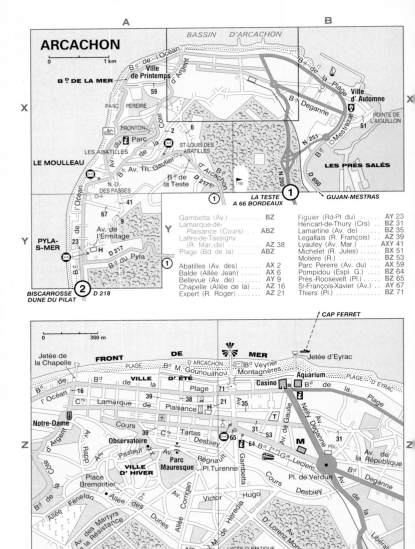

Naissance d'Arcachon – En 1841, une ligne de chemin de fer relie Bordeaux et La Teste où les Bordelais prennent leurs bains de mer. En 1845, un débarcadère en eau profonde est construit sur la baie, à 5 km au Nord de La Teste ; une route, tracée à travers les prés salés, le dessert. Des villas se construisent : Arcachon est née.

En 1852, les frères **Émile** et **Isaac Pereire** fondent la Compagnie des Chemins de Fer du Midi et rachètent la ligne Bordeaux-La Teste qu'ils prolongent jusqu'à Arcachon. Au début des années 1860, ils acquièrent des terrains forestiers et des semis de l'État. Dans le but de rentabiliser la ligne et les terrains, ils vont créer des infrastructures : une gare, un « buffet chinois », un grand hôtel, un casino mauresque et quelques villas. Les plans des premiers édifices sont principalement conçus par Paul Régnault, secondé par le jeune Gustave Eiffel. Station estivale déjà fréquentée pour ses bains de mer, elle devient également en 1866 une station d'hiver attirant les phtisiques (tuberculeux pulmonaires). C'est à partir de 1935 qu'Arcachon ajouta à son rôle de station climatique une vocation balnéaire et touristique.

★ LE FRONT DE MER (ABZ)

Constitué par les boulevards Gounouilhou et Veyrier-Montagnères, ombragés de tamaris, de part et d'autre de la jetée Thiers, il permet une agréable promenade le long de la plage de sable fin. A l'Est se dresse la façade blanche du **Palais des Congrès** (Palatium), intégré au château Deganne, de style néo-Renaissance, qui abrite le **casino**. De la jetée, **vue**★ d'ensemble sur le bassin et la station.

Dans l'axe de la jetée de la Chapelle, précédée de la Croix des Marins, s'élève l'**église Notre-Dame** du 19e s. (**AZ**), troisième édifice d'un sanctuaire fondé au 16e s. par un franciscain ; à l'intérieur, la **chapelle des Marins**, décorée de nombreux ex-voto, abrite la statue vénérée de Notre-Dame d'Arcachon.

Aquarium et musée (**BZ**) ⊙ – L'aquarium, à l'entresol, expose, dans une trentaine de bassins vitrés, les animaux marins les plus représentatifs du Bassin et du proche océan. Le musée, à l'étage, présente, outre des collections d'oiseaux, de reptiles, de poissons et d'invertébrés divers de la région, une section réservée aux huîtres, et le produit de fouilles archéologiques locales.

★ **Boulevard de la mer** (**AX**) – Promenade pédestre le long de ce charmant boulevard maritime bordé de pins et de sable, en vue de la presqu'île du Cap-Ferret et en bordure du résidentiel parc Pereire.

Musée de la Maquette marine (**BZ M**) ⊙ – Dans cet espace rassemblant 350 maquettes de bateaux de toutes sortes (paquebots à voiles, méthaniers, sous-marins, etc.), l'attention se porte sur un étonnant **port★** reconstitué au 1/100 regroupant 156 navires.

ARCACHON EN CINQ QUARTIERS

L'Aiguillon St-Ferdinand – Ce quartier est animé par le port de pêche d'Arcachon. Le débarquement des poissons frais pêchés, tôt le matin, est un spectacle inoubliable. On peut déguster des fruits de mer à **La Taverne des Pêcheurs**, boulevard de la Plage. La discothèque **Le Cotton Club** se trouve boulevard Mestrézat.

Le centre ville et le Front de mer – Quartier incontournable d'Arcachon avec la plage Thiers bordée de petits restaurants de fruits de mer (**Chez Pierre**, au décor 1930, **L'Ecailler-Diego Plage**), ses rues piétonnes (boutiques de mode, boutiques chics) et le **Casino de la Plage** (machines à sous, Black-Jack, roulette, restaurant...). On peut aller danser au **GN** (discothèque, rue Roger Expert).

La Ville d'hiver – C'est l'endroit le plus reposant d'Arcachon. Le **Parc Mauresque** offre un îlot de verdure au-dessus du centre ville.

Le Parc Pereire et les Abatilles – Lieu de promenade et de détente, ce quartier rassemble la plupart des activités sportives de la ville : l'**Espace Loisirs des Abatilles** abrite le bowling, la piscine, le fronton, 27 courts de tennis, un golf 18 trous et un club hippique. La Plage Pereire est bordée d'une longue promenade piétonne ombragée. **La Réserve du Parc**, entre la plage et le Parc Pereire, propose des spécialités de poissons et de fruits de mer. A l'extrémité Sud, **Les Arbousiers** est le « spot » des surfers.

Le Moulleau – Sorte de village dans la ville, le Moulleau est le quartier « jeune » d'Arcachon. On y trouve des restaurants de toutes sortes, des pianos-bars jouant du jazz en soirée. **Le Bar de l'Oubli** est un spécialiste des cocktails exotiques et sert en-cas et tapas à toutes heures. Les petites rues piétonnes proposent restaurants, glaciers et boutiques.

Transports en commun

Pour aller d'un quartier à l'autre, on peut emprunter le « **bateau bus** », qui joint la jetée du Moulleau, la jetée de la Chapelle, la jetée Thiers, la jetée d'Eyrac et le port de pêche trois fois par jour (aller et retour). Renseignements à l'Office de tourisme.

Quelques festivités

Arcachon est animée pratiquement toute l'année : en avril a lieu le **Festival Jeunes Solistes** (musique classique), en juin la **Coupe de Parachutisme**, en juillet les **Not'Ambules** (spectacles et musiques de rue) et les **18 Heures d'Arcachon à la Voile**, en août les **Fêtes de la Mer** (bénédiction des bateaux et musique en soirée) et en septembre le **Festival du cinéma des Mondes Latins**.

★ **LA VILLE D'HIVER** (**AZ**) ⊙ *visite : 2 h*

De la place du 8-mai, prendre le pittoresque ascenseur, dont la station supérieure, située en bordure du parc du casino mauresque, domine la ville d'été.
Résultat d'une opération immobilière menée par les frères Pereire à partir de 1860 *(voir p. 62)*, la ville d'hiver est une sorte de « parc urbain » quadrillé d'allées sinueuses, contournant les dunes ou les gravissant, lui assurant ainsi une protection contre les vents du large. Ce pittoresque quartier planté de pins, dont les effluves balsamiques ont été reconnues bénéfiques pour les tuberculeux, fit d'Arcachon une station climatique. Visitée par l'empereur Napoléon III en 1863, la ville d'hiver fut pendant des décennies un lieu de

rendez-vous pour les célébrités politiques, littéraires et artistiques de l'époque. Bien que mêlant des styles divers (chalet à pans de bois, suisse ou basque, cottage anglais, villa mauresque, manoir néo-gothique, maison coloniale), les villas sont pour la plupart construites sur le même plan : un étage de service en partie excavé, un rez-de-chaussée surélevé, réservé aux pièces de réception et au salon-véranda ; à l'étage supérieur, les chambres de maître. La végétation, d'où surgissent les toitures extravagantes des villas, se compose essentiellement de pins atlantiques aux longs fûts, mais y croissent aussi le chêne, l'érable, le robinier puis le prunus, enfin le micocoulier, le platane et le tilleul. Au moment de leurs floraisons respectives, les mimosas, les catalpas et les magnolias déploient des couleurs vives tranchant sur le vert sombre des pins.

Tous les édifices d'origine n'ont pas été conservés. Le casino mauresque, notamment, qui s'inspirait à la fois de l'Alhambra de Grenade

Villa Vincenette

et de la mosquée de Cordoue, a été détruit dans un incendie en 1977. On a à cœur aujourd'hui, par des travaux de consolidation et de restauration, de préserver ce patrimoine architectural fort original et au charme suranné, dont la caractéristique est la profusion de bois découpés décorant les pignons, les balcons et les escaliers extérieurs.

Nous proposons ci-dessous quelques buts de promenade :

Parc mauresque, planté de nombreuses essences exotiques, offrant une **vue** sur la ville et le bassin d'Arcachon.

Observatoire Ste-Cécile, à charpente métallique, accessible par une passerelle franchissant l'allée Pasteur ; de la plate-forme, **vue** sur la ville d'hiver, Arcachon et le bassin.

Allée Rebsomen : villa Theresa (aujourd'hui hôtel Sémiramis). Allée Corrigan : **villa Walkyrie**, Hôtel de la Forêt, **villa Vincenette** (bow-window garni de vitraux). Allée Dr.-F Lalesque : villas l'Oasis, Carmen, **Navarra**. Angle de la rue Velpeau et de l'allée Marie-Christine : **villa Maraquita**. Allée du Moulin-Rouge : **villa Toledo** (superbe escalier en bois découpé). Allée Faust : villas Athéna, Fragonard, Coulaine, **Graigcrostan**, Faust et Siebel. Allée Brémontier : **Brémontier** (tourelle et balcon), Glenstrae. Place Brémontier : villas Sylvabelle et **Trocadéro** (balcon en dentelle de bois – *voir illustration p. 47*). Allée du Dr.-Festal : villa Monaco. Allée Pasteur : villas Montesquieu et Myriam. Angle allée Pasteur/allée Alexandre-Dumas : villa A. Dumas.

La pêche arcachonnaise

Les quais d'Arcachon accueillent bon an mal an 2 000 t de poisson, où les espèces fines à haute valeur marchande sont largement représentées : sole, bar, merlu, rouget, turbot, encornet, etc. La flottille, qui opère au large dans le golfe de Gascogne, se compose de chalutiers traditionnels et de catamarans fileyeurs. A l'intérieur du bassin, en dehors de la pêche à pied, qui permet aux amateurs de ramasser, à marée basse, palourdes, coques, bigorneaux, les techniques de pêche sont traditionnelles : suivant le maillage des filets et la façon de les faire tenir, on pêche à la jagude, au loup, au palet, au balai (bouquets de genêts où s'agglutinent les crevettes), à l'esquirey, à la trahine ou à la foëne (trident servant à attraper les anguilles).

Dans l'histoire de la pêche maritime, Arcachon fait figure de port pionnier. En 1837, en effet, y fut mis en service le « Turbot », premier chalutier à vapeur du monde, doté de roues à aubes. En 1865 furent lancés les premiers steamers à hélice et coque en fer français. Au tournant du siècle, le port d'Arcachon était le deuxième pour la pêche en France après Boulogne-sur-Mer. Toujours en quête d'innovation, une société fit construire en 1927 le « Victoria », le premier chalutier à moteur de France. La pêche industrielle arcachonnaise déclina dans les années cinquante, époque où les chalutiers gagnèrent les ports bretons, laissant le relais aux pêcheurs artisans.

PROMENADES EN PINASSES SUR LE BASSIN AU DEPART D'ARCACHON ⊘

Plusieurs types de promenades sont proposés : les traversées Arcachon-Cap-Ferret, Arcachon-Andernos ; le tour de l'Ile aux Oiseaux ; le grand circuit du littoral (Dune du Pilat, l'Océan, le banc d'Arguin) ; une journée au banc d'Arguin ; la remontée de la Leyre ; des locations de pinasses avec marin à la journée ou à la demi-journée.

ENVIRONS

★★ Dune du Pilat – *7,5 km au Sud. Quitter Arcachon par ② et suivre la D 218.* La route traverse successivement les stations balnéaires du **Moulleau**, prolongement d'Arcachon, de **Pyla-sur-Mer** et de **Pilat-Plage**, dont les hôtels et les villas sont disséminés sous les pins, avant de s'élancer vers la dune.

Cette immense étendue de sable d'environ 2,7 km de long, 500 m de large et 114 m de haut (plus haute dune d'Europe) résultant de l'action des vents, des courants et du sol, continue de se mouvoir chaque année. Le versant Ouest descend en pente douce vers l'océan alors que le versant Est plonge en pente abrupte vers la forêt de pins.

Pour gagner le sommet, escalader le flanc de la dune (montée assez difficile) ou emprunter un escalier (154 marches). Le **panorama★★** sur l'océan et la forêt landaise se révèle magnifique spécialement au coucher du soleil.

Delderfield/IMAGES TOULOUSE

Dune du Pilat

Pour voyager, utilisez les cartes Michelin au 1/200 000. Elles sont constamment tenues à jour.

Bassin d'ARCACHON★

Cartes Michelin nᵒˢ 71 plis 19, 20 ou 78 plis 1, 2 et 11, 12 ou 234 pli 6

Seule échancrure notable de la Côte d'Argent, le bassin d'Arcachon est une vaste baie de forme triangulaire, presque fermée par l'étroite bande de terre du Cap-Ferret qui ne lui laisse, pour communiquer avec l'océan, qu'une passe large à peine de 3 km.

Quelques petits cours d'eau s'y jettent, le plus important étant l'**Eyre**, qui irrigue le parc régional des Landes de Gascogne. A marée basse apparaissent les **crassats** (bancs de sable envasés portant une végétation sous-marine), cernés par des chenaux secondaires appelés **esteys**.

Le bassin occupe une superficie totale de 25 000 ha, dont 20 100 découvrent à basse mer. Les 9 500 ha restant émergés aux hautes eaux comprennent les digues des « réservoirs à poissons » d'Audenge et du Teich, et surtout l'**île aux Oiseaux** (5 km de tour), de faible relief et peu boisée, flanquée de parcs à huîtres, dont on discerne depuis Arcachon les quelques habitations de pêcheurs et aussi, isolées à marée haute, les deux maisons sur pilotis, dites « tchanquées » (tchanque : échasse en gascon).

Bassin d'ARCACHON

Ile aux Oiseaux – Cabane tchanquée

Les côtes qui le délimitent, plates à l'Est et au Sud, bordées de dunes boisées de part et d'autre de la passe d'entrée, se développent sur plus de 80 km, ponctuées, entre les pins ou les mimosas, de ports ostréicoles et d'agréables stations balnéaires.

L'huître, le pin (scieries, papeteries), la pêche et le tourisme (comme en témoigne l'abondance des résidences secondaires, maisons de vacances et terrains de camping) sont les facteurs essentiels de la prospérité du bassin.

L'huître d'abord, dont l'élevage en parcs se pratique sur près de 1 800 ha marins. Des routes empruntées par l'itinéraire décrit p. 67-68, on ne découvre que très peu d'échappées sur le plan d'eau mais on peut néanmoins, à tout moment, gagner un point du rivage ou une jetée procurant une vue, au moins partielle, sur le bassin.

Au pays des huîtres – Les huîtres du bassin d'Arcachon sont connues et appréciées depuis fort longtemps. Les poètes latins Ausone, Sidoine Apollinaire puis plus tard Rabelais en vantent les qualités gustatives dans leurs écrits.
Mais l'exploitation abusive des bancs naturels finit par entraîner leur épuisement. Il faudra attendre l'intervention du naturaliste Victor Coste en 1859 pour assister au véritable essor de l'ostréiculture. Jusqu'en 1920, c'est l'huître plate d'Arcachon ou gravette *(ostrea edulis)*, qui est le plus cultivée dans le bassin, suivie de l'huître creuse portugaise *(crassostrea angulata)*.
Cette année-là une maladie ravage les parcs d'huîtres plates et laisse indemnes les portugaises. Ces dernières font l'objet de soins vigilants et constituent l'espèce prédominante jusqu'en 1970, où, suite à une nouvelle maladie, elles sont remplacées par une variété japonaise *(crassostrea gigas)*.
Le cycle de l'huître dure quatre ans environ. Il commence, en juillet, par le captage du naissain sur les collecteurs, tuiles demi-rondes enduites d'un mélange de chaux et de sable, qui sont disposées dans des cages en bois ou ruches placées le long des chenaux. Au printemps suivant a lieu le **détroquage**, opération consistant à détacher les jeunes huîtres de leur support. Elles sont ensuites placées dans des parcs entourés de grillages à mailles serrées, ce qui leur assure une protection contre les crabes, leurs prédateurs. A dix-huit mois, les huîtres agglutinées sont séparées les unes des autres, c'est le **désatroquage**. Elles vont alors rejoindre les parcs d'engraissement, dont les eaux riches en plancton assurent leur croissance jusqu'à la troisième année. Pendant cette période, on les tourne et on les retourne, ce qui leur donne une forme régulière. Parvenues à maturité, les huîtres sont triées puis débarrassées de leurs impuretés grâce à un séjour dans des bassins-dégorgeoirs. Un dernier lavage puis un conditionnement en caissettes de bois ou « bourriches » précède leur expédition.
Les huîtres dégustées « à l'arcachonnaise » s'accompagnent de crépinettes bien chaudes et d'un vin blanc sec.
Avec une production de 18 000 t par an, le bassin d'Arcachon constitue l'un des grands centres ostréicoles d'Europe.
Il en est le premier centre naisseur et fournit la laitance aux autres bassins bretons, normands, languedociens et hollandais.

La pinasse, emblème du bassin – Avec sa ligne effilée et ses couleurs vives, la **pinasse** reste un symbole du bassin d'Arcachon. Construite à l'origine en bois de pin (d'où son nom) et entièrement chevillée, elle est aujourd'hui en iroko (bois d'Afrique), acacia ou acajou et assemblée par rivets. Utilisée jadis pour la pêche sur la côte, elle est devenue au cours du 19e s. l'embarcation traditionnelle des

---

La réserve naturelle du banc d'Arguin

Situé à l'embouchure des passes, le banc d'Arguin est un îlot de sable, qui change constamment de forme car il est soumis aux humeurs de l'océan Atlantique. Classé réserve naturelle en 1972, il est fréquenté de mars à août par une importante colonie de sternes caugek (4 500 couples) et d'huîtriers-pies. L'hiver, ce sont le courlis cendré, la barge rousse, le bécasseau variable, le pluvier argenté, le goéland, la mouette rieuse qui y séjournent en grand nombre.
Des liaisons régulières sont assurées depuis Arcachon vers le banc d'Arguin par l'Union des Bateliers Arcachonnais.

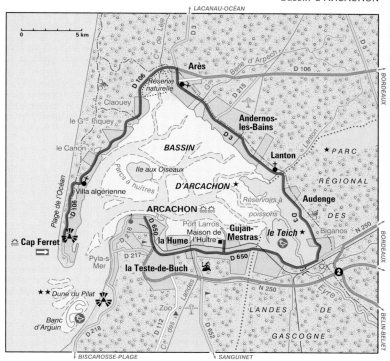

ostréiculteurs du bassin. De faible tirant d'eau, elle présente la particularité de s'échouer aisément et de remonter les chenaux même quand leur niveau est très bas. Longue de 9 à 10 m, elle fonctionne généralement à moteur ; la pinassotte, plus petite, de 6 à 7 m de long, se manœuvre à la voile ou à la rame.

Peu de pinasses sortent des chantiers aujourd'hui (seuls deux « pinassayres » œuvrent dans le bassin) mais avec leur allure de gondoles vénitiennes ou de caïques méditerranéens, elles restent des pièces prisées et font l'objet d'attentions particulières : on restaure les anciennes, on les « bichonne » et on les fait concourir dans le bassin lors de régates suivies par les passionnés de vieilles coques.

Promenades en pinasses – *Voir à Arcachon.*

DE CAP-FERRET A ARCACHON

66 km – compter 5 h

⌂ **Cap-Ferret** – A l'entrée du bassin d'Arcachon, face au Moulleau et à Pyla-sur-Mer, s'est développée la station balnéaire de Cap-Ferret qui dissémine entre les pins ses hôtels et ses villas pour estivants.

Également centre ostréicole, ses parcs à huîtres sont les plus accessibles du bassin.

Le phare ⊙ – Rebâti en 1947, il mesure 52 m de haut et a été doté d'une lentille tournante d'une portée de 50 km.

On peut admirer, de sa plate-forme (258 marches), un **panorama**★ embrassant toute la presqu'île, le bassin et Arcachon, la dune du Pilat, les passes d'entrée et l'océan.

La plage de l'océan ⊙ – Un service de petits trains, du débarcadère Bélisaire, permet de se rendre jusqu'à la côte de l'Océan.

Villa algérienne – *4 km au Nord par la route de Bordeaux.* De ce lieu-dit, tenant son nom d'une construction de style mauresque démolie en 1965, jolie vue sur le bassin et l'île aux Oiseaux. Une chapelle construite il y a environ 150 ans fait face à la mer et rappelle par son style l'influence orientale des lieux.

Cap-Ferret –
Chapelle de la villa algérienne

Quitter Cap-Ferret par l'avenue de la Vigne en direction de Bordeaux.

La route sinueuse se faufile entre des dunes boisées, parsemées de coquettes villas.

La D 106 contourne la dune de l'Herbe et court entre la lisière de la forêt et la rive occidentale du bassin, procurant des échappées sur celui-ci à la hauteur du petit port de Piraillan et à l'entrée du Claouey.

Arès – L'église romane s'élève au milieu de la place. A l'intérieur remarquer les colonnes avec chapiteaux sculptés, et les vitraux modernes. Sur le front de mer la tour ronde restaurée provient d'un ancien moulin à vent. Port ostréicole et station balnéaire, Arès accueille également les bateaux de plaisance.

D'Arès à Biganos, la route dessert, à travers le décor immuable des pins, les agglomérations de la rive orientale.

Andernos-les-Bains – Abrité au fond du bassin d'Arcachon, le site d'Andernos a été habité dès la préhistoire. Cette situation privilégiée en fait une station balnéaire très animée en saison. Avec ses différentes plages qui s'étendent sur 4 km et son casino, elle compte parmi les plus importantes du bassin. Son port ostréicole contribue également à sa renommée.

Devant la plage et à côté de la petite église St-Éloi qui possède une abside du 11e s., subsistent les vestiges d'une basilique gallo-romaine du 4e s.

De la jetée, vue étendue sur le bassin d'Arcachon, le port ostréicole, le port de plaisance et l'ensemble des plages.

Lanton – L'église romane (abside et murs de la nef du 12e s.), restaurée, comporte une abside surélevée en cul-de-four aux lignes sobres et harmonieuses. La baie centrale est encadrée de colonnettes géminées supportant des chapiteaux ornés à gauche de hérons et de pommes de pin, à droite de feuillages stylisés.

Audenge – Centre ostréicole, connu aussi pour ses « réservoirs à poissons », écluses retenant le poisson prisonnier à marée basse.

A la sortie de Biganos, prendre à droite pour gagner la D 650 par la D 3E12 qui débouche face à l'usine papetière de **la Cellulose du Pin**, dont on aperçoit de fort loin la masse imposante et fumante. La route, passant à la base du delta marécageux de l'Eyre (pont sur la rivière), longe la rive méridionale du bassin, qui conserve une parure de végétation jusqu'aux abords du Teich.

★ **Parc ornithologique du Teich** – *Voir à ce nom.*

Gujan-Mestras – Avec leurs pittoresques cabanes à toiture de tuiles, chenaux encombrés de pinasses, « dégorgeoirs » à huîtres, magasins d'expédition-vente que l'on découvre au bord de l'eau, les six ports ostréicoles de Gujan-Mestras en font la capitale de l'ostréiculture du Bassin d'Arcachon.

Au port de Larros, **la maison de l'Huître** ⊙ explique, à travers une exposition et un film, les différentes étapes de la culture de l'huître, de la préparation des collecteurs à la consommation. A la demande du visiteur, un atelier de construction de pinasses et un atelier de conditionnement d'huîtres peuvent être vus.

Des dégustations d'huîtres sont ensuite proposées par les pêcheurs, à l'intérieur même des cabanes, au cœur du port de Larros.

Le bassin d'Arcachon abrite une multitude de petits ports ostréicoles. Chaque été, l'huître y est dignement fêtée. A cette occasion, les ostréiculteurs sortent de leurs cabanes colorées pour parader dans leur costume traditionnel : vareuse bleu marine et pantalon de flanelle rouge ; musique, danses et distractions sont proposées à côté des stands de dégustation d'huîtres. Ces fêtes ont lieu à la mi-juillet aux ports de Lanton, Lège Cap-Ferret et Andernos, à la mi-août dans les ports de Gujan-Mestras et Arès.

Parc de loisirs de la Hume – Situé au carrefour de la N 250 et de la D 652, il offre un éventail d'attractions parmi lesquelles le **mini-golf médiéval** ⊙, le **village médiéval** ⊙, où une cinquantaine d'artisans d'art (ferronniers, vanniers, sculpteurs, verriers, etc.) œuvrent en costumes d'époque dans un village landais recréé.

Aqualand ⊙, parc aquatique, et « **La Coccinelle** » ⊙, parc animalier, intéresseront les plus jeunes.

La Teste-de-Buch – L'ancienne capitale du pays de Buch, peuplée par les Boii ou Boiens avant la colonisation romaine, constitue de par sa superficie (18 000 ha) l'une des plus vastes communes de France. Port ostréicole, elle englobe les stations de Pyla-sur-Mer, Pilat-Plage et sa célèbre dune, Cazaux et son lac ainsi que la forêt usagère de La Teste.

Remarquer sur la place Jean-Hameau, à proximité de l'office de tourisme, la **maison Lalanne** (18e s.) décorée en façade d'une ancre, de cordages et de têtes représentant les enfants du propriétaire. Le massif clocher de l'**église St-Vincent** occupe l'emplacement de la chapelle du château des Captaux du 14e s.

🏛🏛 **Arcachon** – *Voir à ce nom.*

ARETTE-PIERRE-ST-MARTIN

1 137 habitants
Cartes Michelin nᵒˢ 85 pli 15 ou 234 pli 42
23 km au Sud d'Arette – Schéma p. 272

Cette station de sports d'hiver tire son nom de la commune d'Arette, dont elle constitue l'annexe d'altitude, et de sa position proche de la Pierre-St-Martin, nom devenu célèbre dans les annales de la spéléologie depuis 1950. Massif calcaire le plus étendu d'Europe, le **site★** est particulièrement fantastique quand, une fois la neige disparue, se découvre le relief des « **arres** », champs de lapiaz truffés de crevasses qui défendent les approches du pic d'Anie (alt. 2 504 m).

Skieurs français et espagnols se côtoient dans la station où règne une ambiance familiale très sympathique. Le quartier des chalets en bois, niché dans la forêt de pins à crochets, présente un ensemble harmonieux.

Le domaine skiable – Réparties sur quatre secteurs, les 25 pistes de ski alpin de tous niveaux plongent dans les forêts de pins ou flirtent, sur les hauteurs, avec la frontière espagnole. Le **Boulevard des Pyrénées**, piste bleue de 4,5 km (accessible le soir en scooter des neiges), offre par temps clair un panorama exeptionnel sur la vallée du Barétous. Le forfait séjour est valable dans les stations de Gourette et d'Artouste et le forfait saison « Ossau-Teña » permet de skier dans trois stations espagnoles.

Le domaine du Braca (accessible depuis le secteur Mailhné ou depuis la D 132, au col de Labays) possède 5 km de pistes de ski de fond sous les pins. Le domaine d'Issarbe (juste en-dessous de la station, suivre la D 113 sur 5 km jusqu'au col de Suscousse) comprend 31 km de pistes de tous niveaux en 9 boucles. Vue exceptionnelle sur le pic d'Anie, le piémont du Béarn et du Pays Basque.

Col de la Pierre-St-Martin – Alt. 1 760 m. *3 km au Sud.*

Livrant passage à une route internationale *(généralement fermée de mi-octobre à fin mai)*, reliant le Barétous à la vallée navarraise de Roncal, ce col doit son nom à une petite borne frontière numérotée 262 autour de laquelle se renouvelle chaque année, le 13 juillet, la commémoration de la « junte de Roncal ». En vertu d'un traité de facerie *(voir p. 41)* remontant à 1375, une délégation de maires du Barétous vient remettre ce jour-là aux syndics de Roncal un tribut symbolique de trois génisses. Les Navarrais reçoivent en fait une compensation en argent.

Ces notables renouvellent l'antique pacte en croisant leurs mains sur la pierre.

En contrebas du col, en territoire espagnol *(formalités : comme pour la Principauté d'Andorre – accès, du parking du col, par une piste recoupant le virage de la route)*, s'ouvrait l'orifice du gouffre de la Pierre-St-Martin ou **gouffre Lépineux**, maintenant obturé par une dalle. Plaque à la mémoire des spéléologues Loubens et Ruiz de Arcaute.

★ Forêt d'Issaux – *Du col de Labays, sur la route de montée d'Arette à 6 km de la station, 11 km de route forestière, praticable en été jusqu'au col de Houratate.*

Parcours imposant, à flanc de pente, à travers les futaies de hêtres mêlés de bouleaux et de sapins.

La Boutique Michelin, 32 avenue de l'Opéra, 75002 Paris
(métro Opéra), ☎ 42 68 05 20.
Une découverte du monde Michelin.

ARGELÈS-GAZOST

3 229 habitants
Cartes Michelin nᵒˢ 85 pli 17 ou 234 pli 43 – Schémas p. 97 et 106

Argelès, petite ville thermale et résidentielle, s'est développée, surtout au 19ᵉ s., dans un cadre de moyenne montagne vanté pour sa douceur. Le bassin d'Argelès, carrefour des principales vallées du Lavedan *(voir à la Bigorre)*, présente une grande densité de villages et de sanctuaires pittoresquement situés. Isolé, par des défilés, tant de l'avant-pays de Bigorre, au Nord, que des hautes vallées de Cauterets et de Luz, au Sud, c'est un exemple de ces bassins internes des Grandes Pyrénées avantagés, climatiquement, par le calme de l'atmosphère.

La ville haute, la plus ancienne et la plus animée, domine légèrement la vallée du gave de Pau et la cité thermale, face à un **panorama** rehaussé par les dentelures du Viscos, entre les vallées de Cauterets et de Luz, et les premières cimes du Néouvielle.

De la table d'orientation située sur la terrasse « des Étrangers », place de la République, la **vue** est très belle sur la vallée du gave d'Azun et les montagnes qui l'entourent.

Le **musée de la Faune Sauvage** ⊙ présente, à travers trois salles, la grande faune d'Afrique, d'Amérique et d'Europe. Les décors en staff, des jeux de lumière et des bruitages font revivre les quelque 150 animaux empaillés. On découvre d'abord les animaux du Grand Nord canadien (ours, lynx, castors) puis ceux d'Europe (sangliers, cerfs, faune des Pyrénées) et enfin, au 1er étage, les antilopes, léopards et impalas d'Afrique.

Musée de la Faune Sauvage – Léopard

ENVIRONS

★★★ **Pic de Pibeste** – *4,5 km au Nord par la N 21 puis la D 102 sur la gauche jusqu'au village d'Ouzous. Laisser la voiture sur le parking à proximité de l'église. Compter en plus 4 h 30 de marche à pied AR. Voir à ce nom.*

« **Donjon des Aigles** » ⊙ – *6,5 km au Sud-Est. Par la D 100 puis la D 13 gagner Beaucens ; traverser le village dans sa longueur et pousser jusqu'aux parkings aménagés au pied du château.*
Les ruines de **Beaucens** se prêtent à la présentation de rapaces indigènes (vautours, aigles, faucons, milans, buses, chouettes, etc.) ou exotiques. Le clou de la visite est le vol des rapaces.

★ ROUTE DU HAUTACAM

20 km à l'Est. Sortir d'Argelès par la D 100 qui franchit le gave d'Azur puis s'élève, après Ayros, sur le versant Est du bassin d'Argelès.

Artalens – A 800 m au-delà du village, faire halte à la traversée d'un vallon pour voir, de part et d'autre de la route, échelonnés le long du ruisseau, cinq anciens petits moulins familiaux comme il en existait plusieurs centaines en Bigorre au siècle dernier. Descendre au dernier moulin aval, qui a conservé sa turbine.

Après Artalens, la route dessert les pâturages d'été très peuplés et prend un caractère panoramique. Les **vues**★ lointaines sont constantes : au Sud-Ouest, Vignemale, par la vallée de Cauterets, et surtout Balaïtous dominant les montagnes de la vallée d'Arrens. La pittoresque station de sports d'hiver d'**Hautacam** se détache sur la droite.

Le domaine skiable – 18 pistes de ski alpin, pour les débutants comme pour les skieurs confirmés, sont tracées dans un environnement préservé de forêts montagnardes. 12 km de pistes de ski de fond offrent un panorama unique sur la vallée d'Argelès et la chaîne pyrénéenne. La station est un fief du parapente.

Laissant derrière elle le centre de ski du Hautacam, la route atteint la crête, en vue des contreforts du pic du Midi de Bigorre et du cirque pastoral qui ferme, en contrebas, la vallée de Gazost.

Tourisme-informations sur Minitel : consulter **3615 Michelin** *(1,29 F/mn).*

Ce service vous aide à préparer ou décider du meilleur itinéraire à emprunter en vous communiquant d'utiles informations routières.

ARREAU

853 habitants (les Aurois)
Cartes Michelin n⁰ˢ 85 pli 19 ou 234 pli 44 – Schéma p. 107

Petite ville aux toits d'ardoise, fort bien située au confluent des Nestes d'Aure et du Louron, au croisement de la route de la vallée d'Aure et de la route des Pyrénées, sur le seuil séparant les cols de Peyresourde et d'Aspin, Arreau est l'ancienne capitale du Pays des Quatre Vallées.

Maison du Lys – 16e s. Elle élève ses colombages en encorbellement sur un rez-de-chaussée de pierres aux encadrements et aux linteaux sculptés.

Halles – Avec leurs pittoresques couverts en anse de panier, elles forment le rez-de-chaussée de la mairie, construite en colombage.

Église St-Exupère – *Rive droite*. 13e s. Portail roman à colonnettes en marbre des Pyrénées et à chapiteaux historiés.

En aval, près du confluent des Nestes, vaste demeure bigourdane ancienne.

ENVIRONS

Sarrancolin – *7 km au Nord par la D 929*. Bourg industriel connu pour ses carrières d'où l'on extrait le fameux marbre rouge veiné de gris ou de jaune. L'église (12e s.) possède un beau clocher carré surmonté d'une flèche ronde à quatre clochetons ; à l'intérieur, sous la tribune, une salle abrite la châsse de saint Ebons en orfèvrerie limousine et divers objets d'art. A gauche, retable du 17e s. ; le chœur est fermé par une grille de fer forgé du 17e s.

ARRENS-MARSOUS

721 habitants
Cartes Michelin n⁰ˢ 85 pli 17 ou 234 pli 43 – Schémas p. 97 et 106

A portée du Parc National des Pyrénées, Arrens, la station de la vallée d'Azun, est à la fois un lieu de vacances paisibles en montagne bocagère et une base de courses en haute montagne dans le massif du Balaïtous.

Chapelle de Pouey-Laün ⊙ – Le sanctuaire, édifié à même le rocher, montre un ensemble mobilier du 18e s., rehaussé par la pompe naïve de la voûte constellée d'étoiles peintes, qui lui a valu son nom de « chapelle dorée ». Les vastes tribunes à balustres rappellent l'affluence des pèlerins de jadis. Les boiseries latérales à motifs rocaille forment avec les quatre confessionnaux un ensemble décoratif.

ENVIRONS

Haute vallée d'Arrens – *9,5 km au Sud-Ouest, jusqu'à la « porte » du Parc national*.
Dépassant le monticule de Pouey-Laün, la route s'enfonce dans la rude vallée du gave d'Arrens. Des abords du barrage du Tech, la vue s'ouvre jusqu'au Balaïtous.

Porte d'Arrens – *Aires de pique-nique*. La **maison du Parc National et du Val d'Azun** ⊙ présente une documentation cartographique et photographique sur le Parc, sa faune et sa flore. C'est le point de départ de sentiers balisés pénétrant le massif du Balaïtous.
De là, gagner *(3/4 h à pied AR)* le lac de Suyen.

★ **Lac d'Estaing** – *13 km au Sud par le col des Bordères et la vallée glaciaire de Labat de Bun*. Retenu par une moraine dans l'évasement terminal de la vallée, ce lac romantique est encadré de versants boisés qui se reflètent dans ses eaux.

AUCH★

23 136 habitants (les Auscitains)
Cartes Michelin n⁰ˢ 82 pli 5 ou 234 pli 32 – Schémas p. 203

Ville de carrefour, animée dès l'époque romaine par le grand trafic de Toulouse à l'Atlantique, qui n'empruntait pas alors le sillon de la Garonne moyenne, Auch fut régénérée au 18e s. par l'intendant d'Étigny et embellie sous le Second Empire. L'animation de ses rues et de ses marchés du samedi atteste sa vocation de capitale administrative de la Gascogne. Les rues de traversée convergent vers la place de la Libération : elles laissent à l'écart la ville épiscopale dressée au-dessus du Gers.

Le vrai d'Artagnan – Auch honore d'Artagnan d'une statue sous les traits du fameux mousquetaire immortalisé par Alexandre Dumas. Né vers 1615 au château de Castelmore *(voir à la Ténarèze)*, Charles de Batz, allant servir dans le régiment des gardes françaises, emprunte à sa lignée maternelle des Montesquiou le nom de d'Artagnan, mieux introduit à la cour.

Déjà distingué par Mazarin, le cadet partage son temps entre les campagnes, les missions délicates et les ruelles. Investi de la confiance de Louis XIV, il est chargé d'arrêter Fouquet et Lauzun, mandat dont il s'acquitte avec délicatesse. Au faîte des honneurs, comme capitaine-lieutenant de la Première compagnie des mousquetaires du roi, il trouve une mort glorieuse au siège de Maestricht (1673).

Les *Mémoires de Monsieur d'Artagnan*, œuvre apocryphe publiée en 1700, répondaient aux goûts d'un public avide d'indiscrétions. L'ouvrage était tombé dans la pénombre des bibliothèques lorsque Alexandre Dumas le découvre et en fait son livre de chevet. Avec les *Trois Mousquetaires*, d'Artagnan ressuscite sous les traits du héros gascon.

LE VIEIL AUCH *visite : 2 h 1/2*

Escalier monumental (Z K) – Ses 232 marches relient la place Salinis, formant terrasse au-dessus de la vallée du Gers, aux quais. Les descendre jusqu'à la statue de d'Artagnan (1931). En remontant place Salinis, belle vue sur la tour d'Armagnac (14ᵉ s.) (Z B), haute de 40 m, ancienne tour des prisons de l'Officialité.

Avant de pénétrer dans la cathédrale par le portail Sud, remarquer l'ordonnance des contreforts et des arcs-boutants à double volée.

★★ **Cathédrale Ste-Marie (Z)** ⊙ – Sa construction commencée en 1489 par le chevet, assis sur une crypte permettant de racheter la dénivellation, n'a été achevée que deux siècles plus tard. Les voûtes, construites sur croisées d'ogives en plein 17ᵉ s., lui conservent intérieurement une certaine unité. L'ensemble marque l'emprise du gothique « français » : collatéraux moins hauts que la nef, triforium entre les grandes arcades et les fenêtres hautes.

La chapelle axiale est flanquée, à droite, par la chapelle du Saint-Sépulcre abritant une monumentale Mise au tombeau du début du 16ᵉ s., à gauche, par la chapelle Ste-Catherine ornée d'un retable en pierre du 16ᵉ s.

Le chœur, aussi vaste que la nef, conserve deux ensembles artistiques de premier ordre, les vitraux et les stalles. Commencer le tour du déambulatoire par la gauche.

★★ **Vitraux** – Les chapelles du déambulatoire ont été dotées de 18 verrières par le peintre gascon Arnaud de Moles. Les grandes figures très expressives – remarquer les visages d'hommes presque caricaturaux –, la palette de couleurs, les lames de verre de très grande dimension, la décoration combinant les médaillons et accolades à l'antique avec les dais du gothique flamboyant en font un des chefs-d'œuvre de la peinture française du début du 16ᵉ s. On détaillera aussi les petites scènes familières figurant à la base des vitraux.

La répartition des sujets tient compte, suivant les thèses des théologiens de l'époque, de la concordance entre l'Ancien Testament, le Nouveau Testament et même le monde païen comme en témoigne la représentation des sibylles.

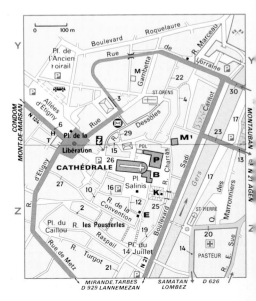

AUCH

B   Tour d'Armagnac
E   Porte d'Arton
K   Escalier monumental
M¹ Musée des Jacobins
P   Préfecture
    (ancien palais archiépiscopal)

***Stalles ⊙** – Ce gigantesque chef-d'œuvre de
« huchiers » demanda 50 années (vers 1500-
1552). Les 113 stalles de chêne, dont 69 stalles
hautes abritées par un baldaquin flamboyant,
sont peuplées de plus de 1 500 personnages.
Le thème d'ensemble manifeste le même souci
de parallélisme que les vitraux. La Bible, l'histoire profane, la mythologie et la légende y
mêlent leurs motifs.

Les statues qui décoraient le jubé démoli au
19ᵉ s., en particulier la scène représentant les
quatre évangélistes à table, ont trouvé place au
couronnement du retable (1609) clôturant le
chœur, du côté de l'abside.

Dans l'avant-dernière chapelle latérale à gauche, monument funéraire de l'intendant d'Étigny, reconstitué après la Révolution.

Le grand orgue, de 1694, œuvre de Jean de
Joyeuse, donne l'éclat de ses timbres rares aux
récitals de musique classique organisés en juin,
lors du festival d'Auch.

Façade – 16ᵉ et 17ᵉ s. Elle présente un aspect
tassé avec ses étages en retrait : le jeu des
colonnes, pilastres, corniches, balustrades et
niches est très réussi. Les portails ouvrent sur
un vaste porche offrant à l'intérieur une belle
perspective transversale avec ses arcs de sépa-
ration traités en arcs de triomphe à l'antique
(voir illustration p. 44).

Cathédrale d'Auch –
Marie-Madeleine
(détail d'une stalle)

Place de la Libération (Z) – Carrefour d'animation de la haute ville, elle est
fermée au Nord-Ouest par l'hôtel de ville (H) et par le terre-plein des allées
d'Étigny, deux réalisations de l'intendant d'Étigny, entre 1751 et 1767. La
statue du bienfaisant administrateur se dresse au sommet des escaliers.
A l'angle de la **maison Fedel** (fin 15ᵉ s.) à colombages (syndicat d'initiative),
prendre la rue Dessoles, qui fut l'artère principale de la ville haute avant
l'ouverture, par d'Étigny, de rampes de contournement.

Tourner à droite dans la rue Salleneuve en escalier.

De la place occupée par la halle « aux herbes » (légumes), remonter vers la
cathédrale qui présente ici son flanc Nord. A gauche, la préfecture occupe l'**ancien
palais archiépiscopal** (1742-1775) (**P**), à la façade classique rythmée par de hauts
pilastres cannelés.

Remonter vers la place de la République où s'embranche la rue Espagne.

Dans le bas de la rue, deux vieilles maisons (nᵒˢ 20 et 22) forment un ensemble
pittoresque.

Prendre à gauche la rue de la Convention.

Bordée de vieilles demeures, cette rue permet de découvrir les **Pousterles**, étroites
ruelles en escalier. Au Moyen Âge ce nom désignait les poternes de l'enceinte
fortifiée de la ville haute. Au terme de la rue, tourner à gauche et au bout
de quelques pas gravir les marches et franchir la porte d'Arton (**E**) à gauche,
ancienne porte de la ville. La rue Fabre-d'Églantine, après avoir longé les vieux
bâtiments du lycée (ancien collège de jésuites fondé en 1545), ramène à la place
Salinis.

AUTRE CURIOSITÉ

Musée des Jacobins (Y **M¹**) ⊙ – Installé dans l'ancien couvent des jacobins, il
abrite d'importantes collections exposées sur trois niveaux.
Au sous-sol on voit parmi les collections d'archéologie gallo-romaine l'épitaphe
de la chienne Myia, en marbre blanc, découverte sur le site de la ville antique
et les sarcophages de l'hypogée de Lagrange d'Auch. L'art médiéval est
représenté par le gisant du cardinal Jean d'Armagnac ainsi que par des chapiteaux
et colonnes provenant de l'ancien couvent des Cordeliers d'Auch.
Au rez-de-chaussée, très riche collection de poteries précolombiennes. L'art
colonial sud-américain a sa place avec des statuettes en bois polychrome
exemplifiant l'art sacré péruvien, chilien ou mexicain. L'art équestre argentin
présente la panoplie complète du gaucho. Peintures et objets d'art garnissent
les salles du 18ᵉ s., un clavecin en bois polychrome constitue une riche pièce
d'ébénisterie.
Au 1ᵉʳ étage est donné un aperçu des arts et traditions populaires (mobilier,
faïences, statuettes d'art religieux). Une intéressante collection de costumes
régionaux est présentée par roulement.

ENVIRONS

Pavie – *5 km au Sud par la N 21.*
A l'origine villa gallo-romaine, Pavie devint bastide en 1281. De son enceinte irrégulière, il reste quelques vestiges dont une tour de gué du 14e s. englobée dans une maison. La bastide adopte un plan régulier avec des rues à angle droit formant des carrés. Rues d'Etigny et de la Guérite, belles maisons anciennes à colombage. L'église du 13e s., restaurée au 19e s., a gardé son clocher carré du 14e s. Un vieux pont gothique à trois arches enjambe le Gers.

Notre-Dame-du-Cédon – *Sortie Sud de Pavie, par la D 929.*
Lieu de pèlerinage, l'église votive Notre-Dame-du-Cédon (15e s.) fut reconstruite au 19e s. A l'intérieur, on peut voir de beaux vitraux ainsi qu'une Vierge de cuivre sur âme de bois, datant du 12e s.

★ CIRCUIT DES BASTIDES ET DES CASTELNAUX

138 km – compter une journée. Schéma p. 216. Quitter Auch à l'Ouest par la N 124, route de Mont-de-Marsan. A 5 km, tourner à gauche dans la D 943, signalisée « Route des bastides et des castelnaux ». L'itinéraire de Barran à Mirande par Beaumarchés est décrit p. 216. Le retour sur Auch après Mirande s'effectue par la N 21.

CIRCUIT AU CŒUR DE LA GASCOGNE

72 km – compter une demi-journée. Sortir d'Auch par la N 21, route d'Agen, à l'Est du plan ; à 8,5 km tourner à gauche dans la D 272. Au-delà de Roquelaure, qu'on laisse sur la gauche, poursuivre par les crêtes le long de la D 148. A la sortie de Mérens prendre à gauche la D 518.
La route parcourant un doux paysage vallonné offre une belle **vue**★ sur Lavardens dominé par son château.

Lavardens – *Voir à ce nom.*
Poursuivre par la D 103 à l'Ouest.

Jegun – Ce village, étiré sur une arête rocheuse, est un ancien bourg ecclésial intégré dans une bastide dont il a gardé le plan en îlots parallèles. La rue principale est bordée par l'ancienne halle et d'anciennes demeures, dont une belle maison à colombage. A l'Est l'ancienne collégiale Ste-Candide, étayée par de puissants contreforts, a été élevée à la fin du 13e s. sur une terrasse dominant la vallée de la Loustère.

Vic-Fézensac – Cette localité du Bas-Armagnac connaît une animation intense lors des marchés et des ferias *(voir le chapitre des Renseignements pratiques en fin de volume)*. L'église St-Pierre au clocher octogonal surmonté d'un lanternon conserve de l'époque romane une abside en cul-de-four et l'absidiole Sud décorée de fresques du 15e s. (vestiges). A gauche de l'entrée, les fonts baptismaux en marbre blanc sont surmontés d'une gracieuse sculpture du 18e s. représentant trois enfants soutenant une vasque.

Quitter Vic-Fézensac au Sud-Est par la N 124, route d'Auch. A St-Jean-Poutge, prendre la direction de l'Isle-de-Noé par la D 939.

Avant de bifurquer à gauche dans la D 374, l'attention est attirée par un curieux édicule creusé d'une niche : il s'agit d'une **pile gallo-romaine** (exemple rare de construction), que l'on n'a pas encore su, à ce jour, réellement identifier.

Biran – Dans cet ancien castelnau établi sur un éperon, la rue unique relie la porte fortifiée aux vestiges du donjon. L'**église N.-D.-de-Pitié** ⊙ abrite un retable monumental en pierre sculptée sur les thèmes de la Pietà, de la Descente de Croix et de la Mise au tombeau.

Poursuivre par la D 374, qui rejoint la N 124.

La route gagnant le bassin du Gers s'incline vers Auch dans un cadre de collines mouvementées.

CIRCUIT A L'EST D'AUCH

57 km – compter une demi-journée. Quitter Auch par la N 124, route de Toulouse et suivre le fléchage « château de St-Cricq ».

Château de St-Cricq ⊙ – Dominant la vallée de l'Arçon, ce château de 1574, qui a appartenu trois siècles durant à la famille des Verduzan, sert de Centre d'accueil et de congrès à la ville d'Auch. La tour pentagonale abrite l'escalier à vis qui dessert la grande salle du 2e étage et les grandes pièces du rez-de-chaussée, lesquelles sont pourvues d'imposantes cheminées en pierre du pays.

Reprendre la N 124 en direction de Toulouse.

A 7,5 km apparaît sur la gauche, précédée d'une prairie, la longue façade Sud du **château de Marsan** (18e-19e s.), propriété de la famille de Montesquiou.

Gimont – *Voir à L'Isle-Jourdain, le Gimontois.*

Quitter la D 12 en direction de Boulaur sur la droite.

Boulaur – Ce village perché au-dessus de la vallée de la Gimone possède un monastère fondé au 12e s. par l'ordre de Fontevraud. Celui-ci est actuellement habité par des moniales d'obédience cistercienne. Remarquer le haut chevet en brique et pierre de l'église abbatiale ainsi que la série d'arcatures en plein cintre qui court sous le toit du mur Sud.

Poursuivant par la D 626, sinueuse, on voit se profiler le village de Castelnau-Barbarens.

Castelnau-Barbarens – Cet ancien bourg castral, créé au 12e s., enroule ses maisons en arcs concentriques autour de la colline portant l'église. Du château des comtes d'Astarac ne subsiste plus que la tour qui sert de clocher. La terrasse offre une **vue** panoramique sur la vallée de l'Arrats et les collines avoisinantes.

Prendre la direction d'Auch.

Sur 2 km, en atteignant le plateau, la D 626 offre le plus beau **panorama★** du circuit en direction des Pyrénées. La route traverse **Pessan**, ancienne sauveté établie autour d'une abbaye fondée au 9e s.

Pour organiser vous-même votre voyage
vous trouverez, au début de ce guide,
la carte des principales curiosités et un choix d'itinéraires de visite.

AURIGNAC

983 habitants
Cartes Michelin nos 82 pli 16 ou 235 pli 37 – 10 km au Nord-Ouest de Boussens

L'ancienne ville forte s'allonge sur l'une des dernières rides des Petites Pyrénées à l'Ouest de la Garonne. Son nom, attribué, voici un siècle, à l'une des civilisations du paléolithique, est mondialement connu des préhistoriens.

Un heureux coup de pioche – En 1852, un terrassier d'Aurignac met au jour un abri funéraire sous une roche voisine de la route de Boulogne-sur-Gesse. L'événement ne paraît pas à prêter à conséquence, les guerres religieuses ayant déjà multiplié les nécropoles en territoire gascon. Les squelettes sont ensevelis au cimetière communal.
Huit ans plus tard, le gisement attire l'attention d'un paléontologue du Gers, **Édouard Lartet** (1801-1871), qui pratique des fouilles sur le lieu de la découverte. La récolte de silex et d'os taillés est suffisamment fructueuse pour permettre au savant d'ébaucher une première chronologie du paléolithique. C'est le début d'une grande aventure scientifique, marquée, du vivant de Lartet, par la découverte, aux Eyzies, des squelettes de Cro-Magnon, race témoin de la période aurignacienne.

CURIOSITÉS

Musée de Préhistoire ⊙ – Les vitrines centrales concernent les fouilles d'Aurignac proprement dites : hommage à Lartet, outillage – dont les typiques grattoirs « carénés » aurignaciens –, ossements d'animaux (ours, hyène, rhinocéros, lion) recueillis par F. Lacorre en 1938-1939 aux abords de la grotte. Les vitrines latérales présentent l'outillage paléolithique.
L'abri préhistorique, situé à la sortie de la ville sur la route de Boulogne, complétera la visite du musée.

Église – Le clocher, édifié au 16e s., forme une porte fortifiée. Seuls le porche et le portail, de style gothique flamboyant, présentent de l'intérêt.
Le porche à quatre colonnes torses proviennent d'une église détruite ; ce type de colonne est très rare en France. Les chapiteaux historiés, dégrossis en quartiers d'hexagone lorsqu'on les regarde depuis la rue, présentent, vus de l'intérieur du porche, la forme d'un dé. Le portail montre au trumeau et au tympan deux statues superposées : une Vierge à l'Enfant, du 17e s., et le Christ attendant la mort, du 15e s.

Donjon – Le **panorama★** se départage de part et d'autre du sommet du Cagire, lourde montagne boisée caractéristique du second plan : à gauche, les Pyrénées ariégeoises et le massif de la Maladetta avec le pic d'Aneto ; à droite le massif glaciaire de Luchon, l'Arbizon et le pic du Midi de Bigorre.

BAGNÈRES-DE-BIGORRE ✙

8 423 habitants
Cartes nos 85 pli 18 ou 234 pli 40 – Schéma p. 106

Bagnères-de-Bigorre offre l'attrait d'une station thermale animée, doublée d'un centre industriel (construction de matériel électrique et frigorifique, de matériel roulant ferroviaire, tissus « des Pyrénées »). Elle jouit d'un cadre pastoral annonçant la vallée de Campan.

L'établissement thermal entièrement rénové utilise les eaux sulfatées calciques de treize nouveaux forages dont les bienfaits permettent de traiter les affections rhumatismales, psychosomatiques et les troubles des voies respiratoires supérieures.

La ville est le siège de la Société Ramond, doyenne (1865) des sociétés montagnardes de France et pépinière de Pyrénéistes *(voir p. 23)* alliant la passion de la découverte à la noblesse de la forme littéraire (on pourra lire les œuvres des Pyrénéistes à la bibliothèque municipale).

C'est la ville du folklore, où survit le groupe des « Chanteurs Montagnards », ensemble qu'Alfred Roland conduisit à Londres, Rome, Jérusalem et Moscou, de 1837 à 1855, aux accents du célèbre « Montagnes Pyrénées, vous êtes mes amours ».

BAGNÈRES-DE-BIGORRE

Coustous (Allées des)	BZ 7
Foch (R. Maréchal)	BY 8
Lafayette (Pl.)	ABY 22
Strasbourg (Pl. de)	BZ 32
Thermes (R. des)	AZ 34
Victor-Hugo (R.)	AZ 35

Alsace-Lorraine (R. d')	BZ 2
Arras (R. du Pont d')	AZ 4
Belgique (Av. de)	AY 5
Costallat (R.)	BY 6
Frossard (R. Émilien)	BZ 12
Gambetta (R.)	AY 13
Joffre (Av. Mar.)	AY 17
Jubinal (Pl. A.)	BZ 20
Leclerc (Av. Gén.)	AZ 23
Lorry (R. de)	BZ 25
Pasteur (R.)	BY 26
Pyrénées (R. des)	BZ 27
République (R. de la)	AY 28
Thermes (Pl. des)	AZ 33
Vignaux (Pl. des)	BY 37
3-Frères-Duthu (R.)	BZ 39

B	Tour des Jacobins
D	Ruines du Cloître St-Jean
E	Maison à colombage

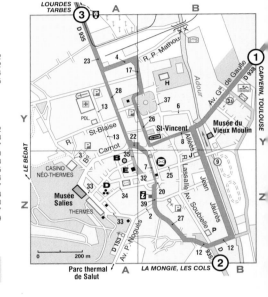

CURIOSITÉS

Le vieux Bagnères – Bordé à l'Est par les Allées des Coustous, où se concentre l'animation de la ville, il conserve l'**église St-Vincent (BY)** du 16e s. avec son mur-clocher percé de trois étages d'arcatures, la **tour des Jacobins** du 15e s. (**AZ B**), seul vestige du couvent du même nom détruit à la Révolution, les **ruines du cloître St-Jean** (**AZ D**) à l'angle des rues St-Jean et des Thermes. La **maison à colombage** (**AZ E**), située à l'angle de la rue du Vieux-Moulin et de la rue Victor-Hugo, est du 15e s.

Musée Salies (**AZ**) ⊘ – La section des Beaux-Arts contient notamment des céramiques et des toiles de Joos Van Cleve, Boissieu, Georges Michel, Dehodencq, Ricard, Chassériau, Jongkind, Picabia, etc. Des expositions temporaires d'histoire naturelle et de photographies ont lieu également.

Le **makila** ou **makhila**, en basque, est une canne finement ouvragée, symbole de liberté pour le peuple basque. Utilisée par les pèlerins de Compostelle, cet objet, à la fois bâton de marche et arme de défense, comporte une pointe d'acier acéré dissimulée dans le manche. Toutes les cannes, quelle que soit la nature de leur pommeau (plaqué or, argent ou maillechort), sont gainées dans leur partie supérieure de cuir tressé (le tressage reste un secret de famille inventé en 1789 par un ancêtre tisserand).
A Larressore, la maison Ainciart-Bergara *(voir p. 193)*, issue d'une longue lignée d'artisans, connue des amateurs et des chefs d'État, s'enorgueillit d'être la seule à fabriquer des makilas dans la plus pure tradition.

Musée du Vieux Moulin (BY) ⊙ – Il rassemble des collections d'arts et de traditions populaires illustrant les activités agro-pastorales de la montagne bigourdane (outillage traditionnel du travail de la laine, instruments aratoires, etc.).

★ **Parc thermal de Salut** – *3/4 h à pied AR.* Agréable promenade ombragée et variée.
Par l'avenue P.-Noguès au Sud du plan, gagner le portique d'entrée du parc. L'allée centrale traverse ce parc (100 ha) et longe le vallon conduisant à l'ancien Établissement thermal de Salut.

ENVIRONS

★★ **Grotte de Médous** – *2,5 km par ② du plan. Voir à ce nom.*

★ **Le Bédat** – *1 h 1/2 à pied AR.* A la fourche des trois chemins située au-dessus du parc du Casino, prendre le sentier de gauche qui atteint la fontaine des Fées, puis la statue de la Vierge du Bédat. Le sentier de crête, derrière celle-ci, conduit à la table d'orientation (alt. 881 m).
La **vue** porte, à l'Est, sur les Baronnies et le plateau de Lannemezan, au Sud, sur la vallée de Campan et les sommets des Pyrénées centrales.

Actualisée en permanence,
la carte Michelin au 1/200 000 bannit l'inconnu de votre route.

Équipez votre voiture de cartes Michelin à jour.

BAGNÈRES-DE-LUCHON⧱

3 094 habitants
Cartes Michelin nos 85 pli 20 ou 234 pli 48 – Schémas p. 78 et 157

Dans un site épanoui, à mi-parcours de la Route des Pyrénées, Luchon, ou Bagnères-de-Luchon, ville de cure la plus animée de la chaîne, attire aussi de nombreux touristes qui y trouvent, outre des distractions nombreuses, un choix de promenades, d'excursions et d'ascensions.
L'hiver, Luchon sert de ville de résidence pour les skieurs attirés par les pistes de Superbagnères, annexe d'altitude de la station, et par celles de Peyragude ou du Mourtis.

Les bains d'Ilixo – A l'époque gallo-romaine, la vallée de l'One, pays des Onesii, est célèbre pour ses eaux. Ilixo est le dieu tutélaire de ces bains si magnifiques qu'ils sont considérés comme « les premiers après ceux de Naples » (inscription en latin sur l'établissement thermal). Une voie romaine relie les thermes à Lugdunum Convenarum (St-Bertrand-de-Comminges).
Des fouilles ont permis de retrouver la trace de trois vastes piscines revêtues de marbre, avec circulation d'air chaud et de vapeur.

Le Grand Intendant – En 1759, l'intendant de la généralité de Gascogne, Béarn et Navarre, Antoine Mégret, **baron d'Étigny**, qui réside à Auch, vient à Luchon pour la première fois et décide de redonner à la ville thermale son lustre d'antan. Dès 1762, une route carrossable relie la ville à Montréjeau : la belle avenue qui porte aujourd'hui son nom est ouverte et plantée de tilleuls. Les plantations doivent être gardées militairement, car les habitants se montrent hostiles à ces innovations. Le baron remplace la piscine commune rudimentaire par neuf auges de bois à deux places, recouvertes d'un couvercle mobile comportant un trou pour la tête, mais le déshabillage se fait encore en plein air à l'abri d'une planche. Il a, le premier, l'idée d'attacher un médecin à la station.
Il s'agit de lancer la station. D'Étigny persuade le gouverneur de la province, le maréchal de Richelieu, de faire une cure. Le duc se montre enchanté ; les fouilles romaines le ravissent ; il vante les charmes de la station à Versailles et revient pour une seconde cure. La fortune de Luchon est faite ; la mort prématurée d'Étigny, en 1767, n'interrompt pas son essor.

La cure – Près de 80 sources sont captées dans la montagne de Superbagnères. Leurs eaux hyperthermales sulfurées-sodiques jaillissent à 74° et permettent de conjuguer les effets du soufre et de la radio-activité pour le traitement des affections des voies respiratoires. Aussi les curistes illustres se sont-ils longtemps recrutés parmi les chanteurs, comédiens, avocats ou prédicateurs. D'un essor plus récent, le traitement des affections rhumatologiques et la rééducation fonctionnelle associent les applications de boues maturées avec de la barégine (colonies d'algues et de bactéries vivant dans les eaux hyperthermales) aux émanations sulfurées au cœur d'une grotte spécialement aménagée, le **radio-vaporarium** où règne une température de 38 à 42°. Le radio-vaporarium est inclus dans le plus luxueux **établissement thermal** ⊙ de la station.

LA STATION

Les **allées d'Étigny**, avenue d'accès aux thermes, constituent le grand axe d'animation. Au n° 18, l'hôtel du 18ᵉ s. où fut reçu le duc de Richelieu abrite le Syndicat d'Initiative et le musée du Pays de Luchon.

Musée du Pays de Luchon ⊙ – Au rez-de-chaussée, « plan Lézat » (1854) : relief au 1/10 000 des montagnes de Luchon. Les étages sont consacrés au souvenir des hôtes illustres, aux grands Pyrénéistes et aux sports d'hiver sur les massifs de la Maladetta, du Lys, d'Oô et d'Aran. Des vestiges de l'âge du fer, des statues et autels votifs gallo-romains attestent l'ancienneté du site. La salle du vieux Luchon expose des reproductions et photographies sur l'histoire de la ville, le thermalisme, le casino. Les arts et traditions populaires des vallées de Larboust, Oueil, Louron, Aran et Luchon sont illustrés par une riche collection d'objets : métiers à tisser, ustensiles du berger, objets religieux, outils aratoires.

EXCURSIONS

★★ ☐ **Vallée de la Pique** _11 km au Sud. Sortir de Luchon par la D 125._

La route remonte la vallée de la Pique, au milieu de prairies puis de splendides forêts. Laissant à droite la route de la vallée du Lys, poursuivre la montée à travers de beaux bois de hêtres. On aperçoit bientôt à gauche de la route la maison forestière de Jouéu (laboratoire de l'Université de Toulouse spécialisé dans les études de botanique forestière et pastorale) au milieu de ses conifères. Hêtres et sapins se mêlent dans la forêt de Charruga.

Par suite de glissements de terrain, les 2 derniers kilomètres sont à faire à pied.

On atteint l'Hospice de France (alt. 1 385 m). La majesté du site pastoral, la forêt, les cascades voisines sont autant d'invites à la promenade. Les marcheurs entraînés monteront au **port de Vénasque** (alt. 2 448 m) par le chemin muletier, en quittant l'Hospice de France de très bonne heure. Des premières pentes du versant espagnol _(4 h 1/2 à pied AR)_ ou mieux encore du **pic de Sauvegarde** (alt. 2 738 m – _6 h à pied AR_), vue superbe sur tout le massif de la Maladetta.

★★ ☐ **Lac d'Oô** _14 km au Sud-Ouest – environ 2 h 1/2_

Sortir de Luchon par la D 618, route du col de Peyresourde décrite en sens inverse p. 156.

St-Aventin – _Voir à ce nom._

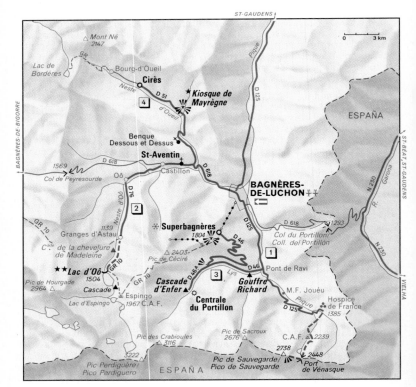

A Castillon, bifurquer à gauche dans la D 76, route de la vallée d'Oô, qui longe la base de la vaste moraine sur laquelle sont juchés les villages de Cazeaux et Garin. Au fond de la vallée, maintenant orientée plein Sud, on aperçoit le glacier du Seil de la Baque. La route longe la Neste d'Oô et traverse de belles prairies. Elle atteint un ancien bassin lacustre dominé par des escarpements rocheux où s'accrochent buissons et sapins. Le site est austère. La route carrossable se termine aux Granges d'Astau (alt. 1 139 m). Le torrent qui dévale à droite des granges forme une cascade, « la chevelure de Madeleine » – l'imagination populaire a comparé les fils d'argent de la cascade à la chevelure de la belle pénitente.

★★ **Lac d'Oô** – Alt. 1 504 m. *Sentier balisé GR 10 – 2 h à pied AR.* Le lac d'Oô est situé dans un cadre magnifique : au fond, le torrent issu du lac d'Espingo forme une cascade haute de 275 m. Le lac (38 ha – 67 m de profondeur maximum) alimente la centrale hydro-électrique d'Oô. *Les prélèvements peuvent provoquer une baisse sensible du plan d'eau.*

Lac d'Oô

A. Thuillier

★ ③ **Vallée du Lys** *32 km au Sud – environ 2 h 1/2*

Le nom exact de la vallée est « Bat de Lys ». *La D 46 part de la route de l'Hospice de France à 5,5 km de Luchon. 2 km après le 2e pont de Ravi, quitter la voiture.*

Gouffre Richard – Du pied d'un pylône de transport de force, à gauche, vue sur une puissante chute du Lys, s'abattant dans une cuve rocheuse.

Au-delà de la bifurcation de Superbagnères, la route s'infléchit vers le Sud. Un **panorama**★ se dégage sur les plus hauts sommets du cirque supérieur de la vallée.

Laisser la voiture au parking gratuit du Restaurant « Les Délices du Lys ».

Centrale du Portillon – Ses deux groupes travaillent sous une hauteur de chute maximale de 1 419 m, dénivellation qui fit sensation à l'époque (1941).

Cascade d'Enfer – Dernier bond du ruisseau d'Enfer.

Faire demi-tour et prendre la route de Superbagnères tracée sous les hêtres.

☀ **Superbagnères** – Au-dessus de la limite de la forêt, le centre de ski de Superbagnères (alt. 1 804 m) peut être rejoint par télécabine depuis Bagnères-de-Luchon. Le Grand Hôtel, bâtiment monumental construit en 1922 puis racheté par le Club Méditerranée, constitue le centre de la station. De la table d'orientation du T.C.F., érigée au Sud de l'hôtel, **panorama**★★ sur les Pyrénées luchonnaises. A l'arrière-plan se déploient les glaciers de la Maladetta.

Le domaine skiable – Les 23 pistes de ski alpin couvrent un vaste domaine très ensoleillé (alt. 1 440-2 260 m) dont l'enneigement est assuré par des canons à neige. Au pied de la station, le secteur de Coumes présente des pistes faciles, idéales pour les débutants. Le secteur du Lac s'illustre par d'agréables pistes en forêt de niveau intermédiaire, le secteur d'Arbesquens par des pistes noires très techniques. Le secteur du Céciré, à l'extrême Ouest du domaine, allie des pistes de niveau moyen à confirmé qui se déroulent sur de grandes dénivelées, dans un beau décor de haute montagne. Les télésièges du Pic de Céciré (alt. 2 403 m) restent ouverts en été pour les randonneurs.

Le forfait permet de skier dans toutes les stations de Haute-Garonne.

Accessibles par le secteur de Coumes ou par le télésiège du Lac, les 33 km de pistes de ski de fond sont répartis en 3 boucles, pour l'essentiel en forêt.

★ ⑨ **Vallée d'Oueil** *15 km au Nord-Ouest – environ 1/2 h – schéma p. 78*

Sortir de Luchon par ③, *D 618.*

On quitte cette route après la chapelle commémorative du martyre de saint Aventin pour tourner à droite.

A 2 km de cette bifurcation se détache, à gauche, la route menant à l'église de **Benque-Dessous-et-Dessus** *(voir à St-Aventin).*

La basse **vallée d'Oueil**★ plaît pour son charme pastoral et ses villages groupés.

★ **Kiosque de Mayrègne** – *Accès libre à la terrasse du café (table d'orientation du T.C.F.).* **Panorama** sur la haute chaîne frontière, du massif sombre de Venasque aux crêtes enrobées de glaciers du cirque supérieur du Portillon d'Oô. Au dernier plan, entre le pic de Sacroux et le pic de Sauvegarde, apparaît le massif de la Maladetta, avec le pic d'Aneto, point culminant des Pyrénées (alt. 3 404 m).

Cirès – Village pittoresque, avec ses maisons tassées en amphithéâtre au pied de l'église isolée sur son promontoire. Les maisons montrent, comme dans toute la vallée, des pignons en lattis fermant les hauts greniers à foin.

BARBOTAN-LES-THERMES⧻

Cartes Michelin n°s 79 pli 12 ou 234 plis 23

Cette petite station thermale du Bas Armagnac est située sur la commune de Cazaubon au creux d'un joli vallon boisé à l'orée de la forêt landaise. Ses eaux sont réputées efficaces dans le traitement des rhumatismes et des maladies des jambes. Le climat particulièrement doux et la présence de sources chaudes souterraines favorisent dans le parc thermal la croissance d'espèces exotiques comme les palmiers, les magnolias et surtout les lotus, dont s'enorgueillit la station.

Église – Du 12e s. Son clocher-porche, percé d'une voûte qui livre passage à la rue de traversée, était une porte fortifiée des anciens remparts.

Lac d'Uby – Situé au Sud de la ville, dans un cadre verdoyant, ce plan d'eau artificiel de 80 ha a été constitué par la retenue de la rivière Uby que barre une digue longue de 440 m, large de 8 m et haute de 7 m. Ses rives sont aménagées en centre de loisirs comprenant une base nautique, une école de voile, une plage de sable fin, un terrain de camping, etc.

ENVIRONS

★ **Labastide-d'Armagnac** – *19 km à l'Ouest par la D 656 puis la D 626.*
Sur la droite, la **chapelle N.-D.-des-Cyclistes**, du 11e s., précédée d'une statue de la Vierge protectrice, occupe l'emplacement d'une ancienne villa gallo-romaine. A l'intérieur, les cycles, maillots et accessoires rassemblés intéresseront les amoureux de la « petite reine ».

Reprendre la D 626 puis tourner à gauche, sur la D 209 (suivre les panneaux « Écomusée de l'Armagnac » ou « Musée du Vigneron d'Armagnac » ou « Château Garreau »).

Écomusée de l'Armagnac ⊘ – Cette vaste structure propose divers lieux de découverte des activités rurales locales (distillerie et vieillissement de l'Armagnac, aquaculture, etc.) ainsi qu'un arboretum.

Revenir sur la D 626, jusqu'à Labastide-d'Armagnac.

★ **Labastide-d'Armagnac** – Fondée en 1291 par Bernard IV, comte d'Armagnac, cette ancienne bastide a conservé autour de la place Royale ses vieilles maisons en pierre et à pans de bois sur arcades. L'ensemble est particulièrement pittoresque à la belle saison, lorsque le soleil et les fleurs viennent embellir les différentes façades. Sur cette place, l'église possède une imposante tour-clocher, du 15e s.

Le **Temple des Bastides** ⊘ retrace, à travers plusieurs salles d'exposition, l'histoire des bastides, de leur peuplement et de leur environnement socio-économique.

Au **Frêche** *(6 km au Sud-Ouest par la D 11)* fut célébré, le 7 juillet 1530, le deuxième mariage de François 1er avec Éléonore de Habsbourg, sœur de Charles Quint.

Parleboscq – *5 km à l'Est par la D 656 puis, à droite, par la D 15.*
La commune de Parleboscq, à la limite du Gabardan, s'étend le long de la Gélise et
a la particularité d'être constituée de 7 paroisses ayant chacune son église médiévale.
Peu avant Parleboscq en venant de Barbotan, prendre à droite la D 37.

L'**Église de St-Cricq**, bâtie sur une motte abrupte dominant un ravin, date en partie
du 13e s. Son clocher octogonal renforcé par des contreforts a été ajouté au 16e s.
Le portail Sud, portant un décor d'entrelacs et de motifs végétaux, est surmonté
d'un arc en accolade terminé par un fleuron.
Reprendre la D 37 au Sud jusqu'à Laballe.

Laballe possède un château du 17e s. formé de deux pavillons. A l'Est, imposant
moulin à vent. Non loin du château, l'église St-Michel est en cours de restauration.
*Continuer sur la D 37 et tourner à gauche vers Cabeil, puis à nouveau à gauche
vers Bouau.*

Construite en brique, l'église de **Bouau** est intéressante pour son portail de style
gothique tardif en anse de panier, surmonté d'un arc en accolade. A l'Ouest de
Bouau, on aperçoit les ruines de l'église de **Mura** sous les arbres et le lierre (portail
en anse de panier et croisées d'ogives).
Remonter vers le Nord en direction de Parleboscq.

Le **château de Lacaze** est une construction en brique du 13e s. sur 5 niveaux, flanquée
de tours crénelées. L'**église de Sarran**, entièrement construite en brique au 14e s.,
présente une tour-clocher polygonale *(on peut y accéder).*
Reprendre la route vers le Nord, en direction de Gabarret.

Située dans une plaine bordée de collines, l'église d'**Espérous** est composée d'un
clocher-mur flanqué d'une tour à colombage, elle-même prolongée par un porche en
appentis, par lequel on pénètre dans la nef à deux travées. Belle clef de voûte du chœur.

BARÈGES ✵

257 habitants
Cartes Michelin nos 85 pli 18 ou 234 pli 43 – Schéma p. 106

Trois séjours du duc du Maine (1675 à 1681), fils légitimé de Louis XIV et de Mme de
Montespan, décidèrent de la fortune thermale de Barèges. De là, Madame de
Maintenon, gouvernante du jeune prince infirme, s'insinua dans les bonnes grâces
du roi par la qualité de sa correspondance. La station accueille tradionnellement les
blessés ou accidentés. Les « eaux d'arquebusades » sont dispensées dans l'établissement thermal, d'où émanent les effluves sulfurés caractéristiques.
L'animation enjouée qui règne, en saison, dans l'unique rue de la station fait oublier
son site étroit. Les principaux terrains de promenade se trouvent au Sud, sur le
plateau du Lienz (station intermédiaire du funiculaire d'Ayré).

La saison d'hiver – Au début du 19e s. encore, Barèges illustrait les méfaits des
avalanches : les habitants ne construisaient qu'en bois aux endroits menacés, quitte
à démonter et à numéroter les ais à l'entrée de chaque hiver. Les travaux de
reboisement et la pose de « râteliers à neige » sur le versant Nord ont permis une
vie touristique hivernale.

Le domaine skiable – Barèges, la plus ancienne station des Pyrénées (1922), forme
un important complexe de sports d'hiver. Les 34 pistes du domaine (alt. 1 250-
2 350 m) se répartissent sur trois secteurs bien différenciés qui communiquent par
remontées mécaniques. Le secteur de la Laquette, desservi par télécabine depuis
le village, présente des pistes assez faciles qui ondulent au milieu des arbres et sur
des versants ensoleillés. Le secteur du Lienz-Ayré, accessible par le funiculaire
d'Ayré, se perd dans une magnifique forêt ; ses pistes, très techniques, ont fait
la réputation de Barèges. Le secteur du Tourmalet s'illustre par de larges pistes
qui bénéficient d'un enneigement de qualité (versant Nord).
Les stations de Barèges et de la Mongie *(voir à ce nom)*, reliées par télésièges au
niveau du col du Tourmalet, offrent un total de 120 km de pistes et 57 remontées,
formant **le plus grand domaine skiable des Pyrénées françaises** (forfait commun Barèges-La
Mongie). L'aménagement du col a entraîné la création d'une annexe d'altitude,
Super-Barèges, dans le cirque terminal de la vallée du Bastan. La formule
« Ticket-Toy » permet d'utiliser le forfait dans les stations voisines de Luz-Ardiden
et Gavarnie-Gèdre.
48 km de pistes de ski de fond de tous niveaux, parmi les plus belles des Pyrénées,
se répartissent entre le plateau du Lienz et le pic de l'Ayré, dans un cadre paisible
de sous-bois enneigés.

Funiculaire de l'Ayré ⊙ – Il a été établi pour faciliter les travaux de percement
d'un tunnel long de 11 km qui permet de capter les eaux du massif de Néouvielle
au profit du Gave de Pau. De la station supérieure, vue intéressante sur le massif
de Néouvielle, le pic du Midi de Bigorre, le Balaïtous. Un sentier *(2 h à pied AR)*
permet de gagner le Pic d'Ayré (alt. 2422 m).

Pays BASQUE★★★

Cartes Michelin n⁰ˢ 85 plis 1 à 5, 13 à 15 ou 234 plis 29, 30, 33, 34, 37, 38, 42

Le touriste qui, venant de Bordeaux par les Landes, pénètre dans le Pays Basque voit ses impressions complètement renouvelées. Les montagnes apparaissent soudain toutes proches. La côte, avec ses falaises, ses rochers déchiquetés, s'oppose aux grèves landaises tirées au cordeau. L'arrière-pays, si attachant avec ses vallons verdoyants et ses maisons blanches, est l'une des régions de France qui ont gardé le plus de caractère.

Les sept provinces – Les Pyrénées basques présentent une géologie confuse : elles marquent l'écrasement terminal des plis pyrénéens. Les vallées sont tortueuses, les communications entre les différents bassins difficiles. « Pays fort bossu » disait un chroniqueur du 17ᵉ s. C'est ce qui explique, en partie, l'ancien morcellement en « pays d'États » particularistes.

Il y a sept provinces basques. La formule consacrée « Zaspiak-bat » se traduit par « les sept ne font qu'une » : la race, la langue sont, en effet, les mêmes des deux côtés des Pyrénées.

Ce guide décrit les trois provinces du Nord du Pays Basque ; le **Labourd**, la **Basse-Navarre** et la **Soule** *(voir à ces noms).*

LA VIE BASQUE

Une race mystérieuse – L'origine du peuple basque et de sa langue reste énigmatique. On sait seulement que les Basques quittèrent la vallée de l'Èbre, refoulés par les Wisigoths. Ils fondèrent le royaume de Vasconie, dans les Pyrénées occidentales. Les Vascons de la plaine fusionnèrent avec les populations aquitaines et devinrent les « Gascons ». Ceux des montagnes gardèrent farouchement leur langue et leurs traditions. L'euskara – la langue basque – est l'armature de la race.

Autonomie et nationalisme basques – Au 9ᵉ s., Inigo Arista fonde une dynastie basque et devient roi de Pampelune. Deux siècles plus tard, Sanche le Grand monte sur le trône de Pampelune et fédère les Basques des deux côtés de la chaîne pyrénéenne. Ainsi commence l'histoire du Pays Basque, qui sera liée à celle d'Espagne et de France. Sous l'Ancien Régime, les provinces basques françaises gardent leur autonomie politique : les maîtres de chaque village se réunissent pour délibérer de questions communes puis une assemblée par province est également tenue. Elle est systématiquement consultée par les agents royaux avant que ces derniers ne prennent une décision politique. La Révolution française met fin à ces privilèges : les trois provinces franco-basques sont rattachées au Béarn pour former le département des Basses-Pyrénées.

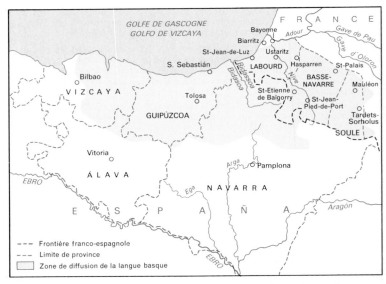

Correspondance entre les toponymies espagnoles ou françaises et basques

Bayonne/Baiona
Biarritz/Miarritze
Bilbao/Bilbo
Hasparren/Hazparne
Mauléon/Maule
Pamplona/Iruñea
St-Jean-de-Luz/Donibane-Lohizun

St-Étienne-de-Baïgorry/Baigorri
St-Jean-Pied-de-Port/Donibane-Garazi
St-Palais/Donapaleu
San Sebastián/Donostia
Tardets-Sorholus/Atharratze-Sorholüze
Ustaritz/Uztaritze
Vitoria/Gasteiz

A la fin du 19e s., le grand mouvement nationaliste qui touche l'Europe entière n'épargne pas l'Espagne basque, bien au contraire. En 1895, **Sabino Arana Goiri** (1865-1903) fonde, à Bilbao, le **Partido nacionalista vasco** (Parti nationaliste basque). Son but est de rassembler les sept provinces basques d'Espagne et de France en un État confédéral qu'il appelle Euskeria puis, à partir de 1896, **Euskadi**, nom que la Communauté autonome basque d'Espagne a adopté aujourd'hui. En 1894, Arana invente l'**ikurrina**, drapeau rouge aux deux croix verte et blanche. L'autonomie est accordée aux trois provinces basques espagnoles le 11 octobre 1936, en échange de leur soutien républicain contre les franquistes, durant la guerre civile d'Espagne. Mais le nouveau gouvernement basque est écrasé à Guernica en 1937. Le régime de Franco exerce alors la répression et la persécution contre la culture basque. C'est dans ce contexte que naît la lutte clandestine armée, en 1959, avec l'ETA (Euskadi ta askatasuna = Pays basque et liberté). Après la mort de Franco, le Pays Basque espagnol obtient l'autonomie en 1978, devenant l'Euskadi. La Navarre obtient elle aussi l'autonomie. Néanmoins, une branche de l'ETA, dite militaire, continue la lutte armée.

Au **Pays Basque français**, un courant nationaliste naît en 1960 autour de l'hebdomadaire *Embata*, mais disparaît en 1974. En 1973, un groupement clandestin proche de l'ETA, Iparretarak, est créé. Quatre mouvements nationalistes légaux existent également, siégeant au conseil municipal de plusieurs villes. Leur influence se fait surtout sentir dans les domaines culturel et économique.

Les Basques aux Amériques

Mis à l'écart de l'héritage paternel, les enfants qui ne sont pas les « aînés » partent chercher fortune ailleurs. Ils ont en particulier alimenté l'émigration « aux Amériques », en Amérique latine (Argentine, Uruguay, Paraguay, puis Chili, Colombie et Mexique) surtout. Au cours du 19e s., le Pays Basque français a envoyé outre-Atlantique 90 000 de ses enfants. Là-bas, ils pratiquaient l'élevage, exportaient de la laine, exploitaient la forêt et faisaient le commerce du bois, métiers qu'ils exerçaient au pays. Fortune faite, les **Americanuaks** sont revenus au pays natal ou ont appelé auprès d'eux les descendants de leur famille.

Au tout début du 20e s. et jusqu'en 1960, les Basques émigrent cette fois aux États-Unis et plus précisément en Californie. Ces Basques sont en général des bergers originaires de Basse Navarre. Par l'intermédiaire d'une agence d'immigration, ils partent exercer leur métier dans les montagnes Rocheuses, affrontant des conditions climatiques beaucoup plus rudes qu'au Pays Basque. Certains sont restés ; ils étaient 43 140 en 1980. Ils se sont intégrés à la société américaine mais maintiennent fortement leurs traditions.

La maison – La maison labourdine, la plus charmante des habitations basques, a inspiré nombre de villas et de pavillons de banlieue. Faite de torchis, elle a des pans de bois apparents, peints le plus souvent en rouge brun. Sa façade, tournée vers l'Est pour éviter les pluies qu'apporte le vent d'Ouest, est protégée par un vaste toit de tuiles.

La maison de Basse Navarre offre de beaux encadrements de pierre et des balcons circulaires. En Soule, on trouve des toits d'ardoise plus foncée qui font pressentir le Béarn. Les maisons basques, revêtues d'un crépi blanc, éclatant et joyeux, arborent, au-dessus de la porte d'entrée, leur date de construction ou le nom de leur propriétaire. Nulle part ailleurs l'identification de la famille et de la demeure n'est aussi poussée.

Sous l'Ancien Régime, les meubles, les droits sur les terres communes de la paroisse, les droits d'église (place occupée dans l'église, qui détermine le rang social) et le droit de sépulture étaient inhérents à la maison, véritable entité économique et sociale qui se perpétue de siècle en siècle.

Le maître de maison, l'**etcheko jaun**, exerce une autorité souveraine. Sa grande préoccupation est d'assurer la pérennité du patrimoine familial. La maison revient à l'enfant, garçon ou fille, que le père a désigné comme « aîné ».

L'attachement à la maison familiale, régulièrement entretenue de génération en génération, garantit l'authenticité des villages basques et épargne aux bourgs la disgrâce des lotissements périphériques.

Au musée basque de Bayonne, le touriste pourra se faire une idée du mobilier paysan.

Trilogie basque : mairie-église-fronton – Mairie, église et fronton sont les trois lieux autour desquels se cristallise la vie communautaire basque. Regroupés sur la place, ils forment le cœur du village. L'**église** joue un rôle primordial : tout le village est symboliquement groupé autour d'elle. De nombreux fidèles assistent chaque jour aux offices généralement célébrés en basque. Elle est entourée d'un cimetière renfermant très souvent des **stèles discoïdales** (voir « *l'architecture religieuse basque* », en *introduction*). Grand mur aux couleurs orangées, le **fronton** rassemble les hommes autour d'une partie de pelote (voir « *Jeux et Sports* » en introduction), le jeu séculaire du Basque, ou d'une de ses nombreuses variantes, largement pratiquées par ailleurs en Amérique latine et en Espagne.

Les cagots – Au Pays Basque, comme en Béarn et en Bigorre, certains métiers (bûcheron, charpentier, menuisier, maçon, tisserand) étaient pratiqués traditionnellement par les cagots, chrestiaas ou agotak. Du Moyen Âge au début du 19e s., ces parias, victimes sans doute de la terreur suscitée par les épidémies de lèpre et par les tares introduites par le fléau, formèrent une caste exclue de la communauté. Ils devaient vivre à l'écart, porter sur leurs vêtements une marque en forme de patte d'oie. Une porte spéciale et un bénitier leur étaient réservés à l'église. Le mariage en dehors de leur caste pouvait être puni de mort.

H. Liard/MICHELIN

Stèle discoïdale

Le folklore – Le Basque, silencieux et grave, s'extériorise dans ses danses, ses chants, ses divertissements collectifs. Les jeunes gens – la plupart des danses traditionnelles ne comprennent pas de partenaire féminin – se déplacent de village en village pour les fêtes locales ; le soir, au retour, leur cri de ralliement résonne de montagne en montagne.

Les danses, nombreuses et compliquées, s'exécutent au son du *tchirulä*, sorte de flûte à trois trous, et du *ttun-ttun*, petit tambour, ou du tambourin à cordes (l'accordéon, la clarinette ou le cornet à piston les remplacent parfois). Les fameux « sauts basques », aux multiples figures, sont dansés par les hommes seuls. Il y a un contraste frappant entre l'immobilité du buste, l'impassibilité du visage et la fantastique agilité des jambes.

Le *fandango*, « chaste et passionné », figure l'éternelle poursuite de la femme. Le mouvement du buste et des bras s'harmonise aux rythmes alternés de recherche et de fuite.

Pour la danse du verre, les danseurs souletins, d'une légèreté aérienne, arborent des costumes éblouissants. Le *zamalzain*, à la fois cavalier et cheval, grâce à une armature d'osier, et les autres danseurs décrivent de véritables arabesques autour d'une coupe pleine de vin. Puis, ils se posent, une fraction de seconde, en équilibre sur la coupe, sans en renverser une goutte.

Les chants, primitifs et directs, inspirés de la vie quotidienne, ont des mélodies pleines de poésie. Les Basques français reprennent parfois le chant sacré des Basques espagnols : *Guernikako Arbola*, véritable hymne national. Ici, le chêne de Guernica (village de Biscaye) symbolise les *fueros*, c'est-à-dire les libertés locales.

Les pastorales rappellent les mystères du Moyen Âge et opposent les « Bons » et les « Mauvais » ; c'est un spectacle pittoresque qui peut durer des heures. Fréquemment encore, les repas de fête se terminent par des improvisations : il s'agit de véritables concours de chant et de composition sur un même air et un même thème.

La chasse à la palombe – Cet oiseau, sorte de pigeon sauvage, descend du Nord, à l'automne, pour gagner l'Espagne par groupes atteignant parfois plusieurs milliers. Si dans les Landes on domestique des palombes pour servir d'appeaux, au Pays Basque on se passe d'appeaux. Les filets, les « pantières », sont tendus entre les plus hauts arbres d'un col situé sur le trajet des palombes. Des rabatteurs, perchés dans les arbres environnants ou

Matlos/RAPHO

Danse basque

sur des tourelles de pierres sèches, canalisent les oiseaux en poussant des cris gutturaux. Ils agitent parfois des drapeaux blancs et lancent de faux éperviers en bois. Effrayées, les palombes rasent le sol et s'engouffrent dans le filet qui s'abat.

La pêche aux pibales – Les pibales, dont raffolent les Espagnols, sont des alevins nés des œufs d'anguilles dans la mer des Sargasses. En hiver, elles remontent l'Adour ; c'est l'occasion, pour les Basques, de s'adonner à une curieuse pêche qui vaut de l'or (environ 800 F le kilo). La pibale se pêche la nuit à l'aide d'un tamis qui permet, à chaque sortie, d'en prendre quelques grammes. Il existe quatre criées à la pibale: Peyrehorade, Saubusse, Ste-Marie-de-Gosse et Capbreton. Les pibales se mangent frites dans l'huile d'olive parfumée à l'ail et au piment d'Espelette.

DÉCOUVERTE DU PAYS BASQUE

D'Ouest en Est, chaque province a ses particularités que l'on peut découvrir en empruntant les divers itinéraires proposés dans le guide.

Province côtière, le **LABOURD★** se compose de paysages riants de faible altitude, en allant **de Bayonne à Cambo-les-Bains par la Rhune** *(voir à Le Labourg)*, ou en empruntant la célèbre **Route impériale des cimes★** *(voir à Bayonne, excursions)*.

Plus enfoncée dans les terres, la **Basse NAVARRE★** plonge dans la **Vallée de la Nive★**, dans la **Vallée des Aldudes★** et grimpe au **Col d'Osquich★** *(voir à La Basse Navarre)*.

Fière de ses traditions folkloriques ancestrales, la **SOULE★** se parcourt en suivant deux itinéraires principaux, celui de la **Haute Soule★★**, à l'Ouest, et celui de la **Basse Soule**, au Nord-Est *(voir à La Soule)*.

BASSOUES

454 habitants

Cartes Michelin nᵒˢ 82 Sud-Est du pli 3 ou 234 pli 32 – Schémas p. 49 et 216

La petite bastide est annoncée de loin par son donjon du 14ᵉ s., magnifique exemple d'architecture militaire. La route traverse le village en passant sous la vieille **halle en bois** bordée de maisons pittoresques.

La légende du saint patron de Bassoues – Selon la tradition, **Fris**, neveu de Charles Martel, aurait été mortellement transpercé par une flèche lors du combat qu'il engagea, au lieu-dit de l'Étendard, contre les troupes d'Abd Al-Rahman qui refluaient vers le Sud après leur défaite à Poitiers (732).

Enterré sur les bords de la Guiroue, le corps de Fris aurait été exhumé au 10ᵉ s. à la suite de circonstances insolites. Un paysan, qui avait l'habitude de faire paître son troupeau en ces lieux, avait constaté qu'une de ses vaches, en guise de nourriture, se contentait de lécher une pierre à un endroit précis. Intrigué par ce manège, il souleva la pierre et découvrit le corps intact du guerrier Fris en tenue de combat. Peu après, une fontaine miraculeuse jaillit : on décida d'élever une église et d'y inhumer Fris à nouveau lors d'une cérémonie digne de lui. Seule, parmi les têtes de bétail rassemblées ce jour-là pour participer à l'attelage tirant le sarcophage renfermant le corps du saint, la vachette réussit à parvenir au but : le lieu-dit de la Tapia. Incendié pendant les guerres de Religion, saccagé lors de la Révolution, l'édifice fut à nouveau consacré à la fin du 19ᵉ s. et fait toujours l'objet d'un pèlerinage local.

CURIOSITÉS

★ Donjon ⊙ – Les raffinements de la construction et des aménagements intérieurs, dus à Arnaud Aubert, archevêque d'Auch, neveu du pape Innocent VI, contrastent avec le logis fortifié très remanié que flanque l'ouvrage au Sud-Est. Le rez-de-chaussée, récemment dégagé, servait de resserre. Chaque étage est muni de latrines situées dans les contreforts Sud-Est et Nord-Est. Par l'escalier à vis, monter à la salle du premier étage, voûtée d'ogives (armes d'Arnaud Aubert à la clé). La salle du deuxième étage, également voûtée d'ogives – remarquer encore l'effigie de l'évêque à la clé –, allie l'élégance décorative au confort : cheminée frappée d'écussons, évier aménagé dans le mur sous une arcature, niches pouvant servir d'armoires. Il ne subsiste que les poutres du plancher qui séparait les troisième et quatrième étages. Aux différents niveaux, une exposition permanente présente la naissance et l'évolution des villages gascons. De la plate-forme supérieure où des échauguettes rondes sont disposées entre la terrasse et le sommet des contreforts, **vue★** au Nord-Est sur la basilique St-Fris et son cimetière, au Sud sur les Pyrénées.

Église – Transformée aux 16ᵉ et 19ᵉ s., elle se compose d'une nef unique prolongée à l'Est d'un chœur voûté d'ogives. Une belle chaire en pierre date du 15ᵉ s.

BAYONNE★★

Agglomération 164 378 habitants
Cartes Michelin nos 78 pli 18 ou 234 pli 29 – Schéma p. 193

Aux confins des Landes et du Pays Basque, Bayonne joue le rôle de capitale économique du bassin de l'Adour. La construction de matériel pour l'aéronautique, la fabrication de ciments et d'engrais ont transformé la zone portuaire du Boucau-Tarnos naguère vouée à la sidérurgie. D'importateur de pondéreux le port est devenu exportateur (maïs, soufre de Lacq).

Cette ville nette, animée et commerçante, offre le spectacle pittoresque de ses quais, de ses vieilles rues. Ses remparts sont bien dégagés entre le château Vieux (16e s.) vers lequel convergeaient les cortèges princiers, et la porte d'Espagne. A l'Est près du château Neuf, de l'autre côté des remparts, le parc de Mousserolles a été aménagé pour les promeneurs et offre aires de jeux et de repos ainsi qu'un plan d'eau. La citadelle dominant le faubourg de St-Esprit (rive droite de l'Adour) est l'œuvre de Vauban. En été se déroulent les grandes fêtes★ traditionnelles : corridas, manifestations folkloriques... « Garçons et filles gambillent pendant six jours de la Nive à l'Adour... »

UN PEU D'HISTOIRE

Bayonne fait partie au 12e s. de la dot d'Aliénor d'Aquitaine *(voir à Bordeaux)*. Lorsque cette princesse se remarie avec Henri Plantagenêt, la ville devient anglaise et le restera trois siècles. Durant la guerre de Cent Ans, la flotte bayonnaise court bord à bord avec la flotte anglaise. Le port regorge de marchandises, la ville est florissante.

L'intégration de Bayonne au domaine royal français, après la chute de la place en 1451, ne va pas sans grincements : il faut payer une indemnité de guerre et le marché anglais est perdu.

Les rois de France empiètent plus largement sur les libertés locales que les lointains souverains britanniques ; les actes et lois ne doivent plus être rédigés en gascon, mais en français. Les Bayonnais en gardent un long ressentiment. Heureusement, Charles IX décide de rendre vie au port ensablé ; le chenal direct vers la mer est ouvert en 1578.

L'apogée – Au 18e s., l'activité de Bayonne atteint son apogée. La Chambre de Commerce est fondée en 1726. Les échanges avec l'Espagne, la Hollande, les Antilles, la pêche à la morue sur les bancs de Terre-Neuve, les chantiers de construction entretiennent une grande activité dans le port.

En 1759, le peintre Joseph Vernet n'oublie pas Bayonne dans ses tableaux consacrés aux « Grands Ports de France ».

Bayonne est déclarée port franc en 1784, ce qui triple encore son trafic. Les prises de la guerre de course sont fabuleuses et les bourgeois arment maints bateaux corsaires. Les ministres de Louis XIV : Seignelay, fils aîné de Colbert, et Pontchartrain fixent par ordonnance le mode de partage du butin : un dixième à l'amiral de France, les deux tiers aux armateurs, le reliquat à l'équipage. Une somme est retenue pour les veuves, les orphelins et le rachat des prisonniers aux Barbaresques.

La corporation des ferronniers et armuriers de la ville, les « faures », est célèbre. C'est à eux que l'on doit la baïonnette que toute l'infanterie française utilise dès 1703.

Jours difficiles – La Révolution supprime le port franc. Les guerres de l'Empire, le blocus naval portent des coups terribles au commerce maritime de la ville. C'est à Bayonne, en 1808, que Napoléon donne une entrevue aux souverains espagnols qui renoncent à leurs droits à la couronne en faveur de Joseph, frère de l'empereur.

En 1813, Wellington, à la tête d'une armée d'Anglais, d'Espagnols et de Portugais, passe d'Espagne en France. Il détache une partie de ses troupes devant Bayonne tandis qu'il marche sur Orthez où Soult est battu. Une sortie héroïque de la garnison de Bayonne amène la capture du général anglais Hope.

En 1814, Bayonne, de nouveau assiégée, résiste victorieusement. Mais les Alliés entrent à Paris, Louis XVIII est reconnu roi de France, et Bayonne doit cesser la lutte.

Le port de Bayonne – Depuis plusieurs années le port de Bayonne connaît un développement important et les aménagements récents permettent l'accès de navires de plus de 20 000 t.

Une particularité de ce port, plus exportateur qu'importateur, est la part qu'occupent les matières pondéreuses en vrac. C'est le premier port exportateur de soufre et l'un des plus importants en maïs – la production de cette céréale, provenant des vallées de l'Adour et des Gaves, est expédiée vers les pays de la Communauté – et en outre le principal centre de stockage pour produits chimiques de la façade Atlantique.

LA VIEILLE VILLE *visite : 3 h*

Place de la Liberté (BY 73) – Situé au débouché du pont Mayou qui traverse la Nive à l'entrée de la vieille ville, c'est un centre très animé : l'hôtel de ville et le théâtre la bordent.

Traverser le pont Mayou et suivre la rue Frédéric-Bastiat jusqu'à la rue Laffitte.

★★ **Musée Bonnat (BY M¹)** ⊙ – La visite chronologique débute au deuxième étage et offre un choix de Primitifs et de grands maîtres. Parmi les œuvres des 14e et 15e s., on verra une *Tête de Christ mort* de l'école vénitienne ainsi qu'une *Vierge et l'Enfant à la grenade* de l'école de Botticelli.

Le salon Rubens renferme des œuvres mises en valeur par un éclairage discret : *Apollon et Daphné*, le *Triomple de Vénus*.

Les 17e et 18e s. sont représentés notamment par des œuvres de Poussin (une *Nymphe* et un *Satyre*), Ribera *(Femme s'arrachant les cheveux)*, Murillo (*San Salvador de Horta et l'inquisiteur d'Aragon*, tableau faisant partie d'une série de 11 peintures destinées au cloître du monastère de Séville). Les écoles espagnole et anglaise de la fin du 18e s. et du début du 19e s. regroupent des œuvres de Goya *(Portrait de don Francisco de Borja)*, Constable *(Hampstead Heath)*, Hoppner *(Tête de femme)*. De l'école française antérieure au 19e s., le musée possède *Le Serment des Horaces*, de l'école de David, la *Vierge à l'Hostie* et le *Portrait de Charles X*, d'Ingres.

Au premier étage, le 19e s. est représenté par les œuvre de Bonnat, Delacroix, Géricault, Puvis de Chavannes, Degas.

BAYONNE

B	Cloître
M¹	Musée Bonnat
M²	Musée basque

Au rez-de-chaussée, autour du patio (balcons en fer forgé fin 19e-début 20e s.), a été installée la galerie Bonnat rassemblant des tableaux que le peintre Léon Bonnat (1833-1922) légua à sa ville natale. On y découvre quelques grands portraits, parmi lesquels le portrait de Madame Stern et un pathétique Job où l'on voit le vieillard décharné implorant le ciel. Le cabinet des dessins contient des originaux célèbres de grands maîtres français et étrangers, exposés par roulement.

Revenir au pont Mayou et suivre le quai rive droite jusqu'à la rue Marengo.

★★ **Musée basque (BZ M²)** ⊙ – *Fermé pour travaux de réaménagement (ouverture prévue en 2001).*

Traverser le pont Marengo, et prendre, tout droit, la rue Port-de-Castets à laquelle fait suite la rue Argenterie qui débouche sur une jolie place plantée de magnolias.

★ **Cathédrale Ste-Marie (AZ)** – Elle a été bâtie du 13e au 16e s., dans le style des églises du Nord. Primitivement, elle ne possédait qu'une tour, au Sud. Au siècle dernier, la tour Nord et les deux flèches furent ajoutées.

Pénétrer dans l'église par le portail Nord, ouvert dans le bras gauche du transept. Remarquer le heurtoir ciselé du 13e s., « anneau d'asile » dit-on : le criminel pourchassé qui y posait les doigts était en sécurité.

A l'intérieur, remarquer les vitraux Renaissance de la nef et, dans la 2e chapelle à droite en entrant (chapelle St-Jérôme), un beau vitrail de 1531 : « la Prière de la Chananéenne ». Les deux donateurs sont représentés agenouillés ; en haut, figure la salamandre, attribut de François Ier.

Dans la 6e chapelle, une plaque commémorative de 1926 rappelle « le miracle de Bayonne » (phénomène céleste ayant entraîné la reddition de la garnison anglaise, en 1451).

De l'axe central de la nef, on peut juger des belles proportions et de l'harmonie de l'édifice avec son élévation à trois niveaux, grandes arcades en ogive, triforium et fenêtres hautes. Les clés de voûte du chœur et de la nef sont décorées d'armoiries rappelant l'histoire de Bayonne.

Gagner le déambulatoire. Adoptant le parti architectural champenois, les voûtes en ogive du déambulatoire rejoignent celles des cinq chapelles absidiales rayonnantes, décorées par Steinheil à la fin du 19e s.

★ **Cloître (AZ B)** ⊙ – *Accès par la place Louis-Pasteur.* Il n'en subsiste que trois parties formant un bel ensemble gothique (14e s.) qui conserve grande allure avec ses baies jumelées. On y trouve quelques tombeaux anciens.

De la galerie Sud, belle vue de la cathédrale et en particulier de ses fenêtres bien connues des archéologues pour leurs vastes dimensions et leur excellent dessin.

Sortir par le portail Ouest, puis tourner à droite et, par la rue de la Monnaie, rejoindre la rue du Port-Neuf.

Belle maison à colombage à gauche en descendant à l'angle de la rue de la Monnaie et de la rue Orbe.

Rue du Port-Neuf (AY 98) – Suivre cette charmante rue piétonne bordée d'arcades basses sous lesquelles s'ouvrent des pâtisseries et des confiseries célèbres fleurant bon le chocolat – le travail du cacao fut introduit à Bayonne dès le 17e s. par des Juifs chassés d'Espagne et du Portugal.

Revenir au Château-Vieux et prendre, place Jacques-Portes, la rue du 11-Novembre longeant les remparts.

BAYONNE PRATIQUE

Jours de marché – Autour des halles de type Baltard, récemment construites sur le quai du Cdt. Roquebert, un marché alimentaire a lieu tous les matins du lundi au samedi et toute la journée le vendredi et les veilles de fêtes. Un marché aux fleurs se tient les 2e et 4e dimanches du mois, place Pasteur.

Quelques restaurants – On trouve de sympathiques restaurants basques partout dans les rues étroites du vieux Bayonne ainsi que sur le quai Jauréguiberry (on peut par exemple déguster fruits de mer et poissons au restaurant Itsaski).

Jambon de Bayonne – La conserverie Pierre d'Ibaialde, 41, rue des Cordeliers, propose ses jambons artisanaux. Un petit exposé sur leur fabrication et leur histoire, suivi d'une dégustation, sera fait à qui le demandera. En outre, une foire aux jambons a lieu à la mi-avril.

Fêtes de Bayonne – Pendant une semaine, début août, le cœur des Bayonnais bat au rythme des musiques traditionnelles basques. Après les courses de vaches landaises, les corridas et le corso lumineux, on danse sur les grandes places de la ville au son des *tchirulã* (flûtes) et des *ttun-ttun* (tambours). La cassette Vidéo Découverte Michelin Pyrénées Aquitaine permet de retrouver cette ambiance pleine de chaleur et de bonne humeur.

Jardin botanique - Surplombant les remparts, le jardin botanique présente, dans un décor japonisant, quelque 1000 espèces de plantes vivaces.

Les pelouses, en contrebas, constituent d'agréables promenades ombragées.

EXCURSIONS

★ **Croix de Mouguerre** – *10 km à l'Est. Sortir de Bayonne par la D 312, route de Bidache (BZ) ; à prendre à droite la route de crête traversant Mouguerre. Gagner à droite le terre-plein de la croix.*

Monument commémoratif français des combats ayant opposé en 1813-1814 les troupes du maréchal Soult à l'armée d'invasion anglo-hispano-portugaise commandée par Wellington. **Panorama**★ sur les Landes, Bayonne, la côte Basque et les Pyrénées.

★ **Route impériale des cimes** – *De Bayonne à Hasparren, 25 km. Sortir de Bayonne par la D 936 (BZ) ; la quitter aux dernières propriétés de St-Pierre-d'Irube pour la D 22, à droite.*

Napoléon Ier fit aménager cette route sinueuse comme tronçon d'une liaison stratégique de Bayonne à St-Jean-Pied-de-Port par les hauteurs.

La **vue**★ se dégage sur la côte Basque et les sommets des Pyrénées proches de l'océan ; la Rhune, les Trois Couronnes au cimier denté, le Jaizkibel qui, de cette distance, donne l'illusion d'une île escarpée. Aux approches **d'Hasparren** *(voir à ce nom)*, les Pyrénées basques du haut bassin de la Nive s'étalent, plus en profondeur, de la Rhune à l'Artzamendi.

BAZAS★

4 379 habitants (les Bazadais)
Cartes Michelin nos 79 pli 2 ou 234 pli 15

Formant proue au-dessus de la vallée de la Beuve, un étroit promontoire porte Bazas qu'enserrent de vétustes remparts gothiques.

Le poète latin **Ausone** (4e s.), né à Burdigala (Bordeaux), fit plusieurs séjours dans la cité.

Des fouilles récentes ont mis au jour des substructions de l'ancien oppidum de Bazas remontant au 7e s. avant J.-C. Capitale de cette région de collines fertiles qu'est le Bazadais, la ville est le siège, depuis le 5e s., d'un évêché dont le titre, depuis 1937, est porté par l'archevêque de Bordeaux.

La ville entretient de petites industries de confection, céramique, constructions métalliques et électriques, menuiserie ; c'est également un marché régional pour les bœufs de la race bazadaise, et les veaux « élevés sous la mère ».

Tout au long de l'année se déroulent à Bazas diverses festivités, dont la Promenade des bœufs gras en mars, les feux de la Saint-Jean en juin, l'évocation historique « la Symphonie des siècles » en été *(voir le chapitre des Principales manifestations en fin de volume)* et la fête de la Saint-Martin en novembre.

CURIOSITÉS

Laisser la voiture allées G.-de-St-Sauveur près du tribunal et prendre l'étroite rue Fondespan (maisons anciennes) qui débouche sur la place de la Cathédrale, entourée de « couverts » et de maisons des 16e-17e s, dont la maison dite « de l'Astronome » no 3, du 16e s., décorée de symboles astronomiques.

★ **Cathédrale St-Jean** – Elle date des 13e-14e s. et a été édifiée sur le modèle des grands sanctuaires gothiques du Nord de la France ; on y vénérait le sang de saint Jean-Baptiste. A la suite des destructions perpétrées par les huguenots, l'évêque Arnaud de Pontac et ses successeurs la firent restaurer de 1583 à 1635. La façade suscite l'admiration par son décor et son équilibre, malgré les différences de style des trois étages, le premier datant du 13e s., le second du 16e s., le couronnement du 18e s.

Portails – Leurs tympans et leurs voussures ont conservé les belles sculptures du 13e s. que les Bazadais sauvèrent du vandalisme protestant par le versement de 10 000 écus. Les thèmes et le style des scènes représentées sont inspirés de l'Île-de-France. Le portail central est consacré au Jugement dernier et à l'histoire de saint Jean-Baptiste, les portails latéraux à la Vierge et à saint Pierre.

Intérieur – La perspective de la nef, étroite et longue, sans transept, produit grande impression ; sa voûte se reflète dans les bénitiers de la grande porte. Le vaisseau a été totalement reconstruit après les guerres de Religion, à l'exception des quatre dernières travées : en se plaçant à la hauteur de la 6e travée à droite, on peut observer la différence de profil entre le pilier gauche du 13e s. et le pilier droit refait à la fin de 16e s. Le triforium aveugle comprenant à chaque travée un arc surbaissé est d'un dessin assez rare : on ne le retrouve dans la région qu'à la cathédrale d'Auch.

Dans le chœur, maître-autel Louis XV en marbre de couleurs variées, d'une grâce un peu maniérée. Dans la chapelle axiale, chandelier pascal du 17e s., toiles de François Lemoyne (18e s.) : saints Grégoire et Basile (à droite), Chrysostome et Athanase (à gauche). Près de la sacristie un Saint Christophe en bois peint du16e s. ; de la même époque, non loin des fonts baptismaux, une Pietà en pierre.

Jardin du Chapitre – Situé à droite de la cathédrale, il est établi en terrasse sur le rempart. Vue charmante sur le vallon de la Beuve. De l'évêché, seule une tour a survécu.

Promenade de la Brèche – Ombragées de tilleuls, d'ormes et de marronniers, les allées Clemenceau longent d'un côté le pied des remparts, de l'autre le vallon de la Beuve. Elles offrent de jolies perspectives sur le chevet de la cathédrale.

Bazas illuminée

Le BÉARN★★

Cartes Michelin nᵒˢ 85 plis 5 à 7, 15 à 17 ou 234 plis 35, 39, 42, 43, 47

Le Béarn, le plus vaste des États pyrénéens, couvre à peu près les deux tiers du département des Pyrénées-Atlantiques, le reste étant occupé par le Pays Basque. Il est traversé en diagonale par les gaves de Pau et d'Oloron. Prairies et labours s'étagent de part et d'autre des cours d'eau, tandis que la vigne et les arbres fruitiers occupent les premières pentes des longues croupes couvertes surtout de landes (« touyas »), qui s'étirent entre les gaves. Dans le Sud du pays, la chaîne des Pyrénées dresse des sommets aux formes hardies comme le pic du Midi d'Ossau (alt. 2 884 m) ou le pic d'Anie (alt. 2 504 m). Le célèbre col d'Aubisque (alt. 1 709 m) fait passer du Béarn en Bigorre par la montagne.

UN PEU D'HISTOIRE

Le « For de Morlaàs » – En 820, le Béarn est érigé en vicomté par Louis le Débonnaire. Lescar, la capitale, ayant été détruite par les Sarrasins en 841, Morlaàs lui succède.
De tous temps, les Béarnais, comme la plupart des populations pyrénéennes, ont montré un goût très vif de la liberté. Le suzerain, qu'il soit roi de Navarre, d'Angleterre ou de France, devra rendre très lâches les liens qui assujettissent le petit État.
A l'intérieur du Béarn même, le vicomte sera conduit à accorder des garanties aux habitants. Au 11e s. Gaston IV le Croisé promulgue le « For (droit) de Morlaàs ». C'est une sorte de charte politique et judiciaire qui limite les pouvoirs seigneuriaux et soumet tout le monde à l'impôt de la taille. A leur avènement, les vicomtes de Béarn sont tous tenus de « jurer le For ».
En 1194, nouveau changement de capitale : Orthez évince Morlaàs.

Gaston Fébus – En 1290, la maison de Foix acquiert, par alliance, la vicomté de Béarn. Le plus célèbre des comtes de Foix et vicomtes de Béarn est Gaston III (1331-1391) qui adopte vers 1360 le surnom de Fébus, signifiant « le brillant », « le chasseur ». C'est un personnage plein de contrastes. Ayant pour devise « to-que-y si gauses » (tou-ches-y si tu l'oses), politique avisé, il exerce un pouvoir absolu, méprisant les « Fors » jurés par lui. Lettré, poète, il s'entoure d'écrivains et de troubadours ; mais il fait assassiner son frère, tue son fils unique au cours d'une discussion.

Laisser-courre du cerf
(livre de la Chasse de Gaston Fébus)

Passionné de chasse, il écrit un traité sur l'art de la vénerie. Il entretient 600 chiens et, à 60 ans, découd encore l'ours. C'est au retour d'une de ces expéditions, près de Sauveterre, qu'il tombe foudroyé par une hémorragie cérébrale.
En 1464, Pau remplace Orthez et resta capitale du Béarn jusqu'à la Révolution.

La Marguerite des Marguerites – Grâce à la protection des rois de France et à la suite de mariages profitables, de petits seigneurs landais, les Albret, se trouvent au 16e s. en possession du comté de Foix, du Béarn et de la Basse-Navarre. Henri d'Albret épouse **Marguerite d'Angoulême**, sœur de François Ier, en 1527.
La beauté, l'intelligence, le charme et la bonté de Marguerite ont été célébrés par les poètes du temps. Elle use de son influence sur son frère pour protéger les esprits trop libres et les novateurs religieux (Clément Marot, Calvin…). Bien que de haute moralité, Marguerite n'est pas prude.
Grande admiratrice du « Décaméron » de Boccace, elle compose un recueil de contes galants dans la lignée des fabliaux connu sous le nom d'« Heptaméron ». Son château de Pau, où se déroulent fêtes et bals, est un des grands centres d'activité intellectuelle de l'Europe.

La rude Jeanne d'Albret – On avait dit de Marguerite de Navarre : « Corps féminin, cœur d'homme et tête d'ange ». Mais sa fille, Jeanne d'Albret, n'éveille pas autant de lyrisme : « Elle n'a de femme que le sexe » dit crûment un contemporain.
Son mariage l'unit à Antoine de Bourbon, descendant de Saint Louis, ce qui mettra leur fils, le futur Henri IV, en mesure de recueillir l'héritage des Valois quand cette branche s'éteindra avec Henri III. Henri naît à Pau le 13 décembre 1553.
Jeanne devient reine de Navarre à la mort de son père ; la loi salique, excluant les femmes du droit de succession à la terre, ne s'applique pas dans les États pyrénéens. Elle abjure le catholicisme pour la religion réformée. Charles IX envoie alors une armée qui s'empare de Pau.
Les Calvinistes subissent de dures représailles. Jeanne court chercher un abri à La Rochelle. Cinq mois après, son lieutenant général, Montgomery, reprend Pau ; c'est au tour des « papistes » de se balancer aux gibets.
Antoine de Bourbon, compromis dans la conjuration d'Amboise, abjure le protestantisme pour se rapprocher des Guise, mais Jeanne, pour assurer l'avenir de sa maison et de sa religion, négocie le mariage de son fils Henri avec Marguerite de Valois, fille de Catherine de Médicis et de Henri II. Elle meurt à Paris, en 1572, deux mois avant les noces.

« Lou Nouste Henric », le grand Béarnais – Le jeune Henri de Navarre passe les premières années de sa vie au château de Coarraze entre Pau et Lourdes, nourri de pain bis, d'œufs, de fromage et d'ail. Il court nu-tête et nu-pieds, et ne parle que gascon.
A 12 ou 13 ans, Henri entre officiellement en religion réformée. Six jours après son mariage avec Marguerite de Valois éclate la St-Barthélemy (1572). Le jeune époux n'échappe à la mort que par l'abjuration ; il reviendra ensuite à la religion réformée jusqu'à l'abjuration solennelle précédant son avènement. Lors de celui-ci (1589), voulant ménager l'esprit d'indépendance de ses Béarnais, Henri IV

proclame : « Je donne la France au Béarn et non le Béarn à la France » et, pour accuser la nuance, prend le titre de « roi de France et de Navarre ». C'est Louis XIII qui, en 1620, réunit définitivement le Béarn à la couronne. L'esprit particulariste de la province est ménagé par la concession de privilèges et de libertés locales. Un Parlement siège à Pau.

Le Béarn reste « pays d'États » jusqu'à la Révolution. Les délégués des trois ordres (Noblesse, Clergé, Tiers-État) forment les « États » qui accordent le « don gratuit » : il s'agit des subsides réclamés par les commissaires du roi pour subvenir aux frais de l'administration du royaume.

LA VIE EN BÉARN

Trois démocraties pastorales – Les montagnards des vallées d'Aspe, d'Ossau et de Barétous, jouissant de la propriété collective des pâturages de montagne, vécurent jusqu'à la fin de l'Ancien Régime à l'écart du système féodal. Le servage, les droits féodaux vexatoires, la gabelle restaient inconnus de ces communautés vivant sous un régime de « fors » *(voir plus haut)* assimilable, pratiquement, à l'autonomie politique. Longtemps prompts à la razzia à travers le plat pays, les Ossalois subordonnèrent, à partir du 11ᵉ s., leurs dispositions pacifiques à la garantie de leurs droits sur les pâturages de la lande de Pont-Long au Nord de Pau, but d'une transhumance d'hiver vitale pour leur économie. Les empiétements des riverains de la lande – seigneurs, communes ou propriétaires fonciers – enrichirent la chronique béarnaise d'innombrables « descentes » et procès. Après sept siècles d'escarmouches, la querelle fut enfin réglée en 1829 par un acte maintenant les droits de la vallée d'Ossau. Un compte de « feux » datant du Moyen Âge fixe toujours la répartition, par commune, des bénéfices de gestion de Pont-Long.

La réglementation des « montagnes générales », pâturages d'altitude appartenant indivisément aux communes, était un modèle de législation pastorale. Le partage du domaine en trois lots et la rotation triennale des attributions permettaient à tous les pasteurs de la vallée de disposer, à tour de rôle, de tous les pâturages.

Les vignobles du Béarn – *Voir p. 34.*

Œilhes et moutons – Vie agricole dans la plaine (maïs, grande culture des basses vallées), vie pastorale dans la montagne, voilà ce qui caractérise la vie béarnaise. Fièrement, le blason du Béarn porte sur champ d'or « deux vaches passantes portant clarines au cou ».

Les Pyrénées-Atlantiques viennent au quatrième rang (après l'Aveyron, la Haute-Vienne et la Vienne) pour le nombre des ovins. Brebis et moutons, « œilhes et moutons », fournissent laine, viande et surtout lait notamment utilisé pour la fabrication du Roquefort.

Au mois de mai, les troupeaux quittent les vallées pour les pâturages de moyenne altitude et gagnent la haute montagne vers juillet.

En octobre, la transhumance d'hiver les conduit aux landes et pâturages de la plaine. Les bergers quittent leur abri rudimentaire précédés des chiens et, le grand parapluie en bandoulière, suivent le flot compact du troupeau ; le mulet vient derrière, portant la paillasse et les couvertures.

Les maisons – Les habitations permanentes n'existent que jusqu'à la limite de la vie agricole. Elles sont généralement de vastes dimensions, avec des toits d'ardoise fortement inclinés. Une de leurs caractéristiques est la grande porte charretière cintrée s'ouvrant sur une grange qui sert aussi d'étable, de bûcher ; un escalier intérieur conduit aux pièces d'habitation où subsistent parfois quelques beaux meubles « à pointes de diamant », œuvre des artisans béarnais d'autrefois. Souvent, pour les murs de clôture ou même les bâtiments, on utilise des galets roulés et polis par le gave, qui constituent un bon matériau.

« Lou Biarnés ! » – Le Béarnais est habitué à vivre isolé. Mais, à l'encontre du Basque, il est communicatif. Il parle beaucoup dans une langue drue et sonore, variété de gascon ; malgré sa brusquerie, il sait être courtois et spirituel.

C'est à Laruns, dans la vallée d'Ossau, à la procession du 15 août, que l'on peut avoir la meilleure idée du Béarn traditionnel.

Les hommes sont en veste rouge, gilet à larges revers et culotte courte ; ils portent le béret et des guêtres évasées. Les femmes coiffent la « bonnette » blanche sur leurs cheveux nattés ; elles ont un capulet écarlate doublé de soie qui descend sur les épaules, un châle rehaussé de broderies et une ample jupe à plis, noire ou marron – la jupe rouge est réservée aux « héritières », qui ont seules le droit de porter les parures en or restant traditionnellement dans la famille –, recouverte d'un petit tablier de dentelle.

Filles et garçons dansent le « branle » d'Ossau au son du « fluto » à trois trous (le *tchirulä* basque) et du tambourin, joués par le même instrumentiste.

★ GAVE D'ASPE

D'Oloron-Ste-Marie au col du Somport
66 km – environ 3 h – schéma p. 96

Malgré les améliorations apportées à la route et l'ouverture, en 1928, d'une voie ferrée transpyrénéenne (actuellement inexploitée au Sud de Bedous), à grand renfort d'ouvrages d'art, cette vallée étranglée en longs défilés a gardé sa rudesse montagnarde : villages sans coquetterie, forêts hantées encore de quelques ours (protégés par le Parc National).

Sa population s'est réduite à moins de 5 000 habitants. Cependant, la mise en service du tunnel du Somport facilitant la liaison Pau-Saragosse devrait apporter quelque animation et modifier sensiblement son aspect.

> « La vallée d'Aspe est un quartier de grande considération à cause du passage ordinaire des gens de guerre et des marchands entre notre pays et l'Espagne et ceci depuis les temps les plus reculés... On remarque chez les Aspois une certaine liberté des peuples de montagne, lesquels se confiant dans la fortification naturelle et dans l'assiette de leur pays deviennent aussi élevés et sourcilleux que les rochers de leurs montagnes... » Cet hommage de Pierre de Marca, historien du Béarn au 17e s., convenait encore, au siècle dernier, à l'une des cellules montagnardes les plus isolées des Pyrénées.

L'émigration apoise a ses lettres de noblesse : la famille Laclède, originaire de Bedous, a compté parmi les siens le fondateur de la ville de Saint Louis (Missouri), Pierre de Laclède (1729-1778).

★ **Oloron-Ste-Marie** – *Voir à ce nom.*

Sortir d'Oloron par le quartier Ste-Croix et la rue d'Aspe.

La route de la rive droite du Gave remonte la vallée toute campagnarde avec ses champs de maïs coupés de rideaux de peupliers. Le pic Mail-Arrouy (alt. 1 251 m) semble fermer le passage au Sud.

St-Christau – Station thermale (sources ferro-cuivreuses remédiant aux affections des muqueuses) réaménagée dans un parc de 60 ha. Site très frais.

Escot – Premier village aspois, pittoresquement campé sur une terrasse, au débouché de la vallée du Barescou. Avant d'y pénétrer, le vicomte du Béarn devait, suivant le « for », échanger les otages avec les représentants de la vallée. Louis IX se rendant en pèlerinage à N.-D.-de-Sarrance signifia ici qu'il sortait de son royaume en ordonnant à son porte-épée de baisser sa lame.

On pénètre aussitôt dans le défilé d'Escot, « porte » ouverte dans le calcaire urgonien.

Sarrance – Centre de pèlerinage béarnais, Sarrance reçu autrefois la visite de Louis XI (1461) et celle de Marguerite de Navarre qui y écrivit une partie de son *Heptaméron*. Reconstruite en 1609, l'**église** présente un gracieux clocher-porche octogonal à pans concaves, d'une inspiration très baroque, surmonté d'un lanternon. A l'intérieur, panneaux de bois naïvement sculptés, du 15e s. Le **cloître** de l'ancien couvent (17e s.) s'abrite sous quatorze petits combles transversaux, couverts d'ardoises.

En arrivant à Bedous, un dos-d'âne prononcé permet de découvrir le bassin médian de la vallée, où se groupent 7 villages. Bedous et Accous, le chef-lieu historique, s'y disputent la primauté. Du fond du bassin surgissent quatre culots de roches éruptives. A l'arrière-plan se découpent les crêtes d'Arapoup et, à l'extrême droite, les premiers sommets du cirque de Lescun (pic de Burcq).

Aydius – Village de montagne pittoresquement échelonné suivant la ligne de plus grande pente.

En cours de route remarquer, sur la rive opposée du torrent, une « Roche qui pleure » formée par les pétrifications spongieuses d'un ruisseau affluent.

La route s'engage à nouveau dans une gorge.

Prendre à droite vers Lescun.

★ **Lescun** – Village aimé des montagnards pour son cirque de montagnes calcaires aux sommets acérés. Pour admirer le **panorama**★★ *(1/2 h à pied AR)*, partir du parking, derrière l'hôtel du pic d'Anie, en suivant un instant le GR 10 que l'on quitte à hauteur de l'église.

Poursuivre vers l'Est.

Au-delà d'un lavoir et d'une croix, le sentier contourne une croupe. On identifie alors, en se retournant, le pic d'Anie (à droite au second plan), et, plus à gauche, le Billare, le Dec de Lhurs avec les fines aiguilles de la table des Trois Rois (à droite) et d'Ansabère (à gauche).

Lescun

La N 134, **route du Somport★**, remonte la vallée presque continuellement étranglée. Les villages y sont établis deux par deux, l'un semblant surveiller l'autre (Eygun et Cette, Etsaut et Borce).

Chemin de la Mâture – *Du pont de Sebers, 3 h à pied AR (parcours vertigineux, très exposé au soleil et sans protections) par le GR 10.* Pour exploiter le bois du Pacq, les ingénieurs de la Marine taillèrent ce passage dans les dalles mêmes de la paroi au-dessus de la gorge du Sescoué. Débardés par ce chemin, les troncs étaient assemblés en train de bois, en période de hautes eaux du gave, pour être dirigés sur les chantiers navals de Bayonne. Vues en cours de route sur les superstructures du fort du Portalet.
Faire demi-tour en atteignant les prairies de la combe supérieure.

Fort du Portalet – Verrouillant depuis le début du 19e s. l'un des passages les plus encaissés de la vallée, il est entré dans l'histoire comme lieu de détention de personnalités, entre 1941 et 1945. Remarquer, de la route, les cheminements murés donnant accès aux casemates barrant la route d'Urdos, en amont.
A la sortie de la gorge apparaît la chaîne frontière, avec l'encoche du Pas d'Aspe et le pic de la Garganta (alt. 2 636 m), habituellement taché de neige. Au-delà d'Urdos, le viaduc d'Arnousse, à gauche, souligne la montée de la voie ferrée, grâce à un tunnel hélicoïdal. Délaissant le bassin des Forges d'Abel (entrée du tunnel transpyrénéen), la route continue à monter à travers les hêtres, puis atteint la zone pastorale dans le cirque de Peyrenère.

Le tunnel du Somport

Partant des Forges d'Abel et aboutissant à Canfranc en Espagne, le tunnel ferroviaire du Somport fut mis en service en 1928. Long de près de 8 km, il permettait aux trains de passer de France (en descendant la vallée d'Aspe depuis Pau) en Espagne. La gare de Canfranc, que l'on peut voir encore aujourd'hui, est extraordinaire avec ses quais longs de 300 mètres, d'un côté français et de l'autre espagnol (l'écartement des voies étant différent dans les deux pays : 167 cm en Espagne contre 144 cm pour le standard européen). Malheureusement, cet exploit technique (en particulier le tunnel hélicoïdal après le viaduc d'Arnousse) n'a pas entraîné pas le succès commercial escompté. N'étant pas relié aux grands axes de communication, le chemin de fer n'est pas rentable. La SNCF décide, après l'effondrement d'un pont en 1970, de fermer la ligne, donc le tunnel. Aujourd'hui, les gouvernements français et espagnol ont entrepris la construction d'un tunnel routier entre Peyrenère et Canfranc, qui doublera le tunnel ferroviaire désaffecté et aménagera un passage transpyrénéen entre Pau et Saragosse.

★★ **Col du Somport** – Alt. 1 632 m. Ce col, le seul des Pyrénées centrales accessible en toute saison, est chargé de souvenirs historiques depuis le passage des légions romaines. Les pèlerins de St-Jacques-de-Compostelle l'empruntèrent jusqu'au 12e s. ; le grand gîte d'étape était alors l'hospice de Ste-Christine, disparu, sur le versant Sud.

Prendre de la hauteur derrière le restaurant. Vues imposantes sur les Pyrénées aragonaises, aux sommets très découpés dans la sierra d'Aspe, à droite, plus massifs (Collarada) le long du Rio Aragon. Les premiers plans de roches rouges forment de belles oppositions de couleurs avec le vert des forêts et le bleuté des lointains.

★★ GAVE D'OSSAU

D'Oloron-Ste-Marie à Gabas *52 km – environ 2 h*

Cette incursion en montagne doit être prolongée par une visite du Haut-Ossau (voir à ce nom).

★ **Oloron-Ste-Marie** – *Voir à ce nom.*

Quitter Oloron par ② du plan.

La route emprunte l'ancienne vallée du gave d'Ossau qui suit aujourd'hui une vallée parallèle : la moraine frontale du glacier d'Ossau barra le gave en aval d'Arudy et en détourna le cours. Le bois du Bager couvre les premières pentes des Pyrénées.

Après Buzy, la route franchit la barrière moraïnique ; les gros blocs que l'on aperçoit en sont les vestiges. Elle atteint le seuil de la vallée d'Ossau.

Arudy – Bourg le plus développé du Bas-Ossau, grâce à l'activité de ses carrières de marbre et de ses usines métallurgiques (laminage à froid, pièces pour trains d'atterrissage).

La **Maison d'Ossau** ⊙, installée au chevet de l'église dans une demeure du 17ᵉ s., présente dans son sous-sol une exposition sur la préhistoire dans les Pyrénées (tableaux sur l'évolution de l'outillage). Les anciennes pièces d'habitation du rez-de-chaussée sont réservées à une présentation du Parc National, orientée sur la géologie, la faune et la flore de la vallée d'Ossau. Dans les combles, exposition sur le berger ossalois et l'histoire de la vallée.

Au-delà du pont de Louvie-Juzon apparaît le pic du Midi d'Ossau.

Bielle – L'ancien chef-lieu de la vallée, partagé en deux quartiers par un torrent affluent du gave d'Ossau, a conservé une certaine dignité de petite capitale assoupie : quelques maisons du 16ᵉ s. subsistent dans le quartier rive droite, entre la Nationale et l'église ; du côté rive gauche, château bâti par le marquis de Laborde (1724-1794), banquier attitré de Louis XV et de Choiseul.

Bilhères – *Passer par le centre du village.* Village disséminé où certaines maisons montrent des raffinements hérités des 16ᵉ et 17ᵉ s. (clés décoratives au cintre des portes).

★ **Plateau de Benou** – Au-dessus de Bilhères, la vue s'étend, au Sud, jusqu'aux roches grises du pic de Ger.

La chapelle N.-D.-de-Houndaas (lieu de halte aménagé) apparaît, à l'abri de deux tilleuls, dans un **site★** rafraîchi par les eaux vives provenant d'importantes sources. La route débouche dans la combe pastorale du Bénou (nombreux troupeaux en été).

Aste-Béon – Vautour fauve

Aste-Béon – *Sur la rive droite du gave d'Ossau.* A l'entrée du village de Béon, l'espace muséographique la « **falaise aux vautours** » 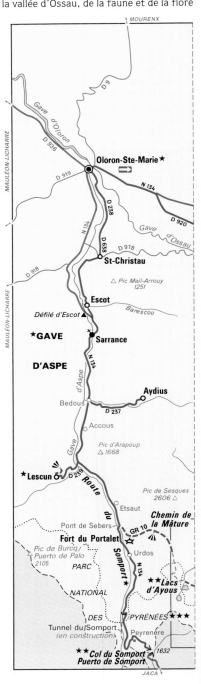 est situé au pied d'une falaise calcaire, où niche une importante colonie de vautours fauves *(voir photo p. 95).* Protégés tout comme les autres hôtes de la réserve naturelle d'Ossau (gypaètes barbus, percnoptères d'Égypte, milans noirs et royaux, faucons pèlerins et crécerelles), ils bénéficient de conditions naturelles qui favorisent leur reproduction.

C'est à la découverte de la vie de ces rapaces qu'invitent les douze structures du bâtiment, où l'on remarque notamment une maquette en relief de la falaise et où l'on découvre surtout sur un écran panoramique les évolutions en direct des vautours en fonction des cycles de l'année : parade nuptiale, construction des nids, couvaison de l'œuf unique, becquée et envol des petits. D'autres thèmes traitent du pastoralisme, des contes et légendes propres à la vallée d'Ossau, de la faune et de la flore pyrénéennes.

Après Laruns, la route pénètre dans la gorge boisée du Hourat et traverse la station thermale des Eaux-Chaudes.

Gorges du Bitet – *1 h à pied AR par un large chemin forestier se séparant de la route du Pourtalet après la centrale de Miégebat, aussitôt franchi le pont sur le Bitet.*

Remontant ces gorges très ombragées, on remarque un ravissant ensemble de cascades et de vasques. Une conduite forcée marque le terme de la promenade.

2 km avant Gabas, au « Chêne de l'Ours », vue sur le pic du Midi.

Gabas – *Voir le Haut Ossau.*

★★ LE HAUT OSSAU

Voir à ce nom.

★ LA FRANGE
DES PYRÉNÉES

De Pau à Bielle, par Asson
49 km – environ 2 h 1/2

★★ **Pau** – *Visite : 1 journée. Voir à ce nom.*

Sortir de Pau par Jurançon, ④ *du plan. La N 134 remonte la vallée du Nez. A Gan, prendre à gauche la D 24.*

Notre-Dame-de-Piétat – A l'opposé de la chapelle de pèlerinage (17ᵉ s.), au bout de l'esplanade, s'élève un calvaire.

Gagner derrière celui-ci la table d'orientation : **panorama**★ sur la vallée du Gave et ses nombreux bourgs ; du côté de la montagne apparaissent, au-delà du rideau des avant-monts boisés, le pic du Midi de Bigorre, le Vignemale, el Gabizos, le Capéran de Sesques.

La route regagne la vallée du Gave et traverse entre Pardies-Piétat et Nay de beaux villages béarnais aux maisons opulentes.

Remarquer particulièrement les portails, aux piles surmontées de vases de pierre décoratifs.

Nay – Bastide béarnaise, Nay (prononcer Naï) possède une église du 16ᵉ s. aux contreforts saillants et dont l'abside est coiffée d'une voûte en étoile. Remarquer, dans le mur Sud de la nef unique de style gothique languedocien, un portail gothique du 16ᵉ s. Sur la place centrale, la **maison Carrée**, dite aussi maison de Jeanne d'Albret, est un édifice Renaissance, dont la cour intérieure, de type florentin, présente les trois ordres classiques d'architecture. C'est, avec l'hôtel d'Assézat à Toulouse *(voir le guide Vert Michelin Pyrénées Roussillon Albigeois)*, un exemple unique de ce style dans le Sud-Ouest.

Asson – *3 km au-delà du bourg (vers Bruges) se détache le chemin du jardin exotique.* Cette exploitation agricole, convertie en **parc zoologique** ⊙, rassemble une bruyante et colorée tribu de perroquets, perruches, loris, flamants roses de Cuba, émeus, chimpanzés, gibbons et autres singes, ainsi qu'une colonie de lémuriens, originaires de Madagascar.

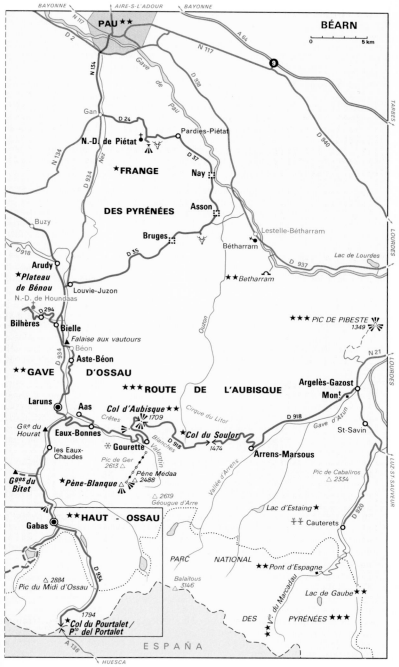

La serre, souvenir de l'Exposition universelle de 1889, abrite 3 500 espèces de cactées et plantes grasses.

Bruges – Une place centrale carrée, hors de proportion avec l'importance du village actuel, et un nom illustre attestent son passé de bastide *(voir p. 49)*.

La route traverse des villages aux jardins très fleuris. Les champs de maïs, les vergers, les vignes en hautins se succèdent. Dans la descente finale vers la trouée du Bas-Ossau on remarque le caractéristique clocher de pierre de **Louvie-Juzon** en forme de calice renversé, avant de gagner Bielle.

Bielle – *Page 95.*

★★★ ROUTE DE L'AUBISQUE

De Laruns à Argelès-Gazost
52 km – environ 2 h 1/2

Le col est généralement obstrué par la neige de novembre à juin. Entre le col et le département des Hautes-Pyrénées, la circulation est alternée toutes les 2 h.

La route s'élève rapidement au-dessus du bassin de Laruns.

Eaux-Bonnes – Cette station thermale, au fond de la vallée boisée du Valentin, offre les bienfaits de ses cures que le grand médecin béarnais Théophile de Bordeu *(voir p. 37)* orienta vers la spécialisation (affections des voies respiratoires). Ses « promenades », tracées au 19ᵉ s. sur les dernières pentes boisées du Gourzy, sont un témoin du sens raffiné de la nature et du confort régnant à l'époque.

L'esplanade du jardin Darralde, autour duquel des hôtels dressent un décor caractéristique du Second Empire thermal, est le centre des activités locales.

Prendre à gauche vers Aas.

Aas – Dans ce village typiquement ossalois avec ses rues étroites en pente raide, quelques personnes pratiquent encore le langage sifflé, qui permettait jadis aux bergers de communiquer entre eux dans la vallée jusqu'à une distance de 2 500 m. Un tel langage est aussi utilisé dans l'île de la Gomera aux Canaries, dans les villages de la vallée de la Görele en Turquie et au Mexique chez les Indiens mazatèques et zapotèques.

Au pont d'Iscoo (cascade), la route franchit le Valentin et attaque la montée à flanc de montagne, offrant de belles vues sur le massif du pic de Ger : dans les premières heures de la matinée et en fin d'après-midi, les jeux de couleurs sont superbes.

✵ **Gourette** – Important centre de sports d'hiver, Gourette doit son existence au Palois Henri Sallenave qui, dès 1903, y effectua les premières descentes à ski des Pyrénées. Bien que des championnats internationaux s'y déroulent chaque année depuis 1908, la station ne voit le jour qu'en 1930. Les immeubles se nichent au creux d'un cirque tourmenté par les strates du pic du Ger (alt. 2 613 m) et le croc rocheux du Pène Médaa, **site★** grandiose au sein des Pyrénées calcaires.

Le domaine skiable se compose de trois secteurs (Plateau, Cotch et Bezou) entre 1 350 et 2 400 m d'altitude, offrant une vue splendide sur la vallée d'Ossau. Parmi les 37 pistes de ski alpin du domaine, celle du Pène Blanque, qui parcourt 4 km sur 1 030 m de dénivelée (un record pour les Pyrénées), est appréciée des bons skieurs. Les pistes de Cinto et de La Balade offrent d'agréables itinéraires pour les skieurs moyens et débutants. Le secteur du Plateau s'ouvre, le jeudi, au ski de nuit.

Le forfait séjour est valable sur les stations d'Artouste et de la Pierre-St-Martin ; le forfait « Ossau-Teña » s'étend à trois stations espagnoles.

Station sportive, Gourette accueille régulièrement des compétitions internationales de ski comme de surf. En mars se déroule le « Pyrenea Triathlon » (course à pied, à vélo et en ski de randonnée entre Pau et Gourette).

Du col de l'Aubisque, à 4 km de Gourette, partent 15 km de pistes de ski de fond. Les amateurs de ski hors-piste ou de **ski de randonnée** disposent d'un cadre sauvage idéal avec, notamment, la « traversée franco-espagnole des six vallées », qui s'adresse aux randonneurs confirmés. Possibilité de ski sur herbe, en été.

★ **Pène Blanque** – *1 h 1/2 AR par télécabine au départ de Gourette.*
La station supérieure de la **télécabine** ⊙, dans le cirque Nord de la Pène Blanque, au pied du pic de Ger offre, à proximité de petits lacs de montagne, une **vue★** sur Gourette, la route et le col de l'Aubisque. Par un sentier difficile *(2 h à pied AR)*, s'élevant en lacet entre le pic de Ger et le Géogne d'Arre, on atteint un col d'où se révèle une vue intéressante sur le Balaïtous, le lac et la vallée d'Artouste. Dans les pâturages, vaches et chevaux paissent en liberté. 2 km après Gourette, au virage des « Crêtes blanches », un splendide panorama se déroule du Gabizos au pic de Sesques. On reconnaît le pic du Midi de Bigorre à son émetteur de télévision.

★★ **Col d'Aubisque** – Alt. 1 709 m. Illustré par le passage du Tour de France cycliste, il offre un splendide **panorama**. Du mamelon Sud (station supérieure de téléski), vue saisissante sur le cirque de Gourette.

Après le col, le D 918, taillée en corniche, procure des vues sur la vallée de Ferrières ; au-delà, le regard porte jusqu'à la plaine béarnaise. La route domine ensuite de plusieurs centaines de mètres le cirque du Litor : c'est la **corniche des Pyrénées**, l'un des passages les plus saisissants du parcours et l'une des réalisations routières hardies du 19e s.

★ **Col du Soulor** – Alt. 1 474 m. Au loin, au-delà de la vallée d'Azun, s'élèvent le pic du Midi de Bigorre et, plus à gauche, le pic de Montaigu. Des arêtes gazonnées hérissées de fines pointes composent les premiers plans d'un vaste paysage montagnard.

Au col du Soulor commence une agréable descente au cours de laquelle on découvre, sur la droite, le Balaïtous (alt. 3 146 m) et son glacier. La vallée est très verdoyante. Des frênes, hêtres, chênes, châtaigniers, etc., ombragent la route.

Arrens-Marsous – *Voir à ce nom.*

Au-delà d'Arrens, les villages aux jolies églises se succèdent.

Monument des Géodésiens – La tourelle, érigée en 1925 à l'occasion du centenaire de la « Première » du Balaïtous, est le fac-similé du signal des géodésiens.

Argelès-Gazost – *Voir à ce nom.*

Comme les autres parcs nationaux, le Parc National des Pyrénées a été créé en vue de protéger des espaces naturels particulièrement riches, originaux, grandioses, tout en y développant le tourisme et l'initiation à la nature. Il comprend le parc proprement dit ou zone centrale, inhabitée et protégée par une réglementation stricte, et une zone périphérique, regroupant les aménagements sociaux, économiques et culturels.

BEAUMONT-DE-LOMAGNE

3488 habitants
Cartes Michelin n°s 82 pli 6 ou 235 pli 25 – Schémas p. 49 et 203

Beaumont doit être abordée par la D 3, en descendant des hauteurs de Lavit. Ce trajet fait apprécier l'ampleur lumineuse de la vallée de la Gimone.

Cette bastide royale, de plan orthogonal, a été fondée au 13e s. à la suite d'un acte de paréage entre l'abbaye cistercienne de Grandselve et le sénéchal Eustache de Beaumarchais, représentant le roi de France, Philippe le Hardi. Quelques belles demeures y subsistent, dont l'hôtel Fermat du 17e s. et l'hôtel Toureilh du 16e s. (mairie) sur la place de la Halle, et, derrière l'église, la maison à cornières du 16e s. abritant le presbytère.

Dans ce secteur de la Lomagne, réputé pour sa production d'ail blanc, Beaumont tient le mardi de juillet à février un important marché à l'ail.

Beaumont est la patrie du mathématicien **Pierre de Fermat** (1601-1665), précurseur du calcul différentiel et de la géométrie analytique. Sa statue trône sur la place Gambetta.

Au Nord-Est de la ville, près de l'hippodrome, un plan d'eau permet de pratiquer différents sports nautiques (voile, canotage...) et la pêche à la ligne.

Halle – Construite au 15e s. au centre de la bastide, elle est supportée par des piliers de bois et couverte d'une toiture en tuiles creuses.

Église – Cette impressionnante église fortifiée de brique a été édifiée aux 13e s. et 15e s. dans le style gothique méridional. Remarquer les arcs de décharge formant mâchicoulis sur « arcs » au Sud, les baies en plein cintre du chemin de ronde, les échauguettes d'angle, le portail de pierre triangulaire et la galerie sur consoles de la façade, le clocher toulousain aux arcs en mitre et en tiers-point et la galerie ajourée.

Attention, il y a étoile et étoile !

Sachez donc ne pas confondre les étoiles :
– des régions touristiques les plus riches et celles de contrées moins favorisées ;
– des villes d'art et celles des bourgs pittoresques ou bien situés ;
– des grandes villes et celles des stations élégantes ;
– des grands monuments (architecture) et celles des musées (collections) ;
– des ensembles et celles qui valorisent un détail...

Sanctuaire et grottes de BÉTHARRAM★★

Cartes Michelin n°ˢ 85 Nord du pli 17 ou 234 pli 39. Schéma p. 106

Les grottes et le sanctuaire de Bétharram sont situés sur la commune de Lestelle-Bétharram, ancienne bastide fondée en 1335 par Gaston de Foix. Quelques belles maisons Renaissance et du 18ᵉ s. subsistent, bordant des rues se coupant à angle droit. Le village bénéficiait autrefois de la popularité du sanctuaire, lieu d'un très ancien pèlerinage.

SANCTUAIRE DE BÉTHARRAM

Le sanctuaire de Bétharram, dont l'origine remonte au 15ᵉ s., se compose des vastes bâtiments conventuels abritant aujourd'hui la congrégation des prêtres du Sacré-Cœur de Jésus (fondée en 1835 par Michel Garicoïts) et son collège, d'une chapelle du 17ᵉ s. et d'un chemin de croix. Près de la chapelle, un **vieux pont** recouvert de lierre porte la date de 1687.

Chapelle Notre-Dame (1661) ⊙ – Elle présente, du côté du pont routier, une rigide façade classique en marbre gris. L'intérieur est aménagé et décoré dans le goût baroque. On verra, à gauche en entrant, derrière une grille, une Vierge allaitant, en bois polychrome du 14ᵉ s., vénérée jadis au maître-autel ; à droite, un Christ à la colonne du 18ᵉ s. Au maître-autel, statue de N.-D.-de-Bétharram, en plâtre (1845).

Adossée au chevet, la **chapelle-rotonde de St-Michel-Garicoïts** (1926) contient la châsse de ce prêtre basque (1797-1863), restaurateur du sanctuaire et du calvaire et fondateur de la congrégation des prêtres du Sacré-Cœur de Jésus.

Musée de la Congrégation des Pères de Bétharram ⊙ – Installé dans une partie des bâtiments conventuels attenant à la chapelle, ce petit musée rassemble des outils préhistoriques, des vestiges de mosaïques gallo-romaines, des pièces de monnaie frappées à Morlaàs et une collection de pierres des Pyrénées.

Colline du Calvaire – Dominant la chapelle Notre-Dame, une colline porte un chemin de croix jalonné de 14 chapelles du 19ᵉ s. Remarquer en particulier les 8 bas-reliefs d'Alexandre Renoir (1845). Du calvaire, panorama sur les collines environnantes et la plaine du gave de Pau.

★★ GROTTES DE BÉTHARRAM

2,5 km à la sortie Sud de Lestelle-Bétharram, par la D 152.

Découvertes en 1819 par des bergers, les grottes de Bétharram reçurent, l'année même, la visite de naturalistes de Pau. Leur exploration méthodique, entreprise en 1888 par trois membres palois du C.A.F., dura dix ans et révéla 5 200 m de galeries souterraines. En 1898, les grottes retiennent l'attention de Léon Ross, artiste peintre, malouin d'origine, établi en Bigorre. En quatre ans, cet homme mène à bien l'aménagement touristique qui permet les premières visites régulières ; en 1919, il réussit le forage du tunnel de sortie. Ces grottes sont aujourd'hui parmi les plus visitées de France.

Visite ⊙ – Un parcours souterrain de 2,8 km permet de visiter cinq étages de galeries superposées creusées par la rivière (qui se jette dans le gave de Pau) dans la montagne calcaire. La partie supérieure, la plus vaste, aux grandes salles communicantes, est surtout intéressante par ses plafonds spongieux : on y voit les belles stalactites de la « salle des Lustres » et une caractéristique colonne en formation. Le gouffre d'effondrement, de 80 m, dans lequel la rivière s'est précipitée, présente un « chaos » et un curieux « cloître roman ». L'ancien lit de la rivière est une fissure étroite et profonde où l'on remarque d'intéressants phénomènes d'érosion. L'étage inférieur correspond au niveau actuel de la rivière que l'on suit en barque. Un petit train épargne le parcours du tunnel ramenant au jour.

28 742 habitants (les Biarrots, en basque : les Miarriztars)
Cartes Michelin nos 78 pli 18 ou 234 pli 29

Biarritz offre son cadre fameux de rochers et de récifs sur lesquels se brise l'océan, ses plages, ses attractions variées.

La présence de six terrains de golf dans un rayon de 15 km confirme la classe internationale de la station, animée par de nombreuses manifestations sportives comme le surf *(voir le chapitre des Principales manifestations en fin de volume)*.

Jean **Borotra** (1898-1994), tennisman, spécialiste du « smash en suspension » et détenteur d'un palmarès exceptionnel, était natif du village d'Arbonne au Sud de Biarritz.

La ville d'Eugénie – Au début du 19e s., Biarritz n'est qu'une pauvre bourgade perdue dans la lande quand les Bayonnais prennent l'habitude de venir s'y baigner. Le trajet se fait à âne ou à mulet. Puis la noblesse espagnole découvre les charmes du lieu. Dès 1838, la comtesse de Montijo et sa fille Eugénie y viennent chaque année. Devenue impératrice des Français, Eugénie décide Napoléon III à l'accompagner sur la Côte Basque. Cette première visite a lieu en 1854. L'empereur est séduit à son tour et fait construire, l'année suivante, une résidence, la « Villa Eugénie » (devenue l'Hôtel du Palais). Biarritz devient célèbre. Charme, luxe, accueil discret attirent maints grands personnages : peu de stations balnéaires offrent un livre d'or aussi riche que Biarritz. Les villas surplombant la mer témoignent de cet engouement mondain pour la ville.

LA STATION

Fleurie d'hortensias, elle doit beaucoup de son charme à ses jardins-promenades aménagés au flanc des falaises, sur les rochers et le long des trois principales plages, rendez-vous internationaux des surfeurs et hauts lieux de l'animation biarrote de jour comme de nuit.

Plage de la Côte des Basques (DZ) – La plus sportive et la plus exposée des plages de Biarritz, au pied d'une falaise demandant à être périodiquement protégée contre les éboulements, doit son nom à un « pèlerinage à l'océan » qui rassemblait jadis, le dimanche suivant le 15 août, pour un bain collectif, les Basques de l'intérieur.

Plage du Vieux Port (DY) – Abritée entre deux bras de rochers, cette petite plage garde un intérêt local et familial. Sur le port, « La Santa Maria » est le lieu idéal pour prendre un verre en bénéficiant d'un magnifique point de vue sur le Rocher de la Vierge. « La Birjina » est un bar à tapas.

Plateau de l'Atalaye – Dominant la mer, ce quartier, avec celui, plus bas, de la Place Ste-Eugénie, connaît une vive animation après 22 h : brasseries de la Place Ste-Eugénie (« La Baleine Bleue », le « Napoléon ») et bodegas dans la rue du Vieux Port.

Grande Plage (EY) – Dominée par les casinos (municipal et « Bellevue »), c'est la plus mondaine. Autrefois réservée aux nageurs intrépides, elle en a gardé son nom de « plage des Fous ». Elle est prolongée, au Nord, par la plage Miramar. Le Casino Municipal rassemble le « Café de la Grande Plage » (brasserie 1930 donnant de plain-pied sur la plage ; pour prendre un verre après un bain de mer), « Le Baccara » (restaurant panoramique), le « Quinela Café » et l'« Arritz Club » (night-club). Le casino propose également une salle de jeux avec roulette, black jack et machines à sous.

Place Georges-Clemenceau – Située plus à l'intérieur de la ville, elle est bordée de brasseries, pianos-bars (« Le Green », « Queens'Bar », « Le Player ») et bodegas (« El Callejon »).

Quelques douceurs après la plage

La **Maison Arosteguy**, 5, avenue Victor-Hugo, est spécialisée dans l'épicerie fine. On y déniche des produits difficiles à trouver ailleurs : millésimes rares du Bordelais, armagnacs prestigieux, thés parfumés, épices exotiques, etc.

La petite boutique **Henriet**, 1, place Georges-Clemenceau, élabore des spécialités toutes plus gourmandes les unes que les autres : calichous (caramels au beurre d'Échiré et à la crème fraîche), rochers de Biarritz (chocolat amer, écorces d'oranges, amandes), palets d'Izarra (ganache noire parfumée à l'Izarra) et baisers de l'Impératrice (nougatine parfumée à la pêche).

Le front de mer

CURIOSITÉS

★ **Rocher de la Vierge** (DY) – Surmonté d'une statue de la Vierge, c'est le symbole de Biarritz. Entouré d'écueils, il est rattaché à la côte par une passerelle inaccessible par gros temps, les paquets de mer embarquant par-dessus la chaussée. C'est Napoléon III qui eut l'idée de faire creuser un rocher, relié à la falaise par un pont de bois remplacé depuis par une passerelle métallique construite par Eiffel.

En continuant vers le rocher du Basta puis vers la Grande Plage, belle promenade le long de rampes en pente douce ombragées de tamaris.

★ **Musée de la Mer** (DY) ⊘ – Situé en face du rocher de la Vierge et adossé au plateau de l'Atalaye, le Centre d'Études et de Recherches Scientifiques propose dans son musée une approche diversifiée du biotope marin, des activités humaines qui y sont rattachées et d'une façon générale des liens priviliégiés qui unissent Biarritz et l'océan depuis des siècles. En sous-sol, une série d'aquariums présentent la faune particulièrement riche du golfe de Gascogne.

Au niveau 1, la salle de Folin évoque le pionnier de l'océanographie dans le golfe et l'historique du musée de la Mer inauguré en 1935. La galerie des cétacés, étayée par une présentation sur la pêche à la baleine, expose des moulages ou des squelettes d'animaux échoués ou capturés sur la côte basque (rorquals, orques, dauphins).

Maquettes d'embarcations, instruments de navigation complètent la section consacrée aux techniques de pêche.

Au niveau 2, le visiteur bénéficie d'autres informations sur le balnéaire, la protection de la côte, les humeurs de l'océan à Biarritz. Une présentation subaquatique de phoques et de squales replace ces animaux dans leurs milieux sous-marins respectifs.

De la terrasse s'offre un vaste **panorama** embrassant la côte depuis sa partie landaise jusqu'au cap Machichaco. Les évolutions des phoques dans leur bassin amuseront les petits, surtout au moment des repas *(uniquement à 10 h 30 et 17 h)*.

Des « VIP » à Biarritz

Dès le milieu du 19e s., Biarritz a été le lieu de villégiature de nombreuses personnalités, à commencer bien sûr par Napoléon III et Eugénie qui y firent construire la néo-classique Villa Eugénie. Les têtes couronnées et les aristocrates de tous pays viennent prendre le soleil à Biarritz, parmi lesquels le prince de Galles, futur Édouard VII. Au tournant de ce siècle, deux casinos sont construits, ce qui donne à Sarah Bernhardt et à Lucien Guitry l'occasion de se produire devant un parterre mondain. Avec les années folles débarquent des célébrités telles que Rostand, Ravel, Stravinski, Loti, Cocteau ou Hemingway. Après la Seconde Guerre mondiale, le marquis de Cuevas y organise de somptueuses fêtes ; le duc et la duchesse de Windsor s'y reposent. Il n'est pas rare aussi d'y croiser les grandes stars de cinéma des années 50-60, Frank Sinatra, Rita Hayworth et Gary Cooper.

En fin de circuit, la galerie d'ornithologie fait connaître l'ensemble des oiseaux de la côte et des Pyrénées, sédentaires comme migrateurs : on peut même entendre les chants et cris de 40 espèces d'entre eux dans une rotonde équipée d'un système interactif.

Plateau de l'Atalaye (DY) – Vue sur le minuscule abri du port des Pêcheurs, coincé entre le rocher du Basta et le promontoire où se dresse une atalaye. Les feux allumés sur cette tourelle donnaient jadis l'alerte aux pêcheurs de baleines.

La Perspective (DYZ) – Promenade tracée au-dessus de la plage des Basques. **Vue★★** dégagée jusqu'aux trois derniers sommets basques : la Rhune, les Trois Couronnes, le Jaizkibel.

Pointe St-Martin (AX) ⊘ – Des jardins et surtout de la lanterne du **phare**, à 73 m au-dessus du niveau de la mer, **vue★** sur la ville et les Pyrénées basques.

Le golf, avec le surf, est le sport vedette de Biarritz. Le Golf du Phare, en pleine ville, date de 1888. Neuf autres parcours existent autour de Biarritz, dont celui de Chiberta à Anglet ; Bidart, à deux pas de Biarritz, est doté d'un centre d'entraînement unique en Europe, le centre d'Ilbaritz. Plusieurs compétitions ont lieu tout au long de l'année : les Malikas du Golf le week-end de l'Ascension, la Biarritz Cup (créée en 1889) durant la dernière semaine de juillet, le Tournoi des Teen's, championnat mondial des moins de 18 ans, fin juillet, le Pro-Am international de Biarritz, début octobre, etc.

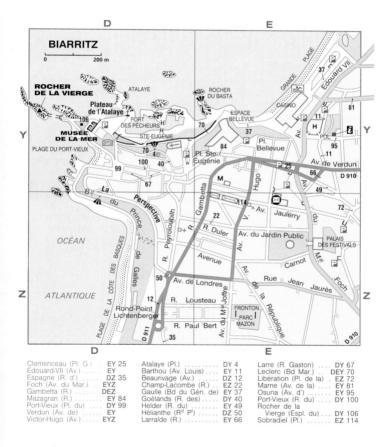

ANGLET

33 041 habitants (les Angloys, en basque : les Angeluars)

Anglet fait le lien entre Biarritz et Bayonne et son essor touristique découla de celui de Biarritz depuis le Second Empire. Son site l'apparente encore aux stations de la Côte d'Argent landaise, au Nord de l'Adour : terrain plat, côte basse bordée de dunes, arrière-pays planté de pins (forêts de Chiberta, en partie lotie).

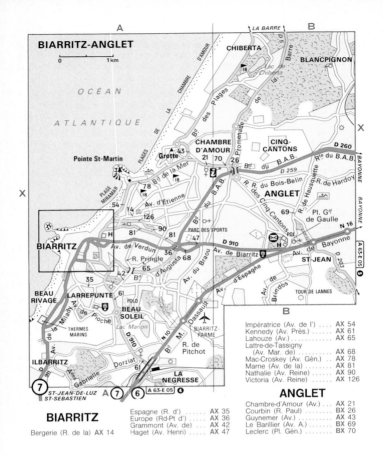

BIARRITZ-ANGLET

OCÉAN ATLANTIQUE

Pointe St-Martin

CHIBERTA

BLANCPIGNON

CHAMBRE D'AMOUR
21 70 26

CINQ-CANTONS

ANGLET

PARC DES SPORTS

BIARRITZ

ST-JEAN

BEAU RIVAGE

LARREPUNTE

BEAU SOLEIL

THERMES MARINS

Lac Marion

BIARRITZ-PARME

R. de Pitchot

ILBARRITZ

LA NÉGRESSE

ST-JEAN-DE-LUZ
ST-SÉBASTIEN

B

Impératrice (Av. de l')	AX 54
Kennedy (Av. Prés.)	AX 61
Lahouze (Av.)	AX 65
Lattre-de-Tassigny	
(Av. Mar. de)	AX 68
Mac-Croskey (Av. Gén.)	AX 78
Marne (Av. de la)	AX 81
Nathalie (Av. Reine)	AX 90
Victoria (Av. Reine)	AX 126

ANGLET

Chambre-d'Amour (Av.)	AX 21
Courbin (R. Paul)	BX 26
Guynemer (Av.)	AX 43
Le Barillier (Av. A.)	BX 69
Leclerc (Pl. Gén.)	BX 70

BIARRITZ

Bergerie (R. de la) AX 14

Espagne (R. d')	AX 35
Europe (Rd-Pt d')	AX 36
Grammont (Av. de)	AX 42
Haget (Av. Henri)	AX 47

La piscine et les cours de tennis d'« El Hogar », la patinoire olympique de la Barre, le complexe Atlanthal (centres de thalassothérapie et de remise en forme), le port de plaisance sont des pôles importants de l'animation de la station, mais Anglet favorise surtout les sports exigeant de grands espaces : golf (à Chiberta), équitation, surfing, etc.

Non loin de la plage de la Chambre d'Amour, quelques marches conduisent à la grotte de la Chambre d'Amour (**AX**) qui, dit-on, a vu périr deux amoureux surpris par la marée montante.

Pour un bon usage des plans de villes, consultez la légende p. 2.

BIDACHE

1 039 habitants (les Bidachots)
Cartes Michelin n⁰ˢ 78 pli 18 ou 234 pli 30

Les ruines grises du château de Gramont, sur leur colline rehaussée d'une terrasse, avoisinent le bourg de Bidache, encore navarrais par l'aspect de son unique rue aux maisons claires et percées de portes cintrées. Les seigneurs de **Gramont** établis là depuis le 14ᵉ s. tirèrent parti de la situation féodale de leurs terres à la limite de la Navarre, du Béarn et du royaume de France pour s'ériger en princes souverains. Cette souveraineté, admise par les seigneurs voisins y compris le roi de France, ne fut jamais abolie en droit pendant la Révolution. Le représentant le plus célèbre de cette famille fut Antoine III, maréchal de France pour qui, en 1643, la seigneurie de Bidache fut érigée en duché et pairie. Il reçut Mazarin à l'époque de la paix des Pyrénées et se rendit en Espagne pour demander la main de l'infante Marie-Thérèse pour Louis XIV.

Château de Gramont ⊙ – *Laisser la voiture au carrefour Est de Bidache.*
Franchissant la porte d'entrée – le fronton a été construit, au 18ᵉ s., entre les deux tours, du 14ᵉ s. –, on débouche dans l'ancienne cour d'honneur. Le premier pavillon (17ᵉ s.), à droite, contre l'ouvrage d'entrée, abritait l'appartement personnel du duc Antoine III. Traverser ensuite le corps principal, élevé vers 1535,

affecté aux pièces d'apparat dont subsistent seules les cheminées. Du côté Nord, ce logis s'ouvre sur une terrasse dominant la Bidouze. Une aile le relie à l'ancien donjon du 14e s. dont le rez-de-chaussée avait été aménagé en chapelle au 17e s.

Dans l'enceinte du château est installée la **volerie du château** ⊘, où vivent plus de 25 espèces de rapaces diurnes qu'on peut voir évoluer lors de vols commentés.

ENVIRONS

Came – *4 km par la D 936.* Traversé par la Bidouze dont les berges sont aménagées en promenades, Came se consacre, depuis le 19e s., à la confection artisanale de chaises, utilisant des bois fruitiers comme le hêtre, le merisier, le chêne ou le noyer, ainsi que le jonc des marais de l'Adour pour le paillage. Plusieurs ateliers chaisiers sont encore installés dans le village.

BIDART⌂

4 123 habitants (les Bidards, en basque : les Bidartars)
Cartes Michelin nos 78 pli 18 ou 234 pli 29

Station le plus haut postée de la Côte basque, Bidart est massée sur le bord de la falaise.

★ **Panorama** – De la chapelle Ste-Madeleine (accès par la rue de la Madeleine, au centre du village), située sur la corniche, le panorama inclut le Jaizkibel (promontoire fermant la rade de Fontarabia), les Trois Couronnes et la Rhune.

Place centrale – Elle est charmante avec sa trilogie église-mairie-fronton. Des compétitions et parties de pelote très suivies ont lieu au fronton principal.

L'église au clocher-porche est caractéristique du pays, beau plafond en bois et galeries superposées d'où les hommes assistaient aux offices. L'immense retable rutilant de couleurs est du 17e s.

La rue de la Grande-Plage et la Promenade de la Mer, rampe en forte descente, conduisent à la plage du Centre.

La BIGORRE★★★

Cartes Michelin nos 86 plis 8, 9 et 17 à 19 ou 234 plis 39, 40, 43, 44, 47, 48

Le pays de Bigorre est une ancienne unité régionale et historique devenue, lors du découpage départemental, le noyau du département des Hautes-Pyrénées. En y associant le Pays des Quatre Vallées, la Bigorre se confond avec les Pyrénées centrales, zone la plus attirante de la chaîne, tant par l'altitude des sommets – Vignemale : 3 298 m, Balaïtous : 3 146 m, l'un et l'autre sur la crête frontière, pic Long : 3 192 m – que par l'apparition de quelques lambeaux glaciaires.

Ce sont là les Grandes Pyrénées des cirques, des torrents – non captés dans la vallée de Cauterets – dont la préservation relève du Parc National.

Les rares « ports » de la frontière, à peine moins élevés que les sommets qui les encadrent, s'ouvrent tout juste au trafic transpyrénéen ; la route du port de Boucharo est achevée sur le versant français. Depuis 1976, le tunnel de Bielsa, au fond de la vallée d'Aure, livre passage à un itinéraire de transit d'été entre la Gascogne et l'Aragon. Les centres les plus actifs de la Bigorre sont situés au contact de la zone montagneuse et du plat pays, dans les bassins de Lourdes, de Bagnères et dans la plaine de Tarbes dont la prospérité contraste avec la pauvreté des plateaux de Lannemezan et de Ger, immenses cônes de déjections prolongés par l'éventail des coteaux de Gascogne.

UN PEU D'HISTOIRE

Le comté de Bigorre – En 1097, le comte Bernard II édicte les « fors de Bigorre » qui confirmèrent les coutumes réglant les rapports du peuple et du seigneur.

La loi salique – dont les légistes du Nord tirèrent argument pour interdire aux femmes de ceindre la couronne de France et, par là, empêcher qu'elle n'aille à un souverain étranger – ne jouait pas dans les États pyrénéens. Il y eut donc des comtesses de Bigorre, fortes femmes souvent : au début du 13e s., Pétronille connut, en treize ans, cinq maris et eut des filles avec chacun d'eux. On imagine la complication des successions.

En 1292, Philippe le Bel place le comté sous séquestre mais le traité de Brétigny, en 1360, en confirme la possession aux Anglais. Ils sont chassés en 1406, après une lutte menée par les Bigourdans. Passant à la maison de Foix, puis à Henri IV, la Bigorre est réunie définitivement à la couronne en 1607 et devient « pays d'États ».

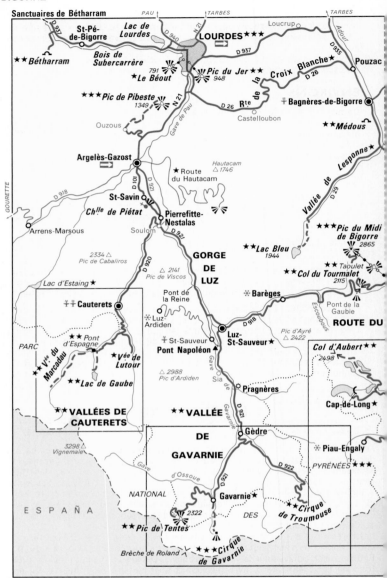

Le Lavedan – La région montagneuse de Bigorre, depuis le « Pont Neuf » au Sud de Lourdes jusqu'à la frontière, constituait les « Sept Vallées du Lavedan » qui, au 10e s., passèrent sous la souveraineté de vicomtes, vassaux directs des comtes de Bigorre, résidant, en dernier lieu, à Beaucens. En fait, les Vallées s'administraient elles-mêmes. La vallée de Barèges, le plus vaste, occupe le centre (Luz). Quatre d'entre elles se trouvent sur la rive gauche du gave de Pau : St-Savin (Cauterets), Estrem de Salles, Bats-Surguère et Azun. Deux vallées de moindre importance, **Castelloubon** (vallée du Néez) et Davant-Aygue, s'étendent sur la rive droite.

A son avènement, le comte de Bigorre se rendait dans les Vallées pour faire serment aux gens du Lavedan de maintenir leurs coutumes ; ensuite, les montagnards lui juraient fidélité. Par précaution, des otages, pris dans les meilleures maisons des communautés, étaient gardés dans le château de Lourdes jusqu'au retour du comte.

« Solides Bigourdans » – Les montagnards bigourdans, petits, bruns et vigoureux, sont de rudes compagnons : « Nous sommes toujours rois chez nous », disaient-ils. Les Barégeois contribuent à la prise, sur les Anglais, du château de Lourdes en 1407. Mais ces guerriers n'aiment guère acquitter les impôts et les officiers royaux éprouvent souvent de sérieuses difficultés. Colbert, voulant appliquer la gabelle à ces populations qui s'approvisionnent en sel au Béarn ou en Espagne, suscite de

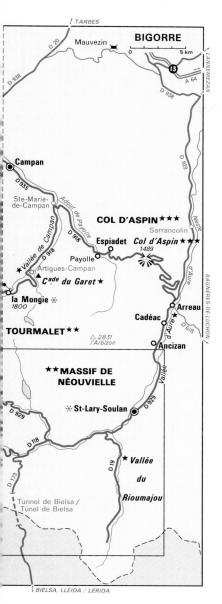

nombreuses révoltes. Un gentil-homme, Audijos, enrôlant 7 000 hommes du pays, tint en échec les commissaires du roi pendant douze ans. Il fallut modifier l'application de la gabelle.

La Bigorre religieuse et lyrique – Lorsque Bernard Ier, en 1062, mit son comté sous la protection de N.-D. du Puy-en-Velay, il ne pouvait pas prévoir que, huit siècles plus tard, un sanctuaire de Bigorre surpasserait en rayonnement celui de la suzeraine. En effet, depuis les apparitions de la Vierge à Bernadette Soubirous, Lourdes attire des millions de pèlerins ; dans cette Bigorre « bénie de Dieu », il ne faut pas oublier les anciennes abbayes de St-Pé, St-Savin et St-Orens.

La Bigorre, comme le Béarn, est une terre élue pour le lyrisme gascon. Au début de notre siècle, deux poètes bigourdans ont chanté, dans leur belle langue, la grande nature pyrénéenne : Philadelphe de Gerde, « la fée de Bigorre », et Michel Camélat d'Arrens, l'un des fondateurs de l'École Gaston-Fébus *(voir à château de Mauvezin p. 147)*.

Service commandé au Balaïtous – La crête du Balaïtous a été escaladée pour la première fois en 1825 par des officiers géodésiens chargés d'établir la triangulation des Pyrénées. Ce travail, préliminaire à l'établissement de « la carte d'État-Major » au 1/80 000 (1833-1880), fut confié, pour la moitié Ouest de la chaîne, à deux lieutenants, Peytier et Hossard.

Le Balaïtous, reconnu comme une « station » techniquement idéale, est gravi le 3 août 1825 et, dès lors, commencent les opérations. Étalées sur deux étés en raison d'un temps abominable, elles durèrent vingt-six jours dont quatorze en haute montagne (neuf nuits de campement au sommet même), exigeant le transport d'un fragile appareil de visée de 17 kg, la construction d'une tourelle-signal de pierre, le croquis coté de ce signal, le dessin du tour d'horizon, avec le seul concours des montagnards inexpérimentés de la région. Le travail achevé, fiches et rapports furent dirigés vers les cartons des Archives de la Guerre. Ils en furent exhumés en 1898 par Henri Beraldi, le grand historien des Pyrénées, qui communiqua son enthousiasme au cercle des Pyrénéistes. Justice est enfin rendue aux officiers géodésiens.

★★★ LOURDES ET EXCURSIONS *voir à ce nom.*

GORGE DE LUZ

D'Argelès-Gazost à Luz-St-Sauveur
18 km - environ 1 h - schéma p. 106

Sur cet itinéraire se greffent, à Pierrefitte-Nestalas, les excursions dans les vallées de Cauterets (Pont d'Espagne, lac de Gaube, Marcadau), grandes « classiques » du tourisme pyrénéen.

Argelès-Gazost - *Voir à ce nom.*

Quittant le fond du bassin d'Argelès, la D 101 s'élève parmi les châtaigniers.

St-Savin – *Voir à ce nom.*

Dès la sortie de St-Savin apparaît, sur un piton, la chapelle de Piétat.

Chapelle de Piétat – *Stationnement possible seulement avant la courbe de la route, autour de l'éperon.* **Site★** poétique de sanctuaire perché. De la terrasse ombragée de tilleuls, au bord de l'escarpement bref mais raide plongeant vers le fond du bassin d'Argelès, vue sur l'abbatiale de St-Savin, émergeant des châtaigniers, et, en face, sur les ruines roussâtres de Beaucens. Le pic de Viscos domine la rencontre, à Pierrefitte-Nestalas, des vallées de Cauterets et de Barèges.

Pierrefitte-Nestalas – A l'entrée Nord de la localité, le **musée marinarium du Haut-Lavedan** ⊙ invite à contempler des spécimens de faune marine tropicale du monde entier ; remarquer, dans un aquarium, la densité d'un récif corallien.

A la sortie de Pierrefitte-Nestalas, la route s'engage dans la sombre gorge du Luz. Jusqu'à la construction de la chaussée, au milieu du 18e s., force était d'emprunter le sentier muletier très exposé des «**Échelles de Barèges**», aussi les visiteurs de marque préféraient-ils faire, au grand ahan des porteurs, le détour par le Tourmalet.

Le pont de la Reine – premier jalon du souvenir napoléonien dans la vallée de Barèges – marque la fin du passage encaissé. Le « Pays toy » (bassin de Luz) présente alors ses villages nichés dans la verdure. La vue se développe sur les premiers contreforts découpés de Néouvielle, à gauche du pic de Bergons.

A l'ombre des frênes, on atteint Luz ou, en restant sur la rive gauche du gave, St-Sauveur.

★ **Luz-St-Sauveur** – *Voir à ce nom.*

★★ **VALLÉES DE CAUTERETS** *voir à ce nom.*

★★ **VALLÉE DE GAVARNIE** *voir à ce nom.*

GÈDRE *voir à ce nom.*

★★ **ROUTE DU TOURMALET**

De Luz-St-Sauveur à Bagnères-de-Bigorre
48 km – environ 3 h – schéma p. 106-107

Route de montagne pouvant paraître particulièrement impressionnante sur le versant de Barèges.

Le col du Tourmalet reste généralement obstrué par la neige de novembre à juin. La route des Pyrénées entre dans la vallée du Bastan et laisse à gauche les ruines du château Ste-Marie. Le paysage devient plus âpre et la rampe se raidit avant Barèges.

⁕ **Barèges** – *Voir à ce nom.*

La route s'engage dans le vallon désolé d'Escoubous, où le ruisseau serpente à travers des pâturages pierreux.

Après le pont de la Gaubie apparaît, en arrière, dans l'enfilade du vallon, le pic de Néouvielle dont la pyramide rocheuse est flanquée d'un glacier. Bientôt, à droite, se profilent des crêtes aux formes hardies ; à gauche, on aperçoit le pic du Midi de Bigorre, surmonté de son observatoire et de son relais de télévision.

★★ **Col du Tourmalet** – Alt. 2 115 m. Son nom signifie « mauvais détour ». Jusqu'au 17e s., il ne pouvait être franchi qu'en chaise à porteurs ; les premières voitures s'y engagèrent en 1788 alors que la route de la gorge de Luz était coupée par une crue du gave de Pau. Du col, le **panorama** est remarquable par l'âpreté des sommets qu'il fait découvrir, surtout sur le versant de Barèges : au-delà du chaînon de l'Ardiden se détache au dernier plan le Balaïtous, avec son glacier. Une stèle honore la mémoire de « Monsieur Paul », promoteur du tourisme pyrénéen et constructeur de la route du pic du Midi.

Le Tour de France

Tous les ans, les cyclistes du Tour de France s'affrontent dans la terrible épreuve des cols pyrénéens qui ont fait la gloire de quelques-uns et le malheur de nombreux autres. Aubisque, Tourmalet, Aspin, Soulor évoquent les claquages musculaires, les violents orages d'été, les pentes raides, les routes trop étroites mais aussi les acclamations de la foule venue en masse de la France entière et d'Espagne encourager le maillot jaune.

Les Pyrénées sont pour la première fois intégrées au Tour en 1910, suivant un tracé allant de Perpignan à Bayonne, en passant par la ville-étape de Luchon. Après 1918, les cyclistes franchissent le port d'Envalira, à 2 407 m d'altitude. Dans les années 60, le Tour visite les toutes récentes stations de sports d'hiver : Superbagnères, La Mongie, Guzet-Neige, Luz-Ardiden, Hautacam, Val-Louron, etc. Les années 90 auront sans doute marqué l'histoire du Tour avec les cinq victoires consécutives d'un voisin transpyrénéen, l'étonnant Indurain.

★★★ Pic du Midi de Bigorre – *Voir à ce nom.*

La descente du col du Tourmalet s'effectue d'abord parmi les pelouses qui contrastent avec les sites ravinés de la montée. Dans une série de lacets, on aperçoit à gauche, au-dessus de la route, le tracé de l'ancien chemin que suivirent les chaises à porteurs du duc du Maine et de Mme de Maintenon pour gagner, depuis Bagnères-de-Bigorre, les eaux de Barèges. Les pyramides de l'ensemble résidentiel de la Mongie-Tourmalet annoncent la station de la Mongie.

✤ **La Mongie** – *Voir à ce nom.*

Après la traversée de la Mongie, la pente s'accentue au passage d'un gradin boisé. La route en rachète la dénivellation par une boucle dans le vallon affluent du Garet puis traverse successivement le ruisseau du Tourmalet et l'Arises coulant en cascades.
Le plateau d'Artigues, joli cirque pastoral noyé en partie par un lac de retenue, s'ouvre à droite, en contrebas.

★ Cascade du Garet – Laisser la voiture près de l'hôtel des Pyrénées, à Artigues. Traverser le hameau. Au-delà d'une maison familiale de vacances, franchir un petit pont sur le ruisseau du Tourmalet, en amont de la centrale hydro-électrique. Continuer à s'élever régulièrement en passant dans le vallon affluent du Garet. On entre dans un bois de sapins. Descendre quelques pas taillés dans le roc pour atteindre le belvédère d'où l'on découvre la cascade.

La route suit maintenant la fraîche **vallée de Campan**★ aux prairies d'un vert intense. Plusieurs maisons ou granges au toit de chaume et au pignon à redans apparaissent encore çà et là. La dispersion des habitations s'observe jusqu'à Campan.
Après Ste-Marie-de-Campan, la D 935 descend la vallée de l'Adour. Les échappées sur le pic du Midi de Bigorre révèlent maintenant un sommet massif, toujours reconnaissable à l'antenne de son émetteur de télévision.

Campan et environs – *Voir à ce nom.*

★★ Grotte de Médous – *Voir à ce nom.*

La D 935 mène ensuite à Bagnères.

✚ **Bagnères-de-Bigorre** – *Voir à ce nom.*

Transhumance au col d'Aspin

★★★ COL D'ASPIN

De Campan à St-Lary-Soulan
61 km – environ 3 h – schéma p. 107

De décembre à avril, le col d'Aspin peut être fermé à la circulation pendant 12 à 48 heures, les opérations de déneigement étant effectuées de façon discontinue et non prioritaire.

Campan – *Voir à ce nom.*

Au-delà de Ste-Marie-de-Campan le parcours de la vallée de l'Adour de Payolle rappelle la vallée de Campan, mais avec une touche montagnarde plus rude. En avant et à droite les vues restent presque constantes sur l'Arbizon (alt. 2 831 m). Le pic du Midi réapparaît, en arrière et à droite, à l'occasion de la traversée du bassin de **Payolle** (centre de ski de fond).

Espiadet – Hameau situé au pied de la célèbre carrière de marbre de Campan, dont le marbre vert, teinté de rouge et de blanc, a été utilisé pour les colonnes du Grand Trianon, à Versailles, et, en partie, pour celles de l'Opéra de Paris. Après Espiadet, la route, en montée ininterrompue jusqu'au col d'Aspin, serpente parmi de splendides sapinières et offre des échappées sur le massif de l'Arbizon. Puis la forêt s'éclaircit et l'on passe dans la zone des pâturages.

★★★ **Col d'Aspin** – Alt. 1 489 m. En dépit de son altitude plus faible que celle des trois autres grands cols (Aubisque, Tourmalet, Peyresourde) franchis par la Route des Pyrénées, entre Eaux-Bonnes et Luchon, le col d'Aspin offre un **panorama** des plus étendus : la disposition des massifs, le contraste entre les cimes neigeuses et les forêts bleutées produisent une impression profonde. La descente commence aussitôt, très régulière mais rapide : en 12,5 km, la route passe d'une altitude de 1 489 m à 704 m.

La vue plonge, à droite, sur le vallon où se blottit le village d'Aspin. A droite aussi, le massif de l'Arbizon se dégage. Les nombreux lacets que décrit la route permettent de bien voir le bassin d'Arreau.

Arreau – *Voir à ce nom.*

On pénètre dans la **vallée d'Aure**★ ; cette région formait autrefois le vicomté d'Aure, sous la suzeraineté des rois d'Aragon. Au 14e s., elle fut réunie aux « Vallées » de Magnoac, de Neste et de Barousse et devint le **Pays des « Quatre Vallées »** qui échut, en 1398, à la Maison d'Armagnac puis, en 1527, à la Maison d'Albret. La D 929 remonte la vallée de la Neste d'Aure, large et harmonieusement dessinée.

Cadéac – A la sortie du village la route passe sous le porche de la chapelle N.-D.-de-Pène-Taillade (« du rocher coupé »).

Ancizan – Ensemble de maisons du 16e s., qui rappellent la prospérité passée du bourg : ce secteur de la vallée faisait vivre sous l'Ancien Régime un millier de tisserands travaillant les cadis (tissus grossiers en laine non teinte).

A la sortie d'Ancizan le fond de la vallée est occupé par des buttes morainiques, dénommées « pouys » dans la région.

La route franchit la Neste d'Aure avant Guchan et offre un beau point de vue sur un horizon montagneux d'où se détache la pyramide aiguë du pic de Lustou.

❄ **St-Lary-Soulan** – *Voir à ce nom.*

★★ **MASSIF DE NÉOUVIELLE** *voir à ce nom.*

Quelques termes pyrénéens			
Araillère	éboulis	Gar, ger, ker	rocher
Arrieu, arriu	ruisseau	Hount	source
Bac, ubac	versant à l'ombre	Jer, Germ	herbage d'altitude
Bat, baigt	vallée	Lane	plaine
Bernède	aulnaie	Lis, lite	avalanche
Bielle, vielle	village	Mal, Mailh	rocher escarpé
Borde	grange-étable sur une prairie de fauche	Neu	neige
		Ombrée	versant à l'ombre
Bosc, bousquet	bois	Orry	cabane de pâtre
Boum	lac	Oule, oulette	cirque
Calm	haut plateau dénudé	Pech, pouey	mont aux formes lourdes
Cap	sommet		
Casse, cassagne	chêne, chênaie	Pène	crête rocheuse abrupte
Castanet	châtaigneraie		
Cayolar, cujala	cabane de berger où l'on fabrique du fromage	Port, Portet	col
		Pla	plateau, petite plaine
		Rec, riu	ruisseau
Clot	cuvette, cirque (sans eau)	Soulan, soulane	versant ensoleillé
		Soum	sommet arrondi
Coume	combe, cirque	Tuc, tusse, truc	sommet tronqué, bien détaché
Estibe, estive	pâturage d'été, en altitude		
		Turon	piton
Faget	hêtraie	Vic	communauté de vallée
Fitte, Hitte	pierre dressée, borne		
Fourque	col		

Pour apprécier à leur juste valeur les curiosités très importantes,
qui attirent en grand nombre les touristes,
il faut éviter si possible les moments de la journée
et les périodes de l'année où l'affluence atteint son maximum.

Ancienne abbaye de BLASIMON

Cartes Michelin nᵒˢ 75 Est du pli 12 ou 234 pli 7

Cette abbaye bénédictine ruinée se dissimule au fond d'un vallon. Une enceinte fortifiée, dont témoigne encore une tour isolée, l'entourait.

Église ⊙ – Édifice des 12ᵉ-13ᵉ s., l'église associe des éléments romans (décor sculpté, quelques baies en plein cintre) et gothiques (arcs brisés, belles voûtes d'ogives).

La façade repose sur des bases moulurées donnant une solide assise. Divisée par des contreforts-colonnes qui l'allègent, elle est surmontée par un clocher-pignon ajouté au 16ᵉ s.

Le portail central en tiers-point et largement ébrasé, dont la porte a gardé ses pentures d'origine, présente une série de voussures ornées de sculptures d'une grande qualité. Que de finesse et de vigueur dans le dessin des palmettes ou de ces petites scènes de chasse qui garnissent l'archivolte !

Cloître – Au côté droit de l'abbatiale, il a conservé seulement quelques arcades aux beaux chapiteaux romans et une partie de la salle capitulaire dont les voûtes se sont écroulées.

Le village de Blasimon bénéficie d'un centre de loisirs situé au cœur d'une forêt de chênes, au bord d'un lac de 4 ha. On peut s'adonner à toutes sortes d'activités : pêche, baignade, tennis...

ENVIRONS

Pujols – *7 km au départ de Blasimon, au Nord, par la D 17*. Église romane sur une terrasse dominant la vallée de la Dordogne.

Mauriac – *4 km au départ de Blasimon, à l'Est, par la D 127ᴱ⁴*. Le hameau possède une intéressante église du 12ᵉ s., fortifiée au 14ᵉ s. Remarquer le clocher-porche et l'échauguette installée sur le chevet. Dans le cimetière, croix de pierre du 15ᵉ s. portant l'image en relief d'un évêque.

Dans le guide Rouge Michelin France de l'année,
vous trouverez un choix d'hôtels agréables, tranquilles, bien situés, avec
l'indication de leur équipement (piscines, tennis, plages aménagées, jardins...)
ainsi que les périodes d'ouverture et de fermeture des établissements.

Vous y trouverez aussi un choix de maisons qui se signalent par la qualité de
leur cuisine : repas soignés à prix modérés, étoiles de bonne table.

Dans le guide Michelin Camping Caravaning France de l'année,
vous trouverez les commodités et les distractions offertes par de nombreux
terrains (magasins, bars, restaurants, laverie, salle de jeux, tennis, golf miniature,
jeux pour enfants, piscines...)

BLAYE

4 286 habitants
Cartes Michelin nᵒˢ 71 plis 7, 8 ou 233 plis 37, 38 – Schémas p. 33 et 140

Située sur la rive droite de la Gironde, à 36 km en aval de Bordeaux, la ville est connue pour ses vins des « Côtes de Blaye », pour sa citadelle et pour son port qui comprend une estacade en eau profonde et un bassin allongé, perpendiculaire à la Gironde, fréquentée par les caboteurs et les voiliers ; les bateaux de pêche débarquent, au printemps, aloses, lamproies et esturgeons. La ville a remis en honneur la fabrication de « praslines », en souvenir de la friandise offerte par le maréchal de Plessis-Praslin aux jurats de Bordeaux, le 11 décembre 1649, lors d'un festin diplomatique.

La croissance industrielle de Blaye, que 64 km séparent de l'océan, est liée au développement de ses installations portuaires qui lui assurent un important trafic de céréales, engrais, terres réfractaires, et aussi de mélasses et de goudrons.

UN PEU D'HISTOIRE

Des Romains à Vauban – Sur le rocher escarpé où les légions romaines avaient établi leur camp, une ville grandit à l'époque gallo-romaine ; son nom était Blavia.

Au 8ᵉ s., Roland le Preux, comte de Blaye, et sa « dame », la belle Aude, y auraient été enterrés dans l'ancienne abbaye St-Romain, fondée en 350 et dont les bases subsistent sous le bastion St-Romain. Au 17ᵉ s. cette ville perchée fut rasée en deux étapes pour céder la place à la citadelle terminée par Vauban en 1689. Le fort Paté sur un îlot de la Gironde et le fort Médoc, sur la rive gauche, complétaient le système de défense visant à protéger Bordeaux de la flotte anglaise.

La duchesse et le général – D'un côté prend place Marie-Caroline de Bourbon-Sicile, 34 ans, **duchesse de Berry**, dont le fils deviendra prétendant légitimiste au trône de France sous le nom de comte de Chambord... Romanesque et aventureuse, elle a été arrêtée à Nantes dans une cheminée, après avoir tenté de soulever la Vendée contre Louis-Philippe, et a été incarcérée à Blaye le 15 novembre 1832. Veuve depuis 12 ans, elle attend un enfant du comte Lucchesi auquel la lie, dit-elle, un mariage secret.

De l'autre côté se tient le **général Bugeaud**, que Louis-Philippe a nommé gouverneur de Blaye, pour surveiller la duchesse. Soldat valeureux, bon administrateur, mais vaniteux et coléreux, son manque de délicatesse est notoire. Il épie la prisonnière, fouille son linge.

Le médecin de la duchesse, savant angevin ami de Balzac, et un jeune officier, le futur maréchal de Saint-Arnaud, s'efforcent d'adoucir la captivité de Marie-Caroline. Celle-ci, mère d'une fille le 10 mai 1833,

ROYAN (par la Côte)
A 10-E 05
PONS
BLAYE
0   200 m
TOUR DES RONDES
Tour de l'Aiguillette
Château des Rudel
CITADELLE
PORTE ROYALE
Pavillon de la Place
Place d'Armes
BASTION ST-ROMAIN
ST-ROMAIN
PORTE DAUPHINE
ANC⁴ COUVENT DES MINIMES
GIRONDE
A 10-E 05 / LIBOURNE / BORDEAUX
R. Raboutet
R. Roland
D 937
D 255
Rudel
R. Jauffé
R. Abbé Bellemer
R. U. Chasseloup
D 669
PLASSAC BOURG
BLAYE LAMARQUE

Brun (R.)	2	Marie Caroline (Pl.)	14
Couvent des Minimes		Port (Cours du)	17
(R. du)	3	Poudrière (Allée de la)	18
Gaulle (Crs Général de)	4	Rabolte (Pl.)	20
Gros Perrin (R.)	5	République (Cours de la)	22
Hôpital (R. de l')	6	St-Romain (R.)	23
Lafon (R. A.)	8	St-Simon (R.)	24
Lamande (R. A.)	10	Toziny (R. Roger)	26
Lattre de Tassigny		Vauban (Cours)	27
(Cours de)	12	Victoire (Pl. de la)	28
Maçons (R. des)	13	144ᵉ-R.I (Av. du)	30

est devenue, par suite du scandale, peu dangereuse politiquement : le 8 juin, on l'embarque pour Palerme.

★ LA CITADELLE *visite : 1 h 30*

Accès à pied par la porte Dauphine, en voiture par la porte Royale, toutes deux timbrées de l'écusson fleurdelisé. Des demi-lunes les précèdent.

Encore habitée en partie, c'est une véritable petite ville au cachet ancien, qui mesure près de 1 km de long, et qui en saison ne manque pas d'animation grâce aux artisans qui y exercent leur art. Dominant la Gironde de 45 m, elle est défendue vers l'intérieur par des bastions que protège un fossé.

Château des Rudel – Il subsiste deux tours de ce château médiéval triangulaire où naquit Geoffroy (ou Jaufré) **Rudel**, troubadour du 12ᵉ s. qui s'éprit sans la voir d'une « princesse lointaine », Mélissende de Tripoli, s'embarqua pour la rejoindre, tomba malade sur le vaisseau et expira en arrivant, entre les bras de la bien-aimée. On a dégagé les bases des murs du château et le pont d'accès. Au centre de la cour, le vieux puits montre sa margelle usée par les frottements de la corde ou de la chaîne. Du haut de la tour des Rondes, **vue** sur la ville, l'estuaire de la Gironde et la campagne *(table d'orientation)*.

Tour de l'Aiguillette – Vue★ en enfilade, sur la Gironde, peuplée d'îlots jusqu'à l'océan.

Emprunter le chemin sur le front Ouest.

Place d'Armes – De l'esplanade, au bord de la falaise sur la Gironde, s'offre une vue sur l'estuaire et les îles.

Près de la place d'Armes, ancien couvent des Minimes, du 17ᵉ s., avec sa chapelle et son cloître aux arcades en plein cintre sur piliers carrés.

Pavillon de la Place – Cette maison affectée au commandant d'armes abrita la duchesse de Berry pendant sa captivité.

Le **musée d'Histoire et d'Art du Pays Blayais** ⊙ y est installé. Il présente quatre expositions ayant trait à l'histoire de Blaye.

ENVIRONS

Plassac – *3,5 km au Sud. Quitter Blaye par la D 669 qui longe la Gironde.* Près de l'église, en contrebas, des fouilles ont permis de mettre au jour une **villa gallo-romaine** 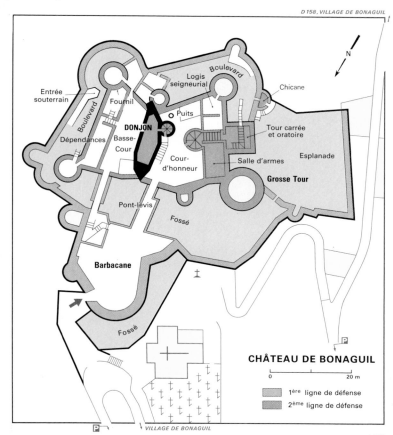. Trois villas ont été successivement construites à cet endroit entre le 1ᵉʳ et le 5ᵉ s. Les deux premières étaient d'inspiration italienne, tandis que la troisième a été décorée de mosaïques polychromes de style aquitain. Un **musée** ⓥ retrace l'historique des villas et expose des peintures murales (troisième style pompéien, 40-50 après J.-C.), ainsi que les produits des fouilles : céramiques (amphores, assiettes, vases...), bronzes, monnaies, outillage, etc.

Revenir à la rue principale et prendre à gauche le chemin du Paradis puis le chemin de la Vierge.

Du pied de la statue de la Vierge, dite de **Montuzet**, en réalité Vierge des marins, les **vues** s'étendent sur la Gironde, l'île Verte et le Médoc.

Vous prendrez plus d'intérêt à la visite des monuments si vous avez lu en introduction le chapitre sur l'art.

Château de BONAGUIL★★

Cartes Michelin nᵒˢ 79 pli 6 ou 235 Sud-Est du pli 9

Cette stupéfiante forteresse, qui se dresse aux confins du Périgord Noir et du Quercy, est l'un des plus parfaits spécimens de l'architecture militaire de la fin du 15ᵉ s. et du 16ᵉ s.
Elle présente la particularité d'offrir sous la carapace traditionnelle des châteaux forts une remarquable adaptation aux techniques nouvelles des armes à feu : canonnières et mousqueterie. En outre, Bonaguil, qui fut édifié non comme un château de surveillance ou de menace mais comme un abri sûr, apte à faire victorieusement front à toute attaque, présente la nouveauté, dans les années 1480-1520, d'utiliser les armes à feu à des fins exclusivement défensives. C'est déjà la conception d'un fort.

CHÂTEAU DE BONAGUIL

113

Château de BONAGUIL

Un curieux personnage – Étrange figure que celle de **Béranger de Roquefeuil.** Il aime à se proclamer « noble, magnifique et puissant seigneur et baron des baronnies de Roquefeuil, de Blanquefort, de Castelnau, de Combret, de Roquefère, comte de Naut ». Appartenant à l'une des plus anciennes familles du Languedoc, cet homme entend être obéi de ses vassaux et n'hésite pas à user de sa force ; mais ses exactions et ses violences amènent des révoltes et, pour y faire face, Béranger transforme le château de Bonaguil qui existait depuis le 13ᵉ s. en une forteresse inexpugnable. « Par Monseigneur Jésus et touts les Saincts de son glorieux Paradis », proclame en 1477 l'orgueilleux baron, « j'eslèveroi un castel que ni mes vilains subjects ne pourront prendre, ni les Anglais s'ils ont l'audace d'y revenir, voire même les plus puissants soldats du Roy de France. » Il lui faut 40 ans pour édifier ce nid d'aigle qui semble anachronique par son allure de château fort alors que ses contemporains, Montal, Assier, les châteaux de la Loire, deviennent des demeures de plaisance. Mais son château ne fut, en effet, jamais attaqué et paraît intact à la veille de la Révolution. Celle-ci, dans son ardeur à supprimer les symboles de l'Ancien Régime, réussit à démanteler, à découronner le colosse qui, malgré ses blessures et ses mutilations, offre encore l'image de la puissance qu'il représentait.
En gardant les traditionnels moyens de défense contre l'escalade, la mine ou la sape, ce chef-d'œuvre d'architecture militaire est adapté aux nouvelles conditions de la lutte et tire parti du développement de l'artillerie.

VISITE DU CHÂTEAU FORT ⊙

On pénètre dans le château par la barbacane, énorme bastion qui avait sa garnison autonome, ses magasins et son arsenal. La barbacane faisait partie de la première ligne de défense, longue de 350 m dont les bastions permettaient le tir rasant grâce à des canonnières. La seconde ligne se composait de cinq tours, dont l'une dite la « Grosse Tour » est l'une des plus importantes tours de plan circulaire jamais construites en France. Haute de 35 m, couronnée de corbeaux, elle servait à ses étages supérieurs de logis d'habitation, tandis que ses étages inférieurs étaient équipés de mousqueterie, couleuvrines, arquebuses, etc. Dominant ces deux lignes, le donjon à pans coupés était le poste de guet et de commandement : en forme de vaisseau dont la proue est tournée vers le Nord, secteur le plus vulnérable, c'était l'ultime bastion de la défense.
A l'intérieur une salle abrite des armes et des objets provenant de fouilles effectuées dans les fossés.
Un puits taillé dans le roc, des dépendances (dont un fournil) où l'on accumulait les provisions, des cheminées monumentales, un réseau d'écoulement des eaux fort bien conçu, des fossés intérieurs secs, voire des tunnels admirablement voûtés constituant de véritables axes de circulation rapide des troupes, permettaient à près d'une centaine d'hommes de soutenir un siège.

BORDEAUX★★★

Agglomération 685 456 habitants (les Bordelais)
Cartes Michelin nᵒˢ 71 pli 9 ou 234 plis 2, 3, 6 et 7 – Schéma p. 33

Bordeaux est la huitième ville de France par sa population. L'activité économique s'y manifeste non seulement dans les secteurs traditionnels que sont le commerce des fameux **vins de Bordeaux** *(voir p. 33)* et des spiritueux, la production d'agroalimentaire et de bois, mais aussi dans les domaines de haute technologie que sont l'aéronautique, l'électronique et la chimie. A cela s'ajoute un bon réseau de communications amélioré depuis l'automne 1990 par la mise en service du TGV Atlantique. Par ailleurs, la création de structures comme le World Trade Center ou la Cité Mondiale ainsi que l'existence de grandes expositions internationales témoignent du dynamisme rayonnant de la métropole régionale d'Aquitaine devenue plaque tournante entre l'Europe du Nord et la péninsule Ibérique.

UN PEU D'HISTOIRE

Les ducs d'Aquitaine – L'antique Burdigala des Bituriges Vivisques devient, sous la domination romaine, une ville florissante. Wisigoths, Arabes, Normands lui livrent des assauts répétés. Le « bon roi » Dagobert crée un duché d'Aquitaine dont Bordeaux est la capitale. Parmi les ducs d'Aquitaine, le mythique **Huon de Bordeaux** est célèbre. Ayant tué, sans le connaître, un des fils de Charlemagne, il est condamné à l'exil par l'empereur. Après une série d'aventures, Huon épouse la fille de l'émir de Babylone. Sur ce thème, une chanson de geste (13ᵉ s.) a brodé d'étonnantes péripéties. Pour gagner son pardon, Huon doit se rendre à Babylone, couper la barbe de l'émir, lui arracher quatre molaires et rapporter le tout à l'empereur. Cet exploit

La Grosse Cloche

réussit grâce au roi des elfes, Obéron, charmant petit personnage qui sera repris par Shakespeare, trois siècles plus tard. Il y a encore le duc Guillaume Tête d'Étoupe : sa fille a épousé Hugues Capet et se trouve ainsi à l'origine de la dynastie capétienne.

La dot d'Aliénor – En 1137, Louis, fils du roi de France, épouse Aliénor d'Aquitaine, qui lui apporte en dot le duché de Guyenne, le Périgord, le Limousin, le Poitou, l'Angoumois, la Saintonge, la Gascogne et la suzeraineté sur l'Auvergne et le comté de Toulouse. Le mariage a lieu dans la cathédrale de Bordeaux. Il est mal assorti. Louis, devenu le roi Louis VII, est une sorte de moine couronné, la reine est frivole. Après quinze années de vie conjugale, le roi, à son retour de croisade, fait prononcer son divorce, par le concile de Beaugency (1152). Outre sa liberté, Aliénor recouvre sa dot. Son remariage, deux mois plus tard, avec **Henri Plantagenêt**, comte d'Anjou et suzerain du Maine, de la Touraine et de la Normandie, est pour les Capétiens une catastrophe politique : les domaines réunis d'Henri et d'Aliénor sont déjà aussi vastes que ceux du roi de France. En 1154 le Plantagenêt devient, par héritage, roi d'Angleterre, sous le nom de Henri II. Cette fois l'équilibre est rompu, et la lutte franco-anglaise qui s'engage durera trois siècles.

Le « claret » – La vigne a été introduite dans la région par les Romains. Ce vin, que les Anglais appellent « claret », est très apprécié des Plantagenêts : pour les fêtes du couronnement, mille barriques sont mises à sec. Le raisin est alors sacrée : qui dérobe une grappe a l'oreille coupée. La qualité des vins est l'objet de tous les soins : six dégustateurs jurés les vérifient et aucun tavernier ne peut mettre une pièce en perce avant qu'elle n'ait été soumise à leur dégustation. Les marchands pratiquant le coupage sont punis ainsi que les tonneliers dont les barriques sont défectueuses.

La capitale du Prince Noir (14ᵉ s.) – Bordeaux est la capitale de la Guyenne – avec la prononciation anglaise, « Aquitaine » s'est déformée en « Guyenne » et ce nom restera en usage jusqu'à la Révolution. La ville a le droit d'élire son maire, ses conseillers ou « jurats ». Le commerce ne se ralentit pas pendant la guerre de Cent Ans : Bordeaux continue d'exporter ses vins en Angleterre et fournit des armes à tous les belligérants. Le Prince Noir – ainsi nommé à cause de la couleur de son armure –, fils du roi d'Angleterre Édouard III, y établit son quartier général et sa cour. Seigneurs et jurats construisent de solides hôtels appelés « taules » ou « hostaux ».

Le Prince Noir a été l'un des meilleurs capitaines de son temps et l'un des plus féroces pillards. C'est de Bordeaux qu'il s'élance pour ses fructueuses expéditions, terrifiant tour à tour le Languedoc, le Limousin, l'Auvergne, le Berry et le Poitou. Atteint d'hydropisie, l'héritier anglais meurt sans avoir pu régner ailleurs qu'à Bordeaux. En 1453, Bordeaux est reprise définitivement par l'armée royale française avec toute la Guyenne. C'est la fin de la guerre de Cent Ans.

Le Bordeaux des intendants – C'est Richelieu qui, le premier, a installé dans les provinces ces hauts représentants du pouvoir central et Colbert qui a mis l'organisation au point. Au 18ᵉ s., une lutte curieuse va s'engager entre les intendants qui voient de haut et de loin l'intérêt de la ville et une population routinière, de vues mesquines. L'enjeu sera la physionomie même de Bordeaux. D'une cité aux rues étroites et tortueuses, entourée de marais, Claude Boucher, le marquis de Tourny, Dupré de St-Maur font l'une des plus belles villes de France, aux solides constructions de pierre. Le secteur du vieux Bordeaux inclus entre le quartier des Chartrons et le quartier St-Michel compte quelque 5 000 immeubles d'une architecture 18ᵉ s. Alors apparaissent les grandioses ensembles que forment les quais, la place de la Bourse, les allées de Tourny, des monuments comme l'Hôtel de Ville, le Grand Théâtre, l'Hôtel des Douanes, l'Hôtel de la Bourse, des plantations comme les cours et le jardin public. Bordeaux exploite à fond les avantages de sa situation atlantique et devient le premier port du royaume.

Les Girondins – Pendant la Révolution, les députés de Bordeaux, dont le plus célèbre est Vergniaud, créent le parti des Girondins qui aura la majorité à la Législative et au début de la Convention. Comme ils sont de tendance fédéraliste, les Montagnards les accusent de conspirer contre l'unité et l'indivisibilité de la République ; vingt-deux d'entre eux sont mis en accusation, condamnés à mort et exécutés.

Bordeaux – Détail d'une fontaine
du Monument aux Girondins

L'essor commercial – La ville fait grise mine à l'Empire, car son commerce maritime est profondément atteint par le blocus. Elle retrouve le sourire sous la Restauration. Le grand pont de pierre, l'immense esplanade des Quinconces, que les intendants n'avaient pas eu le temps de réaliser, datent de cette époque.

Sous le Second Empire, le commerce continue de se développer grâce à l'amélioration des communications et à l'assainissement des Landes.

En 1870, en 1914 devant l'offensive allemande et en 1940, Bordeaux est devenue le refuge du Gouvernement, justifiant ainsi l'appellation de « capitale tragique ». A la fin de la dernière guerre, la cité du 18e s. retrouve le dynamisme de ses armateurs, financiers et négociants d'autrefois.

Pour préparer son voyage
ou pour se rappeler les bons moments passés en Aquitaine et dans les Pyrénées,
la cassette Vidéo Découverte Michelin Pyrénées Aquitaine
est le complément images idéal du guide Vert.

LA VILLE CONTEMPORAINE

Le nouveau visage de Bordeaux – Il se traduit par l'éclatement de la vieille ville et la création d'ensembles modernes : à la périphérie, le Domaine universitaire de Pessac-Talence, les cités du Grand-Parc et de la Benauge, la zone du Lac ; dans la ville même, le quartier Mériadeck et les jardins de la Préfecture.

La mise en service en décembre 1993 du pont d'Arcins, dernier maillon de la rocade bordelaise, permet le contournement total de Bordeaux et l'accès par le Nord et l'Est aux autoroutes A 62 et A 63.

Le Lac (BT) – Il couvre 160 ha et offre un centre de voile et d'aviron. Autour du plan d'eau se situent des équipements sportifs (golf, tennis), un ensemble de grands hôtels, un Palais des Congrès et un Parc des Expositions qui abrite la Foire Internationale de Bordeaux ainsi que la Semaine Mondiale des Vins et Spiritueux et Vinexpo qui a lieu tous les deux ans. Le quartier du Lac est desservi par le **pont d'Aquitaine** (BT), mis en service depuis 1967, voie d'accès à l'autoroute A 10 vers Paris ; ce pont suspendu, long de 1 767 m, franchit la Garonne à 55 m au-dessus des plus hautes eaux.

Quartier Mériadeck (CY) – Son nom rappelle le prince Ferdinand Maximilien de Rohan, archevêque de Bordeaux au 18e s. Ce quartier moderne est le centre directionnel de la région Aquitaine. Il remplace les constructions devenues délabrées qui avaient été édifiées sur les marais asséchés au 17e s. par les chartreux.

Englobant bureaux, bâtiments administratifs, habitations, centre commercial, bibliothèque municipale, patinoire, il est aussi agrémenté de pièces d'eau et d'espaces verts comme l'esplanade Charles-de-Gaulle. Des passerelles suspendues assurent l'accès vers les rues limitrophes. Les immeubles sont en verre et béton, arrondis ou cubiques et parfois encagés dans des structures métalliques. Les plus caractéristiques sont la **Caisse d'Épargne** avec ses plans courbes et rectangulaires empilés, la **Bibliothèque** aux parois réfléchissantes, l'**Hôtel de Région** à la façade rythmée par des lames verticales en béton et l'**Hôtel des Impôts** où triomphe le métal.

La vie bordelaise – Elle s'organise le long des larges avenues, grandes esplanades bordées de nobles édifices que l'on découvre au fil de longues perspectives. L'activité devient plus intense dans le centre ville, délimité par la place de la Comédie, le cours de l'Intendance, promenade favorite des Bordelais, le cours Clemenceau, les allées de Tourny et la place des Grands-Hommes, où les commerces de luxe côtoient les terrasses de cafés renommés. A proximité, aménagées pour les piétons, les rues **Ste-Catherine** et de la **Porte-Dijeaux** sont tout illuminées et bourdonnantes d'activité.

Le trafic portuaire – Bordeaux occupe, sur la Garonne, à 98 km de l'océan, la situation privilégiée de « ville de premier pont » et, par la vallée de la Garonne et le seuil de Naurouze, franchi par le canal du Midi, commande la plus courte liaison continentale Atlantique-Méditerranée. L'exportation du « claret » aux temps de la domination anglaise, le trafic des denrées coloniales en provenance des « Isles » au 18e s. ont déterminé son activité portuaire.

Le port de Bordeaux « intra-muros » a vu décliner ses activités au bénéfice du Verdon, terminal à conteneurs. Un rôle capital appartient à Bassens, premier avant-port de Bordeaux, représentatif des activités économiques régionales et dont la Garonne draine le trafic jusqu'à Ambès, où l'estuaire de la Gironde s'élargit en desservant les secteurs portuaires de Blaye *(voir à ce nom)* et de Pauillac *(voir à Vignoble de Bordeaux)*. *Pour plus de détails voir aussi à La Gironde.*

La rive gauche, en cours de restructuration, est réservée à l'accueil des paquebots, grands voiliers et bâtiments militaires. Quai des Chartrons est amarré le croiseur Colbert (EX) *(voir p. 131)*. Les installations de Queyries, sur la rive droite, sont spécialisées dans le déchargement des bois, des pondéreux en vrac et des engrais liquides.

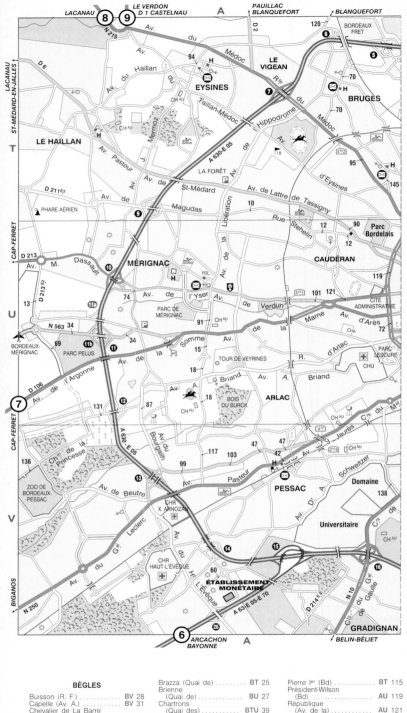

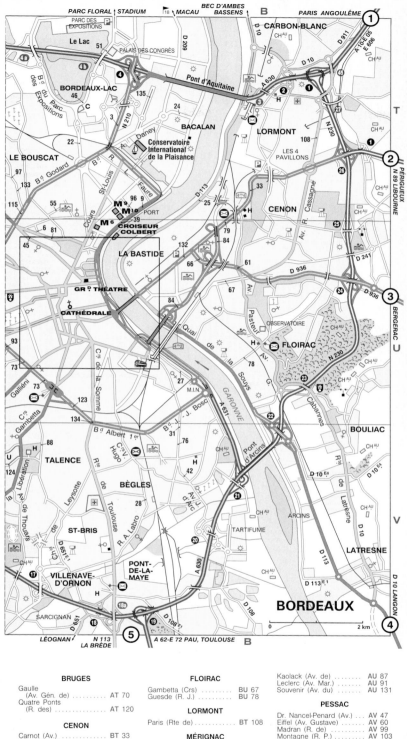

M⁶ Musée des Chartrons   M⁹ Musée Goupil   M¹⁰ Vinorama

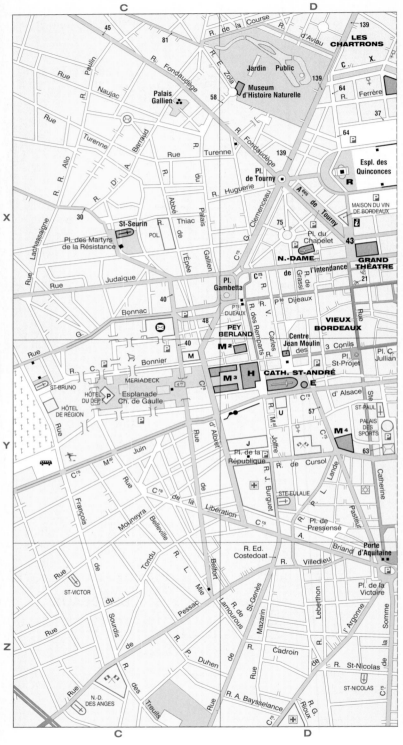

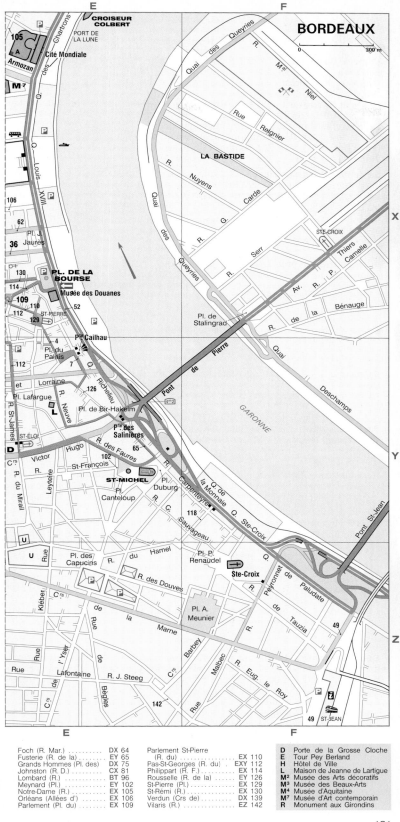

121

BORDEAUX PRATIQUE

Les transports

Venir à Bordeaux – La **gare St-Jean** est le point d'arrivée et de départ de nombreux trains vers les villes de province. ☎ 08 36 35 35 35.
L'**Aéroport international** assure 18 liaisons nationales et 22 liaisons internationales. ☎ 05 56 34 50 50.
Le **port de Bordeaux** est le 6e complexe portuaire de France. Plusieurs paquebots proposent des croisières pour diverses destinations. ☎ 05 56 90 58 00.
La **rocade**, facilitant les déplacements en périphérie de Bordeaux, est accessible depuis les quais de la Garonne. Elle rejoint plusieurs autoroutes : l'A 10 (Paris-Bordeaux), l'A 63 (Bordeaux-Bayonne-Espagne) et l'A 62 (Bordeaux-Toulouse-Marseille).

Se déplacer dans Bordeaux – Réseau de **bus** (dessert également la périphérie de Bordeaux), ☎ 05 57 57 88 00/88 ou minitel 3614 BUSCUB. Pour les automobilistes, une vingtaine de **parkings** permettent de se garer en ville. Parmi les plus grands : parking couvert de Tourny (place de Tourny), parking couvert du Centre commercial Mériadeck (rue Claude-Bonnier) et parking couvert de la Cité Mondiale (25, quai des Chartrons).

Les spectacles

Pour connaître les programmes des manifestations culturelles (théâtre, concerts) à Bordeaux, tapez 3615 BORDEAUX ou 3615 GIRONDEMAG (pour l'ensemble du département de la Gironde). Principales salles : **Grand Théâtre de Bordeaux**, place de la Comédie ; **Palais des Sports**, place de la Ferme-de-Richemont ; **Théâtre du Port de la Lune**, 3, place Pierre-Renaudel ; **Théâtre Femina**, 8, rue de Grassi ; **Théâtre de poche de St-Michel – La Lucarne**, 49, rue Carpenteyre ; **Théâtre La Boîte à Jouer**, 50, rue Lombard ; **Théâtre Barbey**, 22, cours Barbey ; **Espace culturel de Pin-Galant**, 34, avenue du Maréchal-de-Lattre-de-Tassigny, Mérignac ; **Théâtre de Gironde**, St-Médard-en-Jalles.

Les loisirs

Bibliothèque : 85, cours du Maréchal-Juin. ☎ 05 56 24 32 51 ou minitel BORDEAUX.
Piscine olympique Grand Parc : rue Généraux-Duché, à Bordeaux-Grand-Parc. ☎ 05 56 50 31 97.
Golf municipal : av. Pernon. ☎ 05 56 50 92 72.
Bowling Mériadeck : Terrasse Général-Kœnig. ☎ 05 56 93 05 85.
Tennis couvert Mériadeck : 30, rue Claude-Bonnier. ☎ 05 56 96 21 39.

Gastronomie

Restaurants – Nombreux sont les restaurants situés au centre de Bordeaux (cuisine traditionnelle ou étrangère). « Le Chapon Fin » (5, rue Montesquieu) installe sa clientèle dans un décor de rocailles et de fontaines ; « La Turpina » (6, rue Porte-de-la-Monnaie) propose une cuisine typique du Sud-Ouest.

Bars à vins, pianos-bars, cafés-théâtres – Boire un verre de vin dans un bar est une bonne façon de déguster les crus bordelais tout en s'imprégnant de l'esprit local.
La place Gambetta est animée par les restaurants, les cinémas et les pianos-bars, comme le « Black-Jack ». Le piano-bar « Le Pastel » (11, rue Huguerie) propose une carte de plus de 100 whiskies et des divertissements (projections sur écran, spectacles). Le jeudi soir, les étudiants se réunissent dans les bars autour des places de la Victoire et du Sarrail. Pour apprécier la culture « bordeluche », typique de Bordeaux, aller à « L'Onyx » (11, rue Philippart), le plus ancien café-théâtre de province.

Achats

Quartiers commerçants – La **rue Ste-Catherine**, qui traverse le Vieux Bordeaux, est longue de près de 2 km. Elle propose tous les types de commerces, grands magasins, boutiques de mode, bars, restaurants, etc. Formant un angle entre la rue Ste-Catherine et la rue de la Daurade, à quelques pas de la place de la Comédie, la **Galerie Bordelaise** permet de faire du « lèche-vitrines » dans un cadre architectural romantique.
Rue Vital-Carles se trouve la deuxième librairie de France, la **librairie Mollat**, qui a gardé son décor début de siècle.
La **rue Notre-Dame** (et les rues adjacentes), au cœur du quartier des Chartrons, est devenue la rue des antiquaires et des brocanteurs.

Marchés pittoresques – Marché aux puces tous les jours (sauf le samedi) sur le parvis de l'église St-Michel ; marché biologique le jeudi sur la place St-Pierre ; marché traditionnel le samedi, places Meynard et Canteloup.

Le port autonome de Bordeaux gère un service de dragage destiné à améliorer les conditions d'accès de ses installations. Les bassins à flot, fermés au trafic commercial, sont équipés d'appareils de levage et de deux formes de radoub pour la réparation navale. Le bassin à flot n° 2 est, pour sa part, réservé à l'accueil des bateaux de plaisance.

L'animation du port fluvial est assurée par les chalands, venus d'Ambès ravitailler les dépôts d'hydrocarbures, et par les péniches, qui empruntent les canaux du Midi vers Toulouse et la Méditerranée par Sète, et vers le réseau fluvial national par le Rhône. Les paquebots (environ une vingtaine par an) fréquentent le « port de la Lune », la plupart pour une croisière des vins. Un port de plaisance anime les abords du pont d'Aquitaine.

Bordeaux – Pont de pierre

★★ LE VIEUX BORDEAUX

Cette appellation désigne le secteur de 150 ha qui fait actuellement l'objet d'une vaste campagne de réhabilitation redonnant tout son éclat au calcaire blanc des quartiers anciens. Au nombre des ensembles ordonnancés, élevés pour la plupart au cours du 18ᵉ s., compte la prestigieuse **façade des quais** d'une parfaite homogénéité épousant la courbe de la Garonne sur plus de 1 km (bonne **vue** de l'extrémité du pont de pierre, rive droite). Flâner dans le « Vieux Bordeaux » permet de se faire une idée des modes architecturales qui ont prévalu dans les programmes d'urbanisme au cours des siècles.

Nous proposons ci-dessous deux possibilités de visite : le quartier des Quinconces qui s'inscrit autour du triangle formé par le cours Clemenceau, le cours de l'Intendance et les allées de Tourny ; l'autre fait parcourir le lacis de ruelles pittoresques s'étendant entre les quartiers St-Pierre et St-Michel.

Le quartier des Quinconces (DEX) *visite : 1 h*

Esplanade des Quinconces (DEX) – Son intérêt réside avant tout dans sa superficie, évaluée à 126 000 m². Elle a été aménagée, pendant la Restauration, sur l'emplacement du château Trompette.

Monument aux Girondins (R) – Ce monument allégorique, érigé entre 1894 et 1902 à la mémoire des Girondins décapités en 1792, et comme preuve de fidélité envers le gouvernement de la Troisième République, forme un ensemble sculptural étonnant. Il se compose d'une colonne de 50 m de hauteur surmontée de la Liberté brisant ses fers et de deux remarquables **fontaines**★ en bronze (des chevaux marins tirant deux chars dans lesquels ont pris place des personnages) symbolisant le Triomphe de la République (côté Grand Théâtre) et le Triomphe de la Concorde (côté jardin public). Sur l'esplanade, signalons également les statues de Montaigne et de Montesquieu (1858) et, en bordure du quai, deux colonnes rostrales (1829) – que surmontent des statues du Commerce et de la Navigation.

Place de la Comédie (DX 43) – Elle occupe la place de l'ancien forum, sur lequel ouvrait jadis le temple gallo-romain détruit par ordre de Louis XIV, et sur les vestiges duquel a été élevé le Grand Théâtre.

La place de la Comédie délimite, avec les places Tourny et Gambetta, le cœur des plus beaux quartiers de Bordeaux.

★★ Grand Théâtre (DX) ⊙ – Récemment restauré, il compte parmi les plus beaux de France et symbolise richesse architecturale et culture. Construit en pierre, de 1773 à 1780, par l'architecte Victor Louis, sur l'ordre du duc de Richelieu, gouverneur de Guyenne, il se distingue par son péristyle inspiré de l'antique. La façade est composée de 12 colonnes corinthiennes engagées sur socle carré et surmontées d'un entablement, d'une balustrade ornée de 9 statues de muses et de 3 statues de grâces, œuvres du sculpteur Berruer, et d'une terrasse offrant un étage d'attique.

Les deux galeries latérales présentent des arcades surmontées de fenêtres, séparées en travées par des pilastres monumentaux.

A l'arrière du vestibule, dont le plafond à caissons repose sur 16 colonnes, s'ouvre un bel escalier droit, puis à double volée, dominé par une coupole (disposition imitée par Garnier pour l'Opéra de Paris). *Voir illustration p. 47.*

La salle de spectacle, parée de lambris et de 12 colonnes dorées à l'or fin, témoigne d'une harmonieuse géométrie et d'une acoustique parfaite. Du plafond, peint par Roganeau sur le modèle des fresques primitives de Claude Robin, se détache un lustre scintillant de 14 000 cristaux de Bohême.

Emprunter le cours de l'Intendance puis au n° 19 le passage Sarget qui débouche sur la place du Chapelet où s'élève l'église Notre-Dame.

★ Église Notre-Dame (DX) ⊙ – Ancienne chapelle des Dominicains, elle fut édifiée entre 1684 et 1707 par l'ingénieur Michel Duplessy. Sa **façade**, représentative du style jésuite, s'organise autour d'un corps central en saillie, élevé sur deux ordres et surmonté d'un fronton triangulaire. Le large entablement, souligné par un bandeau d'acanthes, contribue à structurer les volumes, tandis que pilastres, colonnes engagées et décoration sculptée font naître en surface un intéressant jeu d'ombres et de lumière. Le portail central est surmonté d'un bas-relief illustrant l'apparition de la Vierge à saint Dominique.

Le bas-relief qui surmonte le portail d'entrée et représente la Vierge remettant le chapelet à saint Dominique a donné son nom à la place.

L'**intérieur** frappe par la qualité du travail de la pierre : voûte en berceau de la nef percée par les lunettes des fenêtres hautes, voûtes d'arêtes des collatéraux, tribune d'orgues prolongée sur les côtés par deux balcons arrondis aux courbes harmonieuses. La décoration de ferronnerie contribue également à la noblesse de l'ensemble ; remarquer en particulier les portes qui ferment les deux côtés du chœur.

Un cloître du 17e s. est accolé au mur latéral droit de l'église.

Allées de Tourny (DX) – Elles offrent, depuis le Grand Théâtre, une belle perspective, fermée par un hôtel de la fin du 18e s., surmonté d'une galerie en terrasse. Une vaste esplanade mène à la **place de Tourny** (DX) ; au centre se dresse la statue de Louis de Tourny, intendant de Guyenne de 1743 à 1758, apôtre de la rénovation urbaine.

Le cours Georges-Clemenceau, large voie bordée de magasins ordonnés le long d'un dallage coloré, relie la place de Tourny à la place Gambetta.

Place Gambetta (DX) – Ancienne place Dauphine. Elle présente une unité architecturale, par ses maisons de style Louis XV, au rez-de-chaussée sur arcades et au dernier étage mansardé. Sur la place, agrémentée d'un petit jardin à l'anglaise, se dressa l'échafaud, durant la Révolution. Un peu en retrait s'élève la porte Dijeaux, datée 1748, point de départ de la rue commerçante du même nom.

Cours de l'Intendance et du Chapeau-Rouge (DEX) – Le cours de l'Intendance, centre des commerces de luxe et de la haute couture, offre, des abords du n° 57 (casa de Goya, maison de Goya, qui y mourut en 1828, transformée en centre culturel espagnol), un bel aperçu sur les tours de la cathédrale, dans l'échancrure de la rue Vital-Carles.

Dans le prolongement du cours de l'Intendance, au carrefour de la place de la Comédie et de la rue Ste-Catherine, s'étire le cours du Chapeau-Rouge (ainsi désigné en 1464, du nom d'une célèbre auberge), qui descend vers les quais et la Garonne.

Circuit au départ de la place de la Bourse *visite : 2 h 1/2*

★★ Place de la Bourse (EX) – Aménagée de 1730 à 1755, d'après les plans des architectes Gabriel père et fils, encadrée par les quais aux façades uniformes, l'ancienne place Royale constitue un magnifique ensemble architectural. Elle est cantonnée, côté fleuve, par le Palais de la Bourse au Nord *(voir illustration p. 46)* et l'ancien Hôtel des Fermes au Sud, caractérisés aux étages par des colonnes portant des frontons triangulaires. La même disposition se retrouve dans le pavillon occidental. La majesté des façades ainsi que la variété du décor sculpté en font l'une des réalisations les plus typiques de l'architecture au temps de Louis XV.

La statue équestre de Louis XV, œuvre de J.-B. Lemoyne, qui trônait au milieu de la place jusqu'en 1792, a été remplacée au 19e s. par la fontaine des Trois-Grâces.

Bordeaux – Place de la Bourse

Musée des Douanes (EX) ⊘ – Une grande salle aux belles voûtes restaurées abrite ce musée de l'histoire des Douanes en France. A droite cette administration est présentée de façon chronologique au moyen de gravures, uniformes, archives, matériel, dont la balance de l'hôtel des Fermes (1783), la reconstitution du bureau d'un directeur des Douanes, sans omettre le portrait de saint Matthieu patron des douaniers (il exerçait les fonctions de publicain – collecteur d'impôts et douanier – lorsque Jésus fit sa rencontre). A gauche, la Douane est présentée suivant plusieurs thèmes : la Douane armée, la Douane au cinéma, dans la littérature et la bande dessinée, la vie d'une brigade illustrée par *La Cabane de douaniers, Effet d'après-midi* de Claude Monet, les activités douanières (saisies de drogues ou de contrefaçons)... et pour clore la visite l'ordinateur, nouvel allié du douanier.
Par la rue Fernand-Philippart, gagner la place du Parlement.
Remarquer les façades Louis XV : arcades au rez-de-chaussée, fenêtres hautes des deux étages surmontées de mascarons et d'agrafes, balcons ornés de ferronnerie.

★ **Place du Parlement** (EX 109) – Ancienne place du Marché royal. Elle présente un harmonieux quadrilatère d'immeubles Louis XV, ordonnés autour d'une cour centrale au pavage ancien remis en valeur, agrémentée au centre d'une fontaine du Second Empire.
Remarquer nombre de belles demeures, dont certaines caractérisées par un rez-de-chaussée sur arcades, des fenêtres à impostes et un décor de mascarons. Une balustrade ajourée couronne les façades à égale hauteur.
Par la rue du Parlement-St-Pierre, gagner la place St-Pierre.

Le quartier St-Pierre, avec son église des 14e et 15e s. mais très remaniée au 19e s., renferme de belles demeures du 18e s, peu à peu remises en valeur.

Poursuivre par la rue des Argentiers.

Remarquer au no 14 de cette rue la **maison dite de l'Angelot**, construite vers 1750, qui présente un beau décor sculpté (haut-relief avec un enfant et agrafes rocaille).

Poursuivre jusqu'à la place du Palais.

La place du Palais doit son nom au palais de l'Ombrière, qui y fut érigé au 10e s. par les ducs de Guyenne ; reconstruit au 13e s., le palais devint le séjour des rois d'Angleterre, ducs d'Aquitaine, puis en 1462, sous Louis XI, le siège du Parlement de Bordeaux avant d'être démoli en 1800 pour ouvrir la rue du Palais.

Porte Cailhau (EY) ⓥ – Son nom viendrait soit des Cailhau, vieille famille bordelaise, soit des « cailloux » accumulés à ses pieds par la Garonne et qui servaient à lester les navires. Elle a été construite près d'une ancienne poterne, à l'Est du palais de l'Ombrière ; l'année 1495, date de son achèvement, est celle de la bataille de Fornoue, gagnée par Charles VIII, à qui est dédié cet arc de triomphe, qui avec ses toits coniques, ses mâchicoulis, ses lucarnes et fenêtres surmontées d'arcs en accolade juxtapose les éléments défensifs et décoratifs.

A l'intérieur, présentée sur 3 niveaux, une exposition retrace l'histoire du Vieux Bordeaux, les grandes étapes de l'expansion urbaine et dévoile les perspectives d'avenir (films vidéo). Du dernier niveau, sous les combles, **vue** insolite sur les quais de la Garonne et le **pont de pierre** terminé en 1822.

Prendre la rue Ausone et traverser le cours d'Alsace-et-Lorraine, pour emprunter à gauche la rue de la Rousselle.

Dans cette rue (au no 25, maison de Montaigne) s'alignent les anciennes boutiques de marchands de vins, de grains ou de salaisons, caractérisées par un rez-de-chaussée en hauteur, surmonté d'un entresol bas de plafond.

Gagner l'impasse de la rue Neuve.

Elle conserve, du 14e s., un mur percé de deux fenêtres géminées à remplage. Après le porche, à droite s'élève la **maison de Jeanne de Lartigue** (L), épouse de Montesquieu, aux arcades surmontées de bustes.

En traversant le cours Victor-Hugo s'offre une vue sur la **porte des Salinières**, ancienne porte de Bourgogne (18e s.)

Emprunter en face à gauche la rue de la Fusterie qui mène à la place Duburg et à la basilique St-Michel.

★ **Basilique St-Michel** (EY) ⓥ – La construction de la basilique, commencée en 1350, se poursuivit durant 2 siècles, au cours desquels elle subit nombre de remaniements ; à partir de 1475 débuta l'édification des chapelles latérales. L'ensemble, restauré, s'impose par l'ampleur des dimensions. L'intérieur présente de larges bas-côtés, une élévation à deux étages, soulignée par de grandes arcades surmontées de fenêtres hautes, et un chevet plat à peine creusé de trois petites chapelles.

Remarquer, dans la 1re chapelle du bas-côté droit, la statue de sainte Ursule abritant mille vierges sous son manteau. Les vitraux modernes, derrière le maître-autel, sont dus à Max Ingrand. Le croisillon gauche offre un portail à voussures moulurées qui abrite un tympan orné, à gauche, de la scène du péché originel et, à droite, de celle d'Adam et Ève chassés du paradis. Tribune d'orgue et chaire datent du 18e s. ; la chaire, faite d'acajou et de panneaux de marbre, est surmontée d'une statue de saint Michel terrassant le dragon.

Les canelés

Les canelés sont de petits gâteaux moelleux à l'intérieur et croquants à l'extérieur, dont la forme épouse celle de petits moules en cuivre aux bords cannelés. Cette spécialité de Bordeaux se déguste fraîche. Voici la recette pour 5 à 6 canelés :

Faire bouillir 1/2 l de lait avec une gousse de vanille fendue. Laisser macérer au réfrigérateur plusieurs heures. Mélanger 250 g de sucre glace, 2 jaunes d'œufs, 2 œufs entiers, 15 g de rhum brun agricole, 50 g de beurre, 100 g de farine et le lait froid (duquel on aura extrait la gousse de vanille). Laisser reposer ce mélange 24 h au réfrigérateur.

Le lendemain, beurrer de petits moules à canelés (4,5 cm de diamètre). Remuer la préparation de la veille en s'assurant qu'il n'y a pas de grumeaux. Remplir les moules et les enfourner à four chaud. Cuire 1 h à 200/210o (th. 7/8). Démouler aussitôt (l'extérieur du gâteau doit être marron foncé).

Tour St-Michel (EY) ⊙ – C'est le clocher (fin 15e s.) isolé de la basilique St-Michel. Les Bordelais en sont fiers car c'est le plus haut du Midi. Avec ses 114 m (cathédrale de Strasbourg 142 m), il laisse loin derrière lui les 50 m de la tour Pey Berland.

Prendre la rue des Faures, et remonter le cours Victor-Hugo.

★ **Grosse Cloche** (EY D) – Les Bordelais y sont très attachés. Elle a été élevée au 15e s., sur les vestiges de l'ancienne porte St-Éloi qui appartenait à l'enceinte du 13e s. Elle faisait partie du beffroi, aujourd'hui détruit, d'où partait le signal des vendanges.

Quand le roi voulait punir Bordeaux, il faisait enlever la cloche et les horloges.

Prendre l'étroite rue St-James qui passe sous la Grosse Cloche, et la place F.-Lafargue, puis suivre en face la rue du Pas-St-Georges, pour atteindre à gauche la place Camille-Jullian. Prendre à gauche vers la rue Ste-Catherine.

On débouche alors sur la place St-Projet, dont la fontaine au décor baroque canalisa aux 17e et 18e s. les eaux venues des hauteurs de la ville.

En remontant la rue Ste-Catherine, remarquer certaines maisons au rez-de-chaussée sous arcades et au 1er étage percé de larges baies en arc de cercle. A l'angle avec la rue de la Porte-Dijeaux s'ouvre la galerie Bordelaise, passage couvert édifié par Gabriel-Joseph Durand en 1833.

A droite, la rue St-Rémi rejoint la place de la Bourse.

LE QUARTIER PEY BERLAND (DXY) *visite : compter une demi-journée*

La cathédrale St-André et sa célèbre tour occupent le centre de la place Pey-Berland, aux bords de laquelle se situent les principaux musées de la ville.

★ **Cathédrale St-André** (DY) ⊙ – C'est le plus majestueux des édifices religieux de Bordeaux. Il mesure 124 m de long et 44 m dans sa plus grande largeur (Notre-Dame de Paris : 130 m sur 48 m). La nef a été élevée aux 11e-12e et modifiée aux 13e et 15e s. ; le chœur, de style gothique rayonnant, et le transept actuel furent reconstruits aux 14e et 15e s. Durant la période de prospérité que Bordeaux connut sous la domination anglaise, on entreprit de reconstruire l'église romane jugée trop petite. Mais les fonds manquèrent avant que la nouvelle nef ne fût édifiée et l'on raccorda les deux parties de l'édifice. Plus tard, la voûte de la nef menaçant de s'écrouler, on ajouta les importants contreforts et arcs-boutants qui la flanquent irrégulièrement.

Aborder la cathédrale par la face Nord et la contourner par la gauche.

★ **Porte Royale** – Elle se situe le plus à droite, par rapport au portail Nord. Du 13e s. Elle est célèbre par ses sculptures inspirées de la statuaire de l'Île-de-France. Remarquables sont les dix apôtres qui ornent les ébrasements, et le tympan représentant le Jugement dernier, belle œuvre du gothique.

Portail Nord – Il date du 14e s. Ses sculptures sont en partie masquées *(porche de bois)*. Le transept Nord est dominé par deux flèches aiguës.

Portail Nord

1. La Cène – 2. L'Ascension –
3. Triomphe du Christ – 4. Anges –
5. Les douze apôtres –
6. Patriarches et prophètes –
7. Statues de prélats –
8. Saint Martial.

Porte Royale

1 à 6. Évêques – 7. Un roi –
8. Une reine – 9. La cour céleste –
10. Dix apôtres –
11. La Résurrection –
12. Le Jugement dernier.

Chevet – Il se distingue par l'harmonie des proportions et par son élévation. Les arcs-boutants à double volée franchissent les bas-côtés. Remarquer, dans les contreforts séparant la chapelle axiale de la chapelle de gauche, Thomas, patron des architectes, tenant une équerre et Marie-Madeleine, en costume du 15e s., son vase de parfum.

★ **Tour Pey Berland (DY E)** ⊙ – Construite au 15e s., à l'initiative de l'archevêque du même nom, et couronnée d'un clocher, elle est toujours restée isolée du reste de l'édifice et se dresse au-delà du chevet. Elle est richement décorée. La flèche, tronquée par un ouragan au 18e s., supporte une Vierge en cuivre. Du sommet, **vue**★★ panoramique sur la ville et ses clochers.

Prendre quelque recul pour avoir, du côté Sud, vue sur les deux flèches dominant le transept Nord et, au premier plan, sur les deux puissantes tours carrées en terrasses qui flanquent le transept Sud.

Portail Sud du transept – Il est surmonté d'un fronton percé d'un oculus et de trois rosaces. L'étage supérieur, orné d'arcades trilobées, est dominé par une élégante rose, inscrite dans un carré. La façade Ouest, détruite au 18e s., est restée sans décoration.

Intérieur – *Voir plan p. 42.* La nef forme un beau vaisseau dont les parties hautes, de la fin du gothique, prennent appui sur des bases du 12e s. Remarquer les voûtes à liernes et tiercerons des trois premières travées. La chaire, en acajou et marbre de différentes couleurs, est du 18e s. Le **chœur**★, gothique, contraste avec la nef par la hauteur des voûtes. Son élévation est accentuée par la forme élancée des grandes arcades au-dessus desquelles règne un triforium aveugle, éclairé par les fenêtres hautes flamboyantes. Le chœur est entouré d'un déambulatoire sur lequel ouvrent des chapelles latérales.

Contourner le déambulatoire par la droite.

Contre le 4e pilier à droite du chœur, jolie sculpture du début du 16e s. figurant sainte Anne et la Vierge. La chapelle axiale renferme des stalles du 17e s. En face, fermant le chœur, belle porte en bois sculpté du 17e s. Un peu plus loin, adossé au mur ceinturant le chœur, enfeu de saint Martial, en albâtre polychrome du 14e s. Au-dessus de l'autel de la chapelle latérale Nord du chœur, Vierge à l'Enfant, en albâtre anglais polychrome du 14e s.

Revenir vers la façade Ouest, au revers de laquelle s'élève la **tribune d'orgues**, Renaissance. En dessous, deux bas-reliefs montrent l'évolution de la sculpture durant la Renaissance : à droite, le Christ descendant aux Limbes, tandis qu'interviennent les divinités infernales païennes ; à gauche la Résurrection, figurant le Christ monté sur un aigle comme Jupiter.

Centre Jean-Moulin (DY) ⊙ – Le Centre Jean-Moulin constitue un véritable musée de la Résistance et de la Déportation et présente un panorama de la Seconde Guerre mondiale. Le rez-de-chaussée, tracts, correspondances clandestines, imprimerie, poste radio... illustre la Résistance et la clandestinité, notamment le rôle de Jean Moulin. Au 1er étage la Déportation et le Nazisme sont retracés par des toiles pathétiques de J.-J. Morvan sur le thème Nuit et Brouillard ainsi que par des maquettes, photos de camps, uniformes de détenus. Au 2e étage, les Forces Françaises Libres : les hommes, le matériel dont le bateau « S'ils-te-mordent » qui relia Carantec à l'Angleterre, rempli de volontaires. Reconstitution du bureau clandestin de Jean Moulin.

Par ailleurs, le musée est un centre de documentation sur la période 1939-1945.

Hôtel de ville (DY H) ⊙ – Il occupe l'ancien palais épiscopal, construit au 18e s. pour l'archevêque Ferdinand-Maximilien de Mériadeck, prince de Rohan, et marque l'introduction du néo-classicisme en France. La **cour d'honneur** est fermée sur la rue par un portique à arcades ; à l'opposé s'élève le palais dont la façade, quelque peu solennelle, est animée par le ressaut de l'avant-corps central et des pavillons d'angle. Pendant la visite, on remarquera l'escalier d'honneur, des salons ornés de beaux lambris d'époque et une salle à manger avec grisailles de Lacour.

La façade arrière du palais des Rohan ouvre sur le jardin de la mairie encadré sur deux côtés par des galeries transformées en un musée de peintures et de sculptures.

★ **Musée des Arts décoratifs (DY M²)** ⊙ – L'hôtel de Lalande abritant le musée a été construit par Laclotte en 1779. Il a conservé ses lucarnes et ses hauts toits d'ardoise. L'aile des communs à gauche est réservée à des expositions temporaires.

A droite le visiteur est introduit dans les salles de la collection Jeanvrot, traitées dans le goût et l'esprit du 19e s. Viennent ensuite les salles du musée proprement dit, aux élégantes boiseries et pièces de mobilier, dont la salle de compagnie, décorée d'une terre cuite du 18e s. symbolisant l'Amérique (sur la cheminée) et d'un buste en marbre de Montesquieu signé Jean-Baptiste Lemoyne. La salle à manger rassemble une collection de faïences stannifères bordelaises et un ensemble de porcelaines dures du 18e s. À côté, le salon Guestier, avec ses meubles en marqueterie et ses bronzes de Barye, est caractéristique d'un certain art de vivre bourgeois. Les deux antichambres aux boiseries bleu et blanc évoquent l'urbanisme à Bordeaux au 18e. Par l'escalier d'honneur, embelli par une belle rampe en fer forgé, on atteint les pièces du 1er étage, dont les deux premières sont consacrées aux céramiques françaises et étrangères. On verra dans le salon Jonquille, décoré d'un lustre en verre de Venise, de belles carafes et gourdes du 18e s.

Au 2e étage sont exposées des faïences du Sud-Ouest. Dans les combles aménagés, collections antérieures au 18e s. de ferronnerie, de serrurerie et d'émaux champlevés.

★ **Musée des Beaux-Arts** (DY M³) ⊙ – Aménagé dans les galeries Sud et Nord du jardin de l'hôtel de ville, le musée conserve de très belles œuvres du 15e au 20e s. L'aile Sud abrite des tableaux de la Renaissance italienne (*Tarquin et Lucrèce,* par Titien), des œuvres françaises du 17e s. dont une toile de Vouet, *David tenant la tête de Goliath,* directement inspirée du caravagisme ; des œuvres de l'école hollandaise du 17e s. dont le *Chanteur s'accompagnant au luth* par Ter Brugghen, le saisissant *Chêne foudroyé* par Van Goyen et un paysage bucolique de Ruysdael ; des tableaux de l'école flamande du 17e s. avec l'admirable *Danse de noces* par Brueghel de Velours, d'un style populaire et rustique, ainsi que deux grands tableaux de Rubens (le *Martyre de saint Georges* et l'*Enlèvement de Ganymède par Jupiter*). Le 18e s. et le début du 19e s. sont représentés, entre autres, par le gracieux *Portrait de la Princesse d'Orange-Nassau* par Tischbein, la *Nature morte au carré de viande* par Chardin et quatre tableaux du Bordelais Pierre Lacour, qui fut le premier conservateur du musée des Beaux-Arts en 1811. L'aile Nord est consacrée à la peinture moderne et contemporaine. L'école romantique est présente à travers la célèbre toile de Delacroix, *La Grèce sur les ruines de Missolonghi.* Une œuvre de Diaz de la Peña (né à Bordeaux), la *Forêt de Fontainebleau,* illustre l'école de Barbizon, qui fut la première à peindre en plein air. La seconde moitié du 19e s. s'ouvre sur la scandaleuse *Rolla* d'Henri Gervex, tableau de nu refusé au Salon en 1878, puis sur la grande toile d'inspiration symboliste d'Henri Martin, *Chacun sa chimère.* Une petite salle rassemble d'intéressantes œuvres d'Odilon Redon dont un de ses fameux *Char d'Apollon* (1909) et le *Chevalier mystique* (fusain rehaussé de pastel). Du 20e s., on admire également *L'Église Notre-Dame à Bordeaux* de l'expressionniste autrichien Kokoschka, le sinueux et tourmenté *Homme bleu sur la route* par Soutine et le très beau *Portrait de Bevilacqua* (1905), visage cerné de bleu, par Matisse. A ces œuvres viennent s'ajouter l'*Entrée du bassin à flot à Bordeaux* (1912) et la *Baigneuse* du Bordelais André Lothe, qui intègre les concepts cubistes à la tradition picturale. La dernière salle est consacrée à des œuvres contemporaines, dont un tableau constructiviste de Jean Gorin, inspiré de Mondrian.

La **Galerie des Beaux-Arts** (place du Colonel-Raynal) ⊙, où sont organisées des expositions temporaires, complétera la visite de ce musée.

★★ **Musée d'Aquitaine** (DY M⁴) ⊙ – *20, cours Pasteur.* Aménagé dans les locaux de l'ancienne Faculté des Lettres et des Sciences, ce musée d'histoire retrace à travers d'importantes collections réparties sur deux niveaux la vie de l'homme aquitain de la préhistoire à nos jours.

Niveau 2 – A droite de l'accueil se trouve la section consacrée à l'**Égypte** et à la **Méditerranée**. Le monde pharaonique avec ses rites divins et funéraires est évoqué avec des stèles, des sculptures (têtes royales en granit gris, règne de Toutankhamon). Il est complété par une collection de tissus coptes comme la « Tenture aux Oiseaux » (5e-6e s. après J.-C.). Présentation de céramiques grecques et étrusques.

La section de préhistoire regroupe quelques précieux témoins des activités artisanales et artistiques des chasseurs de l'âge de pierre comme la célèbre « Vénus à la Corne » (20 000 ans avant J.-C.) du Grand Abri de Laussel ou le bison de l'abri du Cap Blanc (magdalénien moyen). Une vitrine montrant un ensemble de haches trouvées dans le Médoc illustre la diversité de l'outillage façonné par les métallurgistes de l'âge du bronze (4000-2700 avant J.-C.). L'âge du fer est représenté par l'abondant matériel funéraire (urnes, bijoux, armes) découvert dans les nécropoles girondines ou les tumulus pyrénéens, mais surtout par le prestigeux **trésor de Tayac**, masse d'or composée d'un torque, de monnaies et de petits lingots datant du 2e s. avant J.-C.

La section gallo-romaine, outre un important ensemble épigraphique (cippes et stèles funéraires dont l'émouvante stèle de l'enfant Laetus), rassemble autour du rempart antique reconstitué de Burdigala des mosaïques, des fragments de corniches ou de bas-reliefs, des céramiques, verreries, et autres objets permettant d'embrasser tous les aspects de la vie quotidienne, économique et religieuse dans la capitale de la province d'Aquitaine. Remarquer, en particulier, l'autel dit des Bituriges Vivisques en marbre gris des Pyrénées, le **trésor de Garonne** composé de 4 000 pièces de monnaie en orichalque aux effigies des empereurs Claude à Antonin le Pieux et l'altière **statue d'Hercule** en bronze.

Les premiers temps chrétiens et le haut Moyen Âge sont évoqués par des sarcophages en calcaire ou en marbre gris et des mosaïques dont celle du Saint-Sépulcre (4ᵉ s.). D'autres pièces significatives découvertes à l'occasion de travaux urbains ont enrichi les collections médiévales de l'Aquitaine anglo-gasconne : chapiteaux romans de la cathédrale St-André, albâtres anglais (14ᵉ s.-15ᵉ s.), rosace flamboyante du couvent des Grands Carmes. La Guyenne redevenue française voit au 16ᵉ s. s'épanouir l'humanisme avec Michel de Montaigne : imposant cénotaphe et armoiries rapportés de l'ancien couvent des Feuillants.

Niveau 3 – Les collections consacrées à Bordeaux et à l'Aquitaine couvrent la période de 1715 à nos jours. L'âge d'or bordelais (18ᵉ s.) s'accompagne de la mise en œuvre de grands projets d'urbanisme et de la construction de magnifiques hôtels particuliers luxueusement aménagés (belle armoire borde-laise provenant du château Gayon, céramiques et verreries). Plusieurs scènes illustrent l'habitat et l'agriculture traditionnels dans le monde rural d'antan. L'accent est mis sur les principales ressources des pays aquitains que recèlent le territoire pastoral béarnais, les Landes de Gascogne, la Gironde et son vignoble, le bassin d'Arcachon et l'ostréiculture. A la fin du parcours jalonné de citations d'écrivains, des salles évoquent Bordeaux au 19ᵉ s. (le port, la ville et le négoce colonial) ainsi que l'Aquitaine au 20ᵉ s. Une section présentant les cultures d'Océanie, d'Afrique et du monde eskimo complète ce vaste panorama ethnographique.

★ LES CHARTRONS (DEX)

Au Nord des Quinconces s'étend le quartier des Chartrons, dont le nom rappelle l'ancien couvent de chartreux, qui y fut élevé à la fin du 14ᵉ s. S'étirant entre le quai du même nom et les cours de Verdun, Portal et St-Louis, il fut transformé, dès le 15ᵉ s., en gigantesque entrepôt de vins. Au 18ᵉ s., il connut son heure de gloire et la haute société bordelaise y édifia de beaux hôtels.

Le **cours Xavier-Arnozan** (l'ancien « pavé ») en marque la limite Sud ; la façade Nord de cette promenade manifeste la richesse des grands négociants qui souhaitaient disposer d'une habitation somptueuse à l'écart de la cohue du port. Ces initiatives privées, étrangères à tout programme architectural, sont cependant parvenues à créer un ensemble d'une étonnante unité qui remonte aux années 1770. L'élévation de ces demeures se limite à trois niveaux avec des ouvertures en plein cintre au rez-de-chaussée ; au bel étage, de splendides **balcons**★ sur trompe – prouesse de stéréotomie – sont ornés d'un garde-corps en ferronnerie.

La **rue Notre-Dame** et les rues adjacentes sont devenues le fief des antiquaires. En face de l'église St-Louis notamment (19ᵉ s.) se situe le **village Notre-Dame** avec ses trente boutiques spécialisées.

★ **Musée d'Art contemporain** (DEX M⁷) ⊘ – *Entrée : 7, rue Ferrère.* L'ancien **entrepôt Laîné**★★, construit en 1824 pour servir de stockage aux denrées coloniales, a été réaménagé de façon particulièrement réussie pour accueillir les collections du Centre d'arts plastiques contemporains de Bordeaux (CAPC), riches en œuvres des années 60-70, qui sont présentées par roulement et par thèmes.

A l'intérieur, la double nef centrale flanquée de collatéraux étagés sur trois niveaux est rythmée par de grands arcs en plein cintre : son immense volume lui permet d'accueillir de grandes expositions ponctuelles, voire des œuvres uniques s'adaptant à l'architecture du lieu. Du rez-de-chaussée à la terrasse, la sobriété des matériaux de la structure d'origine (calcaire gris, brique rose pâle, bois) associée à la sévérité du métal noir utilisé pour l'aménagement intérieur accentue le caractère solennel de l'édifice.

Le musée fonctionne également comme centre culturel doté d'un important fonds de consultation, d'ateliers pour les enfants et organise conférences, débats, projections de films, visites commentées sur un thème ou un artiste ayant trait à l'art contemporain.

Musée des Chartrons (BU M⁶) ⊘ – *41, rue Borie.* La somptueuse maison de négoce élevée vers 1720 par Francis Burke, Irlandais d'origine, est la seule du quartier à comporter des chais en hauteur. L'élégant escalier orné d'une balustrade en fer forgé mène au « plancher » (nom usuellement donné dans les chais à la partie où se pratiquait l'emballage des bouteilles), aménagé en musée : évocation de l'évolution de l'emballage et du commerce des vins par voie maritime à travers la présentation de différents types de bouteilles, de séries d'étiquettes lithographiées et de marques de pochoirs.

La Cité Mondiale

La Cité Mondiale (EX) – Conçue sur les plans de l'architecte bordelais Michel Petuaud-Letang, elle arbore, côté quai des Chartrons, une harmonieuse façade de verre incurvée, où s'imbrique une tour ronde. Inaugurée en janvier 1992, la Cité Mondiale, consacrée aux vins et spiritueux jusqu'en 1995, est aujourd'hui devenue un centre d'affaires et de congrès, avec divers commerces et restaurants.

★★ **Croiseur Colbert** (EX) ⊘ – *Le circuit comporte trois sections balisées de vert/jaune (pont teugue et premier pont), de rouge (PC et machines), bleu (château et passerelle). Les deux dernières sections faisant emprunter des escaliers raides sont déconseillées aux personnes peu agiles.*
Amarré depuis 1993 dans le port de la Lune à la hauteur du cours de la Martinique, le Colbert mire son imposante silhouette pyramidale dans les eaux de la Garonne.
Admis au service actif en mai 1959, le croiseur anti-aérien Colbert a été affecté comme navire amiral à l'Escadre de la Méditerranée à Toulon, puis à l'Escadre de l'Atlantique à Brest après avoir été transformé en croiseur lance-missiles dans les années 1970. Ayant peu servi dans des opérations militaires, il a cependant effectué des missions mémorables : aide aux victimes du tremblement de terre d'Agadir en mars 1960, retour du Maroc des cendres du maréchal Liautey en 1961, voyages du général de Gaulle en Amérique du Sud en 1964, puis au Québec en 1967, fêtes du bicentenaire de l'Indépendance des États-Unis en 1976, opération Salamandre (été 1990, guerre du Golfe).
Le parcours, jalonné d'expositions sur le thème de la marine, fait découvrir suivant les itinéraires choisis la salle de l'armement (systèmes Masurca et Exocet), la salle des machines arrière, les postes de commandement, les deux carrés des officiers, mais aussi la cuisine de l'équipage, le service sanitaire (salle d'opération, cabinet dentaire,...), l'agence postale et bien d'autres aménagements conçus pour la vie quotidienne à bord d'un navire de guerre de la 2e moitié du 20e s. On voit également les cabines des différents membres de l'équipage, dont l'appartement de l'amiral (circuit vert/jaune), décoré d'une cheminée, qui a reçu des hôtes célèbres, dont le général de Gaulle. Les accès aux plages avant et arrière du bâtiment permettent de voir la plate-forme destinée aux hélicoptères et des pièces d'armement.

Vinorama (BT M¹⁰) – *12, cours du Médoc.* A travers treize scènes reconstituées avec des personnages en costumes, le visiteur découvre l'histoire, les techniques d'élaboration puis la commercialisation des vins de Bordeaux, de l'Antiquité à nos jours. Le parcours se termine par la dégustation d'un vin type 1850, d'un vin moderne et d'un vin romain (additionné de miel et d'épices).

Musée Goupil (BT M⁹) ⊘ – *40-50, cours du Médoc*. Aménagé dans l'ancienne distillerie Secrestat, le musée Goupil dispose d'un important fonds de photographies, d'estampes et de cuivres gravés illustrant les techniques de reproduction de l'image au cours du 19ᵉ s. La maison Goupil et Cie, éditeur d'estampes à Paris de 1827 à 1920, a beaucoup œuvré, en effet, pour faire connaître par des reproductions de qualité les œuvres des maîtres anciens et contemporains (Rodin, Degas, Toulouse-Lautrec, etc.). Une section présente les différents procédés de gravure à plat, en creux et en relief.

AUTRES CURIOSITÉS

Basilique St-Seurin (CX) – Entrer par le porche Ouest, du 11ᵉ s., enterré d'environ 3 m, qui possède d'intéressants chapiteaux romans. On remarque les voûtes des bas-côtés en berceau brisé. Leur axe est perpendiculaire à la nef, disposition assez rare, mais qui renforce la butée. La nef est voûtée en ogive sur plan carré. L'ensemble manque d'envolée, l'église fut, comme le porche, remblayée au début du 18ᵉ s.
A l'entrée du chœur, à gauche, se trouvent un beau siège épiscopal en pierre (14ᵉ-15ᵉ s.) et, en face, un retable orné de quatorze bas-reliefs en albâtre retraçant la vie de saint Seurin. A gauche du chœur, dans la chapelle Notre-Dame-de-la-Rose (15ᵉ s.), retable orné de douze panneaux d'albâtre figurant des scènes de la vie de la Vierge.
Le **crypte**, du 11ᵉ s., possède des colonnes et des chapiteaux gallo-romains, des sarcophages du 6ᵉ s. et le tombeau (17ᵉ s.) de saint Fort.
Au pied du portail Sud, des salles funéraires gallo-romaines ont été découvertes.

Site paléochrétien de St-Seurin (CX) ⊘ – *Place des Martyrs-de-la-Résistance*. Une nécropole, des fresques, sarcophages et amphores, constituant un véritable musée archéologique, révèlent l'art des premiers chrétiens.

Palais Gallien (CX) – Amphithéâtre du 3ᵉ s. dont il ne reste que quelques travées et arcades. L'édifice, de forme elliptique, mesurait 133 m suivant le grand axe et 111 m suivant le petit axe : ses gradins en bois pouvaient contenir 15 000 spectateurs.

Jardin public (DX) – Aménagé à la française au 18ᵉ s., il fut transformé en parc à l'anglaise sous le Second Empire. Il est planté de beaux arbres (palmiers, magnolias, etc.) et richement fleuri.

Muséum d'Histoire naturelle (DX) ⊘ – Le musée est installé dans l'hôtel Lisleferme du 18ᵉ s. en bordure du jardin public. Le rez-de-chaussée présente de nombreux squelettes et une collection minéralogique. Le premier étage est consacré aux animaux vivant dans le Sud-Ouest de la France tandis que le dernier étage montre des animaux du monde entier.

Église Ste-Croix (FZ) – Des 12ᵉ et 13ᵉ s., fortement restaurée par Abadie au 19ᵉ s. **Façade**★ de style roman saintongeais ; la tour de gauche est moderne. Les voussures des fenêtres aveugles qui encadrent le portail central sont décorées de curieuses sculptures représentant l'Avarice et la Luxure.

Porte d'Aquitaine (DZ) – Élevée au 18ᵉ s. à l'emplacement de l'ancienne porte St-Julien qui s'ouvrait dans le rempart, cet imposant monument arbore côté rue Ste-Catherine des colonnes engagées et côté place des pilastres annelés supportant au-dessus de l'entablement un fronton triangulaire.

Conservatoire international de la Plaisance (BT) ⊘ – *Boulevard Alfred-Daney. Lignes de bus 1 et 9.*
L'ancienne base de sous-marins, construite par les Allemands au début de la Seconde Guerre mondiale dans le quartier de Bacalan, a été réaménagée pour accueillir ce conservatoire proposant avec ses quelque 70 bateaux un panorama de la plaisance internationale de 1662 à nos jours.
Présentées par thèmes (l'Aventure et le courage, les bolides des années 30, les Multicoques, etc.), les diverses expositions plongent le visiteur au cœur de l'histoire de la plaisance à voile et à moteur, avec ses passionnantes aventures humaines et ses développements technologiques. Parmi les voiliers, canots à avirons, engins de records (dont le très impressionnant Cesa 1882, catamaran diesel à 4 moteurs, champion de vitesse – 170 km/h) et autres embarcations, une trentaine sont en état de naviguer sur les bassins à flot avoisinants. Au sein même de la base fonctionne un chantier de restauration de bateaux anciens et modernes. Près de l'entrée, un espace animation familiarise les visiteurs avec le monde de la mer (préservation et aménagement du littoral, apprentissage des nœuds de marin, etc.).

EXCURSIONS

★ **Vignoble de Bordeaux** – *Description ci-dessous.*

★ **Établissement monétaire de Pessac** (AV) ⊘ – *Banlieue Sud-Ouest de Bordeaux. Pénétrer dans le parc industriel de Pessac, au rond-point tourner à droite dans l'avenue Archimède qui mène au chemin de la Voie-Romaine.*
L'établissement, également producteur de médailles, se présente comme une véritable forteresse de béton. C'est là qu'ont été transférés en 1973 les ateliers de fabrication monétaire de l'Administration des Monnaies de Paris (les billets se fabriquent à Chamalières, Puy-de-Dôme). Dans le hall, exposition de pièces et de médailles.
Une galerie surplombante longue de 350 m permet de suivre le déroulement complet des opérations : livraison du métal en lingots, fonte, laminage, découpage, finition, conditionnement. Les pièces brutes, appelées « flans » et dont le titre a été préalablement contrôlé, sont produites au rythme de 180 000 à l'heure ; elles sont « monnayées » à la cadence de 250 par minute. Le ministère des Finances fait ainsi frapper quotidiennement environ 4 millions de pièces, « jaunes » ou « blanches », qui assurent l'approvisionnement monétaire de la France et de plusieurs pays étrangers (Israël, Liban, Chypre, Afrique francophone).

Ancien prieuré de Cayac – *A la sortie Sud de Gradignan, par la N 10 (voir plan p. 118).* Bâti au début du 13e s., mais restauré au 17e s., ce prieuré constituait jadis une étape sur la route de Compostelle *(voir p. 40).*

Promenades en bateau (EX) ⊘ – *Embarcadère des Quinconces, quai Louis-XVIII.* Visite du port et mini-croisières dans le Bordelais.

Vignoble de BORDEAUX★

Cartes Michelin nos 71 plis 6 à 8, 15 à 18 ; 79 plis 1, 2 et 75 plis 11 à 13
ou 233 plis 37, 38 et 234 plis 2, 3, 4, 7, 8, 11 – Schéma p. 33

Si le nom de Bordeaux évoque la capitale de l'Aquitaine, il est synonyme pour tous les gourmets de vins de renommée universelle. Le **vignoble de Bordeaux** fait l'objet de visites guidées *(voir la rubrique À la découverte des vignobles, dans les Renseignements pratiques).*

Répartition du vignoble – Le vignoble bordelais couvre une superficie de l'ordre de 135 000 ha s'étendant le long des vallées de la Garonne et de la Dordogne sur tout le département de la Gironde. Entre Bordeaux et la pointe de Grave, parallèlement à la rive gauche de la Gironde, s'allonge le Médoc, plaine ondulée que couvrent les vignobles. D'Agen à Bordeaux, la Garonne roule ses flots puissants, au milieu d'une vaste plaine jusqu'à Langon, puis dans un cadre de coteaux couverts de vignes.
D'Agen à Langon, la Garonne aurait pu faire de sa vallée un lac immense, les pluies et les neiges qui tombent sur le Massif Central provoquant parfois des crues dévastatrices en hiver et au début du printemps. Elle s'est contentée de former des terrasses de galets ou de graviers, des dépôts de cailloux roulés indiquant les variations successives de son cours. Les villages et les villes se sont éloignés du fond alluvial pour s'installer sur les terrasses ou les coteaux. De magnifiques peupleraies épousent le tracé de la rivière tandis que la vallée, large d'une vingtaine de kilomètres, est consacrée aux cultures : blé, maïs, plantes fourragères, tabac, primeurs, arbres fruitiers. Çà et là, de grosses fermes, les « bordes », sont souvent accompagnées de pigeonniers.
En aval de Langon la vallée se resserre et les collines se couvrent de vignes tant sur la rive droite, où des côtes calcaires abruptes annoncent les coteaux de Ste-Croix-du-Mont et de l'Entre-Deux-Mers, que sur la rive gauche, au relief plus atténué, où le pays des Graves (graviers) succède au Sauternais.

LES CÔTES DE BORDEAUX

De Langon à Bordeaux *54 km – environ 3 h*

Langon – Ville administrative, commerçante et gastronomique ; marché important pour les vins de Bordeaux ; centre d'excursions dans la vallée de la Garonne et l'Entre-Deux-Mers au Nord, le Sauternais et le Bazadais au Sud. François Mauriac a passé une partie de sa jeunesse à Langon.

Au sortir de Langon, franchir la Garonne par le nouveau pont d'où l'on découvre une belle perspective sur la ville.

St-Macaire – *Voir à ce nom.*

Verdelais – *Voir à ce nom.*
Après Verdelais, la route de Loupiac traverse des mamelons couverts de vignes fournissant des vins blancs liquoreux.

Les « châteaux » se dissimulent au creux de bouquets d'arbres, tandis que des vues se révèlent au premier plan sur Ste-Croix-du-Mont, dans le lointain sur la vallée de la Garonne et la forêt des Landes.

★ **Ste-Croix-du-Mont** – *Voir à ce nom.*

Prendre la D 10.

Loupiac – Célèbre pour ses vins blancs, Loupiac occupe un site pittoresque. La localité existait déjà du temps des Romains et le poète Ausone y aurait vécu.

Le route longe la base du coteau calcaire portant les vignobles compris dans l'appellation « Premières Côtes de Bordeaux » : vins blancs, rouges et « clairets ».

Cadillac – *Voir à ce nom.*

Rions – On pénètre dans cette petite cité fortifiée par la porte du Lhyan (14ᵉ s.), qui a conservé ses éléments défensifs d'origine : mâchicoulis, assommoir, rainures de herse et loges latérales pour les hommes d'armes.

Château de Langoiran ⊙ – De cette demeure du 13ᵉ s. seuls subsistent une enceinte ruinée et un donjon rond très imposant.

On passe au pied de Quinsac, pays du poète André Berry, auteur de l'épopée rustique des Amants de Quinsac.

Bouliac – Sa situation élevée a permis l'installation de l'émetteur de télévision de Bordeaux. De la terrasse de l'église (12ᵉ s.), vues sur la Garonne et sur Bordeaux.

Floirac – A l'angle de la D 10 et de la route montant à l'église, le petit parc municipal, devant un château adossé à la falaise verdoyante, propose ses pins parasols et ses pelouses fleuries. Face à l'église dont on remarque l'abside romane en pénétrant dans le cimetière, s'élève l'**Observatoire astronomique** ⊙ de Bordeaux-Floirac.

★★★ **Bordeaux** – *Visite 2 jours. Voir à ce nom.*

L'ENTRE-DEUX-MERS

De Bordeaux à Langon *125 km – env. 6 h*

Riantes et douces, les collines de la région de l'Entre-Deux-Mers déroulent entre Garonne et Dordogne leurs versants couverts de vignobles, de bosquets et de riches cultures.

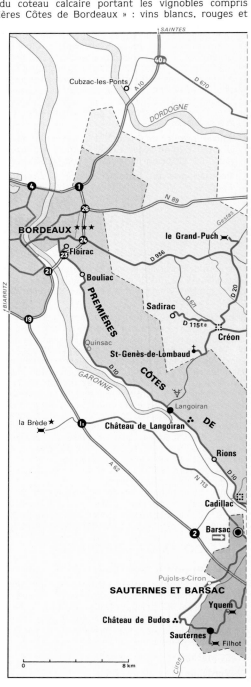

★★★ **Bordeaux** – *Visite 2 jours. Voir à ce nom.*
Quitter Bordeaux par ③, D 936, et tourner à gauche dans la D 20.

Château du Grand-Puch – Faire le tour de cette forteresse du 14e s., petite mais de proportions harmonieuses, défendue par deux tourelles d'angle sur la façade principale et seulement deux échauguettes sur l'autre côté.

Créon – Ancienne bastide (place à arcades du 13e s.), la capitale de l'Entre-Deux-Mers est un marché agricole important. Elle occupe un site très vallonné qui lui a valu le nom de « Petite Suisse ».
La D 671 puis la D 115 ᴱ⁸ mènent à Sadirac.

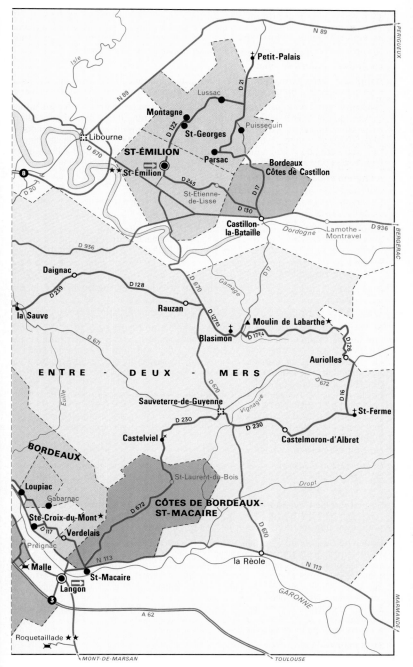

Les points noirs désignent les grands crus d'appellation contrôlée

Sadirac – Important centre potier artisanal exploitant surtout l'argile « bleue », le bourg présente cette activité traditionnelle, dont l'apogée se situa au 18ᵉ s., dans la **maison de la Poterie – musée de la Céramique sadiracaise** ⊙. Aménagée sur le site d'un ancien atelier construit en 1830 (four d'origine au fond du hall), la maison abrite notamment des pièces datant du 14ᵉ s. au 18ᵉ s. (céramique domestique et de raffinage du sucre) et des maquettes de fours anciens. La production actuelle, assurée par trois ateliers seulement, est axée sur la poterie du bâtiment, la poterie horticole et la reconstitution de formes anciennes.

Revenir à Créon.

St-Genès-de-Lombaud – Siège d'un pèlerinage à la Vierge Noire, l'église, à mi-pente d'un vallon, est à l'emplacement présumé d'une villa romaine. Sa façade à clocher-pignon présente un portail roman dont l'archivolte est sculptée d'animaux et de petits bonshommes plutôt comiques ; dans la nef, chapiteaux romans et, à gauche, pierre sculptée provenant vraisemblablement d'un autel domestique.

Revenir à Créon et prendre la D 671 en direction de la Sauve.

La Sauve – *Voir à ce nom.*

Daignac – Site pittoresque. Un ruisseau, le Canedone, y a creusé un ravin que franchit un vieux pont en aval duquel se trouvent les ruines d'un moulin du 13ᵉ s.

Rauzan – Gros bourg-marché de l'Entre-Deux-Mers, Rauzan conserve les ruines romantiques d'un **château** ⊙ bâti du 12ᵉ au 15ᵉ s., dominant un vallon ; une enceinte à merlons et un logis seigneurial percé de fenêtres à meneaux accompagnent le majestueux donjon rond, haut de 30 m, d'où l'on a une belle vue sur la campagne. De l'autre côté du vallon au fond duquel niche un charmant lavoir, l'**église** montre trois beaux portails du 13ᵉ s. et un clocher-pignon déjà de type pyrénéen.

Ancienne abbaye de Blasimon – *Voir à ce nom.*

Emprunter la D 17 vers le Nord.

Le moulin de Labarthe apparaît à droite, dans le joli site retiré d'un vallon où coule la Gamage.

★ **Moulin de Labarthe** – *On ne visite pas.* Très curieux à voir, c'est un moulin hydraulique fortifié, construit au 14ᵉ s. par les bénédictins de Blasimon sur un bras dérivé de la rivière. Ses murs prennent jour par de petites baies trilobées.

Revenir en direction de Blasimon mais prendre aussitôt à gauche la D 17 ᴱ⁴. A St-Antoine-du-Queyret prendre la D 126 puis la D 15.

Auriolles – Remarquer la minuscule mairie curieusement accolée au mur-clocher de l'église.

Prendre sur 1 km la D 672 vers Sauveterre ; la quitter pour la D 16, à gauche.

St-Ferme – L'**église,** ancienne abbatiale bénédictine fortifiée du 11ᵉ s., présente une façade mutilée mais un chevet impressionnant. L'intérieur est intéressant par sa nef voûtée en berceau, le bandeau à triple rang de billettes qui court le long du chœur et du transept, et surtout les **chapiteaux** aux sculptures de style languedocien reproduisant des scènes de l'Ancien et du Nouveau Testament ou des animaux (lions, pélican).

La pièce la plus remarquable est celle qui montre David tuant Goliath, sur le pilier de droite de l'absidiole Nord.

Voir aussi la cour de l'ancienne abbaye (aujourd'hui mairie), qui a conservé son puits et sa tourelle intérieure, ainsi que les salles voûtées aux fresques figurant la Justice.

Quitter St-Ferme à l'Ouest, par la D 129.

Castelmoron-d'Albret – Avec si peu d'habitants (64) sur un territoire dont la superficie égale 4 ha, elle se classe comme la plus petite commune de France.

Prendre la D 230.

Sauveterre-de-Guyenne – Bastide typique, créée en 1281, avec quatre portes fortifiées et une vaste place centrale entourées de cornières. Sauveterre témoigne, par son nom, des privilèges qui lui étaient attribués.

Église de Castelvieil ⊙ – Elle est caractérisée par une superbe **porte romane**★ de style saintongeais dont les chapiteaux et les voussures portent un riche décor sculpté formant l'un des plus beaux ensembles de la Gironde. On identifie les Travaux des mois (1ʳᵉ voussure en partant du haut), le combat des Vertus et des Vices (2ᵉ voussure), des personnages reliés par une corde symbolisant la communauté des fidèles (3ᵉ voussure).

Sur les chapiteaux, remarquer à droite les Saintes Femmes au Tombeau et la Décollation de saint Jean-Baptiste, à gauche les péchés capitaux (le 1ᵉʳ chapiteau à l'extrémité gauche représente la Luxure).

St-Macaire – *Voir à ce nom.*

Prendre la N 113 qui franchit la Garonne.

Langon – *Page 133.*

SAUTERNES ET BARSAC

Circuit au départ de Barsac

30 km - environ 1 h 3/4 - schéma p. 134 et 135

Petit par la surface, mais grand par le renom de ses vins blancs *(voir p. 33)*, ce vignoble est un « pays » constitué par la basse vallée du Ciron, près de son confluent avec la Garonne. Le « terroir » des Sauternes et Barsac se limite à cinq communes : Sauternes, Barsac, Preignac, Bommes et Fargues. Sur les coteaux s'alignent les rangées de ceps, généralement perpendiculaires au cours du Ciron et séparés en « clos ». Trois seuls cépages y sont connus : la Muscadelle, le Sauvignon et le Sémillon.

Vignoble du Sauternais - Château Yquem

La grande originalité du vignoble de Sauternes, c'est la façon dont est faite la vendange. En effet, les grains de raisin, parvenus à maturité, ne sont pas cueillis aussitôt, afin qu'ils puissent subir la « pourriture noble », causée par un champignon propre à la région. Ces grains « confits » sont alors détachés un par un et transportés avec d'infinies précautions.

Une confrérie, la Commanderie du Bontemps de Sauternes et Barsac, siégeant au château de Malle *(voir p. 138)*, participe aux manifestations pour la diffusion des vins locaux, dont une grande partie est exportée.

Barsac - L'**église** ⊙, curieux monument de la fin du 16e et du début du 17e s., comprend trois nefs de même hauteur dont les voûtes constituent un exemple de la survivance du gothique en période classique. Le mobilier est Louis XV : tribune, autels, retables, confessionnaux. Les sacristies sont revêtues de boiseries ou de panneaux de stuc.

Budos - Un peu extérieur au Sauternais proprement dit, Budos conserve les ruines d'un château féodal au début du 14e s. par un neveu du pape Clément V *(voir à Villandraut)*. Le chemin d'accès passe sous le châtelet d'entrée que couronne une tour carrée à merlons, puis atteint l'esplanade du château. De là, descendre dans le fossé du front Ouest pour se rendre compte de la puissance de la courtine et des tours, renforcées de bretèches.

Sauternes - Typique bourg viticole. Au Sud, château **Filhot**, du 17e s.

Château Yquem - Le plus prestigieux des crus de Sauternes était connu déjà au 16e s. Vue sur le Sauternais en direction de la Garonne.

Pour visiter les chais et les caves en VTT, suivre un stage d'œnologie, vivre au rythme des fêtes viticoles, assister aux vendanges..., consulter la rubrique « Renseignements pratiques » en fin de guide.

Château de Malle ⊘ – Un portail d'entrée orné de superbes ferronneries donne accès au domaine. L'aimable composition qu'offre l'ensemble du château et des jardins a été conçue au début du 17ᵉ s. par un aïeul de l'actuel propriétaire.

Le château lui-même, charmante demeure à pavillon central aux frontons sculptés semi-circulaires, coiffé d'un toit d'ardoises à la Mansart, rappelle par son plan les « chartreuses » girondines. Deux ailes basses en fer à cheval aboutissent à deux grosses tours rondes. Les bâtiments latéraux renferment les chais. *Voir illustration p. 46.*

L'intérieur, garni d'un beau mobilier ancien, abrite une collection de silhouettes en trompe-l'œil du 17ᵉ s., unique en France. Les jardins en terrasses à l'italienne présentent des groupes sculptés du 17ᵉ s. et un curieux nymphée en rocaille orné de statues d'Arlequin, Pantalon et Cassandre.

Le vignoble s'étend, fait unique en Gironde, sur les deux terroirs de Sauternes (vin blanc) et de Graves (vin rouge).

Par la D 8 ᴱ⁴, Preignac et la N 113, regagner Barsac.

LE ST-ÉMILION

Circuit au départ de St-Émilion

52 km – environ 6 h – schéma p. 135

Certes, il est recommandé de parcourir les vignes à l'automne lorsque les rangées de ceps s'animent de la fièvre des vendanges (2ᵉ quinzaine de septembre) et qu'une lumière caressante dore les contours du paysage. Cependant, en toute saison le promeneur jouira du tableau équilibré que composent les coteaux couronnés de « châteaux » et de bouquets d'arbres, tandis que se dégagent des échappées sur les vallées de la Dordogne et de l'Isle.

★★ **St-Émilion** – *Voir à ce nom.*

Quitter St-Émilion au Nord près de la porte Bourgeoise par la D 122.

Peu avant St-Georges apparaît à droite le château St-Georges, bel édifice Louis XVI sommé d'une balustrade et de pots à feu.

St-Georges – Petite église romane du 11ᵉ s. à tour carrée s'élargissant vers le haut et abside courbe offrant des modillons sculptés aux sujets savoureux, traités dans un style cubiste.

Montagne – Église romane à trois absides polygonales que surmonte une tour carrée munie d'une chambre forte. A l'intérieur voisinent une coupole (bras gauche du transept) et une voûte épaulée par de solides bandeaux déjà gothiques (croisée du transept). De la terrasse voisine de l'église, vue sur St-Émilion et la vallée de la Dordogne.

A proximité, l'**écomusée du Libournais** ⊘ propose au visiteur une incursion dans le monde rural d'autrefois à travers le musée du Temps et le musée du Vigneron évoquant les activités traditionnelles et l'aspect social dans le vignoble libournais à la fin du 19ᵉ s. et au début du 20ᵉ s. Des expositions temporaires instruisent sur les techniques viticoles actuelles.

Continuer la D 122 jusqu'à Lussac et la suivre sur 2 km. Prendre à gauche la D 21 sur 4,5 km.

Petit-Palais – Au milieu de son cimetière, l'église de Petit-Palais (fin 12ᵉ s.) offre une ravissante **façade**★ romane saintongeaise *(voir illustration p. 43)*, de dimensions réduites mais bien proportionnée et sculptée avec délicatesse d'une profusion de motifs : la cathédrale de Zamora (Espagne) s'en est inspirée.

Noter l'élévation à trois étages d'arcs, arcatures, aux dessins différents, dont plusieurs polylobés suivant une mode venue des Arabes.

Observer à l'archivolte du portail central un cordon d'animaux se poursuivant et, dans les écoinçons, d'amusants personnages figurant d'un côté une femme, de l'autre un homme se tirant une flèche du pied.

Le portail est encadré de portes aveugles qui donnent une idée fausse du plan de l'église, pourvue d'une nef sans bas-côtés. La disparité entre les deux baies aveugles situées aux extrémités du second registre, l'une polylobée, l'autre régulière, constitue une autre particularité de cette façade.

Reprendre la D 21 vers Puisseguin et, peu avant le village, tourner à droite en direction de Parsac.

Parsac – Charmante petite église du 12ᵉ s., aux lignes pures.

Revenir sur la D 17 que l'on prend vers le Sud.

Castillon-la-Bataille – En 1453 les troupes anglaises placées sous les ordres du général Talbot subirent une lourde défaite devant les troupes des frères Bureau. Cette bataille marqua la fin de la domination anglaise en Aquitaine.

Construite sur une butte, Castillon domine la rive droite de la Dordogne dont les berges ont inspiré Michel de Montaigne et Edmond Rostand. Ses coteaux produisent un Bordeaux supérieur, les Côtes de Castillon.

Revenir à St-Émilion par la D 130, St-Étienne-de-Lisse et la D 243.

★ LE HAUT-MÉDOC

Favorisé par des conditions naturelles exceptionnelles et par une tradition viticole remontant au règne de Louis XIV, le Haut-Médoc est le pays des « châteaux », isolés au creux des boqueteaux, et des grands crus, précieusement conservés dans les « **chais** ».

Si les graviers déposés par la Gironde ne constituent pas en eux-mêmes un sol très fertile, ils ont la propriété d'emmagasiner la chaleur diurne et de la restituer au cours de la nuit, évitant ainsi la plupart des gelées printanières : les vignes médocaines sont donc taillées très bas pour profiter au maximum de cet avantage. D'autre part, des vallons encaissés, les « **jalles** », perpendiculaires à la Gironde, facilitent l'écoulement des eaux et permettent de varier les expositions. Le climat bénéficie, d'un côté, de la Gironde dont la masse d'eau joue un rôle adoucissant et, de l'autre, de l'écran protecteur que forme la pinède landaise face aux vents marins.

Dans les « **châteaux** », la vendange est faite avec minutie, sous la direction du régisseur. Des troupes de vendangeurs complètent les ouvriers permanents du domaine, les « prix-faiteurs », qui habitent près du château au milieu des vignes.

La vendange rentrée, le maître de chai joue un rôle capital ; il préside aux opérations de mise en cuves, en barriques, en bouteilles et aux multiples soutirages qui concourent à l'élaboration du précieux nectar.

Affiche (Cappiello, 1901)

Collection musée de la Publicité/SPADEM

La région du Médoc fournit environ 8 % des vins d'appellation du Bordelais. Exclusivement rouges, ils proviennent principalement du cépage Cabernet ; légers, bouquetés, élégants, un tantinet astringents, ils plaisent aux palais délicats. Château Lafite, Château Margaux, Château Latour, Château Mouton sont les crus les plus cotés ; on notera que presque tous les grands Châteaux « voient l'eau », c'est-à-dire la Gironde, mais sans l'approcher à moins de 1000 m.

CIRCUIT AU DÉPART DE BORDEAUX

125 km – compter une journée – schéma ci-contre

C'est surtout en automne qu'il faut parcourir le Médoc, lorsque le ciel d'un bleu voilé et les feuilles jaunissantes tempèrent de leur mélancolie l'animation des vendanges.

Il est possible de visiter de nombreux chais : nous citons les plus intéressants.

★★★ **Bordeaux** – *Visite 2 jours. Voir à ce nom.*

Quitter Bordeaux par ⑧ la N 215 et à Eysines prendre la D 2 à droite.

Château Siran ⊙ – *A Labarde.* Après la visite des chais, on découvre quelques pièces aménagées dans les communs du château. Celui-ci a appartenu aux comtes de Toulouse-Lautrec, ancêtres du peintre. Une salle de réception renferme de beaux meubles du 19e s. ainsi qu'une collection d'assiettes à dessert richement décorées (scènes de chasse, mariage, etc.). Dans l'escalier menant à l'étage on verra un tableau intitulé *Bacchus juvénile*, d'après le Caravage. La salle à manger dite salle Decaris, du nom de l'auteur des tableaux sur le thème du vin, possède d'intéressantes faïences (fabrique de Vieillard) ayant le liseron comme motifs. On admire en outre des gravures signées Rubens, Vélasquez, Boucher et Daumier.

Château Margaux – « Premier grand cru classé », le **vignoble** de Château Margaux fait partie de l'aristocratie des vins de Bordeaux. Il couvre 85 ha ; remarquer quelques rangées de très vieux ceps, noueux et tordus.

On visite les **chais** ⊙, les installations de vinification et une collection de vieilles bouteilles.

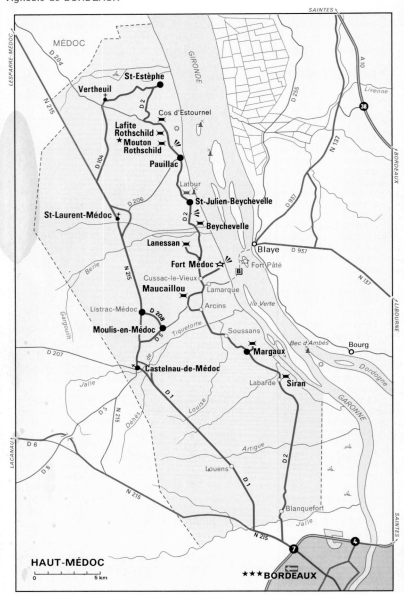

Les points noirs désignent les grands crus d'appellation contrôlée

Le château est de proportions excellentes. Bâti en 1802 par l'architecte Combes, élève de Victor Louis, il comporte un soubassement, deux étages et un attique. La façade antérieure présente un portique d'ordre ionique en forte saillie ; la face postérieure est précédée d'un escalier à double volée, également en relief. Un jardin à l'anglaise contraste, par sa fantaisie, avec la sévérité des bâtiments. A partir de Margaux, la D 2 suit le coteau dominant les « palus ».

A Arcins, quitter la D 2 pour prendre à gauche vers Grand-Poujeaux, d'où l'on prend la D 5 en direction de Lamarque.

Château Maucaillou – Le domaine propose la visite de son chai et de son **musée des Arts et Métiers de la Vigne et du Vin** ⓥ exposant les méthodes anciennes et modernes de viticulture à Maucaillou.

Reprendre la D 5. A Cussac-le-Vieux, prendre à droite.

Fort Médoc ⓥ – Conçu en 1689 par Vauban pour interdire les approches de Bordeaux à la flotte anglaise, l'ouvrage croisait ses feux avec ceux du Fort Pâté et de la citadelle de Blaye. Par une porte sculptée, la Porte royale au fronton orné d'un soleil symbolisant le roi Louis XIV, on pénètre dans la cour où les principaux éléments du fort sont indiqués : corps de garde, boulangerie, poudrière, emplacements des batteries... Au-delà de la cour, un bastion offre de jolies vues sur la Gironde, Blaye et ses coteaux.

A partir de la D 2, un chemin pris à gauche donne accès au château Lanessan.

Château Lanessan ⊙ – Campé au faîte d'un domaine de 400 ha, il domine vignes, bois et prairies. Construit en 1878 par Abel Duphot, il apparaît comme un mélange de la Renaissance espagnole et du style batave notamment avec ses pignons à crémaillères et ses hautes cheminées monumentales.

Dans les communs le **musée du Cheval** présente une intéressante collection de voitures hippomobiles de 1900, dont une diligence de 15 places. Là sellerie expose mors, harnais, étriers et selles. Dans l'écurie remarquer les mangeoires en marbre.

On visite également les chais qui datent de 1887 (cuves en ciment).

Château Beychevelle ⊙ – C'est une blanche et charmante chartreuse reconstruite en 1757 et qui fut propriété de la famille Achille-Fould ; son fronton est sculpté de guirlandes et de palmes. Le nom de Beychevelle (baisse-voile) viendrait du salut que les navires devaient faire au 17e s. devant la demeure appartenant alors au duc d'Épernon, Grand Amiral de France, qui percevait un droit de péage. Au-delà de Beychevelle : vues agréables sur l'estuaire de la Gironde. *(Illustration p. 51).*

St-Julien-Beychevelle – Vignobles estimés, tels les châteaux Lagrange, Léoville, Beaucaillou, Talbot (du nom du célèbre maréchal anglais) et le Gruaud-Larose dont le propriétaire annonçait, dit-on, la qualité en hissant sur la tour un pavillon différent.

Pauillac – Doté d'un port de plaisance, Pauillac dispose de beaux quais, équipés pour recevoir les paquebots de croisière. Mais Pauillac est surtout connu comme un centre vinicole important qui s'honore de crus illustres comme les châteaux Lafite Rothschild, Latour et Mouton Rothschild ainsi que d'une coopérative la Rose Pauillac, la plus ancienne du Médoc.

★ **Château Mouton Rothschild** – Au cœur des vignobles qui dominent Pauillac se tient Château Mouton Rothschild, un des noms glorieux du Médoc, classé « premier cru » en 1973, dont se visitent les **chais**★ ⊙ : de la salle d'accueil superbement meublée et décorée de peintures et de sculptures ayant trait à la vigne ou au vin, on passe dans la salle de banquet, tendue d'une somptueuse tapisserie du 16e s. représentant les Vendanges ; on y voit une curieuse collection d'étiquettes gravées de sujets bachiques par Braque, Masson, Dali, Carzou, Villon... Après le grand chai où reposent les barriques de vin nouveau viennent enfin caves et caveaux où s'alignent par milliers de précieuses et vénérables bouteilles.

Le **musée**★★ ⊙ est aménagé dans d'anciens caveaux. Nombreuses œuvres d'art de toutes les époques, se rapportant à la vigne et au vin. On admirera tapisseries, peintures, sculptures, céramiques, verreries, « pierres dures » placées dans un cabinet tendu de drap bleu nuit et surtout un étonnant ensemble d'orfèvrerie des 16e-17e s. Une place est faite à l'art contemporain avec notamment une belle composition du sculpteur américain Lippold.

Château Cos d'Estournel

Château Lafite Rothschild ⊙ – C'est le plus fameux des « premiers grands crus classés » du Médoc, dont les caves abritent une collection de bouteilles vénérables parmi lesquelles quelques-unes portent le millésime de l'année de la Comète, 1811. Le château lui-même, dont le nom correspondant au gascon « La Hite » et provenant du latin « petra ficta » (= pierre sculptée) avait été porté par la petite hauteur sur laquelle il était construit, est établi sur une terrasse plantée de beaux cèdres et limitée par une balustrade Louis XIV ; il appartient depuis le Second Empire (1868) aux Rothschild.

Au-delà du Château Lafite Rothschild, à droite de la D 2, apparaît la silhouette orientale des pagodes indiennes édifiées au 19e s. constituant le **Château Cos d'Estournel**. La porte d'entrée provient du palais du sultan de Zanzibar. Le fondateur du château exporta en effet son vin jusqu'aux Indes et fit construire cet édifice exotique en souvenir de ses lointaines expéditions.

St-Estèphe – Le bourg, que domine son église, est situé sur un mamelon au centre d'une mer de vignes. Du port, vue sur la Gironde, le marais et les côtes de Blaye, ancien rivage de l'estuaire.

Vertheuil – L'église romane (11e s.), modifiée au 15e s., est une ancienne abbatiale dont l'importance est marquée par ses trois nefs, son chœur à déambulatoire et chapelles rayonnantes, ses deux clochers. Sur le côté droit, restes d'un beau portail roman aux voussures ornées de figures (paysans taillant la vigne, vieillards de l'Apocalypse).

L'intérieur relève du style poitevin par ses bas-côtés presque aussi hauts que la nef, voûtée d'ogives au 15e s. Dans le chœur, renforcé de nervures rayonnantes, remarquer une tribune suspendue du 15e s. et des stalles de la même époque, sculptées de scènes monastiques. Le déambulatoire se compose d'une suite de berceaux transversaux, d'un effet original. Au bas de la nef, fonts baptismaux monolithes du 15e s.

L'ancienne abbaye offre des bâtiments imposants du 18e s. et les vestiges d'un cloître gothique. Les ruines d'un château, à donjon du 12e s., restauré, dominent le village.

St-Laurent-Médoc – L'église possède un clocher-porche gothique dont le plan carré, le parapet et la flèche à crochets indiquent des influences anglaises.

Moulis-en-Médoc – L'église romane a été quelque peu modifiée à l'époque gothique ; la tourelle ronde élevée à la place de l'absidiole Sud renferme l'escalier en hélice donnant accès au clocher doté d'une chambre forte. Aux angles de la croisée du transept, les piliers supportant la tour ont dû être renforcés, diminuant ainsi la largeur de l'arc de soutien. L'abside, remarquable, montre à l'extérieur des modillons sculptés et des arcatures ; celles-ci se répètent à l'intérieur où l'on admire leurs chapiteaux sculptés de félins ou d'oiseaux, naïvement historiés : voir surtout le 4e à gauche (Tobie portant le poisson dont le fiel guérira la cécité de son père). Le bénitier extérieur, incorporé à la façade, était, si l'on en croit la tradition, réservé aux lépreux. Des fouilles récentes ont révélé les fondations de lieux de culte des 4e-5e s. et mis au jour plusieurs sarcophages mérovingiens.

Les vignobles de Grand-Poujeaux font la renommée des vins de Moulis.

Castelnau-de-Médoc – Sur la « jalle » *(p. 139)* du même nom, Castelnau possède une église dont un vitrail Renaissance représente la Crucifixion, une sculpture sur bois, la Pentecôte, de 1736, et le bas-relief d'albâtre (14e s.) des fonts baptismaux, la Trinité.

La D 1 ramène à Bordeaux.

Pour un bon usage des plans de villes, consultez la légende p. 2.

BOURG

2 158 habitants
Cartes Michelin nos 71 pli 8 ou 233 pli 38

Bourg n'est plus sur Gironde, mais sur Dordogne, à la suite de l'allongement du Bec d'Ambès par l'apport des alluvions de la Garonne et de la Dordogne. On y distingue la ville haute, jadis fortifiée, au sommet de la falaise calcaire, et la ville basse, avec le port, au niveau de la rivière. La ville haute est reliée au port par des escaliers et par la rue Cahoreau, en forte pente, qui passe sous la porte de la Mer, dite Batailleyre, dont la base est creusée dans le rocher.

Le Bourgeais produit des vins réputés, compris dans l'appellation « Côtes de Bourg ».

Terrasse du district – *Parking, place de l'Église.* Ombragée de vieux ormeaux et de tilleuls, elle dispense l'été une douce fraîcheur. Le regard se porte d'abord sur les toits de tuiles « terre de Sienne brûlée » de la ville basse, puis sur la Dordogne et la Garonne qui se rejoignent au Bec d'Ambès pour former la Gironde. *Table d'orientation.*

Château de la Citadelle – Ancienne résidence d'été des archevêques de Bordeaux, reconstruite au 18ᵉ s. et après l'incendie de 1944.

De la terrasse et du parc planté de beaux arbres (magnolias, pistachiers), on jouit de vues étendues sur la Dordogne, la Garonne et, en aval, sur la Gironde.

La Libarde - *1 km au Nord ; accès signalé au départ de Bourg.*

Dans le hameau de la Libarde, un groupe de cyprès marque l'emplacement du cimetière où se trouve une **crypte romane**, seul témoignage de l'ancienne église : remarquer les trois nefs et les chapiteaux à décor en méplat du 10ᵉ s.

ENVIRONS

Grottes de Pair-non-Pair ⊙ - *6 km à l'Est.* Ces cavernes préhistoriques s'ouvrent dans les pentes calcaires d'un vallon creusé par le Moron, en retrait de la vallée de la Dordogne. On y voit des gravures datant de la période aurignacienne (âge de la pierre taillée), en particulier une gravure de cheval à tête retournée, dite de l'Agnus Dei. Les dessins représentent des chevaux, mammouths, bouquetins, bisons.

Magrigne - *12 km à l'Est, par la N 137.*

Une construction du 12ᵉ s., attribuée aux Templiers, fait l'ornement du hameau : la chapelle Ste-Quitterie, séduisante par ses proportions étudiées, son clocher-arcade géminé, son chevet plat percé de baies très allongées, son portail du 13ᵉ s. surmonté d'une lancette.

Château de La BRÈDE★

Cartes Michelin nᵒˢ 71 pli 10 ou 234 pli 7

Aux portes des Landes girondines, au pays des Graves, les lignes sévères du château de La Brède (ou Labrède ; brède : marécage) se reflètent dans des douves très larges. Il semble un îlot fortifié au milieu d'un lac.

Le domaine n'a pas changé depuis le temps où **Montesquieu** y promenait son profil aigu et bienveillant ; il appartient encore à ses descendants.

Un gentilhomme campagnard - Entre les murs du château naît, en 1689, Charles de Segondat, futur baron de Labrède et de Montesquieu ; en signe d'humilité c'est un mendiant qui le tient sur les fonts baptismaux.

Devenu président au parlement de Bordeaux bien qu'étant, de son propre avis, magistrat médiocre, Montesquieu aime, comme Montaigne, sa tranquillité, se retirant fréquemment sur sa terre de Labrède dont il dit : « C'est le plus beau lieu champêtre que je connaisse. » Là, il expédie sa correspondance commerciale (il vend beaucoup de vin aux Anglais), parcourt ses vignes avec son régisseur l'Éveillé, interpellant chacun en patois, visite ses chais...

Château de La Brède

Château de La BRÈDE

D'humeur égale et d'abord facile, il trouve, comme Montaigne encore, le délassement dans son activité intellectuelle : « L'étude a été pour moi le souverain remède contre les dégoûts de la vie, n'ayant jamais eu de chagrin qu'une heure de lecture n'ait dissipé. » *Grandeur et décadence des Romains*, puis *L'Esprit des lois* sont composés à Labrède.

Tous les ans le seigneur de Labrède va passer l'hiver à Paris où il retrouve la société lettrée et l'Académie dont il fait partie depuis 1727. Il meurt subitement dans la capitale d'un accès de fièvre quarte, le 10 février 1755.

VISITE ⊙ 1/2 h

Château – Une large avenue tracée par Montesquieu conduit à l'austère château gothique (12e-15e s.), protégé par son plan d'eau dont on fera le tour. L'ancienne cour intérieure a été transformée en terrasse sous la Renaissance par le nivellement d'une section de l'enceinte.

Par de petits ponts, jetés entre deux anciens ouvrages fortifiés dont les portes sont surmontées d'inscriptions latines, on accède au vestibule soutenu par six colonnes torses ; le long des murs sont disposées les malles de voyage de Montesquieu. De ce vestibule, on passe dans le salon orné d'un beau cabinet du 16e s. et de portraits de famille.

Très simple, la **chambre** de Montesquieu est restée meublée telle qu'elle était de son vivant ; on y voit son buste, sa canne et divers souvenirs ; un montant de la cheminée porte la marque de frottement de son soulier, car il avait coutume d'écrire là sur son genou. Remarquer la **bibliothèque**, voûtée en berceau lambrissé.

Parc – Montesquieu s'intéressait beaucoup à son parc. Il écrit à l'abbé Guasco : « Je me fais une fête de vous mener à ma campagne de Labrède, où vous trouverez un château, gothique à la vérité, mais orné de dehors charmants, dont j'ai pris l'idée en Angleterre..., la nature s'y trouve dans sa robe de chambre et au lever de son lit. »

ENVIRONS

Château de Mongenan ⊙ – *11 km par la D 108 puis à droite par la N 113 jusqu'à Portets.* Entourée de ses vignes (elles produisent un AOC Graves), la chartreuse de Mongenan, de style Régence tardif, a été construite en 1736 pour Antoine de Gascq, Président à mortier du Parlement de Guyenne. Elle est précédée d'une terrasse qui se prolonge vers un jardin de curé où poussent pêle-mêle plantes aromatiques, fleurs, légumes anciens et arbres fruitiers. Un musée, consacré au 18e s., présente des archives, costumes, faïences, toiles de Jouy et de Beautiran, ayant appartenu à Antoine de Valdec de Lessart, ministre de Louis XVI. On visite également un temple maçonnique reconstitué.

CADILLAC

2 582 habitants
Cartes Michelin nos 71 pli 10 ou 234 pli 11 – Schéma p. 134

Bastide fondée en 1280, Cadillac est étagée sur la rive droite de la Garonne. La cité entretient soigneusement ce qui reste de ses remparts du 14e s. : le front regardant le fleuve en est la partie la mieux conservée avec la porte de Mer qui donnait accès au port.

Cadillac se livre au commerce des vins blancs liquoreux (Premières Côtes de Bordeaux et Cadillac).

CURIOSITÉS

Château des ducs d'Épernon ⊙ – Intéressant exemple de style Henri IV-Louis XIII, Cadillac fut élevé et décoré de 1598 à 1620 pour le fastueux et irascible Jean Louis de Nogaret de La Valette (1554-1642), ancien mignon d'Henri III et haut personnage sous Henri IV et Louis XIII, qui le firent successivement **duc d'Épernon**, gouverneur de plusieurs provinces et notamment de Guyenne, colonel-général de l'Infanterie, amiral de France. Dévasté au cours de la Révolution, le château fut racheté sous la Restauration par l'État qui le transforma en maison de détention. Géré actuellement par la Caisse nationale des monuments historiques et des sites, il est actuellement le siège de la confrérie vineuse dite « Connétablie de Guyenne ».

Extérieur – Le château est défendu par une enceinte formant glacis dont les angles comportent des bastions surmontés de guérites. Le corps de bâtiment principal montre en son centre un pavillon en saillie contenant l'escalier et deux autres pavillons aux extrémités. Des baies à meneaux allègent la masse de l'édifice et en atténuent l'austérité.

Intérieur - Les vastes appartements aux plafonds à la française contiennent 8 cheminées monumentales, auxquelles travailla le sculpteur Jean Langlois ; elles sont remarquables par la richesse de leur décor de marbres rares, trophées, amours, chutes de fleurs et de fruits.
Les immenses sous-sols voûtés prenant jour sur les douves étaient occupés par les gardes du duc. Ils servirent d'ateliers aux liciers qui, de 1632 à 1637, tissèrent les 26 pièces de l'histoire d'Henri III ; plusieurs de ces tapisseries sont exposées dans les salles du château.

Chapelle des ducs d'Épernon - Elle a été bâtie sur le côté droit de l'église St-Blaise, dont elle est séparée par une clôture à jours. En marbres de couleur et d'un dessin très pur, cette clôture, datée de 1606, constitue un bel exemple de style classique. Dans la chapelle se trouvait le magnifique mausolée du duc d'Épernon, commandé en 1597 au sculpteur Pierre Biard et détruit pendant la Révolution (des fragments sont conservés au château) ; il reste aujourd'hui une copie de la statue de la Renommée qui surmontait autrefois le tombeau (l'original est conservé au Louvre).

ENVIRONS

Château de Benauge - *6 km au Nord-Est par la D 11.*
Cette ancienne résidence des comtes de Benauge, aux ruines imposantes, remonte au 12e s.

CAMBO-LES-BAINS ⚕

4 128 habitants (les Camboars, Kanboars)
Cartes Michelin nos 78 pli 18 ou 234 pli 33 - Schéma p. 225

Le Haut Cambo, quartier résidentiel, groupe ses propriétés et ses hôtels sur le rebord d'un plateau qui domine la Nive ; le Bas Cambo, vieux village basque, est situé près de la rivière que les chalands remontaient autrefois jusqu'en cet endroit. En amont, le quartier thermal a repris ses activités.
Le climat d'une douceur exceptionnelle a fait de Cambo une station de cure, consacrée au début du siècle par le séjour d'**Edmond Rostand**. Venu à Cambo pour la première fois à l'automne 1900, le maître, enchanté, décide de s'y installer à demeure. *Chantecler*, né de ses promenades à travers la campagne basque, et la villa Arnaga suffiront, jusqu'en 1910, à matérialiser ses rêves.

★ **Arnaga** ⓥ - L'immense **villa** de style basque-labourdin (1903-1906) s'élève sur un promontoire aménagé par Edmond Rostand en jardins à la française. Au Sud-Est, la perspective vers les montagnes d'Ixtassou s'achève sur un pavillon à pergola évoquant la Gloriette de Schönbrunn *(voir Vienne, guide Vert Michelin Autriche).* La demeure dénote l'influence du modern style. Les pièces ont conservé leurs boiseries claires et leurs peintures décoratives. De nombreux documents sur la famille Rostand et la carrière du poète y trouvent place, entre autres plusieurs portraits d'Edmond Rostand et de Rosemonde Gérard par Pascau et Caro Delvaille, les dessins originaux des costumes du « Chantecler » et les épées d'académicien d'Edmond et de Jean Rostand.

★ MONTAGNES D'ITXASSOU

15 km au Sud - environ 3 h. Quitter Cambo par la D 918.

La route s'échappe de la dernière cuvette cultivée de la basse Nive.

★ **Itxassou** - Le village disperse ses hameaux parmi les cerisiers. Isolée près de la Nive, l'**église**★ dotée de 3 étages de galeries à balustres tournés, et ornés de statues, d'un cachet rustique, conserve une chaire aux beaux réchampis dorés et un retable en bois doré du 18e s. Là officia au 17e s. un jeune curé, Jean Duvergier de Hauranne, futur abbé de St-Cyran que la dispute du jansénisme devait rendre célèbre.
Prendre le chemin qui mène au terrain de vol à voile.

Mont Urzumu - De la table d'orientation, près d'une statue de la Vierge, **panorama** sur les Pyrénées basques et sur la côte, de la Pointe Ste-Barbe à Bayonne.
La petite route, étroite, remonte la rive gauche de la Nive.

Pas de Roland - S'arrêter sur un élargissement peu après une petite croix sur le parapet pour regarder en contrebas le site du Pas de Roland, rocher ajouré en porte, ouvert selon la légende par le sabot du cheval de Roland poursuivi par les Vascons. Un chemin conduit au site.
Prendre à droite à Laxia (route très étroite, à fortes rampes et à virages serrés).

★ **Artzamendi** - Des abords de la station de télécommunications, le **panorama**★ s'étend au Nord sur la basse vallée de la Nive, le bassin de la Nivelle et ses hauts pâturages, et, au-delà de la frontière, sur les hauteurs de la vallée de la Bidassoa.

CAMPAN

1 390 habitants
Cartes Michelin n⁰ˢ 85 pli 18 ou 234 pli 44

Campan conserve le souvenir du sergent Gaye-Mariole (1767-1818), « premier sapeur de France ». La chronique rapporte que, à l'entrevue de Tilsitt, ce grognard de taille gigantesque eut la facétie de présenter les armes à son empereur avec le tube, long de 1,60 m, d'un canon de 4 (84 mm). Napoléon aurait, dit-on, apprécié cet « arraché » (près de 300 kg).
Les halles (16e s.), la fontaine (18e s.) et l'église (16e s.) composent un tableau harmonieux.

Église – Franchir la grille d'un porche qui donne accès à l'ancien cimetière (galeries aux colonnes de marbre). A gauche de ce porche, Christ du 14e s. provenant de l'ancienne abbaye de l'Escaladieu *(voir à Capvern-les-Bains)*.
A l'intérieur on verra de belles boiseries du 18e s.

ENVIRONS

★ **Vallée de Lesponne** – *10 km au départ de la D 935 à gauche*. De cette charmante vallée, les belles faces rocheuses du pic du Midi de Bigorre et du pic de Montaigu apparaissent altières, surtout lorsque les neiges de printemps et d'automne en saupoudrent les versants.

★★ **Lac Bleu** – Alt. 1 944 m. *Compter 4 h à pied AR*. Les auberges de Chiroulet sont le point de départ de l'excursion au lac Bleu utilisé comme lac-réservoir. Une montée longue (dénivellation : 850 m), par un bon chemin ombragé le matin, conduit à ce site grandiose et désolé.

CAPBRETON ⚏⚏

5 089 habitants
Cartes Michelin n⁰ˢ 78 pli 17 ou 234 pli 25 – Schéma p. 164

Capbreton séparée d'Hossegor par le canal du Boudigau fut un port important aussi longtemps que l'Adour eut là son estuaire. Le déplacement du fleuve et le percement du chenal de Bayonne *(voir p. 18)* provoquèrent assez rapidement son déclin. Capbreton, grâce à ses immeubles résidentiels, son grand port de plaisance, est une importante station balnéaire.
La plage est de sable fin. De la jetée (appelée localement : l'estacade), belle vue sur la côte, les Pyrénées basques et l'embouchure du Boudigau. Au large s'ouvre la fosse marine dite Gouf de Capbreton.

Le « Gouf » – En matière d'hydrographie maritime, Capbreton est connu pour son « Gouf ». Ce phénomène de topographie sous-marine, indiscernable à la surface de l'océan – mais que les pêcheurs avaient pressenti, voilà plusieurs siècles, lors des tempêtes –, est le trait morphologique majeur de la plateforme continentale dans le golfe de Gascogne. Il se présente comme un canyon orienté Est-Ouest dès la sortie du port et atteignant 3 000 m de profondeur, de 3 à 10 km de largeur et plus de 60 km de longueur. Sa formation a donné lieu à plusieurs hypothèses sans recevoir cependant d'explication décisive. On y a vu l'indice d'une érosion fluviale sous-marine obéissant à un processus complexe, une fracture liée au soulèvement de la chaîne des Pyrénées ou, plus vraisemblablement, un canyon creusé par l'Adour au cours des grandes glaciations quaternaires qui abaissaient le niveau marin.

Écomusée de la Mer ☉
– Aménagé au dernier étage du casino municipal,

La pinède des Singes

Capbreton – « La pinède des Singes »

il présente la géologie marine et l'histoire de la pêche à Capbreton et sur la côte landaise : aquariums, maquettes, photos, films. Remarquer le squelette d'une baleine de l'Arctique venue échouer sur la plage de Seignosse en 1988. La terrasse offre une **vue panoramique** sur l'embouchure du Boudigau, Hossegor et l'Océan.

ENVIRONS

« **La pinède des Singes** » ⊙ – *8 km. Quitter Capbreton au Sud par la D 652. En sortant de Labenne par la N 10, prendre à gauche la D 126, signalée « route du lac d'Irieu ».*
Dans une pinède parsemée d'arbousiers et de chênes-lièges évoluent en toute liberté des macaques de Java pour le plus grand plaisir des petits et des grands...

CAPVERN-LES-BAINS┿

1 025 habitants
Cartes Michelin nᵒˢ 85 Sud du pli 9 ou 234 pli 40

Station thermale située sur les contreforts des Pyrénées ; Capvern-les-Bains dispose de deux établissements thermaux Hount-Caoute et Bouridé spécialisés dans le traitement des affections rénales, hépatiques et rhumatologiques.
En dehors du vallon et en vue des avant-monts des Pyrénées – **Baronnies** (collines du Haut Arros), Arbizon, pic du Midi de Bigorre, Montaigu –, dans un site dégagé de promontoire, se développe le quartier résidentiel du **Laca**.
De la table d'orientation belle vue sur la chaîne des Pyrénées et au premier plan sur le château de Mauvezin juché sur une butte à proximité du village.

LES BARONNIES

27 km. Quitter Capvern par la D 80. A Mauvezin, prendre la direction du château.

Château de Mauvezin ⊙ – Le **donjon** carré (36 m), qui s'élève sur un promontoire des Baronnies, fit partie des défenses du comté de Bigorre, mais sa grande période se situa à l'époque de Gaston Fébus, lorsque le vicomte de Béarn s'assura de cette position stratégique (1379) fermant, avec Montaner *(voir à ce nom)*, les issues des vallées de Bigorre vers la plaine et surveillant la route de Toulouse à l'océan.
Les six salles ont été aménagées en musée historique et folklorique par les soins de l'École Gaston-Fébus, société des félibres du Béarn et de la Bigorre. Du chemin de ronde (table d'orientation) et de la plate-forme du donjon, **panorama**★ sur le pays des Baronnies et les sommets des contreforts des Pyrénées : Arbizon, pic du Midi de Bigorre, Montaigu.
En sortant, admirer, au-dessus de la porte, une dalle de marbre, chef-d'œuvre de sculpture héraldique aux armes de Jean de Foix-Béarn (1412-1436) – les trois pals de Foix et de Bigorre, les deux vaches « clarinées » du Béarn – portant la devise « Jay belle dame ».

Poursuivre par la D 938.

Ancienne abbaye de l'Escaladieu ⊙ – Signalée par son dôme du 18ᵉ s. coiffant un clocher octogonal, l'ancienne abbaye cistercienne de l'Escaladieu, qui put essaimer en France et en Espagne grâce à la protection des comtes de Bigorre, fut fondée au 12ᵉ s. par les moines de l'abbaye de Morimond, elle-même fille de Cîteaux. Très endommagée au cours des guerres de Religion, elle ne conserve plus que son église amputée de son chevet plat, ainsi qu'une partie des bâtiments conventuels dont la belle salle capitulaire avec ses voûtes d'ogives en brique et pierre reposant sur des colonnes en marbre rouge de Campan, l'armarium, le chauffoir et le parloir. Le dortoir des moines a été transformé au 17ᵉ s. en cellules individuelles. L'été, les lieux servent de cadre aux concerts classiques des « Heures musicales de l'abbaye de l'Escaladieu ».

Prendre la D 14 au Nord jusqu'Ozon. Tourner à gauche.

La route descend la vallée de l'Arros.

Tournay – A l'entrée de ce petit village situé dans la vallée de l'Arros et patrie du poète Francis Jammes (1868-1938), l'abbaye Notre-Dame construite en 1952 appartient à l'ordre de Saint-Benoît. Les moines y exposent et vendent leurs produits.

Rejoindre Capvern au Sud-Est par la N 117.

*La légende en p. 2 donne la signification
des signes conventionnels employés dans ce guide.*

CASTELJALOUX

5 048 habitants
Cartes Michelin nᵒˢ 79 pli 13 ou 234 pli 16

Située au Nord-Est des Landes de Gascogne et au seuil de l'Agenais, Casteljaloux est une ancienne bastide (jaloux : de *gelos*, exposé, périlleux), traversée par l'Avance. Devenue place forte protestante, elle a été démantelée en 1621, mais conserve de son passé, dominé du 11ᵉ s. au 16ᵉ s. par la présence de la famille d'Albret, quelques précieux témoins : vieilles maisons à pans de bois et encorbellements dans le bourg, la **maison dite « du Roy »** qui abrite le Syndicat d'initiative, l'**ancien couvent des Cordeliers** (chapelle et cloître du 16ᵉ s.), aujourd'hui maison de retraite, l'**église Notre-Dame** du 18ᵉ s. De l'ancien château des sires d'Albret, qui formait une véritable place forte entre l'Agenais et le Bazadais, ne subsiste plus que le **pavillon d'Albret** dans le parc municipal.

A Casteljaloux s'est développé un tissu industriel axé sur le traitement du pin des Landes, le travail de fonderie (plaques de cheminées), la fabrication de panneaux de fibres de bois isolants et de tuyaux en PVC.

Au Sud de la localité s'est développé autour du lac de Clarens un complexe touristique offrant de nombreuses possibilités d'activités sportives.

ENVIRONS

Villefranche-du-Queyran – *9 km à l'Est par la D 261.*
Au Sud du village, dans un site solitaire, l'église St-Savin, aujourd'hui abandonnée, montre une gracieuse façade romane à clocher-pignon.

Durance – *20 km au Sud par la D 655 et la D 283.*
Isolé dans la pinède, ce minuscule village est une ancienne bastide *(voir p. 49)* du 13ᵉ s. dont seule subsiste la porte Sud, à côté des vestiges des remparts et du « château Henri IV », ruine qui fut un rendez-vous de chasse des souverains de Navarre. La sobre église gothique a été érigée en 1521.

A 300 m au Nord, on peut voir la chapelle la Grange, reste d'un prieuré de Prémontrés, du 13ᵉ s., jadis fortifiée, malheureusement laissée à l'abandon.

Les plans de villes sont toujours orientés le Nord en haut.

Château de CAUMONT

Cartes Michelin nᵒˢ 82 Sud du pli 6 ou 235 pli 29

Construit au 16ᵉ s., sur les ruines d'un ancien château fort de 1170, le **château** ⊙ de Caumont vit naître en 1554 Jean-Louis de Nogaret de la Valette, l'un des premiers cadets de Gascogne, nommé duc d'Épernon par le roi Henri III *(voir à Cadillac).*

Situé sur une hauteur dominant la vallée de la Save, ce « château de la Loire en Gascogne » bénéficie d'un cadre exceptionnel.

Extérieur – Le château se compose de trois corps de bâtiments en forme de fer à cheval, flanqué de quatre tours en losange assurant ainsi une meilleure surveillance et une meilleure protection contre les boulets qui ricochaient sur les murs obliques.

L'alternance de briques et de pierres contribue à l'originalité du château. L'aile Sud fut reconstruite en 1665 après un incendie, l'aile Nord le long de laquelle court une galerie extérieure est plus ancienne. Sous la galerie, un bas-relief en marbre porte les armes et attributs du père du duc d'Épernon.

Intérieur – Au rez-de-chaussée, la **salle rouge** possède quelques tableaux intéressants. Ainsi à gauche de la cheminée en marbre des Pyrénées, un tableau représente le duc d'Épernon. De Gros, remarquer un portrait de François Alexandre de La Rochefoucauld, auteur de la célèbre réplique à la question de Louis XVI : « Mais c'est une émeute ? non, Sire, c'est une révolution. » Remarquer également deux coffres sculptés en noyer. Le **salon blanc** se distingue par son beau plafond à caissons de style pompéien décoré en 1853. Derrière le piano, un tableau représente la bataille de Lutzen (1813). L'escalier conduisant au 1ᵉʳ étage est l'un des premiers escaliers droits ; il a conservé ses travées voûtées. Sur les chapiteaux on remarque la succession des ordres grecs au fur et à mesure que l'on gravit les marches.

La visite se poursuit par la chapelle, puis par la chambre du roi qui garde le souvenir d'Henri de Navarre alors en visite à Caumont ; les soieries sont du 19ᵉ s.

Le balcon et un escalier à vis mènent au sous-sol où l'on découvre les anciennes cuisines, le chai et la salle de garde.

CAUTERETS‡‡

1 201 habitants
Cartes Michelin nᵒˢ 85 pli 17 ou 234 pli 43 – Schémas p. 106 et 246-247
Plan dans le guide Rouge Michelin France

Enserrée par de hautes montagnes boisées, au confluent de son gave et de celui de Cambasque, Cauterets est une des grandes stations thermales et climatiques pyrénéennes. Mais c'est aussi une villégiature estivale très fréquentée, un grand centre d'excursions et d'ascensions (Vignemale) en même temps qu'une importante station de sports d'hiver.

Les vallées avoisinantes, Cambasque, Jéret, Marcadau, Gaube et Lutour, aux gaves écumants et situées au cœur du Parc national des Pyrénées *(voir p. 244)*, font de la ville une grande base traditionnelle de découverte de la montagne.

Cauterets exploite dix sources dont les eaux sulfurées sodiques, jaillissant entre 36° et 53°, sont efficaces dans les traitements des maladies respiratoires et rhumatismales. Mais il existe d'autres prescriptions spécialisées, suivant la devise « A Cautarès, tout que garech » (A Cauterets, on guérit de tout).

Naissance et développement de la station – On ne connaît pas de documents antérieurs au 10ᵉ s. au sujet de Cauterets. Toutefois, on a découvert à Pauze une piscine thermale datée du 4ᵉ s.

Au 10ᵉ s., Raymond, comte de Bigorre, fait don de la vallée de Cauterets à l'abbaye de St-Savin, à condition d'y élever une église à St-Martin et de « conserver toujours en ce même lieu des habitations propres à la balnéation ». C'est au 11ᵉ s. que l'abbé de St-Savin prend possession effective de la vallée et exécute les conditions prescrites. Cauterets-Dessus se forge sur les pentes du pic des Bains au niveau de Pauze.

Au 14ᵉ s., la bourgade est à l'étroit ; les moines donnent l'autorisation de fonder Cauterets-Debat et de descendre église, maisons et bains sur le plateau qui domine le gave. C'est l'emplacement de la ville actuelle.

Les sources restent encore aujourd'hui la propriété d'un syndicat de communes limitrophes, reliquat de la très ancienne organisation communautaire de la « vallée de St-Savin » *(voir à La Bigorre, le Lavedan)*. Le 17ᵉ s. enregistre une forte baisse de l'activité, en dépit de la découverte de la source de la Raillère. 1763, année de l'inauguration de la route Pierrefitte-Cauterets, est une date clé pour l'essor de la station, dont l'apogée se situera dans la 2ᵉ moitié du 19ᵉ s. A partir de 1860 débutèrent la construction d'hôtels de prestige et l'urbanisation de la rive gauche. La mise en service en 1897-98 de deux lignes de chemin de fer électrifiées, aujourd'hui supprimées, permit aux curistes de venir en plus grand nombre.

L'activité thermale a quelque peu décliné, les grands hôtels du 19ᵉ s. ont été transformés en appartements. Mais les établissements de cure ont été rénovés – certains comme les Thermes de César sont ouverts toute l'année – et proposent des possibilités supplémentaires de détente aux adeptes du ski.

Des séjournants célèbres – Les vertus des eaux attirent les malades de qualité. Au 16ᵉ s., Marguerite de Navarre y compose une partie de « l'Heptaméron » en soignant ses rhumatismes. En 1765 est construit sur le site de la source de la Raillère un petit bâtiment thermal pour accueillir le maréchal de Richelieu. Au temps de l'Empire et de la Restauration, c'est un nouvel afflux de célébrités. Les plus vivants souvenirs restent attachés au séjour de la reine Hortense de Beauharnais, au passage de la pétulante duchesse de Berry. George Sand, Vigny, Chateaubriand et Victor Hugo trouvèrent là un cadre approprié à quelques épisodes romanesques de leur vie tourmentée.

Le domaine skiable de Cauterets est réparti sur deux sites. Le cirque du Lys, le plus important, bénéficie d'un enneigement constant de décembre à mai et présente, entre 1 850 m et 2 400 m, une grande variété de pistes convenant aux débutants comme aux skieurs confirmés. Il est desservi par un téléphérique, une télécabine et une quinzaine de remontées mécaniques. Quand les conditions s'y prêtent, il est possible de descendre jusqu'au Cambasque (station intermédiaire du téléphérique). Au Pont d'Espagne, trois remontées mécaniques, dont le télésiège de Gaube, permettent de pratiquer le ski alpin dans une atmosphère détendue loin des foules, au cœur du Parc national des Pyrénées. 36 km de pistes de ski de fond de tous niveaux sont balisés en 5 boucles dans la vallée du Marcadau.

Le ski sur herbe se pratique en été.

★ LA STATION

Le **quartier thermal** proprement dit, aux rues étroites, presse ses hautes maisons sur la rive droite du gave au pied des Thermes de César, construits sur le modèle antique (fronton triangulaire et colonnes de marbre).

Sur la rive gauche, le boulevard Latapie-Flurin, bordé de palaces, rappelle la grande époque de Cauterets. L'hôtel Continental et l'hôtel d'Angleterre, notamment, fondé par Alphonse Meillon (l'un de ces « hôteliers-gentilshommes » inséparables de l'époque du pyrénéisme), présentent des façades monumentales abondamment décorées de corniches, de pilastres, de cariatides et de balcons en fer forgé, qui ornent également les immeubles de la rue de la Raillère et de la rue Richelieu.

Gare – *Au Nord de la ville.* Étonnante construction en bois de style indéfinissable, édifiée en 1897, actuellement gare routière.

Maison du Parc 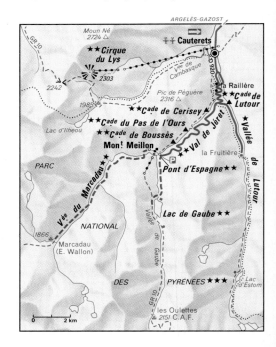 – Elle invite à une découverte du milieu naturel préservé au sein du Parc national des Pyrénées tout proche, en présentant les différents étages de la montagne, la vie pastorale, la faune et la flore pyrénéennes.

Esplanade des Œufs – Tirant son nom de la source des Œufs, qui était exploitée dans l'ancien établissement thermal (actuel casino), elle est agréablement ombragée et bordée de boutiques aménagées dans des vestiges d'architecture métallique provenant de l'Exposition universelle de 1900.

★★ VALLÉES DE CAUTERETS

★★ **Cirque du Lys** – *Accès par le téléphérique du Lys* ○ *et le télésiège du Grum* ○ *– environ 1 h 1/2.* Cette excursion franchissant le plateau de Cambasque fait découvrir depuis les Crêtes du Lys (2 303 m) un superbe **panorama**, découvrant les plus beaux sommets pyrénéens : le pic du Midi de Bigorre, le Vignemale, le pic du Midi d'Ossau et le Balaïtous *(table d'orientation).* En empruntant le GR 10, on atteint en 3/4 h à pied le lac d'Ilhéou.

★★ **Val de Jéret** – *8 km – environ 3 h. Sortir de Cauterets par la D 920, derrière le casino. Dépasser l'établissement thermal de la Raillère et laisser la voiture sur les parkings aménagés après le pont de Benquès.* Une autre alternative consiste à suivre à pied le **chemin des cascades**★ à partir de l'aire de stationnement du pont de la Raillère, près des thermes des Griffons *(compter 2 h pour la montée – service de navettes entre le parking de la gare des Œufs et la Raillère).*
Belle promenade forestière permettant de contempler les cascades de plus près, qui présente le maximum d'intérêt au moment de la floraison.

★★ **Cascade de Lutour** – Gagner la passerelle lancée au pied de la chute à quatre jets, derniers rebonds du gave de Lutour.
La route remonte le Val de Jéret, très encaissé et boisé, encombré d'énormes rochers, mais embelli par les chutes du Gave.

★★ **Cascades de Cerisey, du Pas de l'Ours, de Boussès** – On admire successivement leurs effets variés. Au-delà de la cascade de Boussès, le torrent forme l'« île Sarah Bernhardt » (stationnement possible dans la clairière).

★★ **Pont d'Espagne** – *Dans le but de préserver le site, de nouveaux aménagements ont été apportés : laisser sa voiture au parking du Puntas et prendre la navette téléportée* ○ *jusqu'au plateau du Clot (centre d'activités avec pistes de ski de fond et sentiers de randonnée) ou monter à pied jusqu'au pont.*
Du pont routier vue sur le site rocheux du « rendez-vous des cascades », confluent du gave de Gaube et du gave de Marcadau.

Monument Meillon – *1/4 h à pied AR. Derrière l'hôtel du Pont d'Espagne quitter la route pour un chemin caillouteux, à droite, sur lequel se branche, encore à droite, le sentier du monument (poteau du Parc national des Pyrénées).* Échappée à travers les sapins sur la chute principale du Pont d'Espagne et sur le Vignemale.

★★ **Lac de Gaube** – *1 h 1/2 à pied AR par le sentier balisé GR 10 ; départ immédiatement en aval du Pont d'Espagne. Accès possible par le télésiège de Gaube* ○ *depuis le Pont d'Espagne.*

Carcanague – Obeilanne/IMAGES TOULOUSE

Lac de Gaube

A la station supérieure du télésiège, six tables d'interprétation renseignent sur la forêt montagnarde, l'habitat de l'isard, etc.

Le lac, but d'une excursion rituelle depuis un siècle et demi de tourisme pyrénéen, occupe un site d'une harmonie sévère, en vue des parois lointaines du massif du Vignemale où se maintiennent des glaciers suspendus.

Pour découvrir la Pique Longue du Vignemale, point culminant (3 298 m) de la chaîne frontière entre Atlantique et Méditerranée, suivre la rive gauche, après l'hôtellerie.

★★ **Vallée du Marcadau** – *7,5 km puis 5 h à pied AR – schéma p. 150. Prendre la route du Pont d'Espagne et laisser la voiture au parking.*

Le parcours facile de cette vallée, jadis très fréquentée comme voie de transit vers l'Espagne, fait alterner les replats de prairies, où le gave limpide divague sur les cailloutis et les « verrous ». Au passage de ceux-ci le chemin se fait plus raide à travers les rocs et les bouquets de vieux pins de montagne souvent mutilés. Le refuge Wallon (alt. 1 866 m), but de l'excursion, s'élève à l'origine d'un cirque pastoral, dont les combes supérieures sont constellées de lacs *(promenades d'une journée).*

★ **Vallée de Lutour** – *6 km – schéma p. 122. Prendre la route du Pont d'Espagne. Au terme d'une série de lacets, aussitôt avant l'établissement de bains du Bois, tourner à gauche en arrière dans la route forestière de la Fruitière, étroite et en forte rampe.*

Après avoir laissé voir, à travers les arbres, les chutes supérieures de Lutour, la route sort de la forêt. Reposant paysage pastoral, peuplé de troupeaux et drapé de nappes d'éboulis, mais gardant cependant sa parure de pins jusque vers 2 000 m d'altitude.

Château de CAZENEUVE★

Cartes Michelin nᵒˢ 79 plis 1, 2 ou 234 pli 15

Situé sur un promontoire rocheux dominant le confluent du Ciron et de l'Homburens, le **château de Cazeneuve** ⊙ est une ancienne demeure royale élevée dans la campagne bazadaise. A la motte castrale d'origine (11ᵉ s.) fut accolée au 14ᵉ s. une importante enceinte de plan polygonal enserrant une bâtisse qui fut transformée au 17ᵉ s. en château de plaisance par Raymond de Vicose.

Demeure privilégiée des seigneurs d'Albret dès le 13ᵉ s., le château devint, en 1572, le fief du roi Henri III de Navarre, futur roi de France Henri IV. Ce dernier assigna à Cazeneuve, en 1583, son épouse, Marguerite de Valois, dite la « reine Margot » en attendant l'annulation de leur mariage. En octobre 1620, le roi Louis XIII y fit étape avant d'aller signer à Pau l'édit d'annexion réunissant le Béarn à la Couronne. Aujourd'hui le domaine est propriété de la famille de Sabran-Pontevès, descendante de la famille d'Albret.

Château de Cazeneuve – La chambre du Roi Henri IV

VISITE *1 h*

De l'ancienne « ville de Cazeneuve », qui s'étendait devant le château et que protégeaient des fossés aujourd'hui comblés, ne subsiste plus que la porte d'entrée, dite en « arc de triomphe ». L'imposante façade Sud, cantonnée de deux tours carrées et soulignée par une balustrade en pierre, surplombe les douves sèches. Le portail au fronton brisé, percé dans l'enceinte médiévale surmontée de balustres, donne accès à la cour d'honneur qui s'étage sur deux niveaux. La visite intérieure débute par la grande salle consistoriale puis par la galerie du rez-de-chaussée où l'on remarque des chaises dites « de fumeur » en cuir de Cordoue (le fumeur s'asseyait à califourchon et puisait son tabac dans un compartiment aménagé dans le haut du dossier de la chaise). Au premier étage, le Salon de la Reine Margot, entièrement décoré en style Louis XV, est contigu à la Chambre Louis XVI où sont rassemblés des souvenirs de Delphine de Sabran, qui fut aimée de Chateaubriand. Au bout de la galerie se trouve la chapelle du 17e s. La Chambre de la Reine Margot et la **Chambre du Roi Henri IV**★ se succèdent ; celle du Roi, tendue de drap rouge foncé, a conservé l'authentique lit à baldaquin d'Henri IV (toutefois restauré au 18e s.). La visite se termine par la salle à manger (imposante soupière en faïence de Montpellier) et la cuisine, dans laquelle on peut voir une panetière et un pétrin provençaux (la famille de Sabran-Pontevès est originaire de Provence. *Voir dans le guide Vert Provence le Château d'Ansouis*). Une flânerie dans le parc (près de 20 ha) fait découvrir, au milieu des pins parasols, des chênes rouges d'Amérique, des séquoias et des bambous.

La CHALOSSE et le TURSAN★

Cartes Michelin nos 78 plis 6, 7, 82 pli 1 ou 234 plis 26, 27, 30, 31

Bordés au Nord par les Landes, à l'Est par le Bas-Armagnac et au Sud par le Béarn, la Chalosse et le Tursan insèrent leurs collines, leurs nappes alluviales et leurs vallées dans le grand arc de l'Adour. Dans la Chalosse, parsemée d'exploitations agricoles et de villages d'aspect encore landais, apparaissent des placages de « sables fauves » fertiles – on les reconnaît dans les tranchées. Les chênes tauzin y croissent en abondance.

Ces régions à vocation rurale, qui bénéficient d'un développement équilibré, pratiquent la polyculture et le polyélevage. Le maïs hybride, qui s'adapte à différentes natures de sols, domine la production céréalière. La production fruitière est aussi présente. L'élevage se concentre sur les volailles (oies, canards et poulets) mais aussi sur les porcins et les bovins. Les terrains caillouteux des coteaux du Tursan portent des vignobles produisant des vins rouges, blancs et rosés d'appellation VDQS.

St-Sever, point de départ d'une route de balcon (D 32) tracée au-dessus des « barthes » (prairies accompagnant l'Adour), et Hagetmau sont de bons centres de tourisme.

CIRCUIT AU DÉPART DE ST-SEVER *127 km – compter une journée*

St-Sever - *Voir à ce nom.*

Quitter St-Sever au Sud-Est par la D 944. A l'entrée d'Aubagnan, s'engager à gauche dans la D 65.

Vielle-Tursan - De la terrasse de la mairie, **vue** agréable sur le pays vallonné de Tursan, dont le vignoble exportateur au 17e s. connaît un regain de faveur. Les arènes accueillent des courses landaises.

La route, accidentée, franchit les dos de terrains qui séparent les vallées parallèles des affluents de l'Adour.

Eugénie-les-Bains - La commune, créée en 1861, doit son nom à l'impératrice Eugénie, qui en fut la marraine. Deux sources, « L'Impératrice » et « Christine-Marie », offrent leurs propriété curatives dans les affections rhumatologiques, métaboliques (obésité), urologiques et gastro-entérologiques. La station est spécialisée également dans les stages « minceur ».

La D 11, offrant des vues sur la chaîne des Pyrénées, mène à Geaune.

Geaune - Ancienne bastide d'origine anglaise, Geaune, où se trouve la Cave coopérative des vignerons du Tursan, conserve une place bordée d'arcades sur trois côtés ; à l'ouest, les maisons sont en bois.

Par la D 2, gagner Samadet.

Samadet - La grande époque du « Samadet » se situa entre 1732 et 1811. La faïencerie utilisa la technique du « grand feu » mettant en valeur le fondu de l'émail et des couleurs et celle du « petit feu » permettant une palette plus raffinée. Le **musée de la Faïencerie** ⊘, situé sur la route d'Hagetmau, abrite de riches et rares collections des célèbres « Samadet » : pièces à décor de roses, œillets, papillons et plats en camaïeu vert à grotesques ou chinoiseries.

Un intérieur landais bourgeois du 18e s., des salles artisanales intéresseront le profane aussi bien que la reconstitution de l'ancienne et célèbre faïencerie royale et les costumes du 18e s. présentant la vie des bourgeois et des paysans.

J.-J. Boiredon

Fontaine aux dauphins
(Faïence de Samadet
fin 18e s.)

Hagetmau - *Voir à ce nom.*

Prendre la D 18 en direction de Mugron. A Doazit, prendre à gauche la D 21 et gagner Brassempouy.

Brassempouy et grotte du Pape - *Voir à Hagetmau.*

De Brassempouy à Bastennes se succèdent des paysages vallonnés le long de la D 58.

Château de Gaujacq - *Voir à ce nom.*

A Castelnau-Chalosse, prendre au Nord la D 7 vers Montfort.

Montfort-en-Chalosse - Ce petit village présente un noyau central en hauteur coupé de ruelles et de rues en escalier.

★ **Musée de la Chalosse** ⊘ - Consacré à l'économie rurale et au monde paysan en Chalosse, le musée s'organise autour de la **maison de maître**, meublée et décorée dans un style rustique du 19e s. On visite les parties privées (salon, salle à manger, chambres) et les parties réservées aux tâches domestiques (« salle noire » où l'on rangeait les aliments, cuisines). Remarquer un quillier en bois constitué d'une boule de 6 kg et de 9 quilles de 0,96 cm de haut. Autour de la maison, on peut voir le four à pain, la souillerie (avec son cochon noir gascon), l'étable, le chais et le pressoir ainsi que l'atelier de maréchal-ferrant. Une exposition sur les métairies est également proposée. A l'étage de la maison, une médiathèque rassemble de nombreux documents sur la vie rurale locale.

Poursuivant par la D 7, puis la D 10, qui passe devant le château de Poyanne, du 17e s., on atteint Laurède.

Laurède - *Prendre une petite route à gauche avant l'église.* La **maison capcazalière** « **Peyne** » ★ ⊘ (le mot « capcazal » désignait autrefois un domaine d'occupation très ancien) est une intéressante demeure chalossaise du 17e s., qui a conservé son cachet d'origine. L'intérieur est orné d'un bel escalier à balustres, de meubles provinciaux et de boiseries Louis XIV ainsi que de hautes cheminées en pierre sculptée.

L'**église** ⊘ du village abrite une étonnante décoration baroque : monumental autel surmonté d'un baldaquin, chaire et lutrin, boiseries de la sacristie.

153

Mugron – Chef-lieu de canton très lié au développement agricole de la Chalosse (cave coopérative, silos). Son port sur l'Adour expédiait, au temps des intendants, les vins de la région jusqu'en Hollande. Des jardins aménagés aux abords de la mairie, **vues**★ sur la vallée de l'Adour. Entre Mugron et Montaut, la route multiplie les vues sur le revers du plateau de Chalosse dont les promontoires s'abaissent vers l'Adour et la « pignada ».

Montaut – L'ancien bourg fortifié allonge sa rue principale aux maisons coquettes sur la crête du dernier pli de terrain de la Chalosse, dominant la plaine de l'Adour et la forêt landaise. La tour de l'église, formant porte de ville, est une reconstruction entreprise après les ravages des

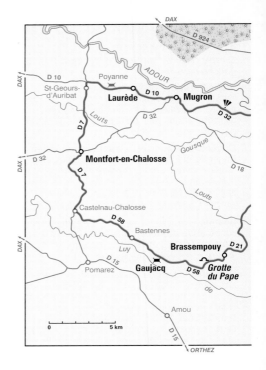

bandes de Montgomery *(voir p. 37)*. A l'intérieur de l'édifice, remarquer le style différent des deux retables, celui de droite, du début du 17e s., à l'architecture strictement rythmée par des lignes perpendiculaires contrastant avec celui de gauche, du 18e s., d'un baroque plus sinueux et plus naïf.

Par une petite route, sur la gauche, on atteint Banos, village-belvédère, puis Audignon.

Audignon – Ce petit village de Chalosse possède une **église** ⊙ intéressante, insérée dans une boucle du Laudon et se retranchant dans un cimetière d'allure fortifiée.

Le chevet roman contraste avec le clocher-porche à flèche octogonale gothique. Le donjon médiéval est devenu clocher de l'église au 14e s.

Retour à St-Sever par la D 21.

Le **COMMINGES**★★

Cartes Michelin nos 82 plis 15, 16 et 17, 85 pli 20 et 86 plis 1, 2, 3, 11
ou 234 plis 44, 48, 235 plis 41, 45

Le Comminges, ancienne province historique et ecclésiastique de la Gascogne, à laquelle se rattachaient le Val d'Aran *(guide Vert Michelin Espagne)* et le Couserans *(voir à ce nom)*, se situe au centre de la chaîne pyrénéenne, à mi-chemin entre l'Atlantique et la Méditerranée. La région a pour cadre géographique le bassin de la haute Garonne, entre les cimes de la Maladetta (pic d'Aneto – 3 404 m – point culminant des Pyrénées) et les campagnes molles de l'avant-pays toulousain, jusqu'à Muret.

UN PEU DE GÉOGRAPHIE

Granits et marbres – Les Pyrénées luchonnaises enrobées de quelques glaciers se dressent en barrière, suivant une ligne de crête jalonnée d'Ouest en Est par les sommets granitiques, tous d'altitude supérieure à 3 000 m, fermant la vallée d'Oô (Spijoles, Gourgs Blancs, Perdiguère) et la vallée du Lys (Crabioules, Maupas). L'échancrure la plus marquée, le port de Vénasque, s'élève encore à 2 448 m.

Les avant-monts calcaires, au Nord du bassin de Marignac et sur la rive droite de la Garonne, culminent au pic de Cagire (alt. 1 912 m), masse sombre dressant, vue de l'avant-pays, un repère très remarquable devant les hautes crêtes luchonnaises. La forêt, surtout des hêtres, se poursuit plus à l'Est dans le massif d'Arbas (pic de Paloumère – alt. 1 608 m) criblé de cavités souterraines et, partant, terrain d'exercice pour les spéléologues *(p. 21)*.

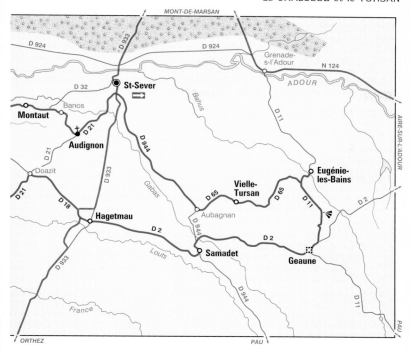

Le COMMINGES

Le bas pays gascon, longtemps ignoré des visiteurs, a livré depuis un siècle les témoins d'un important habitat paléolithique (Aurignac, gorges de la Save et de la Seygouade près de Montmaurin) et des vestiges de villas gallo-romaines (Montmaurin). Là se termina, avant les premières invasions barbares, au 5ᵉ s., la « belle époque » de l'Aquitaine des grands domaines, pourvus en marbres par les carrières de St-Béat.

La Garonne pyrénéenne – « Garona » est, dans le Val d'Aran, un nom commun à plusieurs torrents. Le plus important, le rio Garona de Ruda, prend sa source à proximité du mont Saboredo (2 830 m) au Sud du col de la Bonaigua. Ce torrent reçoit plusieurs affluents dont le plus connu est le rio Garona de Juéu. Celui-ci naît en pleine forêt au güell du Juéu, résurgence des eaux de fonte glaciaire du versant Nord de la Maladetta étudiée par Norbert Casteret en 1931 *(voir le guide Vert Michelin Espagne)*.
La Garonne pénètre en France au pont du Roi ; c'est encore un torrent de haute montagne par la pente et par le régime (basses eaux en hiver, hautes eaux en mai-juin). En Comminges, elle se grossit de la Pique, de l'Ourse et de la Neste d'Aure. A Montréjeau, débouchant dans une véritable gouttière qui s'allonge au pied de la chaîne, de la Barthe-de-Neste à Boussens, elle oblique vers l'Est et traverse la « rivière » de St-Gaudens. La cluse de Boussens marque la sortie définitive des Pyrénées *(voir le guide Vert Michelin Pyrénées Roussillon Albigeois)*.

UN PEU D'HISTOIRE

Une création romaine – En 76 avant J.-C., le grand Pompée, partant faire campagne en Espagne, annexe la haute vallée de la Garonne et l'intègre à la province romaine de Gaule transalpine. A son retour, en 72 avant J.-C., il fonde « Lugdunum Convenarum », aujourd'hui St-Bertrand-de-Comminges, et y ramasse des aventuriers, des montagnards et des bergers. La cité se développe rapidement.
Dans les hautes vallées pyrénéennes, la dévotion aux dieux indigènes est intense et fait bon ménage avec le culte des divinités celtiques ou romaines. Les vallées de Larboust et d'Oueil étaient particulièrement marquées par cette ferveur religieuse et la plupart des églises de montagne du Luchonnais montrent encore, encastrés dans leurs murs, des vestiges lapidaires antiques (autels, votifs, cippes, auges cinéraires, etc.).

Le comté de Comminges – Sa destinée fut contrariée par une situation inconfortable entre les domaines de la maison de Foix-Béarn et par la configuration d'un territoire constellé d'enclaves, dont celle du Nébouzan (St-Gaudens), également possession de

Fébus. Aussi le comté fut-il éclipsé, par le prestige des évêchés de Comminges (St-Bertrand) et de Couserans (St-Lizier). Le Comminges revint à la France en 1454.

Le traité de Corbeil, conclu entre Saint Louis et Jacques Ier en 1258, avait réservé les droits de l'Aragon sur le Val d'Aran. Cette cession se trouva confirmée, de fait, par le traité des Pyrénées (1659). Faute d'un accord sur la délimitation d'un éventuel département montagnard des Pyrénées Centrales, interposé entre les Hautes-Pyrénées et l'Ariège, le pays devint en 1790 l'un des constituants de la Haute-Garonne.

★ ROUTE DE PEYRESOURDE

D'Arreau à Luchon *45 km – environ 4 h*

Arreau *– Voir à ce nom.*
Quitter Arreau à l'Est par la D 112.

Jézeau – En haut du village, l'église renferme un beau **retable** Renaissance en bois sculpté, doré et peint. La voûte en bois de la nef unique est couverte de peintures représentant le Jugement dernier, thème majeur de l'iconographie chrétienne *(voir encadré ci-dessous).*
Rejoindre la D 618, au Sud-Est d'Arreau.

La route remonte la vallée de la Neste de Louron d'abord resserrée entre des versants boisés, puis épanouie, au Sud d'Avajan, en un bassin aux nombreux villages, mais aux fonds humides à peu près abandonnés. Fermé au Sud, ce bassin est dominé à gauche par le groupe du pic de Hourgade (alt. 2 964 m), nœud orographique d'où se détachent de fines arêtes encadrant les combes neigeuses.

Vielle-Louron – L'église St-Mercurial est une des plus belles églises peintes de la vallée du Louron. On peut voir, sur sa voûte en bois, l'arbre de Jessé ainsi que le Christ entouré des quatre évangélistes. Les **peintures** de la sacristie (16e s.) sont admirables : des démons sardoniques font subir mille tourments aux damnés, cuits dans une marmite ou dévorés par un monstre.

Les églises peintes de la vallée du Louron

Plusieurs églises romanes de la vallée du Louron portent sur leur voûte de bois d'étonnantes et riches peintures. Elles ont été réalisées par des artistes français ou espagnols au 16e s., bénéficiant des richesses nouvellement acquises par les Espagnols après la découverte du Nouveau Monde. Le thème du Jugement dernier est récurrent dans ces églises : on le voit à Vielle-Louron, Mont et Jézeau. La représentation, parfois naïve, du diable et des créatures monstrueuses est ici particulièrement évocatrice. L'Enfer tient une place prépondérante dans l'iconographie chrétienne de cette époque. Dans cette région, elle est renforcée par l'affirmation du catholicisme sous l'influence de l'évêché de Comminges et du Concile de Trente, à la veille des guerres de Religion.

Ces églises ne sont malheureusement pas toujours ouvertes au public. Pour les découvrir, contacter le Syndicat d'initiative de Bordères-Louron, ☏ 05 62 98 64 12.

Génos – *1/4 h à pied AR. Au sommet d'une montée, aussitôt avant le panneau d'entrée, gagner l'église par la rampe, à gauche.* Poursuivre, à pied, en contournant le cimetière par la gauche jusqu'à la ruine du château, bien située sur un « verrou » dominant un plan d'eau aménagé pour les distractions nautiques. **Vue** sur le fond montagneux de la vallée.

Faire demi-tour ; au pied du verrou, traverser la Neste de Louron et rejoindre Estarvielle par Armenteule.

Estarvielle – Dans l'église, des peintures évoquent le partage de la tunique de Jésus.

Mont – L'église romane possède un clocher carré percé de fenêtres à colonnettes. Au-dessus du porche, la façade est peinte à fresque. On peut également voir d'admirables **peintures** à l'intérieur, datant de 1574 et attribuées à Melchior Rodigis : Passion du Christ, prophète Isaïe annonçant la venue du Sauveur, les évangélistes.
Après la bifurcation de Mont, belvédère aménagé sur la vallée de Louron.
Par une combe, assombrie sur le versant opposé par la sapinière de Balestas, on atteint le col de Peyresourde (alt. 1 569 m).

Peyragudes – Ce centre de ski, développé de part et d'autre de la crête qui sépare le département des Hautes-Pyrénées de celui de la Haute-Garonne, résulte de la fusion des deux stations de Peyresourde et des Agudes.
S'élever un peu sur la croupe dominant l'altiport pour apprécier le **panorama**★ : on découvre pour la dernière fois, en venant de l'Ouest, le massif de Néouvielle finement dentelé et ponctué de neige. La descente du col sur le versant de Luchon révèle une nature riante.

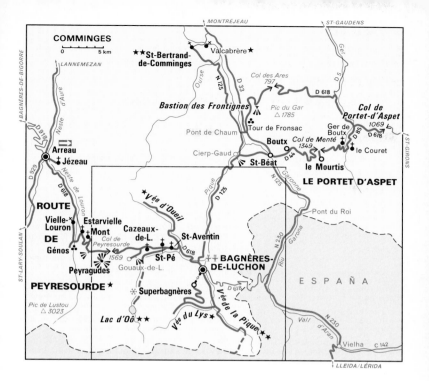

COMMINGES

0   5 km

LANNEMEZAN

MONTRÉJEAU   ST-GAUDENS

★★St-Bertrand-de-Comminges   Valcabrère ★

Col des Ares 797

Bastion des Frontignes   Pic du Gar △ 1785

Tour de Fronsac

Pont de Chaum

Cierp-Gaud

Boutx

Col de Menté 1349

Ger de Boutx

Col de Portet-d'Aspet 1069

le Couret

Arreau † **Jézeau**

ROUTE

DE

Génos

Estarvielle

Mont

Col de Peyresourde 1569

Peyragudes

PEYRESOURDE ★

Pic de Lustou △ 3023

Vielle-Louron

V^{ée} d'Oueil

St-Béat

le Mourtis

LE PORTET D'ASPET

Pont du Roi

Cazeaux-de-L.   St-Aventin

St-Pé

Gouaux-de-L.

†† **BAGNÈRES-DE-LUCHON**

✳ **Superbagnères**

Lac d'Oô ★★

V^{ée} du Lys

V^{ée} de la Pique

E S P A Ñ A

Val d'Aran

Vielha   C 142

LLEIDA/LÉRIDA

Le domaine skiable – Son étendue permet une glisse sans stress à 1 600-2 500 m d'altitude. Parmi les 32 pistes de tous niveaux, celle de la Vallée Blanche, encaissée dans un vaste cirque pastoral, se distingue par sa longueur impressionnante. 70 canons à neige garantissent l'enneigement du bas du domaine. Le forfait est valable dans les autres stations de Haute-Garonne.

En janvier se déroule la « Peyragudes Rider's Cup », compétition de surf des neiges.

Quitter la D 618 pour la route de corniche menant à Gouaux-de-Larboust *(village où l'on fera demi-tour)* afin d'apprécier des **vues**★★ sur la vallée d'Oô avec les toits d'ardoise du village d'Oô.

La fraîcheur de cette vallée, où foisonnent les frênes et les noyers, s'allie avec bonheur au paysage de haute montagne caractéristique du massif luchonnais : roches sombres (Spijoles, Gourgs Blancs, pic du Portillon d'Oô) enrobées de petits glaciers.

Cazeaux-de-Larboust

– L'**église** est décorée de peintures murales du 15e s., très retouchées. Face à la porte d'entrée, curieux Jugement dernier : la Vierge presse son sein pour adoucir les douleurs du Christ et calmer sa colère. Le glaive tombe des mains du Divin justicier.

A la sortie de Cazeaux, vue charmante sur l'église et les maisons de Castillon.

Chapelle St-Pé (ou St-Pierre-de-la-Moraine)

– Halte agréable. Les murs de l'édifice et surtout les contreforts incorporent des fragments de monuments funéraires antiques, très frustes.

Comme dans tout le Haut Comminges les manifestations religieuses de l'Antiquité celtique et romaine ont laissé ici de nombreux vestiges.

Cazeaux-de-Larboust – Fresque de l'église

A. Thuillier

157

St-Aventin – *Voir à ce nom.*

La route, ombragée, poursuit sa descente vers le bassin de Luchon.

‡‡ **Bagnères-de-Luchon** – *Voir à ce nom.*

‡‡ BAGNÈRES-DE-LUCHON ET EXCURSIONS
Voir à ce nom

LE PORTET D'ASPET

De Bagnères-de-Luchon à St-Bertrand-de-Comminges
94 km – environ 3 h

‡‡ **Bagnères-de-Luchon** – *Voir à ce nom.*

Quitter Luchon au Nord par la D 125.

Après Luchon, le premier parcours se déroule dans la vallée de la Pique.
Avant d'arriver à Cierp-Gaud, belle vue en arrière sur la chaîne-frontière et en avant, à droite, sur le massif calcaire du Gar surmonté d'une croix. La Garonne débouche, à droite, dans le large bassin de Marignac.
Traversant le bassin, dominé par les escarpements du pic de Gar, la D 44 dépasse des carrières de marbre et se rapproche du défilé de St-Béat.

St-Béat – Ancienne place forte, la « clé de la France » – comme le rappellent ses armes – commandait le débouché du Val d'Aran vers la Gascogne. Les maisons grises baignées par le torrent se courbent en arc au fond de la gorge. Sur la rive droite, le donjon (12ᵉ s.), utilisé comme tour d'horloge, le château et quelques remparts crénelés (14ᵉ s.) sont les dernières traces de la citadelle.
Les marbres blancs ou gris ont fait la renommée de St-Béat dès l'époque romaine *(voir à Montmaurin)* et en particulier au Grand Siècle puisqu'ils furent utilisés pour les bassins et les statues du parc de Versailles. La carrière romaine est visible à la sortie du village, sur la D 44.
St-Béat est la patrie du **maréchal Gallieni** (1849-1916) dont on pourra voir la maison familiale sur la rue de traversée, peu après la poste, du côté opposé à celle-ci, et la statue sur la promenade rive droite de la Garonne, au-delà de l'église.
La route s'élève rapidement au-dessus des toits d'ardoise de Lez.

Boutx – Joli coup d'œil sur les toits tout comprimés du village.
La route décrit des lacets en forêt de résineux et atteint le **col de Menté** (alt. 1 349 m).

Le Mourtis – Station de sports d'hiver calme et conviviale. Les chalets et résidences, habités surtout à la saison du ski, se disséminent sous une forêt de vieux sapins frangés de lichens, partie d'un vaste ensemble boisé à cheval sur les vallées de la Garonne et du Ger.
Sur le versant Est du col de Menté la route descend dans le vallon resserré du haut Ger, semé de granges et de hameaux perchés, dont les églises montrent un clocher-mur portant trois aiguilles à boules (le **Couret, Ger de Boutx**). Après l'embranchement d'Henne-Morte que l'on laisse sur la gauche, la montée s'accentue.

Col de Portet d'Aspet – Alt. 1 069 m. Panorama depuis les pentes en face du chalet hôtel : le mont Valier (alt. 2 838 m), au dernier plan, pyramide sombre légèrement inclinée.
A l'Est du col on pénètre dans le Couserans *(voir à ce nom).*

Faire demi-tour et poursuivre sur la D 618.

La route descend la vallée du Ger, dans une belle gorge boisée. Du col des Ares (alt. 797 m), la descente se poursuit, régulière dans le joli pays des Frontignes.

Bastion des Frontignes – Du lacet avant le village d'Antichan, **vue** sur le massif de Luchon et ses petits glaciers. *Table d'orientation.*
La route longe les flancs du pic de Gar, offrant des vues de plus en plus étendues, au Nord sur la vallée de la Garonne, au Sud sur la vallée de Luchon et son cirque de montagnes. A gauche apparaissent les ruines de la **tour de Fronsac**, vestiges d'une forteresse des comtes de Comminges.

Au pont de Chaum prendre la N 125 à droite.

★★ **St-Bertrand-de-Comminges** – *Voir à ce nom.*

Quelques faits historiques.

Sous ce chapitre en introduction, le tableau évoque les principaux événements de l'histoire du pays.

CONDOM

7 717 habitants

Cartes Michelin nᵒˢ 79 pli 14 ou 234 pli 24 – Schéma p. 32

Condom, typiquement gasconne par les souvenirs qu'évoquent ses vieux hôtels, par ses activités partagées entre le commerce de l'Armagnac et des grains, la minoterie et l'industrie du bois, est le chef-lieu d'un arrondissement riche d'églises rurales et de gentilhommières.

La Baïse, jadis canalisée pour l'exportation des eaux-de-vie vers Bordeaux, forme le long des anciens quais un beau plan d'eau.

Les **promenades en bateaux** ⊙ sur la Baïse font découvrir le moulin de Barlet puis les rives verdoyantes du quartier de la Bouquerie et l'écluse de Teste ; le parcours se termine par la visite des chais d'Armagnac de la maison Jean du Vignau situés au niveau du quai Buzon. La Baïse est en outre navigable jusqu'à Valence-sur-Baïse, par le passage de trois écluses manuelles.

LE CENTRE VILLE *visite : 1 h 1/2*

Partir de la place St-Pierre, dominée par le chevet de la cathédrale.

★ **Cathédrale St-Pierre** – Rebâtie de 1507 à 1531, c'est l'un des derniers grands édifices du Gers construits suivant les traditions gothiques du Sud-Ouest. Le clocher avec sa tour quadrangulaire s'élève majestueusement.

Au portail Sud, gothique flamboyant, les niches des voussures abritent encore 24 statuettes : l'agneau de saint Jean-Baptiste, blason de Jean Marre ; le grand évêque bâtisseur de Condom (1496-1521) se reconnaît sur le socle de la niche vide du trumeau.

Le vaisseau est illuminé par des verrières à remplage flamboyant dues à un atelier condomois (1858) pour le chœur et à l'atelier du Vitrail de Limoges (1969) pour les fenêtres de la nef. Les nervures des voûtes s'articulent autour de clés historiées : on reconnaît à la 5ᵉ travée les armes de l'évêque bâtisseur, à la 7ᵉ saint Pierre.

La clôture néo-gothique du chœur est peuplée de grandes statues d'anges et de saints exécutées en terre cuite moulée en 1844.

Faire le tour du chœur par la gauche.

Au-dessus de la porte de la sacristie, une très belle plaque de marbre commémore la consécration de la cathédrale en 1531. La chapelle axiale, dédiée à la Vierge, forme un sanctuaire gothique qui appartenait à l'ancienne cathédrale.

★ **Cloître (H)** – En grande partie refait au 19ᵉ s. Le système des voûtes l'apparente étroitement à la cathédrale. Sur la galerie Est se greffe la chapelle Ste-Catherine, transformée en passage public : jolies clés de voûte polychromes.

Pénétrer dans le vestibule du palais de justice, ancienne chapelle des Évêques.

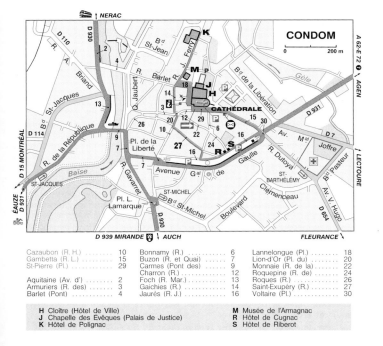

Cazaubon (R. H.) 10	Bonnamy (R.) 6	Lannelongue (Pl.) 18
Gambetta (R. L.) 15	Buzon (R. et Quai) 7	Lion-d'Or (Pl. du) 20
St-Pierre (Pl.) 29	Carmes (Pont des) 9	Monnaie (R. de la) 22
	Charron (R.) 12	Roquepine (R. de) 24
Aquitaine (Av. d') 2	Foch (R. Mar.) 13	Roques (R.) 26
Armuriers (R. des) 3	Gaichies (R.) 14	Saint-Exupéry (R.) 27
Barlet (Pont) 4	Jaurès (R. J.) 16	Voltaire (Pl.) 30

H Cloître (Hôtel de Ville)	**M** Musée de l'Armagnac
J Chapelle des Évêques (Palais de Justice)	**R** Hôtel de Cugnac
K Hôtel de Polignac	**S** Hôtel de Riberot

59

Chapelle des Évêques (J) ⊘ – Postérieure à la cathédrale, elle est encore de structure gothique. Voir surtout, du jardin de la sous-préfecture (P – ancien évêché, du 18ᵉ s.), son portail Renaissance surmonté d'une fenêtre décorée de baldaquins et de médaillons.

Par la place Lannelongue, gagner la rue Jules-Ferry.

A droite, remarquer les bâtiments mansardés des écuries de l'évêque (ancienne gendarmerie abritant le musée de l'Armagnac).

Musée de l'Armagnac (M) ⊘ – Il groupe de rares matériels utilisés jadis par les vignerons de la région (pressoir pesant 18 t, rouleau à fouler le raisin), un échantillonnage complet d'instruments de tonnellerie et de bouteilles produites par les gentilshommes-verriers gascons, divers alambics dont l'un exécuté comme chef-d'œuvre par un compagnon chaudronnier. Remarquer la carte des anciennes routes d'exportation de l'Armagnac par l'Adour ou par la Garonne.

Poursuivre dans la rue Jules-Ferry.

Hôtel de Polignac (K) – Construit au 18ᵉ s., cet édifice abrite une école laïque. Côté rue, la façade classique est rythmée par des colonnes, des hautes fenêtres et des balustres ; elle est précédée par une colonnade et de belles grilles en fer forgé. A l'Ouest, l'imposant bâtiment, souligné par un balcon de pierre, domine la vallée de la Baïse.

Faire demi-tour et prendre la rue Gaichies. Sur la place du Lion-d'Or, emprunter la rue Honoré-Cazaubon.

Au nᵒ 1 hôtel Empire ; au nᵒ 10 l'hôtel de Galard montre une façade Louis XV.

Rue Saint-Exupéry (27) – Entrer dans la cour du collège Salvandy, ancien collège d'Oratoriens (1724), pour remarquer la tour d'escalier gothique.

A l'extrémité de la rue Saint-Exupéry, tourner à droite pour gagner le « Cours » (avenue Général-de-Gaulle, rue Jean-Jaurès).

Hôtel de Cugnac (R) ⊘ – Dans ce noble hôtel du 18ᵉ s., la **maison Ryst Dupeyron** propose la visite de ses vieux chais datant de la même époque. Le parcours dans la distillerie et le chai de mise en bouteilles est étayé par des projections audiovisuelles.

Hôtel de Riberot (S) – *École Jean-Jaurès.* Autre hôtel du 18ᵉ s., à un seul étage et attique. Curieux petit balcon en étrave.

Poursuivre jusqu'à la place Voltaire et prendre à gauche la rue Léon-Gambetta qui ramène à la cathédrale.

En débouchant sur la place, belle vue sur le chevet de la cathédrale et le cloître attenant.

S'avancer jusqu'à l'entrée de la rue Charron, côté Ouest de la place, pour observer la façade de l'**hôtel de Bourran** (17ᵉ s.), parée d'un balcon sur trompe.

ENVIRONS

★ **La Romieu** – *11 km à l'Est par la D 931 et la D 41. Voir à ce nom.*

VALLÉES DE L'OSSE ET DE L'AUZOUE

Circuit de 40 km à l'Ouest de Condom – compter une demi-journée. Quitter Condom par la D 15, en direction de Montréal.

Larressingle – Ce village fortifié du 13ᵉ s. est ceint de remparts au milieu desquels subsistent un donjon, une église et quelques maisons restaurées. Un pont enjambant les douves et une porte fortifiée permettent d'accéder au centre. Le donjon en ruine se compose de trois étages accessibles par un escalier à vis. L'église romane, aménagée aussi en ouvrage de défense, se réduit à deux chœurs emboîtés ; elle fut dédiée à Sigismond, roi des Burgondes, martyrisé par Clodomir, l'un des fils de Clovis.

Un chemin à l'extérieur de l'enceinte fait le tour des fortifications.

Montréal – Cette bastide, l'une des premières établies en Gascogne (1256), occupe un site pittoresque au-dessus de la vallée de l'Auloue. Sévèrement endommagée pendant les guerres de Religion, elle a conservé une église gothique fortifiée et une place carrée bordée de maisons à couverts dont l'une abrite un petit **musée archéologique** ⊘ *(accès par le Syndicat d'initiative).* A l'intérieur sont regroupées quelques pièces (poteries, objets en fer, boucles mérovingiennes), découvertes sur le site de Séviac *(voir ci-après)*, notamment la « mosaïque aux arbres », composition végétale mêlant harmonieusement des motifs d'arbres fruitiers et de lys.

A 2,5 km au Sud, serties dans un bois de chênes, s'élèvent les ruines de l'**église St-Pierre-de-Genens**, dont le portail roman est surmonté d'un chrisme en marbre blanc des 7ᵉ et 8ᵉ s.

Gagner le site de Séviac en suivant la signalisation à l'Ouest de Montréal.

Villa gallo-romaine de Séviac – Mosaïque

Villa gallo-romaine de Séviac ⊙ – Les fouilles menées sur le site depuis le siècle dernier ont mis au jour les fondations d'une importante et luxueuse villa gallo-romaine du 4e s., imbriquée avec un ensemble paléo-chrétien et des vestiges mérovingiens, le tout témoignant d'une occupation permanente du 2e s. au 7e s. Établi sur un plateau calcaire peu élevé, le logis résidentiel s'ordonne autour d'une cour carrée, entourée de galeries aux sols couverts de mosaïques et ouvrant sur la cour par une colonnade de marbre.

Au Sud-Ouest, une cour sépare la demeure du maître d'un vaste ensemble thermal, le plus grand qu'on connaisse au sein d'une habitation privée. Il comporte des salles chauffées par hypocaustes (système de circulation d'air chaud sous le sol), une piscine et des bassins plaqués de marbre et décorés de mosaïques, exceptionnelles par leur nombre, leur richesse et leur état de conservation.

La D 29, à la sortie Nord de Montréal, remonte le cours de l'Auzoue.

★ **Fourcès** – Par un petit pont franchissant l'Auzoue bordé par un château des 15e et 16e s., on arrive au cœur de cette pittoresque bastide anglaise fondée au 13e s. D'une grande originalité par son plan circulaire, Fourcès conserve de vieilles maisons à colombage, sur arches de pierre ou de bois, groupées autour d'une vaste place ronde ombragée. De l'enceinte subsistent quelques vestiges et la tour de l'Horloge. Lors du Marché aux fleurs de printemps *(dernier week-end d'avril)*, la petite cité se pare de couleurs.

Regagner Condom par la D 114.

LE VIGNOBLE

Circuit de 50 km – environ une demi-journée. Quitter Condom au Sud-Ouest par la D 931.

Ce circuit, recommandé en automne où la vigne arbore des teintes mordorées, ne donne qu'un aperçu du vignoble d'Armagnac et de quelques châteaux qui proposent au touriste de passage dégustation et vente.

Mouchan – Ce village possède une jolie petite **église** ⊙ romane, dont la partie la plus ancienne remonte au 10e s. (base du clocher actuel). Quelques éléments d'architecture sont à remarquer : à l'extérieur, le chevet avec ses trois baies encadrées de colonnettes, elles-mêmes surmontées d'une corniche à modillons sculptés, le portail Nord, muré, avec sa voussure supérieure à damiers ; à l'intérieur, l'archaïque voûte d'ogives à la croisée du transept, le cordon de billettes et la corniche à boules, qui courent en partie autour de l'édifice. Dans le chœur en cul-de-four, on observera particulièrement la série d'arcatures avec ses chapiteaux à feuilles lisses ou plus rarement historiés.

Par la D 208, gagner le château de Cassaigne.

Château de Cassaigne ⊙ – Son origine remonte au 13e s. Il devint par la suite résidence de campagne des évêques de Condom et subit de nombreuses transformations au cours des siècles. La façade actuelle se pare de lignes classiques harmonieuses (18e s.).

Après avoir visité le chai, où l'Armagnac vieillit dans des fûts de chêne, le visiteur est convié à assister à un diaporama sur l'histoire du château, le travail de la vigne et la genèse du prestigieux alcool. La cuisine du 16e s., couverte d'une rare coupole aplatie en briques à la façon d'un four de boulanger, abrite de la vaisselle d'étain, de cuivre et de faïence ainsi que du mobilier massif. Sortant par le perron Nord, on jouit d'une vue sur le vignoble. La visite se termine par une dégustation.

Prendre la D 229 en direction de Lagardère, après 4,5 km tourner à droite.
Le château du Busca-Maniban apparaît sur une hauteur dominant les vallées de la Baïse et de l'Ousse.

Château du Busca-Maniban ⊙ – Il se compose d'un corps principal de deux étages précédé d'une vaste cour d'honneur. Le vestibule (remarquer deux armoires en chêne de l'école de Morlaàs) surprend par sa majesté : un escalier monumental s'élève vers une galerie soutenue par des colonnes – mi-pierre, mi-bois peint – à chapiteaux doriques. Au premier étage la salle dite italienne conserve quelques belles pièces de mobilier.
Au rez-de-chaussée on découvre deux anciennes cuisines avec leurs ustensiles et mobilier ainsi que la chapelle du 15e s. décorée de peintures italiennes du 17e s. De la terrasse, la vue s'étend par temps clair jusqu'aux montagnes pyrénéennes.

Revenir à Cassaigne.

Dans la descente, la route ménage de belles vues sur les coteaux couverts de vigne que surplombent les ruines du château de Mansencôme.

A Cassaigne, prendre à droite la D 142.

★ **Abbaye de Flaran** - *Voir à ce nom.*

Valence-sur-Baïse – Bastide issue d'un contrat de paréage conclu en 1274 entre l'abbé de Flaran et le comte Géraud V d'Armagnac, Valence est située au confluent de la Baïse et de l'Auloue. Elle adopte un plan orthogonal de part et d'autre d'un axe principal. La place à couverts est bordée par une église du 14e s., remaniée au 19e s.

Quitter Valence au Nord par la D 232 pour gagner, par une petite route à gauche, les ruines du château de Tauzia.

Château de Tauzia – Cet édifice, en ruine au milieu d'une prairie, était aux environs de 1300 une modeste forteresse munie de deux tours d'angle. Les fenêtres à meneaux ont été percées au 16e s.

Par Maignaut-Tauzia, regagner la D 142. Tourner à gauche dans la D 42 pour gagner St-Puy.

Château Monluc ⊙ – Ancienne forteresse médiévale, longtemps disputée entre les rois de France et d'Angleterre, le château de St-Puy eut comme illustre seigneur Blaise de Monluc, maréchal de France et homme de lettres *(voir p. 44).* Le château Monluc est le berceau du **pousse-rapière**, liqueur faite à base d'Armagnac avec macération de fruits. Accompagnée de vin effervescent brut (élaboré selon la méthode champenoise), cette liqueur donne un savoureux cocktail. Les caves voûtées servent de cadre à l'explication de la fabrication du précieux breuvage. On remarque une grande pièce meublée, ancienne salle à manger chauffée par le sol d'après le principe de l'hypocauste romain, le pressoir ancien, de vieilles machines de chai (doseuse, boucheuse) et une exposition sur Blaise de Monluc et le domaine.

Prendre la D 654 en direction de Condom, puis à droite vers St-Orens par la D 232.

St-Orens – Village fortifié de hauteur. Par la porte percée dans le rempart, on accède à l'extrémité du promontoire portant le château aux fenêtres à meneaux.

Regagner Condom par la D 654.

Phare de CORDOUAN★

Cartes Michelin n°s 71 pli 15 ou 233 pli 25

Accès ⊙ – Au départ de la Pointe de Grave *(voir à La Côte d'Argent).*

Histoire – Aussi attachant par son architecture que par son isolement, le fanal de Cordouan commande les passes, souvent agitées, de la Gironde, que bouleversent de dangereux courants. Le banc rocheux qui le porte rejoignait jadis la Pointe de Grave ; réduit à un îlot aux 16e-17e s., il ne se découvre plus, de nos jours, qu'à marée basse. Dès le 14e s., le Prince Noir ordonna d'élever une tour octogonale au sommet de laquelle un ermite allumait de grands feux ; une chapelle et quelques maisons l'accompagnaient. À la fin du 16e s., cette tour menaçant de s'écrouler, le maréchal de Matignon, gouverneur de Guyenne, fit appel à **Louis de Foix**, ingénieur et architecte, qui venait de déplacer l'embouchure de l'Adour, entreprise gigantesque pour l'époque.

Louis de Foix bâtit donc, avec plus de 200 ouvriers, une sorte de belvédère surmonté de dômes et de lanternons, qu'on entoura d'une plate-forme protectrice. En 1788, l'ingénieur Teulère reconstruisit la partie supérieure de l'édifice dans le style Louis XVI, dont la sobriété contraste avec la richesse des étages inférieurs.

Visite  – Avec ses étages Renaissance, qu'une balustrade sépare du couronnement classique, le phare, haut de 66 m, donne une impression de majesté et de hardiesse. Une poterne conduit au bastion circulaire qui protège l'édifice des fureurs de l'océan ; là habitent les gardiens du phare. Au rez-de-chaussée de la tour, un portail monumental donne accès au vestibule où commence l'escalier de 301 marches montant à la lanterne (qui abrite un feu à occultation). Au 1er étage, dont la base s'entoure d'une galerie extérieure, se situe l'appartement du Roi ; au 2e étage,

Le phare de Cordouan au début du 17e s.

Bibliothèque de l'Arsenal/Paris

couronné d'une autre galerie circulaire, la **chapelle** (au-dessus de la porte, buste de Louis de Foix) est coiffée d'une belle coupole.

La CÔTE D'ARGENT★

Cartes Michelin nos 71 plis 15 à 20 ; 78 plis 1 à 6 et 11 à 18 et 85 plis 1 et 2
ou 233 plis 25, 36 ; 234 plis 2, 6, 10, 14, 17, 18, 21, 22 et 25

La « Côte d'Argent » est le nom donné à cette partie de la côte aquitaine dont le tracé quasi rectiligne s'étend de l'embouchure de la Gironde à celle de la Bidassoa ; le littoral landais, de la Gironde à l'Adour, en constitue la majeure partie.
L'itinéraire Nord-Sud proposé ci-dessous, de la Pointe de Grave à Capbreton, permet de découvrir les principaux lacs ou étangs côtiers, ainsi que la plupart des stations balnéaires maritimes ou lacustres des Landes. De Bayonne à Hendaye la Côte d'Argent est plus connue sous le nom de Côte Basque.

LES LANDES GIRONDINES

De la Pointe de Grave à Arcachon
175 km - environ 4 h

Pointe de Grave  – *Laisser la voiture près du monument commémoratif.* Face à Royan, la Pointe de Grave est le cap formé par l'estuaire de la Gironde où prennent fin, au Nord, la forêt de pins et les plages de sable rectilignes des Landes.
Un monument commémoratif remplace la pyramide de 75 m qui rappelait le débarquement des troupes américaines en 1917 et que les Allemands abbatirent en 1942. La Pointe fut l'une des poches où se retranchèrent, après le débarquement de 1944, les forces allemandes stationnées dans l'Ouest ; elle ne fut réduite qu'en avril 1945.
Du haut de la dune, sur un ancien blockaus, le **panorama**★ se développe sur un vaste horizon marin : phare de Cordouan distant de 9 km en mer, presqu'île et phare de la Coubre, les conches de Royan, la Gironde, les installations portuaires du Verdon.
Dans le phare de la Pointe de Grave est installé le **musée du phare de Cordouan**  *(120 marches).* Des photographies permettent de mettre en valeur l'exceptionnelle richesse architecturale du phare de Cordouan et donnent également un aperçu de la vie des gardiens.
Des dessins d'enfants sur le thème du phare apportent une note originale à l'ensemble, que complète un aquarium peuplé d'espèces exotiques. De la plate-forme, vue splendide sur l'estuaire.

★ **Phare de Cordouan** – *Voir à ce nom.* Outre l'accès au phare de Cordouan, la Pointe de Grave est le point de départ d'**excursions en bateau** . On peut aussi y effectuer des **promenades en train touristique** .

La CÔTE D'ARGENT

Le Verdon-sur-Mer – *Voir à La Gironde.*

⌂ **Soulac-sur-Mer** – *Voir à ce nom.*

Par la D 101^E6 à gauche, gagner le moulin à vent de Vensac signalisé par des panneaux orange.

Moulin à vent de Vensac ⊙ – Cet authentique moulin à vent du 18e s. a été remonté sur son emplacement actuel en 1858. Il est du type tour en pierre, coiffé d'un toit conique. Au cours de la visite, on suit les diverses opérations de la fabrication de la farine depuis le broyage du blé jusqu'au tamisage dans la bluterie voisine tout en découvrant le mécanisme principal d'entraînement dont certaines pièces, en chêne, sont d'origine.

Reprendre la route d'itinéraire 101 jusqu'à Hourtin.

⌂ **Hourtin** – Hourtin, déjà tête de la « route » des lacs et canaux du Sud-Ouest praticable aux canoës, sert aussi de base aux bateaux de plaisance avec le développement de Hourtin-Port.
A l'extrémité Nord du lac, au lieu-dit le Contaut, s'est installé un centre de formation maritime dépendant de la Marine nationale. Un circuit aménagé permet de visiter le site lacustre protégé de « la lagune de Contaut ».

Lac d'Hourtin-Carcans – Ce lac sauvage et solitaire, long de 19 km, large de 3 à 4 km, couvre une superficie de plus de 6 000 ha.
Véritable petite mer intérieure, au milieu des landes et des forêts, il est bordé de marais au Nord et en quelques endroits de la rive Est, généralement sablonneuse ; des dunes, hautes de plus de 60 m par endroits, longent la rive Ouest.

Maubuisson – Dans une maison en bois est installé le **musée des Arts et Traditions populaires des Landes** ⊙, consacré à la forêt landaise.

164

Bombannes – Cette « base de plein air » dissémine au milieu des pins, sur plus de 200 ha, de nombreuses installations de sports et de loisirs : centre nautique, centre culturel, gymnase, piscine, tennis, tir à l'arc, aires de pique-nique et de jeux...

De la plage Nord, vue agréable sur une partie étendue du lac.

Revenir sur Maubuisson et prendre la D 6^{E1} en direction de Lacanau-Océan. Laisser la voiture au parking de Marmande. Compter 1/2 journée. Se munir d'eau et de lotion anti-moustiques.

Étang de Cousseau ⊙ – On accède à l'étang de Cousseau, déclaré réserve naturelle, par un sentier traversant la forêt domaniale de Lacanau ou par des pistes cyclables bétonnées *(laisser son vélo dans les parcs aménagés à cet effet aux différentes entrées, car il est interdit de rouler à l'intérieur de la réserve)*. Bordé à l'Ouest par une série de dunes paraboliques au pied desquelles se logent des barins (dépressions interdunaires), l'étang se prolonge à l'Est par un marais (non accessible). Un sentier d'interprétation fait découvrir la faune (sangliers, vaches marines, oiseaux migrateurs, reptiles, insectes, etc.) et la flore (pins, arbousiers, chênes verts, osmondes royales, nénuphars,...) de la réserve, ainsi que la technique du gemmage.

Lacanau-Océan – Face à l'océan qui déferle en puissantes lames, la station balnéaire de Lacanau gîte au pied des dunes que couvre une forêt domaniale de pins maritimes, longtemps exploitée pour le bois et la résine.

On se promène avec agrément dans les futaies régulières ondulant au rythme de ces vallons sablonneux qu'on appelle « lèdes », et sur la vaste plage de sable fin.

Venant de Lacanau-Océan, prendre à droite, peu avant le Moutchic, station appréciée des adeptes de la planche à voile, la route littorale Ouest du lac de Lacanau.

★ **Lac de Lacanau** – Cet attirant plan d'eau couvre une surface de près de 2 000 ha. Long de 8 km, il renferme une faune piscicole abondante : anguilles, brochets, perches. Le lac de Lacanau offre toutes les possibilités de distractions nautiques : voile, planche à voile, ski nautique, surf, bodyboard, canoë-kayak, location de bateaux, de dériveurs et de pédalos. On peut également faire le tour du lac à pied ou en vélo.

Par la D 3 prise au Porge, on atteint le Bassin d'Arcachon.

★ **Bassin d'Arcachon** – *Voir à ce nom.*

LA ROUTE DES LACS

D'Arcachon à Capbreton

210 km – compter une journée

⌂⌂ **Arcachon** – *Visite 2 h. Voir à ce nom.*

Quitter Arcachon au Sud-Ouest par la D 218.

★★ **Dune du Pilat** – *Voir à Arcachon, environs.*

2 km avant Biscarrosse-Plage, tourner à gauche en direction de Port-Maguide.

La route plonge vers l'étang de Cazaux et de Sanguinet, qu'elle longe jusqu'à Navarrosse après avoir dépassé le petit port de plaisance de **Port-Maguide**.

Étang de Cazaux et de Sanguinet – Cette belle nappe d'eau, dont Sanguinet constitue la limite orientale, se trouve reliée à l'étang voisin de Biscarrosse et de Parentis par un canal.

A partir de Navarrosse la route s'enfonce dans la forêt de pins jusqu'à Biscarrosse.

Biscarrosse – Étalé sur quatre pavillons, le **musée historique de l'Hydraviation** ⊙ retrace l'histoire des hydravions, dont l'heure de gloire se situe pendant l'entre-deux-guerres, lorsque les pistes bétonnées n'existaient pas et où les trains d'atterrissage ne pouvaient résister au poids grandissant des avions.

De nombreux documents, des maquettes et des pièces originales (moteurs, hélices, etc.) évoquent les grandes figures de l'histoire de l'hydraviation, la naissance des compagnies aériennes, l'aventure de l'Aéropostale, les premiers grands raids, la base Latécoère de Biscarrosse, les grands hydravions civils (reconstitution de la cabine d'un hydravion de croisière) et militaires français et étrangers... *(film de 18 mn : « Naissance et crépuscule des hydravions géants », l'après-midi seulement).*

En face du musée : des hydravions sont exposés dans un grand hall vitré ; on peut également voir le laboratoire, où des pièces d'appareils abattus pendant la guerre sont traitées contre la corrosion par électrolyse.

Étang de Biscarrosse et de Parentis – Il offre un magnifique plan d'eau de 3 600 ha.

A Biscarrosse prendre la D 652 au Nord-Est.

Sanguinet ⊙ – Intéressant **musée archéologique**, qui, après la présentation d'un diaporama, expose clairement et de façon didactique les résultats de fouilles entreprises dans l'étang. S'attarder en particulier devant les pirogues monoxyles en pin, datant du 1er âge du fer.

Par la D 46 on gagne Parentis-en-Born.

Parentis-en-Born – Le nom de cette modeste localité, qui rappelle l'origine ancienne de l'un des plus typiques « pays » des Landes, possède maintenant la notoriété grâce au pétrole. Un **musée du Pétrole** ⊙, organisé par Esso REP, initie le public aux problèmes techniques de la prospection et de la production.

Prendre la D 652, puis à St-Paul-en-Born la D 626 à droite.

Étang d'Aureilhan – Le long des rives, à partir d'Aureilhan, vues pittoresques.

Mimizan – Ségosa, la Mimizan gallo-romaine, fut ensevelie par les sables au 6e s. La sauveté de Mimizan à son tour fut construite à la fin du 10e s. au pied d'une abbaye bénédictine. Recouverte par la dune au 18e s., on ne doit la sauvegarde de ses ruines *(sur la route de Mimizan-Plage)* qu'au travail de Teixoëres, habitant du pays qui, le premier, utilisa les gourbets ou joncs de sable pour fixer le sable. Des vestiges se détache la tour de brique de l'église abbatiale avec son porche et surtout son portail roman. Richement décoré de sculptures, il est surmonté d'un Christ en gloire entouré de statues de saints, dont une de saint Jacques, la plus ancienne que l'on connaisse en Aquitaine.

Mimizan-Plage – A l'extrémité de la D 626, tourner à droite dans la rue de la Poste puis prendre à gauche la rue Assolant-et-Lotti. Au bout de cette rue, quelques marches, à gauche, conduisent au monument qui commémore l'atterrissage des aviateurs Lefèvre, Assolant et Lotti après leur raid au-dessus de l'Atlantique Nord, le 16 juin 1929. De la dune, belle vue.

Prendre la D 67 à droite qui rejoint la D 652.

Courant de Contis – Le courant de Contis draine jusqu'à l'océan, à travers une végétation dense et variée, les eaux de plusieurs ruisseaux landais. Par une série de méandres, il se fraie un passage à travers le marais puis, en fin de parcours, entre les dunes, tantôt sous un frais berceau de feuillage, tantôt entre deux haies naturelles de roseaux, fougères, vergnes (aunes), ou vignes sauvages. Des plantations de pins, peupliers, chênes-lièges, cyprès chauves soulignent les paysages contrastés des hautes rives. A l'approche de l'océan prédominent les pins, en aval du Pont-Rose.

A St-Julien-en-Born prendre la D 41 vers Lesperon.

Lévignacq – Ce charmant village typiquement landais a gardé ses vieilles maisons basses à pans de bois et toits de tuiles, ainsi que son église. Cette dernière, fortifiée au 14e s., offre un aspect insolite avec son clocher-donjon et son portail Louis XIII. A l'intérieur sa **voûte**★ de bois est décorée de peintures du 18e s. représentant l'Ascension, la Trinité et la Nativité ; le chœur présente un retable entouré de colonnes torses et un devant d'autel en bois doré (Jésus au jardin des Oliviers).

Par la D 105 revenir à la D 652 que l'on prend à gauche à Miquéou. A Vielle, une petite route mène à l'étang de Léon.

Étang de Léon – Il offre des distractions sportives aux touristes qu'attire la fraîcheur de son plan d'eau dans un paysage reposant.

Revenir à Vielle et prendre la D 328 vers Moliets-et-Maa.

Contournant l'étang de Léon, la route traverse un paysage mouvementé alternant forêts de pins et landes au milieu desquelles on peut admirer des maisons landaises à appareil de brique en épi. Juste avant le lieu-dit « Pichelèbe », un pont enjambe le courant d'Huchet. Un petit sentier, à parcourir à pied, permet, par endroits, d'en mesurer la tranquillité et la beauté.

★ **Courant d'Huchet** – *Voir à ce nom.*

Vieux-Boucau-les-Bains – Endormi en 1578 par le détournement de l'Adour et devenu Vieux-Boucau (« vieille embouchure »), ce village landais renaît aujourd'hui grâce à Port-d'Albret, important ensemble touristique aménagé autour d'un lac salé de 50 ha entre le sable et les pins. Les eaux du lac sont renouvelées quotidiennement grâce à un barrage dont les portes suivent le rythme des marées. De Vieux-Boucau, on accède à Port-d'Albret par le **mail**, belle promenade piétonnière invitant à la flânerie, notamment le soir où les illuminations lui donnent un éclat particulier.

Sur la D 652 vers Soustons, juste avant le pont traversant le courant de Vieux-Boucau, tourner à gauche et parcourir environ 5 km jusqu'au Pesquité.

Tropica Parc ⊙ – Installé en plein air dans un décor exotique (reconstitution de maisons balinaises, vélos indonésiens), ce jardin tropical présente de nombreuses plantes asiatiques d'où partent les cris des oiseaux des volières. Sous serre, on peut sentir les plantes à parfum (patchouli, orchidées, helitum) et les épices (cacao, curcuma...). Plus loin, des parterres de plantes aromatiques avoisinent de petits enclos où vivent quelques animaux (ânes, zébus nains, etc.).

★ **Étang de Soustons** – Le contour de cette belle nappe d'eau de 730 ha, rétrécie en son milieu, ne permet pas de l'embrasser du regard dans sa totalité. Ses bords frangés de roseaux et presque partout entourés de pins sont facilement accessibles aux promeneurs. Pour y accéder, de Soustons, suivre à gauche de l'église l'allée des Soupirs puis l'avenue du Lac jusqu'à l'embarcadère, aux bords coquettement fleuris. Prendre à gauche le GR 8 jusqu'à la Pointe de Vergnes : cette avancée offre une belle vue d'ensemble du plan d'eau. Continuer le long de la berge Sud, en contournant la ZAC des Pêcheurs. Une petite forêt de pins précède une aire de pique-nique au bord de l'eau *(1/2 h à pied AR)*.

Reprendre la D 652 vers Tosse. A 4 km, suivre à droite le chemin de Gaillou-de-Pountaout (panneau étang Blanc), qui passe entre l'étang Hardy et l'étang Blanc.

Étang Blanc – Séduisant petit plan d'eau peuplé de gabions. Un chemin le contourne, offrant de jolies vues sur le site et ses environs.
La route surplombe ensuite l'étang Noir dans le dernier virage.

Prendre à droite la D 89.

On traverse **Le Penon**, station balnéaire, qui allie immeubles en bordure de mer et pavillons dans la forêt de pins.

Poursuivre vers le Sud.

Hossegor – *Voir à ce nom.*

⚲⚲ **Capbreton** – *Voir à ce nom.*

LA CÔTE BASQUE

De Bayonne à Hendaye *41 km – environ 2 h*

★★ **Bayonne** – *Voir à ce nom.*

Quitter Bayonne par la D 5, suivre la direction Biarritz par l'océan.

La route suit les installations portuaires de Bayonne, puis contourne l'Adour jusqu'à la Barre, importante masse de sable, avant de revenir vers la forêt de pins où elle longe d'un côté le golf et de l'autre le lac de Chiberta.

Anglet – *Voir à Biarritz.*
A la sortie d'Anglet, du parc de stationnement situé Esplanade Yves-Brunaud, belle vue plongeante sur cette partie de la côte où les vagues viennent s'écraser avec fracas sur les rochers. A droite au premier plan, immeuble de vacances en forme de navire.

⚲⚲⚲ **Biarritz** – *Voir à ce nom.*

Sortir par la N 10.

⚲ **Bidart** – *Voir à ce nom.*

Guéthary – Ancien port de pêche établi autour d'une crique de la Côte basque, Guéthary est aujourd'hui une station balnéaire cossue avec ses villas de style labourdin disséminées parmi les parcs. D'une terrasse aménagée au-dessus de la plage, la vue se dégage au Nord-Est jusqu'à Biarritz.
Située au-delà de la N 10, sur la hauteur d'Elizaldia, l'**église** renferme un Christ en croix du 17e s., une Pietà du 17e s. et le monument de Mgr Mugabure (1850-1910), enfant du pays devenu le premier archevêque de Tokyo. Dans le cimetière repose le poète palois P.-J. Toulet (1867-1920).

De nombreuses pistes cyclables sillonnent la Côte d'Argent, de la Pointe de Grave à Hendaye. Le réseau est particulièrement dense entre l'océan et les étangs de Hourtin-Carcans, Lacanau et Cazaux-Sanguinet, ainsi qu'autour du bassin d'Arcachon. Tracés par les gemmeurs, ces chemins sableux furent bétonnés par les Allemands durant la Seconde Guerre mondiale pour ravitailler les nombreux bunkers de la côte landaise. Pour tous renseignements sur le tracé de ces pistes, les locations de vélos et les gîtes d'étape dans la région, s'adresser aux Comités départementaux du tourisme de la Gironde et des Landes, dont les coordonnées figurent dans le chapitre des Renseignements pratiques.

★★ **St-Jean-de-Luz** – *Voir à ce nom.*

A partir de St-Jean-de-Luz, la **corniche basque**★★ *(voir à St-Jean-de-Luz)* offre les meilleures vues sur l'océan, la côte et ses rochers feuilletés, et avant d'arriver à Hendaye sur les Deux Jumeaux.

⌂⌂ **Hendaye** – *Voir à ce nom.*

La corniche basque et la Rhune

Le COUSERANS

Cartes Michelin nᵒˢ 86 plis 2, 3, 13 ou 235 plis 41, 42, 45, 46

Étroitement associé au Comminges à l'époque féodale, tout en ayant son propre évêque à St-Lizier, le Couserans « aux 18 vallées » correspond géographiquement au bassin du haut Salat, avec St-Girons pour chef-lieu. Lacérés par les nombreux affluents du torrent, les terrains sédimentaires relativement tendres de la zone axiale *(voir p. 17)* – schistes en particulier – forment des monts très ramifiés séparés par d'amples vallées. Un ciel calme et lumineux, une végétation fraîche et touffue constituent les attraits de ce pays où les conditions de vie montagnardes précaires engendrent, en l'absence de foyers industriels, la dépopulation rurale. La chaîne-frontière, connue surtout pour la silhouette du mont Valier (alt. 2 838 m), sommet dont la sombre pyramide entre dans le champ de vision des Toulousains, reste le domaine des excursionnistes courageux (marches d'une dizaine d'heures fréquentes).

Les grottes préhistoriques de la vallée du Volp (Tuc d'Audoubert, Trois Frères) restent fermées au public.

VALLÉES DE BIROS ET DE BETHMALE

① **D'Audressein à Seix** *46 km – environ 2 h*

Audressein – Site agréable au confluent de la Bouigane et du Lez.
L'**église** de pèlerinage N.-D.-de-Tramezaygues (du 14ᵉ s. pour l'essentiel) est rehaussée d'un campanile ajouré. Le porche central est décoré de peintures murales du 15ᵉ s.
La route remonte la vallée du Lez.

Castillon-en-Couserans – Petit village situé sur une terrasse de la rive droite du Lez, s'étalant au pied d'une butte boisée. Dans le parc du Calvaire, la chapelle-St-Pierre, du 12ᵉ s., a été fortifiée au 16ᵉ s.

Les Bordes – A l'entrée du bourg, à hauteur d'une croix, joli coup d'œil sur le plus vieux pont du Couserans et sur l'église romane d'Ourjout.

Vallée de Biros – La route, pittoresque, remontant la vallée du Lez, ouvre, par les vallées affluentes, des perspectives sur les cimes de la chaîne frontière : mont Valier, dans l'enfilade du Riberot ; Mail de Bulard, au fond de la vallée d'Orle.

Sentein – Ce village constitue une base d'excursions en montagne.
L'église est flanquée de deux tours quadrangulaires, restes de l'enceinte fortifiée qui mesurait 200 m de pourtour. Beau clocher à trois étages et flèche.

Revenir sur ses pas et aux Bordes prendre à droite.

★ **Vallée de Bethmale** – Vallée largement ouverte, aux versants bosselés semés de granges et, le long de la route, de villages aux maisons étroitement imbriquées *(ne pas emprunter les déviations d'Arrien, d'Arêt et d'Ayet)*. La vallée était célèbre pour sa population (ne totalisant plus que 96 h. en 1990 pour Bethmale, l'unique commune). Le type physique de Bethmale, réputé pour sa prestance, et les costumes bethmalais, par exemple le costume des hommes dont les vestes de laine écrue à parements multicolores rappelaient certaines tenues paysannes d'apparat, dans les Balkans, n'ont pas cessé d'intriguer les ethnologues et les spécialistes du folklore.

Ayet – Dans l'église bien située en surélévation, on verra des boiseries naïves du 18e s., en particulier le décor rocaille à claire-voie, en mauvais état, de la chapelle du baptistère.

Laisser la voiture dans un lacet à gauche, à l'entrée de la forêt domaniale de Bethmale.

Lac de Bethmale – *1/4 h à pied AR.* Étang dans un beau décor de hêtres.
Gagnant de l'altitude dans un cirque de pâturages, la route atteint le col de la Core (alt. 1 395 m), offrant une dernière vue sur la vallée de Bethmale.
Sur le versant Est du col, le vallon d'Esbints montre un paysage boisé plus solitaire. Au Sud-Ouest, légèrement en arrière, se déroule le chaînon du mont Valier. En fin de descente, les arbres fruitiers et les granges se multiplient à nouveau, tandis que le bassin de confluence d'Oust, centre géographique du haut Salat, se rapproche.

Seix – Petit village dominé par un château du 16e s.

★VALLÉES DU HAUT SALAT ET DU GARBET

② **De Seix à Massat** *84 km - compter 1 journée*

Seix – *Voir ci-dessus.*

La route du haut Salat se termine à Salau. Après 10 km d'un parcours très encaissé au bord du torrent, bifurquer, à l'entrée de Couflens, vers le col de Pause *(route du port d'Aula). Route de montagne étroite, tracée sur des versants raides. Chaussée mauvaise et ravinée sur les 3 derniers kilomètres (généralement obstruée par la neige d'octobre à mai).*

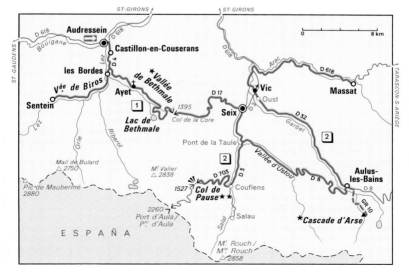

La petite route s'élève au-dessus de l'impressionnante vallée forestière d'Angouls. Par l'encoche du Salat apparaissent les sommets monotones du cirque terminal de la vallée, au-dessus de Salau (mont Rouch – alt. 2 858 m). Au-delà du village-balcon de Faup, superbement exposé, pousser jusqu'au col de Pause.

★★ **Col de Pause** – Alt. 1 527 m. Prendre de la hauteur sur la pente à droite, en direction du pic de Fonta, pour découvrir le mont Valier au-delà de la coupure de la vallée d'Estours. **Vue** sur les abîmes de la face Est de ce sommet et sur les arêtes de son chaînon Nord.

Au-delà du col de Pause, la route du port d'Aula est mauvaise et impressionnante. Revenir au Pont de la Taule et prendre la D 8 à droite.

La route traverse la **vallée d'Ustou**, monte sur quelques kilomètres avant de redescendre en lacet jusqu'à Aulus-les-Bains. Belles vues dans la descente.

Aulus-les-Bains – Les eaux sulfatées, calciques et magnésiennes qui sourdent à Aulus sont employées dans le traitement des maladies métaboliques et sont spécialement efficaces dans le traitement de l'hypercholestérolémie et des maladies de l'appareil urinaire. La station propose également des semaines thermales axées sur la remise en forme. Sa position permet des excursions en montagne, dans la fourche des trois vallées supérieures du Garbet (Fouillet, Ars, haut Garbet), embellies de cascades et de lacs.

Monter la vallée du Garbet. A 1 km, quitter la voiture et prendre à droite le GR 10 (5 km à pied).

★ **Cascade d'Arse** – Traversant le torrent et suivant alors vers l'Ouest, puis le Sud, le GR 10, on parvient au pied de la cascade bondissant de 110 m de hauteur, en trois chutes.

Revenir à Aulus et prendre la D 32 au Nord pour descendre la vallée du Garbet.

La **vallée du Garbet**★ est l'une des plus régulièrement évidées et l'une des mieux orientées du Haut Couserans. Ensoleillée, parsemée de nombreux hameaux gardant parfois des chaumières à pignons à redans, elle était appelée autrefois « Terro Santo » en raison du grand nombre de chapelles et d'oratoires que l'on y recensait.

La route traverse le village d'Oust.

Vic – **Église** bien ariégeoise, avec son clocher-mur et sa triple abside romane. Sur la placette, du côté du portail, une croix de fer forgé, témoin de l'habileté des ferronniers de l'Ariège, a été érigée comme monument aux morts des guerres mondiales.
La nef et les bas-côtés sont couverts d'un plafond du 16e s. à petits caissons peints, qui trouvent leur réplique dans les peintures murales de la voûte du chœur. La vallée du Salat s'encaisse. Après le petit tunnel de Kercabanac, l'itinéraire retrouve la route des Pyrénées (D 618) et remonte l'Arac dont elle épouse toutes les sinuosités. Peu après Castet, les gorges de la rivière décrivent un méandre très prononcé. La teinte rouge des roches s'allie au vert des arbres et, du côté « soulane », au roux des fougères séchées. Le paysage s'épanouit dans le bassin de Massat.

Massat – Petite capitale montagnarde. La façade de l'église au pignon en accolade est flanquée d'un élégant clocher du 15e s., haut de 58 m. Au dernier étage, des gueules de canons décoratives pointent à travers des baies en losange. Au-dessus du portail, belle grille d'imposte en fer forgé.

CUBZAC-LES-PONTS

1 701 habitants
Cartes Michelin nos 71 Sud du pli 8 ou 233 pli 38

La N 10 Paris-Bordeaux, l'autoroute d'accès Nord à Bordeaux et la voie ferrée Bordeaux-Nantes se rejoignent là pour franchir la Dordogne, par trois ouvrages d'art d'une grande hardiesse.
Le **pont-route**, formant viaduc, a été construit en 1882 par Eiffel ; auparavant le trafic passait par Libourne. Sa longueur totale atteint 1 046 m et sa section centrale a une portée de 552 m. Malheureusement son étroitesse ne répond plus aux exigences de la circulation actuelle, ce qui a entraîné la construction, fin 1974, en amont, du **pont autoroutier** permettant le passage de l'autoroute A 10 « L'Aquitaine ».
Le **pont-fer**, en aval, date de 1889. Long de 2 325 m, il domine la Dordogne de plus de 40 m et dessine une courbe de 600 m de développement, sur la rive gauche du fleuve.
Bonne vue d'ensemble des trois ponts depuis le port de Cubzac en parcourant la D 10, route d'Ambès.

ENVIRONS

Château du Bouilh ⊙ – *5 km au Nord par la N 10 et, à St-André-de-Cubzac, la D 115.*

Au centre de son vignoble, ce château de style Louis XVI, situé sur la commune de St-André-de-Cubzac, est resté inachevé. Il a été conçu par l'architecte **Victor Louis**, en 1787, après la construction du Grand Théâtre de Bordeaux. C'est un gouverneur de l'Aunis et du Poitou, le marquis de La Tour du Pin, qui le commanda à Louis. Devenu secrétaire d'État à la Guerre en 1789, il fit interrompre les travaux et périt en 1794 sur l'échafaud. Son fils, Frédéric-Séraphin, épousa Lucie Dillon, le spirituel auteur du *Journal d'une femme de cinquante ans* ; compromis dans l'équipée de la duchesse de Berry *(voir p. 80)* qu'il cacha au Bouilh, il dut vendre le château en 1835.

L'édifice présente deux parties bien distinctes : l'« hémicycle » et le « pavillon ». L'hémicycle comprend l'ensemble des communs et, au centre, une sobre chapelle de style néo-grec.

Le pavillon devait constituer l'aile Ouest du vaste palais projeté par Louis. Lui-même inachevé, il est cependant typique du style vigoureux de l'architecte parisien. A l'intérieur quelques salles ont conservé leurs boiseries Louis XVI.

La Lande-de-Fronsac – *8 km à l'Est.*

Ce village possède une église qui date du 12ᵉ s. et dont le tympan illustre la première vision de saint Jean à Patmos.

DAX‡‡‡

19 309 habitants (les Dacquois)
Cartes Michelin nᵒˢ 78 plis 6, 7 ou 234 pli 26 – Schéma p. 164

Première station thermale de France, Dax est réputée pour ses boues thermales, constituées par les limons de l'Adour mis en maturation dans l'eau thermale et dans lesquels se développent des algues végéto-minérales. Elles permettent des applications thérapeutiques particulièrement efficaces contre les rhumatismes.

La ville, située en Chalosse à la limite de la forêt landaise, est un centre commercial important. La promenade sur les bords de l'Adour, ses jardins, la visite d'églises intéressantes, ses spectacles taurins justifient l'arrêt du touriste de passage.

A l'emplacement où s'élève aujourd'hui Dax s'étendait une cité lacustre. Peu à peu, les apports de l'Adour comblèrent le lac, et la cité, d'abord bâtie sur pilotis, put s'étendre sur la terre ferme.

UN PEU D'HISTOIRE

D'Auguste à Louis XIV – Quand les Romains s'installent dans la région, les sources d'Aquae Tarbellicae (« les eaux des Tarbelles », du nom de la première tribu résidant dans la région) deviennent célèbres : l'empereur Auguste y conduit sa fille Julie pour soigner ses rhumatismes. La ville reçoit les faveurs de Rome et sa richesse grandit. Devenue anglaise à la suite du mariage d'Aliénor d'Aquitaine avec Henri Plantagenêt *(voir à Bordeaux : La dot d'Aliénor),* elle ne redevient française qu'en 1451.

Après la célébration de leur mariage à St-Jean-de-Luz, Louis XIV et Marie-Thérèse s'arrêtent à Dax sur le chemin du retour. Les Dacquois avaient dressé à cette occasion un arc de triomphe à l'entrée de la ville, sur lequel était peint un dauphin sortant des eaux ; une inscription latine exprimait les souhaits de la ville : « Puisse-t-il, ce petit dauphin, naître du passage royal aux eaux de Dax. » Charmante bonhomie des temps passés !

Un grand saint – **Vincent de Paul** est né en 1581, dans un hameau près de Dax *(voir p. 000).* D'une pauvre famille de paysans, l'enfant garde les troupeaux dès son jeune âge. D'une vive intelligence, il commence ses études à Dax en 1595, puis est ordonné prêtre en 1600 à Château-l'Évêque. C'est à Châtillon-les-Dombes, où il est nommé curé, que Vincent de Paul établit la première Confrérie de la Charité. Pour instruire les pauvres et leur venir en aide, il fonde en 1625 la Congrégation de la Mission (dite des Lazaristes) et plus tard, en 1633, avec Louise de Marillac, la Compagnie des Filles de la Charité.

Tout au long de son ministère apostolique, « Monsieur Vincent » s'efforce de lutter contre la misère et d'en combattre les causes. Nommé par Louis XIII aumônier général des galères, il prodigue aux forçats aide spirituelle et secours.

C'est lui qui assiste Louis XIII à son lit de mort. A la demande de la régente Anne d'Autriche, il siège au Conseil de Conscience et participe à la réforme de l'Église catholique. Pendant la Fronde, il s'efforce de ramener la concorde, organise le ravitaillement de villes sinistrées, menacées de famine, crée des soupes populaires et l'assistance par le travail.

Ce précurseur des œuvres sociales modernes meurt en 1660, à 79 ans. Il a été canonisé en 1737.

Un savant marin – **Charles de Borda** est né à Dax en 1733. Ingénieur du Génie maritime, mathématicien, géomètre, c'est un type de marin complet qui a bien mérité de donner son nom aux navires ayant servi, jusqu'au début du siècle, d'École navale.

Borda fit effectuer de grands progrès à l'observation et aux calculs nautiques. Membre de la mission chargée d'établir, sous la Constituante, le système métrique, il a mesuré, avec Méchain et Delambre, la longueur de l'arc du méridien de Dunkerque à Barcelone. Le musée de Dax porte son nom et sa statue se dresse sur la place Thiers.

CURIOSITÉS

Fontaine chaude (**B**) – C'est la principale curiosité dacquoise. Ses eaux chaudes d'origine météorique, captées depuis les Romains, jaillissent, à 64°, dans un vaste bassin entouré d'arcades.

Les bords de l'Adour – Ils offrent d'agréables promenades. En amont du pont, le parc Th.-Denis est délimité au Sud par les remparts gallo-romains, aménagés en une promenade ombragée de platanes. Au centre du parc, les arènes accueillent, tous les ans au mois d'août, la Feria de Dax. En aval, le jardin de la Potinière descend au cœur du quartier thermal avec, en contrebas, le « trou des pauvres », ancien bain public. Plus à l'Ouest, le parc des Baignots abrite les **bassins de culture de boues** ⊘ qui fournissent les établissements thermaux de la ville.

DAX

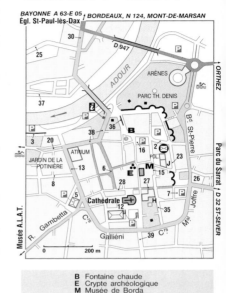

B Fontaine chaude
E Crypte archéologique
M Musée de Borda

Cathédrale Notre-Dame – Au 11e s. fut élevée à l'emplacement d'une très ancienne chapelle une cathédrale romane, détruite en 1295 lors du siège de Dax par les Anglais. Elle fut alors remplacée par un édifice gothique qui, achevé au 14e s., finit par s'effondrer en 1645. Fut alors érigée la cathédrale actuelle de style classique, conservant cependant au fond du transept gauche un beau portail gothique (13e s.). Sa double porte est ornée de douze colonnes d'ébrasement formées par douze grandes statues d'apôtres ; le trumeau porte une statue du Christ. Le tympan et les voussures sont richement décorés.

Dax – Fontaine chaude

L'APRÈS-CURE A DAX

Activités diurnes – Le **Bois de Boulogne** est le grand parc de détente de Dax ; ses 6 km de sous-bois aux allées ombragées abritent un pratice de golf, un club hippique, un plan d'eau et un parcours santé. Un restaurant propose des spécialités espagnoles à déguster en terrasse ou en salle.

Tous les après-midi en semaine de mi-mars à mi-septembre, des croisières en amont de la rivière, jusqu'à Saubusse, permettent de découvrir les paysages des rives de l'Adour (départ de Dax à 14 h, retour vers 18 h 30). Possibilité de croisière-déjeuner. Renseignements : **Adour Plaisance**, quai du 28e-Bataillon-de-Chasseurs, ☎ 05 58 74 87 07.

Le mois d'août est consacré à la **Feria** : corridas, concours landais, jeux avec vachettes, spectacles folkloriques, bals et feux d'artifice animent la ville au cœur de l'été.

Activités nocturnes – L'**Atrium**, construit en 1928 dans le style Art Déco, est doté d'une salle de spectacle de 500 places et accueille de nombreux concerts et galas de danse. La cathédrale Notre-Dame et l'église St-Vincent-de-Xaintes sont les autres lieux habituels des concerts dacquois.

Pour tous renseignements sur Dax, ses activités culturelles, ses manifestations, ses structures hôtelières, s'adresser à l'Office de tourisme, ☎ 05 58 56 86 86.

Musée de Borda (**M**) ⊘ – Installé dans un hôtel du 17e s. et retraçant l'histoire dacquoise, il abrite des collections d'archéologie gallo-romaine (ensemble de statuettes et d'objets en bronze du 1er s. découverts à Dax) et médiévale, de peintures (du 18e au 20e s.), de souvenirs historiques du savant J.-C. de Borda et du ministre des Colonies R. Milliès-Lacroix. Une salle est consacrée à la course landaise.

Crypte archéologique (**E**) ⊘ – En face du musée, des fouilles ont permis de dégager le podium d'un temple gallo-romain du 2e s.

Parc du Sarrat ⊘ – *Rue du Sel Gemme.* Ancienne propriété de l'architecte René Guichemerre, le parc du Sarrat abrite une maison inspirée par l'architecte américain Frank Lloyd Wright (1867 ou 1869-1959). Ses baies vitrées sur toute la façade font véritablement entrer la nature dans la maison. Tout autour, le parc, parcouru de sinueux canaux, s'organise en groupements de végétaux ayant chacun leur particularité. On traverse ainsi le jardin à la française qui débouche sur un bassin bordé de magnolias, un petit jardin de style japonais, une cressonnière, un potager, etc.

Musée de l'Aviation légère de l'Armée de terre (ALAT) ⊘ – *Aérodrome de Dax, au Sud de la ville. Prendre la D 6, direction Peyrehorade, puis la D 106 et tourner à droite dans l'avenue de l'Aérodrome.* L'ALAT, descendante des compagnies d'aérostiers apparues dans l'armée française en 1794 et des unités de ballons captifs de la Première Guerre mondiale, fut créée en 1954. L'ESALAT, école d'application de l'Aviation légère, s'implanta à Dax en 1956. L'ALAT s'est particulièrement mise en évidence en Algérie lors d'opérations aéroportées et dans les missions de renseignement ou de secours. En 1977 cette subdivision d'arme a été restructurée en régiments d'hélicoptères de combat (RHC). Le musée se compose d'une galerie historique rassemblant documents, souvenirs, uniformes... et d'un grand hall où sont exposés une trentaine d'avions et d'hélicoptères. S'arrêter notamment devant le Hiller UH 12 A que pilotait en Indochine Valérie André (première femme général de l'armée française), le Bell 47 G1 grâce auquel l'école a formé des générations de pilotes, le monumental Boeing Vertol H 21 mis en œuvre au Vietnam par l'US Marine Corps et deux appareils éprouvés en Algérie à la fin des années 50 : l'hélicoptère Djinn SO 1221 et l'avion léger MH 1521 Broussard.

Église de St-Paul-lès-Dax – *Prendre la route de Bayonne, puis suivre la signalisation.* L'intérêt de l'édifice réside dans les bas-reliefs du 11e s. qui décorent le chevet. Ils représentent, de gauche à droite, un trio d'animaux fantastiques, les Saintes Femmes au tombeau, la Trinité (sur un contrefort), la Cène, le Baiser de Judas, la Crucifixion, Samson chevauchant un lion (sur un contrefort), sainte Véronique, un dragon, une allégorie du ciel. Dans ces sculptures naïves apparaissent les premiers efforts des artistes romans.
A l'intérieur, le chœur est, avec ses stalles de pierre, d'une grande sobriété.

ENVIRONS

Berceau de saint Vincent de Paul et Notre-Dame-de-Buglose – *9 km. Quitter Dax par la N 124 au Nord du plan, et prendre à gauche la D 27.*
Autour de l'église de style néo-byzantin, bâtie sur les lieux d'origine du saint, sont groupées les constructions appartenant aux œuvres de bienfaisance et d'éducation fondées par « Monsieur Vincent ».

L'ensemble fut édifié en 1864 pour honorer le saint. On peut visiter, à gauche sur la place, une vieille maison, construite approximativement sur l'emplacement de la maison natale et assemblée à partir de quelques vestiges originaux. A l'intérieur, on verra de nombreux souvenirs se rapportant au saint et, en face, un vieux chêne, témoin de son enfance.

Continuer à suivre la D 27.

Notre-Dame-de-Buglose – La basilique, de style roman, abrite, au-dessus de l'autel, une Vierge en pierre polychrome découverte en 1620. La tour possède un carillon de soixante cloches. Une allée conduit à une source et à la petite chapelle (enchâssée dans une chapelle moderne) édifiée à l'endroit où fut trouvée la statue vénérée sous l'église.

Préchacq-les-Bains – *16 km. Quitter Dax au Nord ; prendre la N 124 et, à Pontonx, prendre au Sud la D 10.*
Située sur la rive gauche de l'Adour, au milieu de bois de chênes, Préchacq est spécialisée, comme Dax, dans le traitement des rhumatismes et soigne également les voies respiratoires. La station, qui fut fréquentée par Michel de Montaigne, possède des sources d'eau sulfatée calcique à 63° et une source sulfureuse froide à 18°. On pourra aller voir les bassins de boues végéto-minérales dans les jardins au-delà de l'établissement thermal.

Lesgor – 247 h. *22 km au Nord-Est.* Pittoresque église landaise fortifiée.

Sur les plans de villes de ce guide apparaissent des informations pratiques telles que l'emplacement des parcs de stationnement, de l'Office de tourisme ou du Syndicat d'initiative, du bureau de poste principal...

DURAS

1 200 habitants (les Duraquois)
Cartes Michelin nos 79 pli 3 ou 234 pli 8

Ancienne bastide, Duras occupe une situation dominante, sur l'éperon d'un plateau de 120 m d'altitude, face à la large vallée du Dropt et un horizon de collines fertiles, les « serres ».
La région de Duras, au sol siliceux peu calcaire, produit des vins rouges corsés et robustes, les Côtes de Duras.

Château ⊙ – Le château de Duras, dont la construction remonte à 1308, possédait alors huit tours reliées par des courtines. La forteresse, transformée dès 1680 en maison de plaisance par les ducs de Duras, et achevée soixante ans plus tard par l'adjonction de la grande salle dite des « Trois Maréchaux », fut endommagée à la Révolution, et vit ses tours tronquées en 1794.
De la cour d'honneur, on pénètre dans le corps de logis principal par un escalier à double volée qui dessert la salle de réception ; sa façade postérieure donne sur une cour autour de laquelle s'ordonnent les appartements et un portique à deux étages. Au rez-de-chaussée et dans les sous-sols (salle des gardes, chambrées d'hommes d'armes, cuisines, puits, cachots, musée d'Archéologie, Arts et Traditions populaires), une animation audio-visuelle fait revivre le château à différentes époques.
Du sommet de la tour principale, **panorama** étendu sur toute la contrée.

ENVIRONS

Allemans-du-Dropt – *10 km au Sud-Est par la D 708 et la D 668.*
Ce village, qui pourrait devoir son nom à une tribu germanique d'Alamans venus au début du 6e s., est surtout connu pour les **fresques** du 15e s., à l'intérieur de son église ⊙. On peut admirer, sur le mur Nord de la nef, la Cène et, quelque peu mutilées par l'ouverture de larges arcades, l'Arrestation de Jésus et la Flagellation ; dans le chœur, la Crucifixion et la Descente de Croix ; derrière l'autel, Saint Martin et le blason des Seigneurs d'Allemans ; sur le mur Sud de la nef, la Résurrection, le Jugement, Saint Michel et l'Enfer.
A la sortie Ouest du village, beau **pigeonnier** sur piliers de pierre, du 17e s. Sa forme hexagonale, son appareillage en brique garnissant les colombages, son lanterneau couvert de tuiles plates sont autant d'éléments appartenant à l'architecture si typique des pigeonniers de Midi-Pyrénées.

Château de Théobon – *15 km au Nord-Est par la D 708 et la D 244.*
Du sommet de la butte boisée que couronne ce château à demi ruiné des 16e-17e s. *(on ne visite pas),* on découvre un beau **panorama** sur la campagne alentour et ses vignobles.

EAUZE

4 137 habitants (les Elusates)
Cartes Michelin n⁰ˢ 82 pli 3 ou 234 pli 24 – Schéma p. 32

La ville (prononcer éauze), bien massée au pied de son église, est le centre commercial et administratif de l'« Armagnac ». Sur la pittoresque place d'Armagnac avec ses maisons à arcades, remarquer une belle maison sur piliers de bois, dite maison de Jeanne d'Albret. Cette maison reçut des hôtes célèbres le 15 juin 1579, Henri IV et la reine Margot. Au Sud-Est de la ville, les arènes reçoivent diverses manifestations, dont des corridas et des courses landaises.

Sur le site de l'antique cité gallo-romaine d'Elusa, capitale de la Novempopulanie, a été mis au jour en 1985 un trésor composé d'un ensemble de pièces de monnaie en alliage de cuivre et d'argent, d'un important lot de bijoux en or et de quelques objets usuels. Le trésor d'Eauze est caractéristique de l'orfèvrerie de la seconde moitié du 3ᵉ s., période d'insécurité en Gaule. Il aurait été enfoui par un couple de notables italiens (le *cognomen* Libo, d'origine étrusque, est gravé sur 6 cuillères) de passage en Aquitaine. A travers le raffinement des divers objets, on peut avancer que les propriétaires du trésor étaient des gens aisés, cultivés et amateurs d'art.

Musée archéologique ⊙ – Conservé depuis sa découverte au musée des Antiquités nationales de St-Germain-en-Laye, le trésor d'Eauze a désormais sa place dans le tout nouveau musée de la ville. Le sous-sol a été creusé pour présenter le **trésor** tel qu'il a été découvert en 1985 : d'une fosse circulaire jaillissent des présentoirs sur lesquels on peut admirer l'ensemble des bijoux. Remarquer en particulier les colliers en or rehaussés de pierres précieuses (émeraudes, grenats et saphirs) et de perles de nacre, ainsi qu'un admirable couteau à manche d'ivoire sculpté représentant Bacchus. Tout autour, sur les murs, les pièces de monnaie sont alignées verticalement, rendant compte de leur diversité et de leur incroyable quantité. Les collections préhistoriques sont rassemblées au rez-de-chaussée. Au 1ᵉʳ étage, on découvre quelques objets issus des fouilles de 1880. La grande salle présente, à travers des fresques colorées, la vie quotidienne à Elusa.

Cathédrale St-Luperc – Fin 15ᵉ s.-début 16ᵉ s. Exemple type du gothique méridional par son plan : long vaisseau unique flanqué de chapelles ménagées entre les contreforts soulignés par des colonnes en pierre semi-encastrées qui soutiennent l'élan des voûtes, portées à 22 m de hauteur. Remarquer le bel appareil de briques et moellons romains récupérés des ruines de l'antique Elusa. Quatre fenêtres hautes ont conservé leurs vitraux du 17ᵉ s.

ESPELETTE

1 661 habitants (les Espeletars)
Cartes Michelin n⁰ˢ 85 pli 3 ou 234 pli 33

Ancienne place féodale, Espelette est un village très étendu, aux rues tortueuses bordées de maisons basques blanc et rouge. Centre de la culture du piment rouge, le bourg fait également commerce des **pottoks** (une foire au pottok a lieu à la fin du mois de janvier), petits chevaux vivant en troupeaux à demi sauvages sur les versants inhabités des montagnes frontières. Autrefois utilisé dans les mines, son caractère docile et sa petite taille en font aujourd'hui un cheval parfaitement adapté à la randonnée équestre. Dans l'**église**, remarquer le retable de bois doré et, dans le cimetière voisin, des stèles discoïdales des 17ᵉ et 18ᵉ s. La mairie est installée dans l'ancien château du 11ᵉ s., plusieurs fois détruit et reconstruit.

Le piment d'Espelette

C'est en automne que les façades des maisons d'Espelette se couvrent du rouge foncé des piments, accrochés en guirlandes pour sécher. Introduit au Pays Basque via l'Amérique et l'Espagne au 17ᵉ s., il devient très vite le condiment favori de ses habitants : brûlé au four et réduit en poudre, on le mit d'abord dans le chocolat (Bayonne fut la première ville chocolatière du royaume de France) et il remplaça très vite le poivre dans la cuisine locale (poulet basquaise, *tripotxa* – boudins de veau –, *axua* – émincé de veau –, etc.). Le piment d'Espelette est aujourd'hui devenu la plante à tout faire des Espeletars : en bain de pied, il soigne les grippes et les bronchites ! La fête du piment d'Espelette a lieu le dernier dimanche d'octobre. Les festivités débutent par la bénédiction du piment, puis les confréries défilent à travers la ville. En fin de journée, on procède à la nomination des « chevaliers du Piment d'Espelette ».

Piments d'Espelette

Abbaye de FLARAN★

Cartes Michelin nᵒˢ 82 Nord du pli 4 ou 234 pli 24

L'**abbaye**, fondée en 1151 par les moines de l'Escaladieu *(voir à Capvern-les-Bains)*, s'inscrit dans le cadre de l'expansion de l'ordre cistercien en Gascogne. Grâce aux libéralités des seigneurs de la région, elle connut rapidement la prospérité puis passa tour à tour sous la domination anglaise et française. Elle ne fut pas épargnée par les guerres de Religion ni plus tard par les exactions révolutionnaires.

Située sur la commune de Valence-sur-Baïse *(voir à Condom, le vignoble)*, elle abrite aujourd'hui le **Centre culturel départemental** ⊙ qui organise toute l'année des expositions, des concerts et des colloques.

VISITE ⊙ *1 h*

Quartier d'hôtes – Élevé au 18ᵉ s. à l'usage du prieur et de ses hôtes, il flanque les constructions qui ont remplacé dès le début du 14ᵉ s. l'aile des convers donnant sur la galerie occidentale du cloître. A l'intérieur de cette belle demeure qui a des allures de petit château gascon, les pièces réservées à l'accueil des touristes ainsi que le salon de compagnie (1) sont décorés de gypseries. De la cour d'honneur, bordée à l'Ouest par l'écurie et ses dépendances, on peut observer la façade de l'église abbatiale percée dans sa partie supérieure par une rose cernée d'un cordon en damier. Au-dessous, le portail en plein cintre est curieusement dépourvu de tympan.

Église – Construite entre 1180 et 1210, elle comporte une nef, flanquée de collatéraux simples, couverte d'une voûte en berceau brisé à puissants doubleaux. Ces derniers reposent sur des colonnes géminées engagées dans les piliers rectangulaires ; les chapiteaux doubles présentent une ornementation simple, conforme à la tradition cistercienne : feuilles lisses ou entrelacs et volutes très stylisés. Sur le transept plus long que la nef s'ouvrent à l'Est le chœur qui se termine en cul-de-four et quatre absidioles. Visibles du jardin, le chevet en hémicycle et le feston d'arcatures cernant les absidioles sont caractéristiques de la première période de l'art roman méridional. Signes des approches de l'art gothique, des voûtes d'ogives couvrent la croisée du transept et le collatéral Nord. A gauche, dans le croisillon Nord, s'ouvre la **sacristie** (2), pièce carrée d'une très grande luminosité, qui se distingue par ses voûtes ogivales reposant sur une colonne centrale. Un escalier en pierre mène au dortoir des moines *(voir ci-dessous)*.

Cloître – On y accède de l'église par une porte surmontée d'un beau chrisme, motif populaire dans l'art roman de Gascogne. Des quatre galeries d'origine ne subsiste plus que celle située à l'Ouest (début du 14e s.), couverte d'une charpente comme c'était l'usage dans les cloîtres toulousains : les arcades brisées reposent sur des colonnes jumelées à chapiteaux ornés de feuillages, de masques humains ou d'animaux.

Bâtiments conventuels – Ils prolongent le croisillon Nord du transept. D'abord on trouve l'**armarium** ou bibliothèque (3), ensuite la **salle capitulaire**, donnant sur le cloître par trois baies à voussures s'appuyant sur des colonnettes ; à l'intérieur, les voûtes sur croisées d'ogives reposent sur de belles colonnes de couleurs différentes en marbre des Pyrénées.

Au-delà du couloir d'accès au jardin, l'ancienne **salle des moines** et le **cellier** abritent une exposition sur le chemin de St-Jacques-de-Compostelle en Gascogne : cartes, sculptures (statue de saint Jacques en bois polychrome du 17e s.), croix tombales de pèlerins ornées de la coquille, etc.

A l'étage, le **dortoir** des moines, auquel on accède depuis le croisillon Nord, a été transformé en chambres au 17e s. Celles-ci communiquent avec l'appartement du prieur et la galerie supérieure du cloître qui offre une belle vue d'ensemble sur l'abbaye.

Au Nord, le **réfectoire** flanqué de la **cuisine** et du **chauffoir** a été remanié au 18e s. Il présente un élégant décor de stuc, notamment au-dessus de la cheminée avec le motif du phénix renaissant de ses cendres.

Jardin – Il comprend deux parties : le jardin à la française et, vers l'ancien moulin, le jardin des plantes aromatiques et médicinales. La vue est intéressante sur l'aile orientale du bâtiment des moines et le chevet de l'église.

Ferme de la Magdeleine – Au Sud-Ouest, les bâtiments de la ferme (logement, étable, grange) s'appuient de part et d'autre de la tour carrée, vestige des fortifications du 14e s.

Entre la ferme et le monastère est exposée une mosaïque romaine du 5e s., récemment dégagée d'une villa située sur les terres du Mian.

FLEURANCE

6 368 habitants (les Fleurantins)
Cartes Michelin nos 82 pli 5 ou 235 pli 25 – Schémas p. 49 et 203

Le nom de la ville laisse attendre, dans le contexte gascon, une bastide. Son plan géométrique – un triangle – et le quadrillage régulier de ses rues le confirment. La place de la République a conservé sur trois côtés ses arceaux. Au centre de la bastide, la halle voûtée fait corps avec une majestueuse construction en pierre abritant les services municipaux.

Église St-Laurent – 15e s. Caractéristique du gothique du Midi, c'est un édifice construit en pierre de taille et en brique. L'imposante façade, dominée à l'angle Sud-Ouest par un clocher en octogone sur trois niveaux (apparenté au style toulousain), est percée par un portail à voussures flanqué d'enfeus à gâbles et crochets. Une série d'arcades brisées en pierre au Nord, en brique à l'Est et au Sud fait le tour de l'édifice (sauf à l'Ouest).

A l'intérieur, le plan est basilical et dépourvu de transept. Les nervures des voûtes de la nef pénètrent directement dans les fûts des piliers, dont les bases s'enfoncent d'Ouest en Est.

Les trois vitraux Renaissance de l'abside, restaurés en 1995, sont l'œuvre d'Arnaud de Moles. Le nom de l'artiste apparaît au vitrail de l'Arbre de Jessé, à droite. Le vitrail du centre représente la Sainte Trinité, celui de gauche saint Laurent, Marie-Madeleine et saint Augustin. Le chœur au chevet polygonal date de 1300, il est précédé de trois travées du 14e s. Dans une chapelle du collatéral gauche, la chapelle St-Jean, remarquer la Vierge de Fleurance, une Vierge à l'Enfant en pierre du 15e s.

*Pour choisir un lieu de séjour à votre convenance,
consultez la carte des Lieux de séjour
au début de ce guide.*

Elle distingue :
– les Destinations de week-end ;
– les Villes-étapes ;
– les Lieux de séjour traditionnels ;
– les stations balnéaires, thermales ou de sports d'hiver.

*Elle signale aussi, lorsque la région décrite s'y prête,
les ports de plaisance, les centres de thalassothérapie,
les bases de découverte de la montagne en été, etc.*

Notre-Dame de GARAISON

Cartes Michelin nos 85 pli 10 ou 234 pli 40 – 10 km au Sud de Castelnau-Magnoac

Autour d'un sanctuaire de pèlerinage isolé dans un vallon du plateau de Lannemezan s'est développé à partir du 17e s. un couvent voué à l'évangélisation des campagnes pyrénéennes et, depuis 1847, à l'éducation.

Durant la guerre de 1914-1918, les bâtiments, alors désaffectés, servirent de centre d'internement pour des ressortissants civils allemands. Le Dr Schweitzer en fut l'hôte forcé.

En 1974, le retour dans la chapelle du mobilier dispersé à la Révolution a marqué la fin de sa restauration.

Collège – L'aile ancienne du couvent, élégant bâtiment Louis XIII à la galerie de cloître aux arcades surbaissées, donne sur la cour d'honneur. La chapelle s'allonge en retour d'équerre.

Chapelle ⊙ – Le bâtiment du porche, de style classique, s'abrite sous un dôme à lanternon et campanile qui masque le sommet du fronton.

Le portail à bossages ouvre sur un vestibule dont les voûtes basses sont décorées de peintures naïves de 1702 représentant les pèlerinages du passé. Remarquer les Pénitents blancs, bleus, gris ou noirs dans la cagoule de leur confrérie.

Le vaisseau abrite un **mobilier**★ du 17e s., œuvre du sculpteur toulousain Pierre Affre. Autour de la Pietà vénérée, du 16e s., s'ordonnent, dans un cadre de boiseries noir et doré, 12 statues – prophètes et héroïnes de l'Ancien Testament, parents de la Vierge – accompagnées d'extraits bibliques poétiques. Dans la 1re chapelle de gauche, admirer un Christ du 17e s.

D'importants fragments de peintures murales du 16e s. ont été dégagés : voir en particulier la représentation du site de Garaison vers 1550 (haut des parois Nord et Sud de la nef), les scènes de la vie de sainte Catherine (1re chapelle à droite) et de la vie de saint Jean-Baptiste (2e chapelle à droite).

En sortant du sanctuaire, on ira voir, au pied du chevet, la fontaine « de la Bergère ».

Des boiseries et des statues provenant de Garaison sont conservées dans l'église paroissiale de **Monléon-Magnoac** *(7 km au Nord par la D 9)*. Celles des **Évangélistes**, entre les symboles des Vertus théologales (charité, espérance, foi) et cardinales (courage, justice, prudence, tempérance), sont les plus expressives : saint Jean et saint Matthieu (dans le chœur), saint Marc (à gauche en entrant) et surtout saint Luc (au-dessus des fonts baptismaux), coiffé du bonnet des médecins.

Manoir de Garaison ⊙ – De l'autre côté de la route, en face du collège, des bâtiments d'architecture régionale d'époque Henri IV s'organisent autour d'une cour et comprennent une maison d'habitation à pans de bois et galets, une étable-écurie, une bergerie, des hangars, ainsi qu'une métairie dans laquelle ont lieu des expositions temporaires d'arts et traditions polulaires.

Moyenne GARONNE

Cartes Michelin nos 79 plis 14 à 17 ou 234 plis 16 et 20 ou 235 plis 17 et 21

Entre les confluents du Tarn et du Lot, cette portion étranglée de la vallée, qui n'excède pas 6 km de largeur, correspond à la traversée des calcaires de l'Agenais. Dernières avancées des « serres » de l'Agenais, ses coteaux portent des villages bien situés. En contrebas, au-delà des terrains de cultures maraîchères, des vergers de pommiers et de pêchers, le fleuve décrit ses méandres soulignés par un rideau de peupliers.

La navigation – Le trafic de marchandises par barques et radeaux était actif à partir de Boussens, pour le transport des pierres et chaux vers Toulouse, mais la voie d'eau fut utilisée surtout, dès le temps des « coches », vers 1660, et non sans risques d'échouages et naufrages, entre Toulouse et Bordeaux.

Ces services de voyageurs connurent un éphémère regain de trafic avec la mise en service de bateaux à vapeur en 1830.

En 1856, l'ouverture du canal latéral à la Garonne, permettant aux barques du canal du Midi de descendre à Bordeaux sans rupture de charge, vint trop tard, en plein essor ferroviaire. L'activité du canal, favorisée de nos jours par l'allongement des écluses et la création de la pente d'eau de Montech *(voir le guide Vert Michelin Pyrénées Roussillon Albigeois)*, devrait s'accroître avec la modernisation en cours du canal du Midi qui portera par étapes le gabarit à 350 t.

La correction du fleuve est restée un souci constant, en particulier dans la section de la Garonne moyenne, où les crues de printemps des grands affluents du Massif Central, surtout le Tarn, atteignent une brutalité catastrophique (inondations de 1930). A défaut d'une régularisation efficace du chenal, le fleuve est en partie dompté par des barrages à destination hydro-électrique et nautique : Palaminy, St-Julien, Carbonne et Malause, ce dernier ayant créé le plan d'eau « de Tarn-et-Garonne », noyant le confluent des deux rivières.

RIVE GAUCHE

Auvillar – *Schéma p. 164.* Ville close animée jadis par l'industrie de la faïence (quelques pièces sont exposées au musée d'Art et Traditions populaires) et la fabrication des plumes d'oie à écrire. On pénètre à pied dans la vieille ville par la tour de l'Horloge.

La **place de la Halle**★, triangulaire, est entourée de maisons de briques des 17e et 18e s. à couverts. Au centre se dresse une halle en rotonde, sur colonnes toscanes.

S'avancer jusqu'à l'esplanade, dégagée à l'emplacement de l'ancien château. Vue sur les villages, églises et châteaux de la vallée de la Garonne, entre les coteaux d'Agen et Montech. *Table d'orientation.*

Auvillar – Halle

Château St-Roch – *9 km à l'Est d'Auvillar par la D 12.* Situé sur la commune du Pin, ce château de style Renaissance a été construit au 19e s. pour la famille de Montbrison. Au milieu d'un parc à l'anglaise, le bâtiment reprend les thèmes architecturaux propres aux châteaux de la Loire (aile en équerre, tourelles d'angle, mâchicoulis, fenêtres à meneaux). L'intérieur a été richement décoré par Edmond Lechevallier-Chevignard : plafonds à caissons ou de style Renaissance italienne peints et dorés, carrelages en faïence polychrome, murs tendus de toiles peintes aux motifs Renaissance. Dans la Salle des Portraits, le plafond en bois sculpté à caissons sur pendentifs provient (pour les huit caissons centraux) d'une maison de Rouen du 18e s. Le mobilier est d'époque Renaissance.

Layrac – *9 km au Sud d'Agen.* De la terrasse de la place du Royal, encadrée, au Sud, par l'église Notre-Dame, du 12e s., et, au Nord, par l'église St-Martin, dont il ne subsiste que le clocher, vue sur la vallée du Gers débouchant dans la plaine de la Garonne.

L'**église** romane actuelle est une fondation clunisienne dépendant de Moissac. Accolé au Nord-Ouest à des bâtiments conventuels du 18e s., l'édifice doit son caractère au dôme classique de la croisée du transept et à son chevet.

Du vaisseau émane une impression de puissance : nef unique large de 11,50 m, croisée sous coupole abritant un maître-autel du 18e s. à baldaquin, chœur voûté d'un large cul-de-four.

La dernière restauration, en ramenant le chœur à son ancien niveau, a dégagé un fragment de mosaïque romane : Samson luttant contre le lion.

179

RIVE DROITE

Clermont-Dessous – *2 km à l'Est de Port-Ste-Marie.* Le village, ranimé par le tourisme grâce à sa jolie situation au-dessus de la plaine de la Garonne, est signalé par son église trapue campée parmi les ruines d'un château en cours de restauration.

Suivre le circuit jalonné *(1/2 h)* au départ du parc de stationnement pour avoir l'agrément de vues changeantes sur la vallée, ses vergers, et reconnaître au loin Port-Ste-Marie, ancienne ville de mariniers étirée entre l'abrupt du coteau et le fleuve que la N 113 longe de très près.

L'**église**, ancienne chapelle du château, est un modèle réduit d'architecture romane avec sa nef à travée unique voûtée en berceau, sa coupole sur trompes et son chœur à cul-de-four.

Château de GAUJACQ

Cartes Michelin n°s 78 pli 7 ou 234 pli 26 – 9 km au Nord d'Amou

Le **château** ⊘ apparaît derrière un rideau de magnolias. Le bâtiment en quadrilatère a le charme des « chartreuses » du Bordelais ; il occupe un site élevé, sur la dernière ride méridionale de la Chalosse. Par beau temps, la chaîne des Pyrénées se dessine au loin.

Extérieur – Le 17e s. se manifeste dans les pavillons centraux au comble aigu et au portail à fronton. La cour intérieure forme cloître avec son jardin et sa galerie.

Intérieur – On visite plusieurs pièces, entre autres la chambre dénommée « du Cardinal » en souvenir de François de Sourdis, archevêque de Bordeaux, de qui Louis XIII et Anne d'Autriche reçurent la bénédiction nuptiale en 1615.

Sortir par le portail opposé à la route, et suivre, à partir des débris d'une porte d'enceinte féodale (du sommet, vue plongeante sur la cour), l'allée d'érables champêtres conduisant à une terrasse aménagée au-dessus de la vallée, face aux Pyrénées, de la Rhune au pic du Midi de Bigorre.

Derrière le château, le **plantarium** ⊘ *(entrée à droite du château),* divisé en huit parterres, rassemble de nombreuses espèces de plantes parmi lesquelles des pivoines, des camélias, des acers et des pieris japonais très odorants, des hostas.

Vallée de GAVARNIE★★

Cartes Michelin n°s 85 pli 18 ou 234 plis 47, 48 – Schéma p. 106

La vallée de Gavarnie et le cirque qui la ferme au Sud ont une réputation mondiale. Le paysage de la vallée est austère. George Sand, alors baronne Dudevant, écrivait, non sans exagération : « De Luz à Gavarnie, c'est le chaos primitif, c'est l'enfer », et Victor Hugo, traversant le chaos de Coumély, s'écriait : « Noir et hideux sentier… » Tout au long, les glaciers ont « surcreusé » les bassins de Pragnères, de Gèdre, de Gavarnie ; les eaux ont scié les « verrous » rocheux qui les séparent et créé des « étroits » dont le plus caractéristique est la gorge de St-Sauveur. Sur les replats se juchent les habitations temporaires. Du haut des vallées affluentes, les torrents dévalent en cascades.

Ce paysage incita, au début du 19e s., un jeune dessinateur du cadastre, Sulpice-Guillaume Chevalier (1804-1866), conquis par la beauté des sites et le pittoresque des costumes, à adopter le pseudonyme de « Gavarni » sous lequel il devint célèbre.

★★ LA VALLÉE

De Luz-St-Sauveur au cirque de Gavarnie
20 km - environ 3 h 1/2

★ **Luz-St-Sauveur** – *Voir à ce nom.*

Quitter Luz-St-Sauveur au Sud, par la D 921.
Éviter en saison les colonnes de cars d'excursion se formant vers 15 h au pont Napoléon.

Pont Napoléon – Construit en 1860 sur les ordres de Napoléon III. Par ce pont, d'une seule arche, la route venant de St-Sauveur franchit le gave profondément encaissé entre les parois abruptes de la gorge ; à la sortie, côté rive droite, s'élève une colonne commémorative de marbre surmontée d'un aigle. La vue sur la gorge broussailleuse est impressionnante.

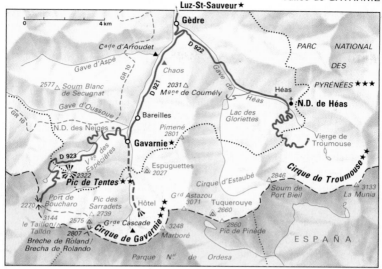

La route, taillée dans le roc, parcourt un défilé. Le hameau de la Sia (pont) apporte un intermède. Bientôt apparaissent les téléphériques de service montés le long des conduites forcées de Pragnères.

Centrale de Pragnères ⊙ – Centrale la plus puissante des Pyrénées, Pragnères « turbine » les eaux collectées dans le massif de Néouvielle, sous 1 250 m de hauteur de chute, et dans les vallées affluentes de la rive gauche du gave de Pau, sous 900 m de hauteur de chute. Elle est utilisée à pleine puissance aux périodes de pointe d'hiver.

Les eaux du massif de Néouvielle sont stockées dans le réservoir de Cap de Long, dont le remplissage s'effectue à plus de la moitié par deux stations de pompage. On montre la salle des machines et une maquette de l'aménagement, illustrée par des circuits lumineux.

Peu avant Gèdre apparaît, à droite du Coumély, rayé par une conduite forcée, le pic pointu de Piméné (alt. 2 801 m), sommet précurseur du cirque de Gavarnie.

Gèdre – *Voir à ce nom.*

★★ **Cirque de Troumouse** – *15 km au départ de Gèdre. Voir à Gèdre.*

La vallée redevient sauvage. A droite, en contre-haut, on aperçoit la vallée suspendue du gave d'Aspé. Le torrent tombe dans la vallée principale en formant la jolie cascade d'Arroudet. La route traverse un chaos de blocs écroulés, au pied de la **montagne de Coumély.** Ensuite commence la dernière montée vers les hauteurs de Gavarnie. A gauche de la Fausse Brèche et de la crête des Sarradets, située en avant-plan, apparaît le gradin supérieur du cirque, avec ses corniches neigeuses, les sommets du Casque, de la Tour et du Pic du Marboré.

A droite apparaît le hameau de Bareilles, puis, sur le Turon de Holle, au débouché de la vallée d'Ossoue, la monumentale statue de N.-D.-des-Neiges.

★ GAVARNIE

Le village, ancienne étape sur le chemin de St-Jacques-de-Compostelle, connaît en été un extraordinaire afflux de visiteurs. Il a pu rester, depuis 1864, le terminus de la route carrossable et conserver sa fonction de relais pour l'imposante et disparate cavalerie mobilisée pour l'excursion au cirque.

Mais après le reflux des touristes, à la tombée du jour, alors que les montures regagnent leurs pâtures, Gavarnie redevient une station de montagne, base d'escalades.

L'équipement en remontées mécaniques de la vallée des Espécières a enrichi Gavarnie d'un « stade de neige ».

Le domaine skiable – Très diversifié, il s'étage entre 1 850 et 2 400 m d'altitude. Les 19 pistes de ski alpin sont accessibles aux skieurs de tous niveaux, de la piste verte la plus longue des Pyrénées aux pistes noires pour skieurs avertis. Au pied du Cirque de Gavarnie débutent 15 km de pistes de ski de fond.

En mars a lieu le « Derby Gavarnie 3000 », grande épreuve de ski d'alpinisme, entre le village de Gavarnie et la Brèche de Roland.

Le bourg – Outre les tombes de quelques pyrénéistes, dans l'enclos supérieur du cimetière, la ferveur commémorative donne à la visite du bourg et de ses environs un aspect de pèlerinage : statue de Russell, médaillon de Béraldi, plaque aux pyrénéistes morts pour la France, au bord de la route en redescendant vers Luz, tombe du géographe Schrader non loin de l'entrée du cirque, etc. *Lire p. 23 « Le Pyrénéisme »*.

Église – Elle date du 14e s. C'est une ancienne dépendance d'un prieuré des Hospitaliers de Saint-Jean-de-Jérusalem, sur le vieux chemin de pèlerinage du port de Boucharo (alt. 2 270 m).

A l'entrée, remarquer trois statues en bois doré du 17e s. : saint Jean-Baptiste, la Vierge, saint Joseph.

La chapelle du Bon Port, à gauche du maître-autel, montre une statue polychrome de saint Jacques de Compostelle (à l'entrée) et deux statuettes de pèlerins de Compostelle autour de la statue de N.-D.-du-Bon-Port (14e s.) : la Vierge tient une gourde de pèlerin.

★★★ LE CIRQUE DE GAVARNIE

2 h 1/2 à pied AR

Le cirque de Gavarnie *(illustration p. 12-13)* est caractérisé par trois gradins superposés qui correspondent aux assises résistantes des plis couchés empilés ici. Ils sont séparés et mis en valeur par des taches lumineuses de neige qui tranchent sur la couleur ocrée des calcaires.

Le cirque a 3,5 km de développement à sa base et 14 km suivant la ligne de faîte (de l'Astazou, à l'Est, au pic des Sarradets, à l'Ouest). Le niveau moyen du fond est de 1 676 m. L'altitude des sommets dépasse 3 000 m.

Le cirque doit son origine à un « bout du monde » creusé, dès avant la glaciation, dans les assises calcaires de la couverture sédimentaire secondaire *(voir p. 15)*.

Comme dans les « reculées » du Jura, une résurgence évacuait ici les eaux enfouies dans le massif du mont Perdu et faisait reculer la tête de la vallée, en sapant son couronnement de falaises. Le glacier de Gavarnie, dont il ne reste plus que des lambeaux sur les corniches supérieures, a achevé de dégager le cirque et a assuré l'évacuation des débris.

L'excursion avec monture se termine à l'hôtel du Cirque.

On peut prolonger la promenade, à pied, jusqu'à la Grande Cascade *(1 h AR)*. De l'hôtel, vue splendide sur l'ensemble du cirque, avec ses trois paliers de neige, ses majestueuses murailles à pic curieusement teintées et ses in-

La Brèche de Roland

nombrables cascades argentées. La plus importante, la Grande Cascade alimentée par une résurgence des eaux de l'étang Glacé du mont Perdu (alt. 2 592 m) sur le versant espagnol, fait un bond de 422 m dans le vide. Victor Hugo s'écriait : « C'est une montagne et une muraille tout à la fois ; c'est l'édifice le plus mystérieux du plus mystérieux des architectes ; c'est le colosseum de la nature : c'est Gavarnie. » En été, le cirque de Gavarnie est le cadre insolite d'un festival de théâtre *(voir p. 304)*.

★★ PIC DE TENTES

11 km, par la route du port de Boucharo

A la sortie de Gavarnie, vers Luz, prendre à gauche, avant le pont, la route qui, contournant la statue de N.-D.-des-Neiges, quitte la vallée d'Ossoue pour s'engager dans la vallée des Espécières. Au col de Tentes, quitter la voiture et gravir la croupe, au Nord-Est, jusqu'au sommet arrondi du pic (alt. 2 322 m). Le **panorama**★★ est impressionnant sur les sommets, tout proches, qui couronnent le cirque de Gavarnie (le fond du cirque est invisible). On admire surtout le pic du Marboré, avec la combe du glacier de la Cascade. Plus à l'Ouest, la crête des Sarradets, au 1er plan, masque quelque peu le secteur de la Brèche de Roland, avant la réapparition de la crête frontière au Taillon et aux pics des Gabiétous.

Plus lointains se détachent, au Nord-Ouest, le Vignemale avec son glacier d'Ossoue, immaculé, au Nord-Est, le massif de Néouvielle précédant le pic du Midi de Bigorre, dont on aperçoit l'antenne.

La route se poursuit en corniche au-dessus de la sauvage vallée de Pouey Aspé. Elle se termine au port de Boucharo (alt. 2 270 m), point de départ du sentier de la **Brèche de Roland** par le refuge de Sarradets, course d'une demi-journée indiquée, uniquement par très beau temps, aux seuls touristes initiés à la marche en haute montagne et chaussés en conséquence.

GAVAUDUN

287 habitants

Cartes Michelins n° 79 pli 6 ou 235 pli 9 (12 km au Nord-Ouest de Fumel)

Dans l'étroite et sinueuse vallée de la Lède, Gavaudun occupe un **site**★ pittoresque entre la plaine du Lot et la vallée de la Dordogne. Gavaudun fut habité dès la Préhistoire, comme en attestent les fouilles entreprises sur le gisement du Roc (objets moustériens, aurignaciens et solutréens).

Donjon ⊘ – Dressant ses six étages au sommet d'un éperon rocheux dominant le village et la rivière, ce puissant donjon crénelé, à l'allure massive, date des 12e et 14e s. On y accède par un escalier creusé dans le roc.

ENVIRONS

St-Sardos-de-Laurenque – *2 km au Nord.* L'**église** ⊘ du 12e s. s'ouvre par un intéressant portail sculpté : les chapiteaux sont ornés d'animaux et de personnages et la frise est décorée de poissons.
La nef romane conserve quelques remarquables chapiteaux.

St-Avit – *5 km au Nord.* La route agréable, serpentant le long de la Lède, mène au hameau de St-Avit où se trouve la maison natale de Bernard Palissy. Une église à chevet circulaire couvert de lauzes et plusieurs maisons anciennes aux toits patinés s'élèvent dans un cadre champêtre dominant la vallée.

Sauveterre-la-Lémance – *19 km au Nord-Est.* Édouard Ier, roi d'Angleterre et duc d'Aquitaine, fit bâtir cette **forteresse** ⊘ à la fin du 13e s. pour protéger ses domaines face au royaume de Philippe le Hardi. Bénéficiant d'un programme de restauration, elle abrite une exposition permanente sur les « Rois-Ducs » Plantagenêts.

GÈDRE

317 habitants

Cartes Michelin n°s 85 pli 18 ou 234 pli 47 – 9 km au Sud de St-Sauveur

Schémas p. 106 et 246-247

Le village, dans son bassin de prairies coupées de rideaux de peupliers, est une halte charmante sur la route de Gavarnie, à l'origine de la vallée de Héas, voie de pénétration vers les cirques de Troumouse et d'Estaubé. De l'hôtel de la Brèche de Roland, on verra la fameuse coupure du rocher et, plus à droite, la dépression neigeuse de la « Fausse Brèche » d'où pointe le rocher du « Doigt ».

★★ CIRQUE DE TROUMOUSE

15 km puis 3/4 h à pied AR. La route (à péage) reste généralement obstruée par la neige de décembre à avril. La route remonte la vallée pastorale de Héas dont les pentes gazonnées sont interrompues par une coulée de blocs descendue de la montagne de Coumély, puis par un autre chaos dont le plus gros rocher sert de piédestal à la Vierge du Mail d'Arraillé.

Héas – Élevant son dôme dans le dernier bouquet d'arbres de la vallée, la **chapelle** ⊘ de pèlerinage (15 août, 8 septembre, Fête du Rosaire, 1er dimanche d'octobre) fut emportée par une avalanche en 1915 et reconstruite en 1925. Du mobilier de l'ancien sanctuaire, il reste la nef latérale de gauche, des statues, des tableaux, une croix de procession du 18e s., la cloche de 1643, le bénitier... La statue vénérée de N.-D.-de-Héas, retrouvée intacte sous l'avalanche, est replacée dans le chœur.

La route, attaquant le versant Sud de la vallée, offre des vues très intéressantes sur l'ancienne « auge » glaciaire de Héas : remarquer l'épaulement très continu du versant Nord, interrompu au-dessus de la chapelle de Héas par l'encoche d'un torrent descendu d'un bassin de réception en forme d'entonnoir régulier.

Au Sud, en contre-haut, se rapproche un cirque de sommets dont la structure plissée montre une extraordinaire houle de strates claires.

★★ **Cirque de Troumouse** ⊙ - Gagner la statue de la Vierge *(3/4 h à pied AR)* érigée sur un piton formant belvédère. Le cirque de dimensions grandioses – il pourrait contenir, dit-on, trois millions de « spectateurs » – présente un fond de prairies légèrement convexe dans son ensemble. Il est fermé par des montagnes dressant un rempart, à peine découpé, de 10 km de développement. L'ensemble culmine au pic de la Munia (alt. 3 133 m) reconnaissable à son vestige de glacier suspendu. A gauche, en contrebas du glacier, on découvre deux petites aiguilles jumelles, les « Deux Sœurs ».

La GIRONDE

Cartes Michelin n⁰ˢ 71 plis 6 à 8 et 15 à 18
ou 233 plis 25, 26, 37, 38 ou 234 plis 3, 7

En aval du confluent de la Garonne et de la Dordogne, au Bec d'Ambès, le fleuve s'élargit en un estuaire majestueux qui prend le nom de Gironde, ou « rivière de Bordeaux », et s'achève au-delà de la Pointe de Grave. La Gironde s'étend sur environ 75 km et sa largeur atteint 10 km à la hauteur de Mortagne.

Pêche et navigation – La pêche estuarienne, pratiquée à partir de nombreux petits ports du Blayais et du Médoc, est active en hiver, lorsque les grands poissons migrateurs (lamproie, alose) remontent l'estuaire pour frayer en amont, et au printemps pour la capture de la pibale (petit alevin d'anguille provenant de la mer des Sargasses). Par ailleurs, la Gironde est la seule réserve d'esturgeons d'Europe occidentale. Cette espèce, dont les œufs étaient utilisés autrefois pour la préparation du caviar, est aujourd'hui protégée et sa capture est interdite.

Le lent défilé des cargos constitue un des charmes du spectacle de l'estuaire. Le franchissement des passes de Cordouan est difficile, par gros temps, en raison des courants et des remous, mais le creusement de la « passe de l'Ouest », entretenue par dragages, a amélioré les accès. Le dragage des seuils, l'établissement de digues et d'épis, l'aménagement d'un chenal balisé ont permis aux bateaux d'un tirant d'eau allant jusqu'à 10 m de gagner Bordeaux en une seule marée.

Sur le trajet s'échelonnent : Le Verdon-sur-Mer, qui accueille les grands porte-conteneurs transocéaniques, le port céréalier de Blaye, Pauillac et Bec d'Ambès, anciens avant-ports pétroliers de Bordeaux jusqu'à la fermeture des raffineries Esso (1983) et Shell (1986).

LE PORT DE BORDEAUX-LE VERDON

Le Verdon-sur-Mer – Le Verdon-sur-Mer occupe dans l'estuaire de la Gironde, à proximité de l'océan et protégé par la Pointe de Grave, une situation privilégiée. Ce port offre le double avantage d'un port en eau profonde sans écluse ni marée et d'une passe d'entrée en Gironde, favorisant le libre accès des grands navires porte-conteneurs et pétroliers aux postes d'accostage. La puissance des équipements, la rapidité des opérations de manutention, les vastes entrepôts et moyens de stockage confèrent au Verdon un rôle de premier plan.

Le **terminal conteneurs**, ouvert en permanence, possède un linéaire de quai et trois portiques, qui lui permettent d'accueillir et de traiter simultanément deux navires de 300 m de long. Il dispose également d'installations permettant la réception des navires rouliers et la manutention des cargaisons en vrac.

Le **trafic** du Verdon, pour les seules marchandises en conteneurs, est annuellement évalué à 400 000 t. Il représente 80 % du trafic global en conteneurs du port de Bordeaux.

En 1990, le trafic total du port de Bordeaux était de 10 500 000 t dont 9 700 000 t pour le seul trafic maritime extérieur. Les échanges transitant par le terminal du Verdon portent sur des produits finis à haute valeur ajoutée. Si ces installations ne représentent que 4 % du tonnage global du port de Bordeaux, elles représentent cependant 32 % des valeurs de marchandises.

Du Verdon partent des liaisons maritimes régulières vers l'Amérique centrale, l'Amérique du Sud, l'Afrique de l'Ouest et l'océan Indien.

Le Verdon est complété par les autres zones portuaires de l'estuaire, en particulier celle de Bassens, spécialisée dans le traitement des marchandises diverses transportées par des cargos conventionnels mais surtout des trafics de vrac, notamment dans le domaine agro-alimentaire.

LA ZONE PORTUAIRE

Du pont d'Aquitaine au Bec d'Ambès

25 km – environ 1 h 1/2

Le secteur portuaire de Bassens, prolongement des quais de Bordeaux franchis par le pont d'Aquitaine, tend à se rapprocher du site d'Ambès situé à 25 km en aval de Bordeaux, au confluent de la Dordogne et de la Garonne. Il constitue, avec le Verdon, l'un des points forts de l'activité maritime en Gironde.

Bassens – Le port offre plus de 3 km de quais aménagés pour le trafic des marchandises et leur transport rapide vers les entrepôts de stockage, parfois reliés par bandes transporteuses aux postes d'accostage. Des terre-pleins (on construit sur l'un d'eux des plates-formes pour la recherche pétrolière en mer) et une forme de radoub de 247 m séparent les deux zones amont/aval. Bassens-amont traite les clinkers (éléments constitutifs du ciment), mélasses et produits forestiers. Bassens-aval dispose d'installations pour les marchandises sous froid, les vracs industriels et les produits agroalimentaires. A proximité, une usine Michelin pour la fabrication du caoutchouc synthétique est en service dans la zone industrielle, ouverte à de nombreuses industries, dont celles relatives à la transformation du bois.

Ambès – Le renouveau industriel de cette zone est éclatant depuis la fin des années 1980. Au Bec d'Ambès deux grands dépôts privés de produits pétroliers (Elf et Esso) sont reliés par oléoducs aux dépôts publics d'Ambès (77 000 m³) et de Bassens (250 000 m³). Ils jouxtent une centrale thermique, une usine de fabrication de noir de carbone et une unité de conditionnement des gaz de pétrole liquéfiés. Toutes ces implantations disposent d'appontements adaptés à la réception par voie maritime de leurs produits. Une très importante usine de fabrication d'ammonitrates du groupe Hydro Azote a été mise en service en 1991. A ses côtés s'édifient une unité de production de la Société Eka Nobel et un nouveau parc de stockage de produits pétroliers disposant également d'installations portuaires.

Écomusée de la GRANDE LANDE★

Cartes Michelin nᵒˢ 78 plis 1 à 5 et 79 plis 1 à 11 ou 233 plis 6, 7, 10, 11, 14, 15, 18 et 19 – Schéma p. 196

Composé de trois unités situées au cœur du Parc naturel régional des Landes de Gascogne *(voir à ce nom)* dans les communes de Sabres, Luxey et Moustey, l'écomusée de la Grande Lande fut le premier à être ouvert en France, en 1968. Ce grand ensemble évoque la vie quotidienne et les activités traditionnelles propres à la campagne landaise aux 18ᵉ et 19ᵉ s.

Marquèze ⊙ – *Accès par chemin de fer au départ de Sabres. Le train parcourt près de 5 km en forêt, puis dépose les visiteurs dans la clairière de Marquèze.*
Cette partie de l'écomusée occupe près de 70 ha dans la zone protégée des vallées de l'Eyre. Il regroupe un ensemble de bâtiments d'origine et d'autres remontés sur place.
L'**airial**, longtemps oasis dans la lande puis clairière dans la **pignada** (pinède), était une vaste esplanade principalement plantée de chênes où étaient répartis l'habitation principale et les bâtiments d'exploitation.
La spacieuse maison du maître (**Marquèze**), datant de 1824, en offre un exemple typique avec ses larges poutres, ses murs de torchis et son toit à trois pentes. A proximité, maison des domestiques (ou « **brassiers** »), au poutrage plus grêle et aux dimensions plus modestes. Plus loin, maison des métayers et son cortège de granges, loges à porcs, ruches et poulaillers.
Une promenade sous bois mène à la maison du meunier, datée de 1834 et proche du **moulin de bas** aux deux meules broyant gros et petits grains. L'allée débouche sur les **charbonnières**, où s'opérait la combustion lente des vieux arbres pour la production du charbon de bois, et reconduit à l'airial, où un centre de documentation présente cartes, maquettes, et des images commentées sur l'écomusée, la vie agricole et pastorale. Dans un parc à moutons voisin vit un troupeau de ces animaux, anciens défricheurs de la lande dont le fumier enrichissait les champs.
De l'autre côté de la voie ferrée, on découvre, entre une volière et un puits à balancier, une seconde maison de maître, dite le Mineur, transférée d'un autre airial ainsi qu'une grange-exposition présentant l'ancien système agro-pastoral.
Le **verger conservatoire** préserve plus de 1 600 espèces fruitières propres à la Grande Lande : pommiers, pruniers, cerisiers, néfliers, cognassiers, etc.

Maison de maître et poulailler

Luxey – L'atelier de Produits résineux Jacques et Louis Vidal ⊘, qui a fonctionné entre 1859 et 1954, illustre le mode de fonctionnement d'une structure économique au début de la révolution industrielle dans la Grande Lande. Depuis la réception des gemmes (sucs résineux) jusqu'au stockage de l'essence de térébenthine, le visiteur est invité à suivre toutes les étapes du traitement de la résine.

Moustey – Sur la place centrale se côtoient deux églises construites en « garluche » (pierre ferrugineuse locale), dont le mur Sud possède une porte murée dite « porte des Cagots » *(voir à Pays Basque, la vie basque)*. L'église Notre-Dame, au Sud, abrite le **musée du Patrimoine religieux et des Croyances populaires** ⊘.

Pour organiser vous-mêmes vos itinéraires, consultez tout d'abord les cartes au début de ce guide ; elles indiquent les parcours décrits, les régions touristiques, les principales villes et curiosités.
Reportez-vous ensuite aux descriptions, dans la partie « Villes et curiosités ». Au départ des principaux centres, des buts de promenades sont proposés.

En outre, les cartes Michelin n⁰ˢ 234, 235, 71, 75, 78, 79, 82, 85 et 86 signalent les routes pittoresques, les sites et les monuments intéressants, les points de vue, les rivières, les forêts...

GUÎTRES

1 403 habitants (les Guitrauds)
Cartes Michelin n⁰ˢ 75 Sud-Est du pli 2 ou 233 pli 39

Ce vieux bourg signalé par son abbatiale des 11ᵉ et 15ᵉ s., ancienne étape sur le chemin de St-Jacques-de-Compostelle, étage ses maisons et ses ruelles sur la rive droite de l'Isle.

Église – De style saintongeois, elle reste le seul vestige d'une abbaye bénédictine. Elle fut fortifiée et maintes fois remaniée au cours des siècles avant d'être restaurée au 19ᵉ s. et en 1964. Elle a conservé des éléments intéressants : façade avec portail 13ᵉ s. et pignon 14ᵉ s., puissant chevet à cinq absidioles, décorées, et façade 12ᵉ s. du croisillon Nord du transept, au portail demi-enterré.

Place des Tilleuls – Bordant l'église, elle offre une vue sur la rivière en contrebas. Descendre les quelques marches pour atteindre l'esplanade du port, agréable promenade au bord de l'eau.

Musée du Chemin de fer ⊘ – *Ancienne gare.* Des collectionneurs ont réuni de vieux wagons et de vieilles locomotives. La Mountain P9 (1947), une des plus puissantes machines à vapeur utilisées par la SNCF, est maintenue avec son fourgon en excellent état de conservation et de marche.
En saison le train touristique reliant Guîtres à Marcenais (à l'Ouest) est tracté par une locomotive datant de 1924.

HAGETMAU

4 449 habitants (les Hagetmauciens)
Cartes Michelin nᵒˢ 78 Est du pli 7 ou 234 pli 26

D'ambitieux monuments publics (collèges, marché) de style 1950 témoignent de la prospérité d'Hagetmau, centre de collecte pour les grains et les porcs de la Chalosse et siège de fabriques de chaises.
De nombreux gisements préhistoriques attestent une très ancienne et importante occupation des lieux par l'homme. En 778, Charlemagne y fonde l'abbaye de St-Girons qui sera détruite en 1569 par les protestants.

Crypte de St-Girons ⊙ – C'est le seul vestige de l'abbaye chargée de la garde des reliques de saint Girons, évangélisateur de la Chalosse au 4ᵉ s. La crypte, halte des pèlerins de Compostelle, repose sur quatre colonnes centrales de marbre, qui encadraient le tombeau du saint, et sur huit colonnes engagées dans les murs. Les **chapiteaux★**, du 12ᵉ s., représentent la lutte de l'apôtre contre les forces du mal et les dangers de sa mission.
Sur la 2ᵉ rangée transversale de colonnes on verra successivement, de droite à gauche, la délivrance de saint Pierre : un ange coupe les liens du captif du bout de sa lance ; la parabole du mauvais riche : sur la face antérieure, le festin ; sur la face de gauche, le mauvais riche étendu, mourant de soif dans les flammes de l'Enfer, implore l'âme de Lazare portée par des anges dans le sein d'Abraham ; des chimères semblent domptées par des personnages arrachant aux monstres le fruit que ceux-ci tiennent dans leur bec.

ENVIRONS

Brassempouy – *12 km à l'Ouest. Quitter Hagetmau par la route d'Orthez. A 2,5 km, tourner à droite dans la D 2 que l'on abandonne en vue de St-Cricq pour la D 21 à gauche.*
Ce petit village de Chalosse, dont la rue principale semble enjambée par le clocher de pierre de l'église romano-gothique, compte parmi les hauts lieux de la préhistoire. A l'Ouest, au flanc d'un coteau calcaire, s'ouvre la **grotte du Pape** ⊙ où ont été découvertes à la fin du siècle dernier les premières œuvres d'art que l'homme ait réalisées ; parmi celles-ci figure le premier visage humain taillé 23 000 ans avant J.-C. : il s'agit d'une statuette en ivoire dite Dame de Brassempouy ou Dame à la Capuche *(voir le guide Vert Michelin Île-de-France, musée des Antiquités nationales de St-Germain-en-Laye).* Si de nombreuses découvertes ont eu lieu voilà près d'un siècle, il restait encore de vastes couches archéologiques intactes où les fouilles ont repris depuis 1982.
Musée de la Préhistoire ⊙ – Il présente quelques vestiges préhistoriques de Chalosse (meule, haches polies) et les objets découverts à Brassempouy depuis la reprise des fouilles (restes d'animaux consommés et outils). Des documents anciens évoquent également les fouilles du siècle dernier. Enfin, présentation de la statuaire féminine préhistorique avec les reproductions des principales statuettes connues au monde et les copies des neuf figurines découvertes à Brassempouy même.

Château de Gaujacq – *Voir à ce nom.*

Samadet – *10 km à l'Est par la D 2. Voir à La Chalosse et le Tursan.*

HASPARREN

5 399 habitants (les Hazpandars)
Cartes Michelin nᵒˢ 85 pli 3 ou 234 pli 33 – Schéma p. 196

Hasparren, industrieuse cité de l'arrière-pays basque, devint à l'époque romaine un point stratégique et administratif important comme le rappelle la stèle gravée du 2ᵉ s., située sur le côté de l'église. Cependant, des vestiges d'enceintes à gradins et de parapets en pierre témoignent d'un établissement humain antérieur remontant à la protohistoire.
A l'époque médiévale, où la ville constitua une étape pour les pèlerins de St-Jacques-de-Compostelle, débuta le travail des étoffes et des peaux qui se poursuivit par l'industrie de la chaussure. Aujourd'hui se développent des activités diversifiées dans les domaines de l'agro-alimentaire, l'aéronautique et les matières plastiques.
La ville connaît une animation stimulée par des épreuves de pelote et des lâchers de vaches dans les rues.

Maison de Francis Jammes ⊙ – L'écrivain **Francis Jammes** (1868-1938) a passé les dix-sept dernières années de sa vie à Hasparren.
La maison du patriarche, « Eyhartzia », est visible à la sortie de la ville, à gauche dans un virage de la route de Bayonne. Au rez-de-chaussée, deux salles contiennent divers souvenirs : photographies, écrits, une paire de lunettes, un fauteuil. Le jardin a été aménagé en parc public.

ENVIRONS

★★ **Grottes d'Isturitz et d'Oxocelhaya** – *14 km. Quitter Hasparren à l'Est par les D 22 et D 14.*
Au village de St-Esteben (joli coup d'œil sur l'église isolée du 17ᵉ s.), *prendre à gauche vers St-Martin-d'Arberoue, d'où l'on gagne la rampe des grottes. Voir à Grottes d'Isturitz et d'Oxocelhaya.*

La Bastide-Clairence – *8 km au Nord-Est par la D 10.*
Cette bastide fut fondée en 1312 dans la vallée de la Joyeuse pour protéger la frontière Nord-Ouest de la Navarre. La composition de sa population – un tiers de Basques et deux tiers de Gascons – a à peine changé depuis l'établissement de la bastide.
La rue montante a déjà, avec ses maisons blanches barrées de rouge, le cachet des villages du Labourd. L'église, typiquement basque avec ses étages de galeries, est flanquée de deux cloîtres pavés de dalles funéraires des plus vieilles familles de La Bastide.

HENDAYE ⚓⚓

11 578 habitants
Cartes Michelin nᵒˢ 85 pli 1 ou 234 pli 33

Ville frontière sur la rive droite de la Bidassoa, Hendaye est formée de trois quartiers ; Hendaye-Gare, Hendaye-Ville et Hendaye-Plage. L'estuaire du fleuve, baignant sur la rive opposée les quais de Fontarabie, forme à marée haute un lac tranquille, la baie de Chingoudy, où l'on peut pratiquer toutes sortes d'activités nautiques.
Hendaye-Plage a le spectacle de la haute mer et se pare d'une végétation magnifique : magnolias, palmiers, tamaris, eucalyptus, mimosas, lauriers ombragent les avenues et les jardins des villas. Un étonnant bâtiment de style mauresque abrite une galerie marchande très animée avec cafés et restaurants. C'est également le point de départ du GR 10.
Au Nord-Est de la plage, la vue s'arrête aux rochers des Deux Jumeaux, au large de la pointe de Ste-Anne *(illustration p. 168)* ; à l'opposé, le cap du Figuier (Cabo Higuer) marque l'embouchure de la Bidassoa.

L'île des Faisans – Située au milieu de la Bidassoa, en aval du pont de Béhobie, l'île des Faisans ou de la Conférence est réduite aujourd'hui à un lambeau de terre boisé, très menacé par le flot. Elle n'évoque plus guère les événements dont elle fut le théâtre. En 1463, Louis XI y rencontra Henri IV, roi de Castille ; en 1526, François Iᵉʳ, prisonnier en Espagne depuis Pavie, y est échangé contre ses deux fils ; en 1615, deux fiancées royales, Élisabeth, sœur de Louis XIII, choisie pour l'Infant d'Espagne, futur Philippe IV, et Anne d'Autriche, sœur de l'Infant, choisie pour Louis XIII, prennent là officiellement contact avec leur nouvelle patrie.
Le **traité des Pyrénées** fut signé dans cette île en 1659 (stèle commémorative).

Préliminaires nuptiaux – Au printemps 1660, l'île est le théâtre de préparatifs fiévreux. Vélasquez (qui mourra d'un refroidissement contracté au cours des travaux) décore le pavillon où sera signé le contrat du mariage, prévu par le traité des Pyrénées, de Louis XIV avec Marie-Thérèse, fille de Philippe IV. Chaque délégation désirant rester sur son territoire (le protocole interdisait au souverain espagnol de quitter son sol), le bâtiment est divisé intérieurement par une ligne de démarcation imaginaire. L'heureuse conclusion des formalités (4 au 7 juin) est saluée par deux salves de mousquets.

Traité des limites et vice-royauté semestrielle – Le traité de 1856 a délimité la frontière entre le département des Pyrénées-Atlantiques et l'Espagne, l'île des Faisans appartenant par indivis à ce dernier pays et à la France. Depuis lors, la Commission internationale des Pyrénées est chargée de régler tous les problèmes frontaliers : c'est ainsi qu'une convention a accordé alternativement aux riverains des deux pays le droit de pêche sur la Bidassoa et dans la baie. De même, depuis 1901, le droit de police et de surveillance est exercé tour à tour pendant six mois par la France (1ᵉʳ août-31 janvier) et l'Espagne (1ᵉʳ février-31 juillet).

Le souvenir de Loti – Déjà initié au Pays Basque par Mme d'Abbadie, femme du savant explorateur de l'Éthiopie (1810-1897) retiré au château d'Abbadia, sur la route de la corniche basque, Pierre Loti fut appelé, comme commandant du stationnaire le *Javelot*, à contempler longuement l'estuaire de la Bidassoa et à faire à Hendaye de fréquents séjours (1891-1893, 1896-1898) ; il y mourut le 10 juin 1923 dans une modeste maison basque. Cette maison, située près de la rivière dans la rue des Pêcheurs, est reconnaissable à son colombage peint en vert *(elle ne se visite pas)*.

HENDAYE-VILLE

Église St-Vincent – Grande église de type basque réaménagée intérieurement. La présentation actuelle – fragments de retable détachés de leur meuble, statues en bois polychrome – permet au visiteur de détailler chaque œuvre. A droite, un original baptistère a été installé dans une niche à fronton du 17e s. ; un bénitier roman décoré de la croix basque sert de cuve. La première galerie des tribunes supporte un ravissant petit orgue dont le buffet doré est décoré d'une Annonciation. La chapelle du Saint-Sacrement, près du sanctuaire, se dispose au pied du **grand crucifix★**, œuvre sereine remontant au 13e s.

DOMAINE D'ABBADIA

Voir à St-Jean-de-Luz, excursion.

ENVIRONS

Biriatou – *5 km au Sud-Est. Quitter Hendaye par la route de Béhobie.* Au-delà de Béhobie, la route longe la Bidassoa avant de s'élever en serpentant vers ce minuscule village, où elle s'arrête près du parc de stationnement. La placette avec son fronton, l'auberge attenante et l'église que l'on atteint en gravissant quelques marches composent un tableau charmant. La vue s'étend sur les montagnes boisées, la rivière frontière en contrebas et l'Espagne de l'autre côté.

HOSSEGOR

2 829 habitants avec Soorts
Cartes Michelin nos 78 pli 17 ou 234 pli 25 – Schéma p. 164

Hossegor, séparée de la localité voisine de Capbreton *(voir à ce nom)* par le canal du Boudigau, est devenue une agréable station balnéaire et climatique, grâce à l'action conjuguée d'architectes, de peintres et d'écrivains qui, dès le début du siècle et au fil des générations, ont réussi à intégrer dans un environnement naturel généreux (pins, chênes-lièges, arbousiers) parcs, jardins, hôtels, terrain de golf et casino.
Les influences climatiques diverses provenant du littoral, du lac et de la forêt ainsi que le taux hygrométrique idéal de l'air (quantité de vapeur d'eau contenue dans l'atmosphère) assurent à la station un microclimat particulièrement tonique.
Grâce à la houle générée par le « gouf de Capbreton », la pratique du surf est très développée à Hossegor. Tous les ans, durant la 2e quinzaine d'août, a lieu l'« Hossegor Rip Curl Pro », championnat du monde de surf professionnel.

★ **Le lac** – Ce lac salé cerné par la forêt de pins, où se disséminent des villas de style bascolandais, occupe l'ancien bras de l'Adour. Communiquant avec l'océan par le canal du Boudigau construit au siècle dernier, il subit l'influence des marées.
Le lac d'Hossegor se prête à de nombreuses activités nautiques. Ses plages sont parfaitement adaptées à la baignade des petits car l'eau y est calme. La plage du Rey, sur la rive Est, est plus sportive : on y trouve des locations de matériel, des cours pour pratiquer la planche à voile, la voile, le kayak, le dériveur, etc.

Courant d'HUCHET★

Cartes Michelin nos 78 pli 16 ou 234 pli 21 – Schéma p. 164

Déversoir de l'étang de Léon, le courant d'Huchet, le plus capricieux des fleuves côtiers landais, coule à travers une végétation luxuriante qui surprend par son aspect exotique. C'est une très intéressante **excursion en barque** ⊙, à faire de préférence dans la matinée en juillet, août et septembre.
A la sortie de l'étang de Léon, le courant coule entre les joncs et les nénuphars. Laissant à gauche une maison servant de refuge aux pêcheurs qui, certaines nuits, prennent jusqu'à 500 kg d'anguilles, la barque glisse sous une voûte de verdure. Une passerelle, dite « Pont Japonais », franchit le courant qui se rétrécit au « Pas du Loup » et s'engage bientôt dans la « Forêt Vierge ». Après avoir dépassé une zone où les cyprès chauves abondent, la barque atteint Pichelèbe. Aux environs poussent quelques vignes.
Plus loin, la végétation redevient dense et difficilement pénétrable.
A hauteur des Bains d'Huchet, le paysage, plus riche en couleur, se transforme : les hibiscus sauvages poussent en abondance. A cet endroit, le courant n'est plus séparé de l'océan que par la dune côtière.

L'ISLE-JOURDAIN

5 029 habitants (les Lislois)
Cartes Michelin nos 82 plis 6 et 7 ou 235 pli 29

Au carrefour du Gers et de la Haute-Garonne, L'Isle-Jourdain était autrefois une étape sur la route de Compostelle, comme en atteste la statue de saint Jacques, à la Halte Saint-Jacques *(avenue de Lombez)*. C'est également là que nacquit Bertrand de l'Isle, fondateur de St-Bertrand-de-Comminges *(voir à ce nom)*.

Un plan d'eau avec activités nautiques et restaurant se trouve à la sortie Ouest de la ville, en bordure de la N 124.

Centre ville – On remarquera surtout, place de l'Hôtel de Ville (bâtiment inspiré du Capitole de Toulouse), la maison de Claude Auge, du début du siècle, avec ses vitraux (vitrail de la « Semeuse » de Larousse), sa verrière et ses sculptures en façade. La collégiale *(accès par le côté Est de la place)*, du 18e s., surprend par son style néo-classique ; l'intérieur est peint à fresque.

★ **Centre-Musée européen d'Art campanaire** ⊙ – Aménagé dans l'ancienne halle aux grains (remarquer la belle charpente en bois), ce musée rassemble plus de mille cloches de tous temps venues des cinq continents, exposées sur deux étages. Au rez-de-chaussée, l'espace « fonderie » explique les techniques de

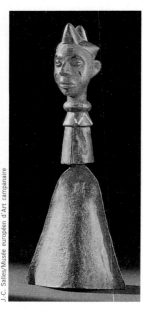

J.-C. Salles/Musée européen d'Art campanaire

Cloche en fer du Nigéria, 19e-20e s.

fabrication des cloches. Une salle abrite l'horloge monumentale de la Bastille dont on voit le mécanisme, ainsi qu'une belle horloge monumentale animée de quatre Jacquemards provenant de Meung-sur-Loire (milieu du 19e s.). A l'étage sont présentés des carillons et leur clavier, dont le visiteur peut jouer *(une pastille verte indique les instruments que l'on peut faire sonner)*. Une magnifique collection de cloches de table (remarquer une cloche en cristal de roche ciselée du Second Empire) et de jeux liés à la cloche jouxte l'espace « cloches du monde » (Europe, Amérique, Océanie, Asie, Afrique) : on s'attardera sur les petites cloches nigériannes surmontées de personnages sculptés en bois, ou encore sur une cloche de jade chinoise de l'époque Qing (18e s.). L'espace « sonnailles » rassemble diverses cloches de bétail. Les **subrejougs** (carillons d'attelage de la vallée de la Save) présentés dans la dernière salle sont remarquables par leur décoration polychrome.

LE GIMONTOIS

Circuit de 21 km – Compter 2 h 1/2.

Quitter L'Isle-Jourdain à l'Ouest par la N 124.

Gimont – Cette bastide fondée en 1266 présente un plan caractéristique, étroitement adapté au relief d'une colline fuselée. La rue principale, qui en marque l'arête, passe en droite ligne sous la vieille halle municipale.

L'**église**, exemple de gothique méridional à nef unique, est surmontée d'une tour de brique de style toulousain. A l'intérieur, dans la première chapelle de gauche, un triptyque Renaissance représente la Crucifixion. De chaque côté du maître-autel, remarquer deux sacraires, tours Renaissance à lanternon destinées à recevoir les Saintes Espèces et les reliques.

Quitter Gimont à l'Ouest par la D 12, route de Saramon.

Chapelle N.-D. de Cahuzac – Cette chapelle, élevée au 16e s. en brique et pierre en l'honneur de la Vierge qui serait apparue à un berger, fait toujours l'objet d'un pèlerinage local fréquenté.

Poursuivre par la D 12.

Abbaye de Planselve ⊙ – Cette abbaye cistercienne du 12e s., occupée jusqu'en 1789, date à laquelle elle fut pratiquement détruite, a été récemment restaurée en partie. Elle est entourée d'un important mur d'enceinte en brique longeant la route. La porterie est une œuvre gothique à deux travées couvertes de voûtes d'ogives. De l'ensemble du site, il reste le bâtiment des converts avec ses 10 travées romanes du 12e s., ainsi que deux pigeonniers, l'un conservant une glacière en sa partie inférieure, l'autre (celui du Nord) décoré d'une clé de voûte représentant un abbé avec sa crosse.

Grottes d'ISTURITZ et d'OXOCELHAYA★★

Cartes Michelin nᵒˢ 85 pli 3 ou 234 pli 34 – Schéma p. 225

Ces **grottes** ⊘ préhistoriques sont situées entre St-Palais et Hasparren. On y accède depuis le village de St-Martin-d'Arberoue *(tourner à gauche dans la rampe des grottes).*
Les grottes, superposées, correspondent à deux niveaux, abandonnés, du cours souterrain de l'Arberoue. Elles sont groupées dans une même visite.

Grotte d'Oxocelhaya

Grotte d'Isturitz – C'est par cette grotte qu'on pénètre dans la montagne. Elle a un intérêt surtout scientifique. Les traces d'occupation de l'homme du paléolithique y ont été relevées du Moustérien au Magdalénien, ce qui constitue une continuité exceptionnelle. Les fouilles ont ramené des baguettes demi-rondes à décor sculpté curviligne et des gravures dont les vitrines du musée présentent des exemples.

Grotte d'Oxocelhaya – On y descend ensuite pour admirer les salles décorées de concrétions : stalactites, stalagmites, colonnes, disques, draperies translucides, cascade pétrifiée toute scintillante.

Dans ce guide,
les plans de villes indiquent essentiellement
les rues principales et les accès aux curiosités.

Les schémas mettent en évidence les grandes routes et l'itinéraire de visite.

Le LABOURD★

Cartes Michelin nᵒˢ 85 plis 1, 2 et 3 ou 234 plis 29, 33

Il s'étend le long de la côte atlantique sur environ 30 km, entre l'Adour et la Bidassoa où falaises rocheuses et anses sablonneuses se succèdent. A l'Est, il est limité approximativement par la Joyeuse. C'est un pays de riants coteaux et de landes, les montagnes sont bien détachées mais de faible altitude : la Rhune, point culminant du Labourd, ne dépasse pas 900 m.

① DE BAYONNE A CAMBO-LES-BAINS PAR LA RHUNE
70 km – compter 1 journée

★★ **Bayonne** – *Voir à ce nom.*
Quitter Bayonne par ④, passer sous l'autoroute, prendre à droite vers Arcangues.
La route s'élève au milieu d'un paysage de collines.

Arcangues – Ce village compose un décor plaisant et pittoresque, associant l'église, le fronton et l'auberge. A l'intérieur de l'église, à galeries sculptées, grand lustre Empire et bas-relief : décollation de saint Jean-Baptiste, patron de la paroisse. Le cimetière paysager aux nombreuses stèles discoïdales offre un **panorama**★ sur les Pyrénées basques.

Le cimetière d'Arcangues abrite la tombe de Mariano Eusebio Gonzalez Garcia, plus connu sous le nom de Luis Mariano. Victime d'une hépatite mal soignée, le prince de l'opérette s'éteint le 14 juillet 1970. Depuis, le cimetière est régulièrement envahi par une foule d'admirateurs venus rendre hommage à leur idole. Autrefois, l'entrée du cimetière portait un buste du chanteur sculpté par Paul Belmondo, mais il a été volé en 1989.

Prendre la D 3.
La route sinueuse traverse la forêt d'Ustaritz, la descente sur St-Pée offre des vues lointaines sur la Rhune et le bassin d'Irun, le promontoire du Jaizkibel et l'océan. A l'Est, le chaînon de l'Artzamendi *(voir à Cambo-les-Bains)* ferme le bassin de la haute Nivelle.

St-Pée-sur-Nivelle – A la sortie Est de la ville, ruines d'un château du 14ᵉ-15ᵉ s.
Prendre la D 918 à droite.

★ **Ascain** – (les Azkaindars). La place, avec ses maisons labourdines, son fronton, ses hôtels avenants, a beaucoup de caractère ; elle est bordée par l'église au massif clocher-porche et à 3 étages de galeries. Dans le cimetière, derrière l'église, sur la droite, intéressante stèle discoïdale de 1657. Ascain possède un trinquet *(voir p. 26),* dans un restaurant.
Dans un cadre de lande, la route (D 4) s'élève au-dessus d'un gracieux vallon et atteint le col de St-Ignace (alt. 169 m).

La pierre de la Rhune

Au Pays basque, les maisons sont entourées de clôtures inhabituelles : de grandes plaques de pierre sont enfoncées verticalement dans le sol, formant une barrière d'un peu moins d'un mètre de haut. Ce grès aux belles couleurs beige et rouge, authentique pierre de la Rhune, est extrait des carrières d'Ascain. Il est communément utilisé pour l'encadrement des portes et des fenêtres des maisons basques traditionnelles et aujourd'hui, il est recherché pour la restauration des monuments historiques. Certaines villes du Nord de la France en ont même commandé pour paver leurs rues piétonnes.

★★ **La Rhune** ⊙ – *Du col de St-Ignace, 1 h AR par chemin de fer à crémaillère. Retour possible à pied (se munir de bonnes chaussures). Se renseigner avant de partir sur la visibilité au sommet.*
La Rhune (en basque, larrun : « bon pâturage ») est la montagne-emblème du Pays Basque français *(illustration p. 168).* Du sommet-frontière (alt. 900 m – émetteur de télévision) **panorama**★★★ splendide sur l'océan, la forêt des Landes, les Pyrénées Basques et, au Sud, la vallée de la Bidassoa.
La descente s'effectue au milieu des « Touyas » (landes d'ajoncs et de fougères). L'entaille de la route fait apparaître le grès rouge de la Rhune, pierre de construction régionale. Vue sur les monts fermant à l'Est le bassin de la Nivelle (Artzamendi).

★ **Sare** – Joli village que Pierre Loti a décrit sous le nom d'Etxezar dans *Ramuntcho.* Son grand fronton, ses rues ombragées, sa belle église à 3 étages de galeries et au chœur très surélevé aux riches retables baroques sont caractéristiques du Pays Basque. Sare est qualifié d'« Enfer des palombes ».
En parcourant le haut vallon de la Sare, on découvre des hameaux authentiques, des champs peuplés de brebis « manech », de vaches laitières ou de chevaux Pottok, des palombières.
Prendre la D 306 au Sud.

Grotte de Sare ⊙ – La grotte de Sare ou « Lezea » (mot signifiant grotte en basque) fait partie d'un vaste réseau de galeries creusées dans le calcaire dur au début de l'ère quaternaire par les eaux dévalant du pic d'Atchouria. Le travail de corrosion et d'abrasion opéré ici a fait apparaître toutes sortes de cavités karstiques. Les outils de silex et débris d'os découverts témoignent d'une occupation humaine, dont la phase la plus dense s'est située au périgordien supérieur (20 000 avant J.-C.). Passé le vaste porche, qui s'ouvre au Nord-Est, le visiteur est convié à effectuer un parcours de 900 m, balisé au sol par des lumières bleues et mis en valeur par un montage audio-visuel.
Au-delà d'agréables sous-bois, proches du ruisseau, la D 306 s'élève à travers les chênes de la forêt de Sare.

Col de Lizarrieta – Alt. 441 m. Il y règne à l'époque de la chasse à la palombe une grande animation (postes de guet et de tir le long du chemin de crête).

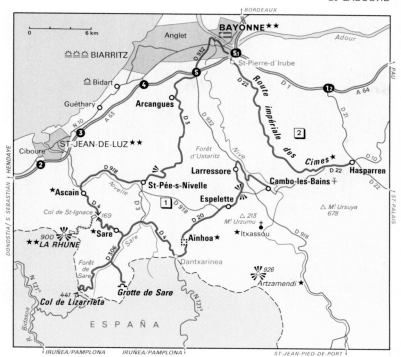

★ **Aïnhoa** - *Voir à ce nom.*

Espelette - *Voir à ce nom.*

Avant la descente dans la vallée de la Nive, la vue se déploie une nouvelle fois sur les Pyrénées basques, de la Rhune à l'Artzamendi. En avant apparaît le sommet proche de Cambo, le mont Ursuya, aux lignes émoussées et aux pentes d'un vert reposant. *Par la D 20, gagner Larressore.*

Larressore - La localité a accueilli dès 1733 un séminaire fondé par l'abbé Daguerre, qui a formé nombre de prêtres basques jusqu'en 1906. A côté du fronton, l'**atelier Ainciart-Bergara** ⊘, fondé avant la Révolution, est animé par des artisans de cette même famille qui, selon des méthodes ancestrales, fabriquent des « makhilas », bâtons traditionnels basques en bois de néflier ornés de signes gravés.

⊹ **Cambo-les-Bains** - *Voir à ce nom.*

★ ② **ROUTE IMPÉRIALE DES CIMES** *Voir description à Bayonne.*

LANDES DE GASCOGNE★

Cartes Michelin nᵒˢ 78 plis 3 à 5 ou 234 plis 14, 15, 18, 19

Cette ancienne province, divisée, depuis l'occupation romaine, par les invasions, les luttes de la féodalité et les guerres de Religion, a été longue à conquérir son identité. L'essor des Landes depuis le Second Empire *(voir p. 20)* s'est concrétisé par l'extension de la forêt aux dépens des sauvages « Lannes » (landes de jadis). Les bois de pins et de feuillus qui, des Landes girondines à l'Adour, étalent leur épais manteau cèdent cependant la place à d'autres paysages, dont les anciens pays de Gascogne illustrent la variété. Une partie du territoire fait l'objet d'une protection particulière dans le cadre du Parc naturel régional des Landes de Gascogne. Au centre, les **grandes Landes** offrent, de la Gironde aux portes de Dax, une vaste zone boisée où la forêt de pins, méthodiquement exploitée, alimente les diverses industries du bois. L'activité, soutenue autour de Sore, Pissos, Sabres et Morcenx, est moindre dans les petits bourgs, blottis au milieu des clairières ou des pittoresques vallées de l'Eyre. Soudées à l'Est aux grandes Landes, les **petites Landes** présentent des vallonnements, et un quadrillage de prairies et de champs cultivés, aux abords de coquets villages.

Plus au Sud, le **Marsan**, arrosé par la Midouze et ses affluents, est caractérisé par des vallées encaissées, et leur suite de prairies artificielles et de terres cultivées (céréales, vigne), domaine des grosses métairies qui s'adonnent à l'élevage.

Forêt landaise

A l'Ouest de l'Armagnac s'inscrit le **Bas-Armagnac**, pays de collines pratiquant la polyculture (vignes réputées), au voisinage de Villeneuve-de-Marsan et Labastide-d'Armagnac. Aux confins du Bas-Armagnac s'étend au Nord le **Gabardan**, terre de landes et de forêts qui présente, d'Estigarde à Losse et Lubbon, une zone d'étangs et de marécages asséchés.

Enclavé à l'Est dans les grandes et petites Landes, l'**Albret** doit aux seigneurs d'Albret, dont Labrit constitua le fief, l'extension de ses frontières jusqu'à l'océan, au 13e s. La forêt, entrecoupée de champs et de prairies, couvre une grande part du territoire primitif.

Pays de Born, Marensin et Maremne délimitent l'actuelle « Côte d'Argent ». Le **Born**, de Biscarrosse au Sud de Mimizan, présente un littoral attrayant et de vastes étangs, grossis des courants venus de l'intérieur. A l'arrière des lacs se développe la forêt somptueuse, aux sous-bois parés, suivant la saison, de genêts, d'ajoncs ou de bruyères. Gros bourgs et villages côtoient les vergers et les champs de céréales.

Le **Marensin,** qui prend fin au Nord de Soustons, offre à peu près les mêmes aspects que le Born, avec ses plages et ses lacs, et la fraîcheur de ses courants. Mais les paysages y sont plus variés, grâce aux peuplements de chênes-lièges et aux riches terres de l'arrière-pays, vouées aux cultures de céréales et à l'élevage du bétail, autour d'importantes métairies.

La **Maremne,** incluant, entre Vieux-Boucau et Labenne, les jolies stations d'Hossegor et Capbreton et de beaux lacs dans un décor sylvestre, est envahie de chênes-lièges et d'une riche végétation de lauriers et de mimosas, due au climat très doux. Les terres fertiles conviennent au maïs.

Les rives de l'Adour, autour desquelles gravitent les stations thermales de Dax, Préchacq et Tercis, soulignent l'assise méridionale de la forêt landaise et le début de la **Chalosse** et du **Tursan** *(voir à ces noms).* Greffées sur la rapide N 10, les petites routes transversales sont autant d'invitations à pénétrer au cœur des Landes. Leur poétique nostalgie, évoquée par François Mauriac dans le roman *Thérèse Desqueyroux,* a inspiré les peintres de l'école de Barbizon.

LE PARC NATUREL RÉGIONAL DES LANDES DE GASCOGNE

Créé en 1970, le Parc naturel régional des Landes de Gascogne groupe 36 communes des Landes et de la Gironde et couvre 290 000 ha au cœur du massif forestier gascon. Il s'étend à partir de l'extrémité Est du bassin d'Arcachon, de part et d'autre du val de l'Eyre, englobant au Sud les vallées de la Grande et de la Petite Leyre (pêche, canoë-kayak) et les zones boisées de Grande-Leyre (sentiers balisés, circuits pédestres et équestres). Un circuit de 330 km permet de parcourir l'ensemble du parc à bicyclette ; les routes, tranquilles, sont jalonnées de gîtes d'étape.

Aménagé pour assurer la protection de la nature et la mise en valeur de l'environnement, le parc a permis la restauration d'un certain nombre d'églises sur le chemin de St-Jacques-de-Compostelle, la création de l'écomusée de la Grande Lande (Marquèze, Luxey, Moustey), du parc ornithologique du Teich *(voir à ce nom)* ainsi que de réserves, centres d'études, etc.

La typique maison landaise, crépie de couleur claire, s'élevant le plus souvent dans une clairière, survivance de l'ancien « airial » *(voir à Écomusée de la Grande Lande)*, fait partie du paysage. Elle est dépourvue d'étage et ne comporte qu'un grenier avec lucarne sous le toit de tuiles. Un large auvent, soutenu par des poutres de bois, abrite la façade et son « estandad », véranda, de plain-pied.

On peut encore voir, le long des routes forestières, des petites cabanes où les gemmeurs rangeaient autrefois leurs outils. De plan rectangulaire, ces cabanes, assez basses et sans étage, sont fabriquées en pin des Landes (planches assemblées horizontalement) et couvertes d'un toit de tuiles peu pentu. Deux cabanes sont souvent accolées l'une à l'autre.

CONSEILS PRATIQUES

Quelques adresses

Les centres permanents du Parc – Centre d'animation du Graoux (canoë-kayak, VTT, sentiers de découverte, tir à l'arc, escalade...), ☎ 05 56 88 04 62. Atelier-gîte de Saugnac-et-Muret (canoë-kayak, cyclotourisme, sentiers de découverte, tir à l'arc...), ☎ 05 58 07 73 01. Maison de la nature et du Bassin d'Arcachon (canoë-kayak, sentiers de découverte, ornithologie), ☎ 05 56 22 80 93.

Les points renseignements du Parc (autres que ceux mentionnés ci-dessus) – Parc Naturel Régional des Landes de Gascogne, place de l'Église, 33830 Belin-Beliet, ☎ 05 56 88 06 06. Écomusée de la Grande Lande, 40630 Sabres, ☎ 05 58 07 52 70. Gare de Sabres, ☎ 05 58 07 52 99.

Hébergement

La liste complète des hôtels, campings, villages de vacances, gîtes et chambres d'hôtes est gratuitement disponible auprès du Parc Régional, ☎ 05 58 07 52 70. Parmi les diverses formes d'hébergement, on s'intéressera peut-être à celle du **gîte rural** (logement dans des maisons traditionnelles restaurées) et celle du **gîte forestier** (logement individuel et indépendant, conçu en pin des Landes et situé à proximité d'un village, autour d'un espace de loisirs).

Activités de pleine nature

Plusieurs centres de loisirs existent dans le Parc, ainsi que clubs équestres, locations de VTT et de vélos, piscines, clubs nautiques, etc. Des centaines de kilomètres de sentiers pédestres sillonnent le Parc. *Voir le détail des activités en fin de volume, dans la rubrique « Renseignements pratiques ».*

L'association « Nouvelles échasses » propose des initiations, des promenades et des randonnées à échasses. Quartier Lassus, à St-Symphorien, ☎ 05 56 25 75 63.

Recommandations

– Ne pas cueillir les plantes, couper des branches d'arbre d'autant plus si elles portent des bourgeons.

– Ne jamais allumer de feu et ne pas fumer en dehors des haltes prévues à cet effet. La forêt s'enflamme très vite ; elle met nettement plus de temps à se reformer.

– Ne pas laisser ses détritus après un pique-nique, ne rien jeter par terre. Des poubelles sont installées à certains endroits.

– Il est interdit de stationner sur les chemins. Des parkings sont aménagés à cet effet.

– Respecter le silence et la tranquillité des promeneurs, des pêcheurs et des riverains.

– Emporter de l'eau (celle des landes n'est pas toujours potable), du produit contre les moustiques (dans les zones marécageuses). En été, se munir d'un chapeau et de lunettes de soleil. Le climat aquitain ne requiert pas de vêtements particuliers, si ce n'est des chaussures de marche si une longue randonnée pédestre est prévue et des vêtements imperméables pour les sorties printanières, parfois arrosées.

CIRCUIT AU CŒUR DU PARC DES LANDES DE GASCOGNE

127 km - compter une journée.

Cet itinéraire fait découvrir la grande forêt landaise traversée par la Grande et la Petite Leyre, avec ses sites de régénération, ses clairières, ses réserves de chasse et ses maisons basses typiques. La région, propice au tourisme de plein air, peut aussi être parcourue à cheval, à pied ou à vélo : une piste cyclable relie Hostens à Mios.

Belin-Béliet - Aliénor d'Aquitaine aurait vu le jour dans ce petit village en 1123. Un bas-relief a été érigé à sa mémoire à l'emplacement du château des ducs d'Aquitaine *(accès par la rue Ste-Quitterie : suivre le fléchage « Hôtel d'Aliénor »).* Place de l'Église est situé le siège du Parc naturel régional des Landes de

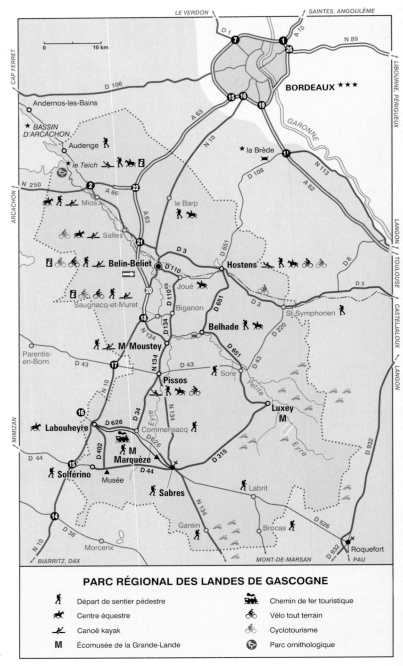

PARC RÉGIONAL DES LANDES DE GASCOGNE

🚶	Départ de sentier pédestre	🚂	Chemin de fer touristique
🐎	Centre équestre	🚵	Vélo tout terrain
🛶	Canoë kayak	🚲	Cyclotourisme
M	Écomusée de la Grande-Lande	🦅	Parc ornithologique

Gascogne. Au Nord de la localité se trouve le **centre d'animation du Graoux,** qui propose des stages d'initiation à l'environnement ainsi que des activités sportives de plein air (canoë, kayak, cyclotourisme, VTT).

Quitter Belin-Béliet à l'Est par la D 110. A Joué, prendre à droite la D 110 ᴱˢ pour gagner Moustey en traversant Peyrin et Biganon.

Moustey – Site de l'**écomusée de la Grande Lande★**. *Voir à ce nom.*

Gagner Pissos par la N 134 au Sud.

Pissos – L'église, un peu en dehors du village, est coiffée par un clocher en bardeaux. Route de Sore, aménagé dans une ancienne auberge landaise, l'**airial artisanale** ⊘ propose aux visiteurs une galerie d'art contemporain, une exposition de travaux artisanaux (objets en terre, bois, cuivre, tissus et bijoux), ainsi qu'une exposition de produits gastronomiques régionaux. En face, une ancienne bergerie a été transformée en atelier de souffleur de verre.

Prendre la D 34 au Sud. A Commensacq, la D 626 à droite mène à Labouheyre.

Labouheyre – A l'entrée du bourg, ancienne halte sur le chemin de St-Jacques-de-Compostelle, une route à gauche, au niveau de l'église *(suivre le fléchage « gendarmerie »),* mène à Solférino. Elle traverse le parc de Peyre (gîtes forestiers, centre équestre).

Solférino – En 1857, Napoléon III achète quelque 7 000 ha de landes. Les terres assainies, il aménage un domaine expérimental où il installe des fermes modèles. Un village est créé en 1863.

Sabres – L'église Renaissance présente un haut clocher ajouré, un intéressant portail, sous le porche, et des voûtes en réseau. De Sabres part le petit train pour Marquèze.

Marquèze – Site de l'**écomusée de la Grande Lande★**. *Voir à ce nom.*

Retour à Sabres, où prendre à gauche la direction de Luxey, D 315.

Luxey – Site de l'**écomusée de la Grande Lande★**. *Voir à ce nom.*

La D 651 mène à Belhade par Sore et Argelouse.

Belhade – La localité, dont le nom signifierait « belle fée » en gascon, renferme une église landaise à clocher-mur et portail aux beaux chapiteaux sculptés.
A l'Ouest de la localité, sur la gauche, vue sur le château de Belhade et ses tours rondes crénelées.

Hostens – On y exploita la lignite à ciel ouvert entre 1933 et 1963. Puis les excavations furent comblées par des remontées de la nappe phréatique formant les lacs de Lamothe et du Bousquey. Le **domaine départemental d'Hostens,** créé sur l'ancien site d'exploitation, est un parc de détente couvrant 500 ha. Un sentier d'interprétation fait découvrir le milieu naturel.

Retour à Belin-Béliet par la D 3 et la N 10.

AUTRES SITES ET CURIOSITÉS

★ **Côte d'Argent** – *Route des lacs, d'Arcachon à Capbreton – voir à ce nom.*

╪╪╪ **Dax** – *Voir à ce nom.*

Mont-de-Marsan – *Voir à ce nom.*

Préchacq-les-Bains – *Voir à Dax, environs.*

Les parcs naturels régionaux diffèrent des parcs nationaux par leur conception et leur destination.

Ce sont des zones habitées choisies pour être l'objet d'aménagements et le terrain d'activités propres à développer l'économie (création de coopératives, promotion de l'artisanat),
à protéger le patrimoine naturel et culturel (musées, architectures...),
à initier les visiteurs à la nature.

LAUZUN

766 habitants
Cartes Michelin n°s 79 pli 4 ou 234 pli 12

Cette ancienne baronnie fut érigée en duché en faveur du maréchal de Lauzun.

Lauzun (1633-1723) – Cadet de Gascogne, plein d'esprit et adoré des femmes, il fut un des plus brillants courtisans à la cour de Louis XIV dont il devint très vite le favori malgré l'inimitié de Louvois et de Mme de Montespan. Sa faveur déclina en 1671 ; il fut incarcéré à Pignerol pendant dix ans, mais reparut à la cour en 1682. Sa vie mouvementée abonde en épisodes romanesques dont le plus célèbre est son mariage avec la Grande Mademoiselle, cousine du roi, événement qui défraya la chronique de l'époque.

Château ⊙ – Cette demeure du 16e s. a conservé une belle façade sur cour, visible en pénétrant dans le parc. Le logis du 15e s., à tourelle octogonale, est relié à la partie Renaissance par un pavillon coiffé d'un dôme entrepris au 17e s. par Lauzun, mais achevé au 19e s.

Église – Édifice gothique qui renferme deux belles pièces sculptées : une chaire et un retable en bois datant de 1623. Vierges en bois des 13e et 15e s.

ENVIRONS

Castillonnès – *Au Nord-Est, 12 km par la D 1 et la N 21 à droite.*
Cette ancienne bastide s'élève sur une colline dominant le Dropt. La place centrale entourée d'arcades compose un tableau charmant.

LAVARDENS

377 habitants
Cartes Michelin n°s 82 pli 4 ou 234 pli 28

Ce pittoresque bourg est massé au pied de l'éperon du château, imposante bâtisse découronnée, associée dans le paysage au clocher de l'église. On en a la meilleure **vue★** en venant de Mérens sur la D 103. Une flânerie à travers les ruelles étroites permet de découvrir les vestiges de remparts et les tours quadrangulaires, qui faisaient partie de l'enceinte.

Château ⊙ – L'ancienne résidence des comtes d'Armagnac, rasée sur l'ordre de Charles VII, a servi de souche au bâtiment élevé par les Roquelaure au 17e s. La reconstruction, maintes fois interrompue, n'arriva jamais à terme, ce qui explique l'aspect actuel de l'édifice. L'imposant ensemble architectural, percé de fenêtres à double croisée de pierre, fut hardiment lancé vers l'Ouest, où la façade est cantonnée de tourelles carrées établies sur des trompes d'angle, en surplomb au-dessus du sentier d'accès.

Un escalier taillé dans le roc mène aux grandes salles voûtées, dont quelques-unes présentent un beau **pavement** de brique rose et de pierre aux motifs géométriques variés (17e s.). Ne pas manquer de visiter la salle de l'écho. De l'étage supérieur s'offre une **vue panoramique** sur les collines avoisinantes.

Lavardens

LECTOURE★

4 034 habitants
Cartes Michelin nᵒˢ 82 Nord du pli 5 ou 234 pli 24 – Schéma p. 203

La capitale de la Lomagne s'étire sur un promontoire gardant la vallée du Gers, entre la tour de la cathédrale et les vestiges de l'ancien château des comtes d'Armagnac (englobés dans un hôpital), à l'extrémité de l'éperon. Le **site★**, remarquable dans le pays gascon pourtant prodigue en bourgs perchés, se dégage favorablement, vu de l'Ouest.

Le lac des Trois Vallées *(3 km au Sud-Est),* situé dans un agréable cadre de verdure et aménagé pour les loisirs, contribue à faire de Lectoure un centre de villégiature de choix.

UN PEU D'HISTOIRE

La prise de la ville en 1473 par les troupes de Louis XI a marqué, avec le meurtre du dernier comte Jean V, l'effondrement de la maison d'Armagnac et annoncé l'emprise de l'autorité royale sur la Gascogne (1481).

Le plus illustre des Lectourois – Né à Lectoure en 1769, **Jean Lannes** s'engage comme simple soldat en 1792, après avoir été apprenti teinturier. Dès le début, il se fait remarquer par son courage et son autorité et devient général trois ans après. Il reçoit le bâton de maréchal de France en 1804, puis le titre de duc de Montebello en 1808.

Mortellement blessé en 1809 à la bataille d'Essling, Napoléon dira de lui : « Je l'ai pris pygmée, je l'ai perdu géant. »

Un Élysée pour archéologues – Rares sont à Lectoure les coups de pioche et de bulldozer qui ne mettent au jour quelque tesson ou monnaie, hérité de la cité romaine de la vallée ou de l'oppidum gaulois du promontoire, réoccupé après les invasions. Lectoure resta jusqu'au 6ᵉ s. un haut lieu du paganisme. Le culte de Cybèle, la « Grande Mère », y a laissé, inscrits dans la pierre d'autels commémoratifs, des témoignages de rites tauroboliques : le néophyte était aspergé du sang d'un taureau ou d'un bélier, immolé au-dessus de lui.

CURIOSITÉS

Promenade du Bastion – Sous ses ombrages se dresse la statue du maréchal Lannes. De la terrasse, la **vue★** se dégage sur la vallée du Gers en direction d'Auch et, par temps clair, sur les Pyrénées.

Cathédrale St-Gervais-St-Protais – Mutilée lors du sac de 1473 et des guerres de Religion, elle garde les traces de plusieurs reprises et remaniements. Perte irréparable, sa flèche, élevée en 1500 jusqu'à 90 m de hauteur, fut démolie en 1782 par un évêque lassé de la charge de son entretien.

Intérieurement, les maîtres d'œuvre qui se succédèrent jusqu'au 18ᵉ s. ont respecté, dans l'ensemble, la structure et le décor gothiques. La nef unique, séparée du chœur par un arc triomphal et flanquée d'étroites chapelles, reste dans les traditions du gothique du Sud-Ouest malgré ses tribunes à balustres (17ᵉ s.). Le chœur, par son déambulatoire, rappelle par contre les cathédrales du Nord ; les trois chapelles du chevet éclairées de baies jumelées à remplages flamboyants en sont les parties les plus anciennes (16ᵉ s.).

★ **Musée gallo-romain** ⊙ – Les caves de l'ancien palais épiscopal du 17ᵉ s. (actuel hôtel de ville) ont été aménagées pour recevoir les collections de préhistoire et d'archéologie, dont, notamment, un célèbre ensemble de 20 **autels tauroboliques** – sur les 40 connus en France –, découverts en 1540 dans le sous-sol de la cathédrale. Témoins des cultes païens voués à Jupiter et à Cybèle dans la région, ces tauroboles portent sur la face principale une inscription commémorative et, sur les côtés, une tête de taureau ou de bélier ainsi que divers objets cultuels.

On peut suivre dans les salles voisines l'évolution des traditions funéraires : puits à incinération gaulois du 1ᵉʳ s., dégagé sur place, sarcophages chrétiens de brique puis, à partir du 5ᵉ s., de pierre ou de marbre tel celui en marbre des Pyrénées à décor de pampres de vigne et de chevrons caractéristique de l'école de sculpture dite « d'Aquitaine ». Des nécropoles mérovingiennes on a extrait du mobilier funéraire dont de belles plaques-boucles de ceinturons en bronze argenté ou émaillé. La salle des mosaïques, couverte d'une voûte à arêtes de brique, abrite des fragments polychromes à décor géométrique ou floral, dont l'un, découvert à Montréal *(p. 160),* représente le

Musée de Lectoure :
autel taurobolique

D'après photo Barié

dieu Océanus. Enfin, la vie quotidienne à l'époque romaine est évoquée par un four de potier, des céramiques sigillées ou à parois minces, des vases carénés, des verres, des bronzes et des monnaies.

A l'étage (accès par un bel escalier) se trouve la salle des Illustres, ornée de nombreux portraits de généraux de la Révolution et de l'Empire. Au rez-de-chaussée, on peut visiter une **pharmacie** du 19ᵉ s. ⊙, reconstituée, ainsi que les **salles Lannes et Boué de Lapeyrère** (belle cheminée Renaissance) ⊙ affectées respectivement aux souvenirs du maréchal d'Empire et de l'amiral natif de Castéra-Lectourois *(voir ci-dessous)*.

Sortir de l'hôtel de ville par l'ancien jardin de l'Évêché.

De la terrasse, dominant un bastion occupé par une piscine magnifiquement située, vue sur la vallée et les Pyrénées.

Fontaine Diane – La vieille rue Fontélie avec ses maisons au ton ocre descend jusqu'à cette fontaine du 13ᵉ s., fermée par une grille en fer forgé du 15ᵉ s.

ENVIRONS

Castéra-Lectourois – *8 km – schéma p. 203. Quitter Lectoure à l'Est par la N 21. A 5 km, bifurquer à gauche dans la D 219.*
L'unique rue de ce village s'étire sur un promontoire au-dessus de la vallée du Gers. Elle mène à une terrasse panoramique, où s'élève à droite une église du 15ᵉ s. au beau portail surmonté d'un arc à fleurons. Castéra-Lectourois est la patrie de l'amiral Augustin **Boué de Lapeyrère** (1852-1924), qui commanda en 1914 les forces franco-anglaises en Méditerranée.

Château de La Cassagne ⊙ – *8 km – schéma p. 203. Quitter Lectoure à l'Est par la N 21. A 6 km prendre à gauche vers St-Avit-Frandat.*
Élevé dans un parc à l'anglaise sur la commune de St-Avit-Frandat, ce château du 15ᵉ s., plusieurs fois remanié, conserve au 1ᵉʳ étage du corps de logis construit au 17ᵉ s. une grande salle dont le décor peint est la réplique de celui de la salle du Grand Conseil des chevaliers de St-Jean-de-Jérusalem à La Valette (Malte). L'auteur en est le peintre Matteo d'Aleccio, grand admirateur de Michel-Ange. Les tableaux, au milieu desquels figure le portrait du chevalier Jean-Bertrand de Luppé, relatent le Grand Siège de 1565, lors duquel les chevaliers de l'ordre réussirent à contrer la flotte de Soliman le Magnifique.

Plieux – *8 km. Quitter Lectoure à l'Est par la N 21. A 2 km, bifurquer à droite dans la D 7 jusqu'à L'Isle-Bouzon. Prendre ensuite à gauche la D 953 sur 4 km. Tourner à gauche.*
Ce petit hameau aux maisons en vieilles pierres conserve un **château** ⊙ gascon du 14ᵉ s., caractéristique avec son plan rectangulaire et ses deux tours (celle du Sud-Est en est partie détruite). Il présente un système de défense avec consoles de mâchicoulis sur tout le pourtour du couronnement. L'intérieur, aménagé par l'écrivain Renaud Camus, sert exclusivement de salle d'exposition à des artistes contemporains ainsi que de lieu de colloque sur des thèmes variés.

Château de Gramont ⊙ – *14 km – schéma p. 203. Quitter Lectoure à l'Est par la N 21. Bifurquer à droite dans la D 7 en direction de l'Isle-Bouzon. De là, suivre la D 178 sur 3,5 km.*
Ce château d'époque Renaissance s'ouvre par une porte d'honneur géminée donnant sur la cour, au Sud. La façade Nord (côté jardin) est animée par l'alternance de baies étroites et de fenêtres à croisée ainsi que par le jeu des pilastres et des fines colonnettes cannelées. Du même côté, les deux fenêtres du pavillon en avancée marquent plus de fantaisie, surtout dans le motif de la fenêtre du 2ᵉ étage surmontée d'un buste d'homme barbu. A l'intérieur, le charmant oratoire conserve une Vierge romane auvergnate.

LESCAR

5 793 habitants
Cartes Michelin nᵒˢ 85 pli 6 ou 234 pli 35

La ville aux rues étroites est devenue un satellite résidentiel de Pau. Son ancienne cathédrale en fait un lieu de souvenir du Vieux Béarn.

Au pied de la colline sur laquelle est bâtie l'actuelle Lescar s'étendait Beneharnum, ville romaine importante. Elle donne son nom au Béarn et en devient la capitale. Vers 850, les Normands la détruisent et Morlaàs passe au rang de métropole béarnaise. Une nouvelle cité, Lescar, se développe sur la colline à partir du 12ᵉ s. Son évêque préside les États de Béarn et les rois de Navarre de la race d'Albret choisissent la cathédrale pour abriter leur sépulture.

★ **Cathédrale Notre-Dame** – On l'atteint, du fond de la vallée, par une rampe en forte montée pénétrant dans la vieille ville par une porte fortifiée.
L'édifice, commencé par le chœur en 1120, fut saccagé par les protestants sous

le règne de Jeanne d'Albret. D'importantes restaurations aux 17e s. et 19e s. le sauvèrent de la ruine. Le chevet a conservé la pureté de son architecture romane : se placer dans le cimetière pour apprécier l'ordonnance des absides et en détailler la décoration : fleurons à marguerites de la corniche, modillons pleins de fantaisie.

Entrer dans l'église par le portail Sud, à droite duquel deux inscriptions ont été dégagées. Remarquer surtout l'inscription inférieure, épitaphe de l'évêque constructeur mort en 1141.

Intérieurement, le vaisseau donne une impression d'ampleur. La nef est voûtée, en berceau plein cintre, les bas-côtés en berceaux transversaux. Cette disposition, peu courante, assure une meilleure contrebutée de la voûte centrale.

La décoration romane *(en cours de restauration)* du chœur et du transept – arcature de l'abside, chapiteaux – est remarquable. Les **chapiteaux**★ historiés les plus intéressants apparaissent surtout aux piliers Est de la croisée et aux retombées des arcades ouvrant sur les absidioles : on reconnaît des scènes du cycle de Daniel, de la naissance du Christ, le sacrifice d'Abraham, etc. Le sol du chœur est pavé d'une mosaïque du 12e s., représentant des scènes de chasse, avec le pittoresque personnage du petit archer estropié à jambe de bois.

LIBOURNE

21 012 habitants
Cartes Michelin nos 75 pli 12 ou 233 pli 39 – Schéma p. 135

Libourne est une bastide anglaise du 13e s., régulièrement bâtie, dont les remparts ont été remplacés par des cours ombragés.

Placée au cœur d'une région fertile orientée vers la viticulture de qualité, nœud routier, étape sur la route de Paris à Bordeaux avant que ne fussent construits les ponts de Cubzac, Libourne bénéficia de sa position au confluent de l'Isle et de la Dordogne, point de jonction entre la navigation fluviale et maritime pour être le débouché naturel du Périgord. La marée remontait jusqu'ici, amenant les navires anglais, hollandais, hanséatiques, venus embarquer le vin des alentours. Le mascaret est parfois impressionnant.

Ville commerçante aux marchés renommés et actifs, Libourne est un centre de négoce des vins de Bordeaux rouges ou blancs aux appellations prestigieuses, exportés dans le monde entier.

CURIOSITÉS

Place Abel-Surchamp – Spacieuse et aérée, elle est bordée de couverts que surmontent des maisons bâties entre le 16e s. et le 19e s. ; côté Sud-Est, elles arborent d'élégants balcons en fer forgé. A l'Ouest se dresse l'hôtel de ville, monument du 15e s., modifié au cours de la restauration, qui abrite le musée des Beaux-Arts.

Musée des Beaux-Arts et d'Archéologie ⊙ – *2e étage de l'hôtel de ville.*
Au cours de la montée par l'escalier, remarquer le beau groupe en marbre blanc exécuté au 18e s. par Falconet. Parmi les collections représentant les œuvres des écoles flamande, française et italienne (16e s.-20e s.), l'attention se porte sur les *Trois têtes de vieillards* par Jordaens, *Jésus chassant les vendeurs du Temple* par Bartolomeo, *La Pentecôte* par Charles Le Brun, *L'Amitié* par Foujita et les tableautins de Raoul Dufy.
L'école libournaise est illustrée par des portraits de Lacaze, des natures mortes de Jeanne-Louise Brieux, mais surtout par un ensemble d'œuvres du peintre René Princeteau (1843-1914), qui eut Toulouse-Lautrec comme élève et peignit d'intéressantes scènes de chasse et de cavalerie : *La Rivière, La Banquette irlandaise.*

Quais de l'Isle et des Salinières – Là se trouvait le port dont les quais sont plantés de platanes.
La **tour du Grand-Port,** située quai des Salinières, flanque une ancienne porte de ville qui faisait partie des remparts élevés au 13e s. Derrière la tour, la rue des Chais rappelle qu'on y stockait le vin en partance.

Grand Pont – Long de 220 m et comportant 9 arches, il fut construit en 1824.

Quai Souchet – Au confluent de la Dordogne et de l'Isle, ce quai ombragé offre une vue sur le grand pont avec ses 9 arches et sur le tertre de Fronsac.

ENVIRONS

Chapelle de Condat – *2,5 km au Sud, quitter Libourne par la rue Montaudon. A Condat, tourner à droite en direction du Port du Roy.*
La chapelle apparaît sur la gauche entre deux rangées d'arbres. Ce petit édifice mi-roman, mi-gothique, élevé à la demande d'Aliénor d'Aquitaine, possède un portail surmonté d'une statue de Vierge à l'Enfant.

Fronsac – *2,5 km à l'Ouest. Quitter Libourne par la D 670 vers St-André-de-Cubzac.*

Franchir en voiture le portail d'entrée *(accès autorisé)* menant au sommet du tertre que couronne le château de Fronsac, demeure des seigneurs du même nom depuis Charlemagne. De cette éminence s'offre une belle **vue**, très étendue, sur les vallées de la Dordogne et de l'Isle, sur Libourne et les vignobles de Fronsac.

Vayres – *9,5 km à l'Ouest. Quitter Libourne par la N 89 vers Bordeaux. Après Arveyres, tourner à droite dans la D 242 et, près de l'église de Vayres, prendre le chemin qui conduit au château.*

Château ⊙ – L'ancien château féodal de plan triangulaire fut réaménagé au 16ᵉ s. par Louis de Foix, l'auteur du phare de Cordouan, qui édifia notamment, dans la grande cour d'honneur, une galerie où alternent baies, pilastres et niches à la manière italienne. La façade Nord-Est sur la Dordogne fut remaniée en 1695 et embellie d'un pavillon placé en saillie, coiffé d'un dôme et surmontant un portique à huit colonnes à bossages ; l'ensemble, monumental, est relié au parterre par un élégant escalier à double révolution et un pont qui enjambe les douves.

Le parterre à la française, qui s'étend jusqu'à la rivière, bien que créé en 1938, offre un bel ensemble de style Louis XIII.

A l'intérieur, quelques pièces servant pour des réceptions font partie de la visite. Dans le grand salon au 1ᵉʳ étage au mobilier Empire, on pourra voir une belle cheminée monumentale et une tapisserie d'Aubusson du 18ᵉ s.

Guîtres – *16 km au Nord. Quitter Libourne par la D 910 et, à 8 km environ, prendre à gauche.*

St-Denis-de-Pile – Dans l'église située au bord de l'Isle, Visitation, peinture des frères Le Nain, donnée par Louis XVIII, sur les instances du duc Decazes. Vierge à l'enfant, en bois, du 17ᵉ s.

En saison la péniche touristique permet de découvrir la vallée de l'Isle.

Reprendre, vers le Nord, la D 910 et la suivre sur 6 km.

Guîtres – *Voir à ce nom.*

La **LOMAGNE**

Cartes Michelin nᵒˢ 79 plis 15 à 17 et 82 plis 5, 6 ou 235 plis 21, 25, 26, 29

La Lomagne, pays de l'ancienne Gascogne, domine au Nord la vallée de la Garonne. Elle est traversée par le Gers, l'Arrats et la Gimone. Ces rivières en creusant leurs vallées ont laissé à nu des coteaux calcaires, sur lesquels se sont établis des castelnaux *(voir p. 49)*. Plus tard, en contrebas le long des axes de communication, des bastides *(voir p. 49)* ont vu le jour.

D'abord vicomté dans la mouvance du roi d'Angleterre au 10ᵉ s. avec Lavit comme capitale, la Lomagne fut réunie au comté d'Armagnac en 1325 et la capitale se transféra à Lectoure. Depuis 1808, les cantons du pays se répartissent entre les départements du Gers et du Tarn-et-Garonne. Constitué de doux vallonnements piquetés de pittoresques pigeonniers bâtis sur plan circulaire, carré ou polygonal, le pays est caractérisé par un habitat rural dispersé et s'adonne à la culture du melon dit de Lectoure, de l'ail blanc et à l'élevage d'oies.

Pigeonnier de Lomagne

VILLES ET CURIOSITÉS

Auvillar – *Voir à Moyenne Garonne.*

Château d'Avezan ⊙ – De cette forteresse gasconne édifiée au 13ᵉ s. sur un site de hauteur, il subsiste le donjon d'origine, le corps de logis ajouté au 14ᵉ s. et les constructions du 17ᵉ s. Du chemin de ronde, **vue** panoramique sur la vallée de l'Arrats et le village de St-Clar.

Beaumont-de-Lomagne – *Voir à ce nom.*

Flamarens – Ce petit village, qui a inspiré Pierre Benoit dans l'un de ses romans, possède un **château gascon** ⊙ du

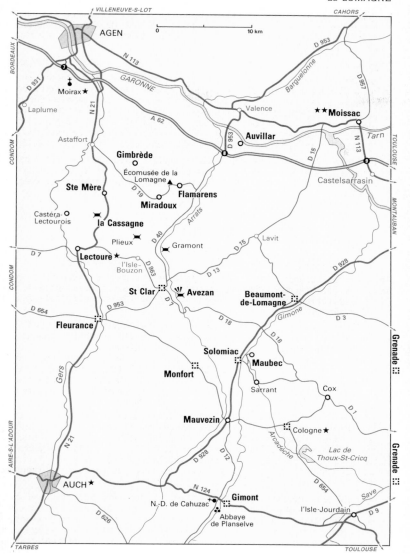

13e s., remanié au 15e s. situé sur une vaste terrasse (motte féodale). Le donjon flanquant le corps de logis, les mâchicoulis et le chemin de ronde cernant les parties hautes lui confèrent un aspect défensif. En face, l'**église** du 15e s. *(en cours de restauration)* dresse son clocher-mur flanqué d'une tourelle.

A l'Ouest du village, l'ancienne ferme de la Hitte, transformée en **écomusée de la Lomagne** ⊙, dispose ses pièces d'habitation et d'exploitation de part et d'autre de la grange, qui s'ouvre sur l'extérieur par un vaste porche. Les objets familiers rassemblés ici, les instruments aratoires et l'outillage viticole instruisent sur la vie rurale en Lomagne à la fin du 19e s.

Fleurance – *Voir à ce nom.*

Gimbrède – Une belle rangée de maisons à colombage en encorbellement bordant la place de l'église caractérise ce petit village créé au 13e s.

Gimont – *Voir à L'Isle-Jourdain, le Gimontois.*

Grenade – *Description dans le guide Vert Michelin Pyrénées Roussillon Albigeois.*

★ **Lectoure et environs** – *Voir à ce nom.*

Mauvezin et excursion – *Voir à ce nom.*

Miradoux – Ancien castelnau fortifié de hauteur, Miradoux a connu à la fin du 13e s. une extension sur le mode des bastides. Ses fortifications lui ont permis de résister à l'assaut du Grand Condé pendant la Fronde (milieu du 17e s.). Une flânerie dans le village permet de découvrir les belles maisons en calcaire, restaurées. La halle, du 16e s., est adossée à l'hôtel de ville. Quant à l'**église** St-Orens, construite à la fin du 15e s. à l'emplacement du château, elle frappe par ses proportions massives.

★★ **Moissac** – *Description dans le guide Vert Michelin Pyrénées Roussillon Albigeois.*

St-Clar – L'apôtre saint Clair, martyrisé à Lectoure, est à l'origine du nom de cette bastide, créée en 1274 par acte de paréage entre le roi d'Angleterre et l'évêque de Lectoure. Sa particularité est de posséder deux places à couverts : la place de la République, où se dresse l'église néo-gothique, et la place de la Mairie, ornée en son centre d'une belle halle à piliers de bois, surmontée d'un clocheton. Capitale de l'ail du Gers, elle tient également avec sa production de melons, de fraises, de tournesol et de volailles une place économique importante.

Ste-Mère – Le château gascon du 13e s., aujourd'hui abandonné, faisait partie de la défense de la ville ainsi que la tour (actuel clocher de l'église), vestige de l'ancienne enceinte. Jusqu'à la Révolution, il a servi de résidence aux évêques de Lectoure.

LOMBEZ

1 325 habitants
Cartes Michelin nos 82 Nord du pli 16 ou 235 pli 33

Par les rues sinueuses du vieux quartier, gagner une placette avec halle, au pied de l'église, flanquée de ce côté par l'ancien évêché (1781). Lombez garde de son passé de ville épiscopale une cathédrale de brique, dont la tour octogonale domine la molle vallée de la Save.

Cathédrale – La tour, partie la plus ancienne de l'édifice, dresse ses 5 étages en retrait les uns sur les autres. Elle est caractéristique du gothique toulousain, construction en brique en faveur jusqu'à la Renaissance.
Avant de pénétrer dans l'église, remarquer à droite du portail une plaque rappelant le séjour de Pétrarque à Lombez en 1330. Le poète faisait partie de la compagnie amenée avec lui par le Romain Jacques Colonna, deuxième évêque du lieu. Le vaisseau (fin 14e s.-début 15e s.) est flanqué d'une seule nef latérale, au Nord. Les chapelles abritent des sépultures d'évêques.

Trésor – Il est installé dans la chambre inférieure de la tour dont une cuve baptismale en plomb, du 12e s. et décorée de deux bandeaux, marque le centre. Les vitrines présentent des pièces d'orfèvrerie religieuse, entre autres le bras-reliquaire de saint Majan (1697), une croix processionnelle en argent, des ostensoirs en argent doré, des pyxides, des ciboires (16e s.-19e s.).
Au bas de la nef latérale, un magnifique christ gisant du 15e s. est un fragment d'un Saint-Sépulcre.

Vue sur la cathédrale – Laisser la voiture aussitôt avant le pont sur la Save, côté ville, et prendre, face à la mairie, un passage sur un canal, s'ouvrant par une grille *(malgré le panneau « Propriété privée », l'accès est toléré)*. Suivant au plus près une ancienne ferme puis l'allée des jardins de l'évêché restaurés, on atteint la rive d'un étang. Bientôt se dégage l'ensemble du monument, dont le côté Nord montre une imposante disposition de contreforts reliés par des arcs supportant le chemin de ronde, rappel de l'architecture des églises fortifiées du Sud-Ouest.

ENVIRONS

Château de Caumont – *12 km au Nord-Est par la D 39. Voir à ce nom.*

*Pour choisir un lieu de séjour à votre convenance,
consultez la carte des Lieux de séjour
au début de ce guide.*

Elle distingue :
– les Destinations de week-end ;
– les Villes-étapes ;
– les Lieux de séjour traditionnels ;
– les stations balnéaires, thermales ou de sports d'hiver.

*Elle signale aussi, lorsque la région décrite s'y prête,
les ports de plaisance, les centres de thalassothérapie,
les bases de découverte de la montagne en été, etc.*

LOURDES★★★

16 300 habitants
Cartes Michelin nᵒˢ 85 plis 17, 18 ou 234 pli 39 – Schéma p. 106

Agréablement située au bord du gave de Pau, Lourdes, ville religieuse de notoriété universelle, prend tout son caractère pendant les mois d'été, à la saison des pèlerinages. Les amples cérémonies, les processions, les malades que soulève une ardente espérance lui donnent son climat spirituel.

Lourdes – Basilique du Rosaire

LE PÈLERINAGE

Bernadette Soubirous (1844-1879) – Les Soubirous, anciens meuniers, sont fort pauvres et élèvent avec peine leurs quatre enfants. Bernadette, l'aînée, passe les premiers mois de sa vie à Bartrès *(3 km au Nord-Ouest)* chez sa nourrice.

En janvier 1858 – elle a 14 ans –, Bernadette vit avec ses parents dans le « cachot » ; elle suit le catéchisme paroissial et fréquente la classe des indigents des Sœurs de la Charité. Le 11 février, un jeudi jour de congé, l'écolière ramasse du bois le long du gave près du rocher de Massabielle, en compagnie de l'une de ses sœurs et d'une voisine. C'est alors la première apparition de l'Immaculée Conception dans la grotte. Dix-huit fois, la belle « Dame » apparaîtra à Bernadette *(1)*.

La grotte de Massabielle – A cette époque, le rocher de Massabielle est d'un accès peu facile ; mais une foule, chaque jour plus nombreuse, où croyants et incrédules se mêlent, se presse autour de la grotte. Au cours de la neuvième apparition, Bernadette, devant les spectateurs stupéfiés, gratte le sol de ses doigts ; une source inconnue jusque-là jaillit.

En 1862, l'évêché décide qu'un sanctuaire sera édifié au-dessus de la grotte. La première procession a lieu en 1864, à l'occasion de la bénédiction de la statue de N.-D. de Lourdes qui est placée dans la niche des apparitions.

En 1866, Bernadette entre, comme novice, au couvent de St-Gildard, à Nevers, maison mère de la congrégation des Sœurs de la Charité. L'année suivante, elle prend le voile sous le nom de sœur Marie-Bernard. Elle meurt le 16 avril 1879. Elle a été béatifiée en 1925 et canonisée en 1933.

Le plus grand pèlerinage du monde – Aux premiers pèlerinages paroissiaux et diocésains vient s'ajouter, en 1873, le Pèlerinage national organisé de Paris par les Pères Assomptionnistes. En 1874, le second « National » comprend 14 malades. Dès lors la place faite aux malades caractérise l'accueil de Lourdes. L'audace des initiatives prises dans ce domaine est illustrée par l'organisation, en 1963, du 1ᵉʳ pèlerinage de poliomyélitiques.

Depuis les fêtes du Centenaire, en 1958, et le Concile Vatican II, l'animation des pèlerinages, tout en sauvegardant les grandes manifestations traditionnelles telles que la procession du Saint-Sacrement et la procession aux flambeaux, fait place à de nouvelles initiatives en matière d'accueil, de rencontres, etc. La grotte a été dépouillée de ses accessoires et la basilique du Rosaire, renommée pour son acoustique et ses orgues, peut maintenant être utilisée pour des manifestations musicales.

(1) Pour plus de détails, lire les ouvrages de l'abbé René Laurentin (Paris, P. Zech).

PÈLERINAGE A LOURDES

Lourdes en quelques chiffres

Les pèlerinages, qui ont surtout lieu de Pâques à la Toussaint, rassemblent plus de 5,5 millions de fidèles par an, dont les 3/4 sont français. Parmi eux, on compte 70 000 malades. Considéré comme le plus important lieu de pèlerinage en Occident, Lourdes est également la 2e cité hôtelière en France, après Paris (350 hôtels, 40 000 lits). La ville compte 600 commerces dont 80 % sont voués à la vente d'objets pieux. L'ensemble génère un chiffre d'affaire de 2,4 millions de francs par an.

Moyens de transport

700 trains spéciaux et 400 avions (par l'aéroport international Tarbes-Ossun-Lourdes) arrivent à Lourdes chaque année. Le TGV Atlantique s'y arrête depuis 1993. Une rocade, reliée aux D 940 et D 937 (Pau-Lourdes) et à la N 21 (Tarbes-Argelès-Gazost) désengorge le centre ville.

24 h de la vie d'un pèlerin

Avant 5 heures du matin, seul l'accès au chemin du Calvaire est ouvert (entrée des Lacets). A 9 h a lieu un rassemblement sur l'Esplanade du rosaire pour la célébration de la Vierge couronnée (de Pâques au 31 octobre). On peut alors se rendre à la grotte, où se déroule l'adoration des malades ; des milliers de cierges sont brûlés le long de l'allée et sur le grand candélabre devant la grotte. A quelques pas de la grotte, vingt robinets permettent de puiser l'eau miraculeuse de Lourdes (celle de la source qui a jailli devant Bernadette). Les piscines de marbre bleu sont également là pour les bains des malades. A 16 h 30, la procession du St-Sacrement démarre de la chapelle de l'Adoration du Saint Sacrement pour se rendre à l'Esplanade du rosaire : les malades et les fidèles sont suivis par le dais abritant le prélat portant l'ostensoir. La procession ayant atteint l'Esplanade, la bénédiction des malades peut débuter. A 20 h 45, toujours près de la grotte, démarre la procession aux flambeaux jusqu'à l'Esplanade et au Parvis du rosaire.

LE DOMAINE DE LA GROTTE

Deux allées débouchant sur l'esplanade du Rosaire se prêtent aux manifestations religieuses. Une statue de la Vierge couronnée se dresse à l'entrée de l'esplanade.

Sanctuaires et lieux de prière – La **basilique du Rosaire** (A) inaugurée et bénie en 1889, de style néo-byzantin, occupe, entre les deux rampes de l'hémicycle, le niveau inférieur. D'une superficie de 2 000 m², elle peut recevoir environ 2 000 personnes. Les mosaïques des chapelles intérieures représentent les Mystères du Rosaire.

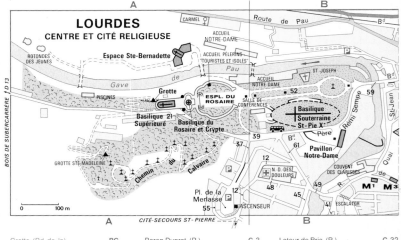

A l'étage intermédiaire, entre la basilique du Rosaire et la basilique supérieure, la **crypte**, réservée pendant la journée à la prière silencieuse, avait été ouverte dès 1866. Bernadette assista à sa consécration le 19 mai de cette année.

Svelte et blanche, la **basilique supérieure** (A) néo-gothique, dédiée à l'Immaculée Conception, a été inaugurée en 1871. Elle comprend une seule nef divisée en cinq travées égales et compte 21 autels. De nombreux ex-voto la décorent et les ogives des chapelles portent en inscription les paroles que la Vierge adressa à Bernadette.

Le long du gave, sous la basilique supérieure, se trouve la **grotte miraculeuse** (A) où eurent lieu les apparitions ; une Vierge en marbre de Carrare en marque l'emplacement ; à côté, les robinets d'eau et, en aval, les piscines où se baignent les pèlerins.

Deux ponts enjambent le torrent et permettent d'accéder à la prairie de la rive droite où s'élève depuis 1988 l'**espace Ste-Bernadette** (A) en forme d'hémicycle, dont l'église offre une capacité d'accueil de 7 000 fidèles ; les évêques de France y tiennent chaque année leur assemblée plénière.

La **basilique souterraine St-Pie-X** (B), consacrée à l'occasion du centenaire des apparitions, le 25 mars 1958, est aménagée sous l'esplanade, en bordure de l'allée Sud. Cet immense vaisseau en amande, mesurant, suivant ses plus grandes dimensions, 201 m et 81 m, peut abriter 20 000 pèlerins – la population sédentaire de Lourdes y tiendrait à l'aise. C'est l'un des plus vastes sanctuaires du monde (il couvre une superficie qui dépasse 12 000 m²). Seule la technique du béton précontraint a permis de lancer des voûtes aussi surbaissées sans appui intermédiaire.

Le **chemin du Calvaire** (A) s'amorce à droite de la grotte : il est bordé de 14 stations composées de groupes monumentaux en fonte et aboutit aux croix du calvaire et aux grottes Ste-Madeleine et N.-D.-des-Douleurs aménagées dans la caverne naturelle du mont des Espélugues.

Pavillon Notre-Dame (B) – Au rez-de-chaussée, le **musée Sainte Bernadette** ⊘ présente des souvenirs de Bernadette et des documents iconographiques sur le lieu des 18 apparitions et sur l'histoire du pèlerinage (remarquer les différentes effigies de la Vierge soumises à l'appréciation de Bernadette). Au sous-sol le **musée d'Art sacré du Gemmail** ⊘ illustre, sur le thème du sens du sacré à travers les âges, les ressources nouvelles offertes à l'expression artistique par cette technique (juxtaposition et superposition de particules de verres colorés éclairées de l'intérieur par une source lumineuse artificielle). Une galerie annexe s'ouvre, chaque année impaire, au lauréat de la « Biennale internationale du gemmail d'Art sacré », à qui est remise la distinction de Peintre de Lumière, ou à une exposition pastorale.

LIEUX DU SOUVENIR

Cachot (C) ⊘ – *15, rue des Petits-Fossés.* « Logement » dans l'ancienne prison désaffectée où vivait la famille Soubirous dans le dénuement le plus complet à l'époque des apparitions.

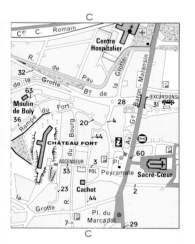

Centre hospitalier (C) ⊘ – *Suivre sous la colonnade le jalonnement « Visite chapelle ».* Ancien hospice où Bernadette suivit l'école des Sœurs à l'époque des apparitions avant d'y être admise comme pensionnaire, de 1860 à 1866. Dans le parloir, souvenirs personnels et photographies de Bernadette ; dans la petite chapelle attenante où elle fit sa première communion, sa pèlerine de communiante, son catéchisme, son histoire sainte et son prie-Dieu.

Moulin de Boly (C) ⊘ – *Rue Bernadette-Soubirous.* C'est dans ce moulin, apporté en dot par sa mère, que naquit Bernadette le 7 janvier 1844. Exposition sur la famille Soubirous.

Église du Sacré-Cœur (C) – Cette église paroissiale fut construite à partir de 1867, par Mgr Peyramale, curé de Lourdes au temps des apparitions. Du précédent sanctuaire, détruit en 1908, subsistent les fonts sur lesquels fut baptisée, le 9 janvier 1844, Marie-Bernarde Soubirous.

Bartrès (Y) – *3 km au Nord.* Bernadette y fut mise en nourrice chez Marie Aravant-Lagües. Elle revint ensuite, occasionnellement, dans le village pour raison de santé et y rendit quelques menus services. Son souvenir est conservé dans la **maison Lagües** ⊘, reconstruite après un incendie (belle maison à entrée charretière en contrebas de l'église, à droite), où l'on voit quelques meubles paysans de l'époque, réunis dans l'ancienne cuisine.

Sur le chemin du retour, quitter la voiture près d'un oratoire à Ste-Bernadette et monter jusqu'à la **bergerie** où la jeune fille rentrait son troupeau jusqu'en janvier 1858.

Les apparitions de la Vierge dans le monde

Aux 19e et 20e s., la Vierge a été vue une centaine de fois, mais il semble que ce soit le Moyen Âge qui détienne le record des manifestations mariales avec plus de 4 000 apparitions entre l'an mille et 1515. Les récits d'apparitions circulent dans le monde chrétien dès le 2e s. et au 7e s., le recueil de récits apocryphes intitulé *Le Livre arabe du passage* alimente largement l'imaginaire des croyants. Face au flot d'apparitions, le 5e concile de Latran élabore en 1516 les règles juridiques de l'examen des révélations par le Saint-Siège. Depuis le 19e s., seules 12 manifestations mariales ont été reconnues. En voici la liste :

11 février-16 juillet 1858 à Lourdes (Hautes-Pyrénées) ; 17 janvier 1871 à Pontmain (Mayenne) ; 15 février-8 décembre 1876 à Pellevoisin (Indre) ; 1877 à Gietzwald (Prusse-Orientale/Pologne) ; 21 août 1879 à Knock (Irlande) ; 13 mai-13 octobre 1917 à Fatima (Portugal) ; 29 novembre 1932-3 janvier 1933 à Bauraing (Belgique) ; 15 janvier-2 mars 1933 à Banneux (Belgique) ; 25 août-1er septembre 1953 à Syracuse (Italie) ; 2 avril 1968 à Zeitoun (Égypte) ; 1973-1981 à Akita (Japon) ; 1976-1984 à Betania (Venezuela).

CURIOSITÉS

★ **Château fort** (C) ⊘ – *Accès par l'ascenseur, par l'escalier des Sarrasins (131 marches) ou par la rampe du Fort (accès par la rue du Bourg) qui permet de découvrir le petit cimetière basque situé à flanc de pente et ses stèles discoïdales.*

Il est juché sur le dernier « verrou » de l'ancienne vallée glaciaire du Lavedan ; le lobe terminal du glacier, épais de 400 m, s'épanouissait à l'emplacement de Lourdes.

La forteresse, gardant le débouché des ports des Pyrénées centrales et imposant la présence féodale aux montagnards turbulents du Lavedan, survécut comme prison d'État aux 17e et 18e s. De la pointe du Cavalier, vaste panorama sur la chaîne des Pyrénées et la vallée du Gave.

La forteresse abrite un **musée pyrénéen**★ consacré aux régions comprises entre Bayonne et Perpignan.

Parmi les collections évoquant les arts et les traditions populaires, remarquer la cuisine béarnaise, les costumes, les instruments de musique, les surjougs (pièces de bois garnies de sonnailles placées sur le joug des bœufs) et les céramiques (magnifique service en faïence de Samadet). Les salles de paléontologie et de préhistoire regroupent les découvertes et produits de fouilles effectuées dans différentes grottes pyrénéennes. Le matériel concernant l'histoire du pyrénéisme est mis en valeur dans la **salle d'honneur du pyrénéisme.**

La chapelle du château (côté Est) contient les boiseries, autel, statues en bois polychrome du 18e s. qui ornaient l'ancienne église paroissiale de Lourdes.

Sur l'esplanade plusieurs maquettes au 1/10 illustrent l'architecture pyrénéenne française et espagnole : église de Luz-St-Sauveur, abbaye de St-Martin du Canigou, maison béarnaise, ferme des Asturies…

★ **Musée Grévin de Lourdes** (B M¹) ⊘ – Aménagé sur cinq niveaux, il retrace les principaux épisodes de la vie de Bernadette Soubirous, d'une part, et de celle du Christ, d'autre part. Le tableau *La Cène* réalisé d'après l'œuvre de Léonard de Vinci attire particulièrement l'attention.

De la terrasse, **vue** sur le château, le gave de Pau et les sanctuaires.

Musée du Petit Lourdes (Z M²) ⊘ – C'est une reconstitution en plein air de Lourdes et de ses environs à l'époque des apparitions (1858). Depuis la bergerie de Bartrès jusqu'au quartier des Cagots *(voir à Pays Basque, la vie basque)*, le visiteur découvre les maisons, les monuments historiques, les moulins bordant les rues ou les cours d'eau, reproduits à l'échelle de 1/20 d'après des documents du 19e s.

Musée du Gemmail (B M³) ⊘ – Consacré en majeure partie à l'art profane contrairement à son homologue du domaine de la grotte, il rassemble des œuvres réalisées d'après des tableaux signés Rembrandt, Manet, Van Gogh, Vuillard, Degas ou Picasso.

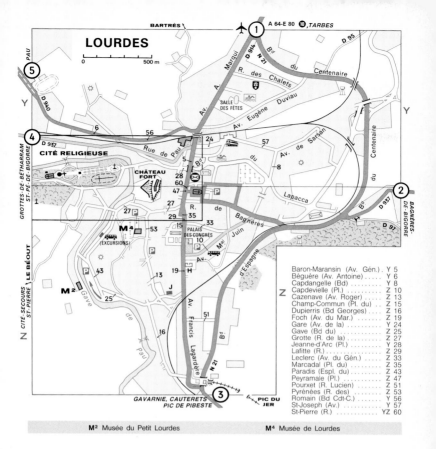

M² Musée du Petit Lourdes   M⁴ Musée de Lourdes

Musée de Lourdes (Z M⁴) ⊘ - Le bourg de 1858 est reconstitué au travers de scènes grandeur nature commentées et sonorisées *(magnétophones portatifs d'accompagnement)* évoquant la vie quotidienne et les activités traditionnelles d'autrefois : intérieur rural bigourdan, ateliers d'artisans (sabotier, ébéniste, vannier...) et décor pastoral (cabane de berger).

★★ **Pic du Jer** (Z) ⊘ - Alt. 948 m. De la station supérieure du funiculaire, 10 mn de marche facile conduisent au sommet d'où l'on découvre un beau **panorama** sur les Pyrénées centrales.

On peut prolonger agréablement la promenade (1/2 h AR) en abandonnant le chemin goudronné de l'observatoire dans le 1ᵉʳ lacet à droite (sens de la descente) pour suivre l'étroit sentier aboutissant au piton Sud de la montagne. Vue sur le confluent des vallées d'Argelès et de Castelloubon.

★ **Le Béout** (Z) - Alt. 791 m. *Montée à pied par un sentier partant de la cité Secours-St-Pierre.* Beau **panorama** sur Lourdes, le pic du Jer, le pic de Montaigu, la vallée d'Argelès, les vallées de Bat-Surguère et de Castelloubon. Poursuivre la montée le long de la crête semée de blocs erratiques – preuve de la puissance de l'ancien glacier du Lavedan (le Béout était submergé) – et gagner le point culminant. On découvre alors le pic du Midi de Bigorre, le lac de Lourdes, et, du côté de la haute chaîne, le pic Long (massif de Néouvielle, *schéma p. 227*), point culminant des Pyrénées en territoire français (alt. 3 192 m), le « Cylindre » du Marboré, le mont Perdu.

EXCURSIONS

Lourdes, située à la limite du Béarn et de la Bigorre, peut être le point de départ de nombreux itinéraires touristiques. Consulter la carte des principales curiosités, et celle de la Bigorre.

★★★ **Pic de Pibeste** - *13 km au Sud. Quitter Lourdes par ③ puis la D 202 sur la droite jusqu'au village d'Ouzous. Laisser la voiture sur le parking à proximité de l'église. Compter en plus 4 h 30 de marche à pied AR.* Voir à ce nom.

Sanctuaire et ★★grottes de Bétharram - *16 km à l'Ouest - environ 2 h - schéma p. 106. Quitter Lourdes par ④, D 937.*

St-Pé-de-Bigorre – La ville, recherchée comme base de plein air, a pour origine une abbaye dédiée à saint Pierre (d'où son nom gascon de « Pé »). L'église, dont l'abside ronde apparaît dans la perspective de la place centrale à arcades, ferme le quadrilatère des bâtiments de l'abbaye.

Cette ancienne abbatiale romane, réalisation des Clunisiens sur la route de Compostelle, était le plus beau et le plus vaste monument religieux des Pyrénées. Elle subit du fait des guerres de Religion et du tremblement de terre de 1661 des dégâts irrémédiables.

Le sanctuaire Ouest comprenait un transept et une tour de croisée. Il n'en subsiste qu'une petite aile sous la tour, à décoration romane (baptistère actuel, à gauche de l'entrée). On vénère dans l'église une statue de N.-D.-des-Miracles, du 14e s.

★★ **Grottes de Bétharram** – *Voir à Sanctuaire et grottes de Bétharram.*

Sanctuaire de Bétharram – *Voir à Sanctuaire et grottes de Bétharram.*

★ **Route de la Croix-Blanche** – *Circuit de 48 km – environ 2 h – schéma p. 106. Sortir de Lourdes par ②, D 937. Parcours très accidenté et sinueux à travers les avant-monts pyrénéens.*

A l'Est de Loucrup, le parcours offre un vaste panorama sur les Pyrénées.

Prendre à droite la route de Bagnères-de-Bigorre, la D 935.

Pouzac – L'église du 16e s., protégée par un mur d'enceinte percé d'un portail classique, renferme un imposant retable sculpté du 17e s., œuvre d'Élie Corau de Bagnères et de Jean Ferrère d'Asté. De la fin du 17e s., la voûte en bois a été peinte par Jean Catau.

Poursuivre par la D 26.

Cette route relie la vallée de l'Adour à celle du gave de Pau en s'insérant dans des vallons très frais, au milieu des chênes, bouleaux et châtaigniers.

Dans le parcours de montagne proprement dit, entre les vallées de l'Oussouet et la vallée de Castelloubon, les vues s'orientent successivement au Sud vers le pic de Montaigu et le pic du Midi de Bigorre, au Nord-Est vers la coulée de l'Adour et le bas pays, au Sud-Ouest vers le massif du Balaïtous reconnaissable à son glacier.

Rentrer à Lourdes par la N 21.

Lac de Lourdes – *3,5 km à l'Ouest. Sortir par ⑤ du plan D 940, et prendre à gauche, après une chapelle, le chemin menant au bord du lac.*
Situé à 421 m d'altitude, profond de 11 m, ce petit lac d'origine glaciaire offre les attraits des sports nautiques et de la pêche. De ses rives, points de vue étendus sur les premiers chaînons calcaires et forestiers.
Un sentier piétonnier permet de faire le tour du lac.

Bois de Subercarrère – *5 km à l'Ouest par la D 13 (route longeant la basilique supérieure – voir plan p. 207), que l'on quitte pour la route de la forêt communale de Lourdes.*
Sous-bois lumineux (érables, chênes, hêtres) aménagés pour la halte et le pique-nique.

Vous aimez la nature.

Respectez la pureté des sources,
            la propreté des rivières,
                des forêts, des montagnes...

Laissez les emplacements nets de toute trace de passage.

LUZ-ST-SAUVEUR★

1 173 habitants
Cartes Michelin n°s 85 pli 18 ou 234 plis 43 – Schémas p. 106 et 246-247

Luz et St-Sauveur se font face de part et d'autre de la coupure du gave de Pau, dans un cadre pittoresque de montagnes.

Le souvenir napoléonien – D'un naturel jadis farouche – les ruines du château Ste-Marie repris aux Anglais en témoignent depuis l'an 1404 –, les habitants de la vallée ne ménagèrent pas leur reconnaissance à LLMM impériales Napoléon III et Eugénie en échange de la manne de bienfaits répandue sur la vallée : le tour du bassin de Luz, du pont de la Reine (Hortense) au pont Napoléon par la chapelle de Solférino (qui se prête à une cérémonie commémorant la fondation de la Croix-Rouge), prend l'allure d'un « circuit Napoléon III ».

★ LUZ

Dans son bassin lumineux, la petite capitale du « **Pays Toy** », canton montagnard longtemps isolé du bas pays par le mauvais passage des Échelles de Barèges *(voir à La Bigorre)*, surprend par son animation et par son équipement touristique. Les 18e et 19e s. y ont laissé un certain nombre de maisons distinguées, blanches sous leur toit d'ardoise, avec corniches, linteaux sculptés et balcons de fer forgé.

★ **Église fortifiée** ⊙ – *Illustration p. 45*. Improprement dite « des Templiers », elle a été bâtie à la fin du 12e s. et fortifiée au 14e s. par les Hospitaliers de St-Jean-de-Jérusalem avec un chemin de ronde, une enceinte crénelée enserrant un vieux cimetière et deux tours carrées.
Son portail présente un Christ en majesté entouré des Évangélistes ; à l'intérieur : boiseries du 18e s., **musée** ⊙ d'art religieux, dans la chapelle N.-D.-de-la-Pitié, et **musée** ⊙ d'objets locaux dans la tour de « l'Arsenal ».

✝ ST-SAUVEUR

L'unique rue, en corniche au-dessus du gave, est dédiée successivement à la duchesse de Berry, grande animatrice de la saison 1828, et à l'impératrice Eugénie dont les séjours, surtout celui de 1859, apportèrent à la station la consécration. Les eaux riches en soufre, barégine et de surcroît émergeant à 34° aident à traiter les affections de la sphère ORL et les troubles de la circulation sanguine.

✳ LUZ-ARDIDEN

Accessible par une petite route de montagne depuis Luz-St-Sauveur, la station de sports d'hiver de Luz-Ardiden (alt. 1 680-2 450 m) occupe un superbe **site** demeuré quasi intact par l'absence d'immeubles et chalets, les skieurs logeant dans les villages de la vallée de Luz.

Le domaine skiable – Les deux secteurs d'Aulian et de Bédéret, reliés entre eux par des remontées mécaniques, totalisent 50 km de pistes de ski alpin convenant aux skieurs de tous niveaux et plus particulièrement aux amateurs de **ski sportif**. Ouverte à toutes les formes de glisse, la station est équipée d'une piste de ski de bosses, d'une piste de ski de vitesse et d'un « Snowboard Space » pour les surfeurs. Le ski hors piste se pratique dans la vallée adjacente de Bernazaou, zone d'extension future du domaine skiable.
La formule « Ticket-Toy » permet d'utiliser le forfait dans les stations voisines de Barèges et Gavarnie-Gèdre.

Les cartes et les guides Michelin sont complémentaires : utilisez les ensemble !

MARMANDE

17 568 habitants
Cartes Michelin nos 79 pli 3 ou 234 pli 12
Plan dans le guide Rouge Michelin France

De sa terrasse, Marmande commande la plaine garonnaise fertile en prunes, pêches, melons et surtout en tomates, ces « pommes d'amour » dont la ville est un des principaux marchés, cependant que la culture du tabac se maintient.

Église Notre-Dame – *Voir plan p. 42*. Sa construction remonte du 13e au 16e s., le chœur a été restauré au 17e s. Remarquer à gauche en entrant une Mise au tombeau du 17e s. Dans la première chapelle à droite du chœur, retable du 17e s. représentant saint Benoît en prière et persécuté par le diable. Du côté Sud de l'église, on peut voir un cloître Renaissance et de beaux jardins.

ENVIRONS

Le Mas d'Agenais – *15 km au Sud par la N 113 et la D 6*.
D'origine romaine, le site a été le lieu d'importantes fouilles qui ont notamment mis au jour la Vénus du Mas, en 1876, sur la voie romaine à Revenac (exposée aujourd'hui au musée des Beaux-Arts d'Agen).
L'**église romane St-Vincent** ⊙ recèle une **Crucifixion**★ de Rembrandt, signée et datée de 1631, donnant au Christ une expression à la fois douloureuse et extatique. Dans le chœur, la stalle centrale, celle du prieur, montre le Christ tenant le globe surmonté d'une croix. Intéressants chapiteaux dans la nef et les bas-côtés (mythes païens, scènes de l'Ancien Testament et de l'Évangile). Le sarcophage en marbre blanc portant le monogramme du Christ, au centre, date du 5e s.

MAULÉON-LICHARRE

3 533 habitants
Cartes Michelin n°ˢ 85 plis 4, 5 ou 234 pli 38 – Schéma p. 272

Mauléon, ancienne place forte, dont le capitaine-châtelain était gouverneur du pays de Soule, est la capitale de la plus petite des sept provinces basques. Ville-étape, elle est bâtie sur la rive droite du gave (le Saison), au pied d'une colline où s'élèvent les ruines du château fort. Le quartier de Licharre, siège des États de Soule, s'étend sur la rive gauche autour de la place des Allées, que bordent quelques édifices remarquables dont le château d'Andurain. La ville neuve se lotit vers l'aval.
La fabrication des espadrilles, activité essentielle durant 150 ans, s'est aujourd'hui diversifiée (articles chaussants). Fromageries et conserveries contribuent également à l'activité économique de la ville.

Château d'Andurain ⊙ – Cet édifice à décor Renaissance fut construit vers 1600 par un membre d'une illustre famille souletine, Arnaud Iᵉʳ de Maÿtie, évêque d'Oloron. Ses combles sont couverts de bardeaux de châtaignier et munis d'une belle charpente de chêne. Belles cheminées sculptées, in-folio des 16ᵉ et 17ᵉ s.

ENVIRONS

Navarrenx – *17,5 km – Quitter Mauléon au Nord-Est par la D 2.*
Ancienne position stratégique au carrefour d'une des voies de Compostelle *(carte p. 40)* et de l'ancienne grand-route de la rive droite du gave d'Oloron, Navarrenx constitue une bastide (1316) ceinte de fortifications postérieures au Moyen Âge. Henri d'Albret, roi de Navarre, fit élever vers 1540 son enceinte bastionnée – guère plus d'un siècle avant les premiers travaux de Vauban.
La **porte St-Antoine**, défendant la tête du pont du gave, au Nord-Ouest, reste l'élément le mieux conservé de ce système fortifié. De son couronnement, vue agréable sur le gave et le pont.

L'Hôpital-St-Blaise – Église

A. Thuillier

212

On pêche à Navarrenx la truite et le saumon, de mars à juillet. Lors des championnats de pêche au saumon, les curieux se pressent le long du « pool » du gave d'Oloron, en aval de la digue (remarquer l'échelle à saumons).

L'Hôpital-St-Blaise – *13 km. Quitter Mauléon à l'Est par la D 24 puis la D 25.* Ce minuscule village du Pays de Soule se distingue par son **église** ⊙, construction romane très ramassée. Les quatre corps de son plan en croix grecque contrebutent la tour centrale. La croisée est couverte d'une coupole à 8 pans bandée de nervures croisées en étoile. Des arcs polylobés, de part et d'autre du retable et du lavabo, les claires-voies de pierre des fenêtres ajourées de motifs géométriques apportent une note d'étrangeté. Toutes ces particularités font de l'Hôpital-St-Blaise un rare témoin de l'art hispano-mauresque au Nord des Pyrénées.

MAUVEZIN

1 671 habitants
Cartes Michelin n°s 82 pli 6 ou 235 pli 25 – Schémas p. 203

Mauvezin est un ancien castelnau *(voir p. 49),* qui s'est établi au cours du 12e s. sur un site de hauteur dominant la vallée de l'Arrats et portant la forteresse des vicomtes de Fézensaguet. Cependant, les faubourgs qui se sont formés ultérieurement à mi-pente et dans la ville basse adoptent curieusement le plan régulier d'une bastide. A l'époque de la Réforme, Mauvezin devint un fief important du protestantisme.

Tous les lundis, sur l'esplanade du château se tient de juillet à novembre le marché à l'ail et au mois d'août a lieu un « concours de l'ail » qui récompense les meilleurs producteurs de la région.

Place de la Libération – Très vaste, elle est bordée sur tout son pourtour de maisons à arcades et couverts, dont la maison dite « Henri IV » (bureau de poste). Au Nord-Est se dresse une imposante **halle** du 14e s. à piliers de pierre ronds supportant une forte charpente protégée par des tuiles.

Église – Elle est surtout intéressante par son clocher en pierre du 13e s. sur plan octogonal de style toulousain.

Promenade du château – A l'emplacement du château vicomtal démantelé au 17e s. en même temps que l'enceinte médiévale, une terrasse ombragée offre une **vue** sur le clocher de l'église surplombant les toits de tuiles du village et le plan d'eau en contrebas.

LES COTEAUX DU GERS

Circuit de 51 km – environ 3 h – schéma p. 203. Quitter Mauvezin par la D 654, en direction de L'Isle-Jourdain. La route laisse à gauche le château du Bartas du 16e s. flanqué de trois tourelles.

★ **Cologne** – Cette coquette petite bastide fut créée au 13e s. à la suite d'un contrat de paréage entre le sénéchal du roi de France, Eustache de Beaumarchais, et le seigneur local, Otton de Terride. La place centrale bordée de maisons à couverts en brique, en pierre ou à colombage ainsi que la halle à piliers de bois surmontée d'un clocheton ont belle allure. Remarquer à l'un des angles de rares mesures à grains du 15e s.

Au Sud-Est, un centre de loisirs bordant le lac de Thoux-St-Cricq attire les amateurs de sports nautiques.

Quitter Cologne au Nord-Ouest par la D 21 qui se prolonge par la D 41.

Ce petit détour par les premiers coteaux gascons, au Nord-Ouest de Toulouse, permet de découvrir le village de **Cox**, centre de production de terres vernissées depuis le 15e s. La **Maison du Potier** ⊙ retrace les quatre siècles d'histoire de cette fabrication locale.

Prendre, à la sortie Ouest de Cox, la D 1. A 5 km, tourner à gauche dans la D 526 vers Brignemont et Sarrant.

Sarrant – Ancien village fortifié, Sarrant a gardé une partie de son enceinte polygonale. On accède dans le village par une porte fortifiée du 14e s.

Poursuivre sur la D 165.

Maubec – Ce pittoresque village fortifié sillonné de ruelles escarpées domine la vallée de la Gimone. La place Clément-Laborde, jouxtant l'église, surplombe les vestiges des remparts. L'église du 15e s., dédiée à saint Orens, s'ouvre par un portail Renaissance remplaçant l'ancien endommagé pendant les guerres de Religion. Il est précédé par un porche monumental, dont il ne subsiste plus que la base. De massifs contreforts étayent le chevet pentagonal.

Maison gasconne

Descendre dans la vallée de la Gimone par la D 928 puis prendre la direction d'Auch.

Solomiac – Bâtie sur un plan octogonal comme Cologne, cette bastide a subi d'importantes destructions pendant les guerres de Religion. Au centre, la place à couverts et la halle du 14ᵉ s. reposant sur des piliers en pierre forment un bel ensemble.

Prendre la D 151 traversant Homps puis franchissant la rivière Arrats.

Monfort – Les maisons de cette bastide, fondée par le comte d'Armagnac, sont diposées de part et d'autre de la rue principale épousant la ligne de crête d'un promontoire surplombant la vallée de la Gimone. Un clocher de style toulousain coiffe l'église bordant le côté Est de la place. A proximité, une maison décorée d'une coquille témoigne de son passé d'étape du pèlerinage de St-Jacques. Dans la grande rue, la maison natale du poète **Salluste du Bartas** (1544-1590) se signale par ses fenêtres à meneaux aux croisillons joliment ouvragés.

Retour à Mauvezin par la D 654.

Grotte de MÉDOUS★★

Cartes Michelin nᵒˢ 85 Nord-Est du pli 18 ou 234 pli 44 – Schéma p. 106

Près d'une source vauclusienne alimentant les bassins du parc du château de Médous, aux portes de Bagnères-de-Bigorre, trois spéléologues locaux découvrent, en 1948, dans une galerie peu profonde, un « trou souffleur » qui leur révèle l'existence d'une caverne toute proche. Ils creusent, à cet endroit, la paroi rocheuse, se glissent dans la « chatière » et débouchent dans des galeries aux magnifiques concrétions.

Visite ⊙ – La grotte, sur un parcours de 1 km, présente maintes stalactites et stalagmites et de larges coulées de calcite (carbonate de chaux) aux formes capricieuses évoquant des cascades, des grandes orgues, des draperies, etc. (salles du Cervin, des Grandes Orgues, Temple hindou, galerie des Merveilles). La visite comprend un parcours de 250 m en barque, sur l'Adour souterrain, formée par des eaux de l'Adour perdues dans une « goule » sur la rive droite de la rivière à Campan et ressortant à l'air libre dans le parc du château.

Les sites les plus importants sélectionnés dans ce guide sont mis en évidence :
– sur la carte des principales curiosités ;
– par le descriptif des villes et curiosités.

Mais l'examen des cartes, plans et schémas, le dépouillement du chapitre Manifestations touristiques, la consultation de l'index et la lecture de l'introduction donneront un surcroît d'intérêt à votre voyage.

Pic du MIDI DE BIGORRE★★★

Cartes Michelin nᵒˢ 85 pli 18 ou 234 pli 44 – Schéma p. 106

Le pic du Midi de Bigorre, dont la silhouette, nettement détachée de la chaîne, est familière aux Gascons, doit à ses facilités d'accès, à son panorama, à ses installations scientifiques une renommée déjà ancienne que le tourisme a consacrée.

Accès – *Du col du Tourmalet, 5,5 km représentent 40 mn AR en voiture ou 5 h AR à pied. La route – ouverte du 20 juin au 10 octobre – est réglementée (stationnement et dépassement interdits) et à péage. Tracée en corniche sur les flancs Ouest du pic du Tourmalet et du pic Costallat, elle est impressionnante. La pente est de 7,30 % jusqu'à Sencours, de 8 % dans les virages, de 12 % à la fin du parcours.*

La **route du Tourmalet aux Laquets** ⊙ est l'une des plus élevées d'Europe (les Laquets : 2 650 m). Au fur et à mesure qu'on s'élève, la vue se dégage sur le pic d'Arbizon, le massif de Néouvielle, celui du Vignemale et les sommets de Gavarnie. Des Laquets *(hôtellerie)*, on accède au sommet à pied *(800 m)* par une piste tracée en lacet dans la pierraille.

Le sommet – Le pic du Midi a été arasé à la cote 2 865 pour permettre l'aménagement d'un émetteur de télévision, qui couvre de ses émissions tout le Sud-Ouest de la France. On découvre le **panorama★★★** le plus extraordinaire que l'on puisse avoir sur la chaîne pyrénéenne. Comme l'a dit le comte Russell *(voir p. 23)*, il y a là des matinées « à donner aux saints la nostalgie de la terre ». Le massif de Néouvielle se présente au Sud comme un extraordinaire musée du relief glaciaire.

Table d'orientation à l'entrée de l'Observatoire.

Sur une autre terrasse sont construits l'**Observatoire du pic du Midi** ⊙. C'est une des stations scientifiques d'altitude les plus importantes du monde. Fondé sur l'initiative du général de Nansouty et de l'ingénieur Vaussenat, il a été remis à l'État en 1882 et rattaché à l'université de Toulouse en 1903.

MIRANDE

4 150 habitants
Cartes Michelin nᵒˢ 82 Nord du pli 14 ou 234 pli 32 – Schéma p. 49

Mirande offre l'image d'une bastide restée très vivante. Depuis sa fondation par l'abbé de Berdoues, Bernard VII, comte d'Astarac et Eustache de Beaumarchés en 1281, elle a gardé la régularité de son plan *(voir p. 49)* avec ses îlots d'habitation d'environ 50 m de côté et sa place à couverts (place d'Astarac) marquant le centre du damier. Non loin de la place s'élève la tour de Rohan, ancienne tour de guet dépendant de la Maison des comtes d'Astarac. La rue de l'Évêché conserve quelques belles maisons à pans de bois.

CURIOSITÉS

★ **Musée des Beaux-Arts** ⊙ – Les œuvres soigneusement présentées et bien mises en valeur proviennent pour la plupart de legs d'amateurs d'art locaux. Dans le hall on verra notamment le portrait de Joseph Delort fondateur du musée, deux beaux vases de Sèvres du 19ᵉ s. ainsi que les clés de la ville présentées à Napoléon lors de sa venue dans l'ancienne bastide le 24 juillet 1808. Les vitrines exposent des céramiques anciennes et de riches faïences et porcelaines (17ᵉ au 19ᵉ s.) provenant de fabriques renommées : Moustiers, Samadet, Dax, Nevers, etc.

La grande salle rassemble une collection de peintures du 15ᵉ au 19ᵉ s. d'écoles étrangères et françaises. Parmi les petits tableaux flamands peints sur cuivre, remarquer *L'Adoration des Mages* (17ᵉ s.) d'un éclat particulier. La peinture italienne du 17ᵉ s. doit à Michelangelo Cerquozzi une truculente *Mascarade italienne*. La peinture française du 16ᵉ s. se distingue par une œuvre magistrale de Claude Vignon, *Le Prophète Zacharie*, dans laquelle l'influence du Caravage se fait sentir : personnage fougueux dans un contraste d'ombre et de lumière ; du 19ᵉ s. trois marines, dont l'une peinte sur galet, s'inspirent de maîtres hollandais du 17ᵉ s.

Au centre de la pièce, sous la pyramide, d'intéressants portraits se détachent. Ainsi de l'école de Jacques-Louis David une *Tête d'étude* (18ᵉ s.) d'une grande finesse.

Des porcelaines dorées à l'or fin n'échappent pas au regard. Sur un panneau extérieur la comparaison s'impose entre trois *Sainte Famille* réalisées par des écoles différentes : école hollandaise du 17ᵉ s., italienne du 16ᵉ s., flamande du 17ᵉ s.

Dans une petite salle, un diaporama montre au choix des œuvres habituellement en réserve, Mirande et sa région ou le département du Gers.

Église – Du début du 15ᵉ s. Le pittoresque clocher à tourelles pouvait servir de réduit de défense. Des baies gothiques dont le fenestrage s'enrichit d'étage en étage l'ajourent. Ce clocher s'appuie à l'Ouest sur un avant-porche voûté d'ogives livrant passage à la rue, l'ensemble étant contrebuté par deux énormes arcs. A l'intérieur, le vaisseau gothique languedocien a été surélevé au 19ᵉ s.

★ CIRCUIT DES BASTIDES ET DES CASTELNAUX

100 km – compter une journée. Quitter Mirande au Nord par la N 21, route d'Auch. A 3 km, tourner à gauche dans la D 939.

Le circuit proposé ci-dessous s'inscrit dans un triangle formé par les D 943 au Nord, la D 3 à l'Ouest empruntant la vallée du Bouès et la N 21 à l'Est. Il fait découvrir les bastides et les castelnaux typiques de l'Astarac et du Pardiac, anciens comtés vassaux relevant du duché de Gascogne *(voir p. 49)*.

La route traverse **L'Isle-de-Noé**, localité située au confluent de la Grande et de la Petite Baïse, qui possède un château du 18ᵉ s.

Barran – La particularité de cette bastide établie sur le site d'un ancien village ecclésiastique est la flèche hélicoïdale du clocher de son **église**. Le bourg conserve une halle et une porte fortifiée à l'Est.

Faire demi-tour.

Montesquiou – Ce castelnau de hauteur s'étirant sur un coteau étroit surplombe le vallon de l'Osse. Il a donné son nom à la branche cadette des comtes de Fézensac, d'où sont issus les seigneurs de d'Artagnan et de Monluc. De l'enceinte fortifiée du 13ᵉ s. subsiste une porte au bout de la rue principale (bel alignement de maisons à colombage à proximité).

Bassoues – *Voir à ce nom.*

Croisant la route de la Ténarèze *(voir p. 278)*, la D 946 s'abaisse, en un **parcours de crête**★ long de 12 km, vers le fond de la dépression de la « Rivière Basse » *(voir p. 18)* drainée par l'Arros. Par la trouée de l'Adour, la vue se porte à nouveau jusqu'aux Pyrénées.

Beaumarchés – Cette bastide royale est née en 1288 d'un contrat de paréage entre le sénéchal de Beaumarchés et le comte de Pardiac, comme l'illustre un chapiteau dans l'**église** orné d'un écusson aux armes de France. L'édifice gothique à nef unique frappe par son aspect extérieur massif et surtout par son porche élevé au 15ᵉ s. qui devait servir de clocher et n'a jamais été achevé. La frise de têtes d'hommes et de femmes qui court autour de la galerie supérieure est intéressante à détailler.

Tourner à gauche dans la D 3 longeant le lac artificiel de Marciac.

Marciac – La fondation de cette bastide remonte à la fin du 13ᵉ s. Jusqu'au 19ᵉ s., une importante halle occupait le milieu de la place, entourée de « couverts ». Une haute flèche de pierre couronne le clocher carré de l'**église Notre-Dame** du 14ᵉ s. Aménagés dans une ancienne abbaye, place du Chevalier-d'Antras, « **Les Territoires**

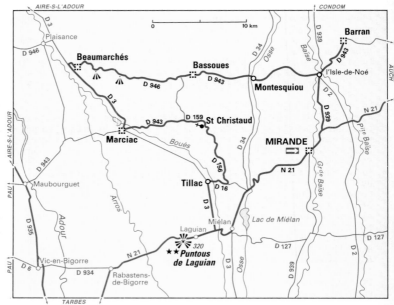

du Jazz » ⊘ forment un espace muséographique original proposant un parcours initiatique dans l'histoire du jazz depuis ses origines africaines jusqu'à ses manifestations contemporaines. Muni d'un casque récepteur, le visiteur plonge dans l'univers du swing en traversant les lieux mythiques que sont New Orleans ou le Cotton Club, au rythme d'airs de blues, de dixieland ou de ragtime. L'été, la bourgade vit au rythme des concerts de jazz qui attirent de nombreux amateurs *(se reporter au chapitre des Principales manifestations en fin de volume)*.

Prendre la direction d'Auch en suivant la pittoresque D 943, au-dessus de la vallée du Bouès. Au sommet de la rampe, la D 159 – parcours de crête de 2 km en vue des Pyrénées.

Le donjon de Bassoues réapparaît au Nord, par échappées.

Prendre à droite dans la D 156, en direction de St-Christaud.

Ici se croisent la Via Tolosane qu'empruntaient les pèlerins de St-Jacques-de-Compostelle venant de Provence et l'antique Ténarèze.

St-Christaud – L'**église**, toute en brique, de style de transition, occupe un site dominant face aux Pyrénées. Remarquer, entre les contreforts, la forme des ouvertures carrées disposées sur la pointe.

A 9 km, prendre à droite dans la D 16.

Tillac – Ce minuscule castelnau de plaine aligne de pittoresques maisons à cornières et colombage, de part et d'autre de la rue principale reliant la tour fortifiée à l'**église** du 14e s.

Prendre la D 3, empruntant la vallée du Bouès, puis la N 21, route de Tarbes. Après la rampe suivant Laguian, bifurquer à gauche vers la table d'orientation (alt. 320 m).

★★ **Puntous de Laguian** – Le **panorama**, l'un des plus fameux sur les Pyrénées, s'étend, par temps clair, sur 150 km de front montagneux ; le pic du Midi de Bigorre se reconnaît à son émetteur de télévision.

Reprendre la N 21, qui traverse la bastide de Miélan puis, passant dans la vallée de l'Osse, longe le lac-réservoir de Miélan soutenant de débit de la maigre rivière, avant de regagner Mirande.

Pour tout ce qui fait l'objet d'un texte dans ce guide (villes, sites, curiosités isolées, rubriques d'histoire ou de géographie, etc.), reportez-vous à l'index.

Église de MOIRAX ★

Cartes Michelin nos 79 pli 15 ou 235 pli 20 – 10 km au Sud d'Agen

L'église romane de Moirax faisait partie d'un prieuré clunisien fondé au 11e s. Mise en valeur par une restauration récente, elle date pour l'essentiel du 12e s. et frappe par ses proportions harmonieuses. Pour bien découvrir le chevet et l'étagement des toitures, gagner la sortie Nord du village en direction d'Agen, et, avant le cimetière, prendre à droite un chemin revêtu.

Extérieur – La silhouette très allongée du sanctuaire est rehaussée d'un clocheton conique et d'un campanile de façade. Les éléments décoratifs les plus intéressants sont ceux qui parent le chevet et les absidioles : la ceinture de billettes contournant le cintre des baies, les colonnes engagées portant des chapiteaux ainsi que les modillons intermédiaires. Le portail occidental, en saillie par rapport aux bas-côtés, présente aux voussures un décor sculpté d'une grande sobriété.

Intérieur – De plan basilical, l'église possède une nef couverte par une voûte en berceau légèrement brisé. Elle est divisée en six travées par de grosses piles cantonnées chacune par quatre colonnes. Au transept, la voûte d'origine a été remplacée au 15e s. par une structure en étoile. Les chapiteaux d'abord épannelés dans les premières travées de la nef deviennent franchement historiés au fur et à mesure que l'on se rapproche du chœur : à la croisée du transept, à gauche, on reconnaît Daniel dans la fosse aux lions, à droite le Péché originel.

La partie la plus originale de l'édifice est l'avant-chœur : de section carrée à la base, il adopte un plan octogonal au niveau médian grâce aux trompes d'angle et se termine en coupole tronconique. Le chœur, en cul-de-four, est percé de cinq baies enserrées par des arcatures reposant sur des demi-colonnes : ici, les chapiteaux très soignés offrent un décor stylisé de feuillages et de personnages. *Voir illustration p. 42.*

La statue de la Vierge de Moirax dans le chœur, les stalles et les panneaux sculptés en noyer dans les bas-côtés sont l'œuvre du sculpteur Jean Tournier (fin du 17e s.).

MONFLANQUIN

2 431 habitants
Cartes Michelin nᵒˢ 79 pli 5 ou 235 pli 9 – Schéma p. 49

Cette ancienne bastide, fondée au 13ᵉ s. par Alphonse de Poitiers, groupe ses maisons aux toits de tuiles rondes sur une colline que domine la haute silhouette de son église. De petites rues, en forte pente, grimpent vers la belle **place des Arcades** dont les couverts ont conservé leurs cornières. L'église, édifice de style gothique méridional à la voûte de briques, offre une façade fortifiée du 15ᵉ s., restaurée. Une rue encerclant la ville haute permet de découvrir, au cours d'une agréable promenade, des **vues**★ très étendues sur la campagne environnante où coule la Lède, affluent du Lot. Au Nord-Est, dominant une ligne de crête, on distingue très bien le château de Biron *(voir guide Vert Michelin Périgord Quercy).*

ENVIRONS

Villeréal - *13 km au Nord par la D 676.*
Bastide fondée en 1269 par Alphonse de Poitiers, frère de saint Louis, elle a conservé son plan initial régulier, avec des rues en angle droit, des maisons en corbellement et à toit débordant. Au centre de la bastide, les halles à étage (14ᵉ s.) sont supportées par des piliers de chêne. La place principale est bordée sur deux côtés de cornières. L'**église** fortifiée du 13ᵉ s. domine la bastide de sa haute silhouette ; l'extérieur allie le charme à la sévérité. La haute façade est encadrée de deux tours couronnées de clochetons pointus et reliées par un chemin de ronde crénelé ; la tour de gauche est percée de meurtrières.
Au pied du village, un lac bénéficie d'équipements de loisirs.

La MONGIE✳

Cartes Michelin nᵒˢ 85 Est du pli 18 ou 234 pli 44 – Schéma p. 107

Blottie dans un cirque au pied du pic du Midi de Bigorre, cette station de sports d'hiver jouit d'un enneigement persistant de décembre à fin avril. A l'agglomération d'hôtels et de chalets succède, le long de la route du Tourmalet, l'ensemble résidentiel de « la Mongie-Tourmalet ».

Le domaine skiable – Les 33 remontées mécaniques et les 36 pistes accessibles à toutes les glisses et tous les niveaux occupent un vaste espace de haute montagne entre 1 800 et 2 500 m d'altitude. Une piste est éclairée pour le ski de nuit. Appréciée des **skieurs sportifs**, La Mongie accueille régulièrement des compétitions nationales ou internationales, notamment, en mars, la « Quicksilver Cup », championnat de surf sur neige suivi d'épreuves de surf sur eau à Biarritz.

Grâce aux remontées mécaniques du col du Tourmalet, les stations reliées entre elles de La Mongie et de Barèges *(voir à ce nom)* forment **le plus grand domaine skiable des Pyrénées françaises**, avec 57 remontées et 120 km de pistes (forfait commun La Mongie-Barèges).

La proximité du massif de Néouvielle favorise, en dehors des pistes, le ski de randonnée (liaison La Mongie-St-Lary, ascensions guidées, etc.).

★★ **Le Taoulet** ⊙ – 2 341 m. *Accès par téléphérique.* Ce contrefort du pic du Midi de Bigorre offre des **vues**★★ rapprochées, au Sud, sur le massif de Néouvielle et l'Arbizon. Au Nord-Est se creuse la vallée de Campan.

Surfeur des neiges

MONSEMPRON-LIBOS

2 423 habitants (les Monsempronnais-Libossiens)
Cartes Michelin n⁰ˢ 79 pli 6 ou 235 pli 13 – 3 km à l'Ouest de Fumel

Située sur la rive droite du Lot, la commune se compose d'un village fortifié du 12ᵉ s. perché sur une butte, Monsempron, et d'un bourg industriel du 19ᵉ s., au confluent de la Lémance et du Lot, Libos. L'église romane de Monsempron conserve au-dessus du chœur quelques éléments de ses anciennes fortifications, élevées durant les guerres de Religion.

★ **Église** – Elle présente un beau chevet à contreforts avec modillons et frises sculptés ; un clocher carré, coiffé d'un toit plat, surmonte la croisée du transept. L'intérieur retient l'attention par la juxtaposition de styles différents : les trois nefs, d'allure romane quoique retouchées au 16ᵉ s., voûtées en berceau, sont soutenues par de gros piliers cylindriques dont les chapiteaux se réduisent à une simple frise décorative faite de sculptures d'une facture archaïque. Le transept et le chœur, construits au-dessus d'une crypte, sont surélevés par rapport à la nef : le transept, de style roman plus évolué, est décoré de beaux chapiteaux historiés, tandis que le chœur gothique est orné d'une voûte en étoile. Une sorte de double transept couvert de petites coupoles oblongues précède deux chapelles absidales décorées de chapiteaux romans.

ENVIRONS

Tournon-d'Agenais – *6 km au Sud par la D 102.* Sur la crête d'une colline proche de la vallée du Lot, Tournon occupe un **site**★ pittoresque. Au fur et à mesure que l'on pénètre dans le bourg, on découvre l'ancienne ligne des remparts sur lesquels se sont établies des maisons : la vue se porte sur une vallée cultivée de vigne et de maïs, coupée de rideaux d'arbres. La localité, ancienne bastide, en a emprunté le plan avec ses rues étroites se coupant à angle droit. La place centrale a malheureusement perdu la plupart de ses cornières. Du petit jardin public on a une belle **vue**, au Sud, sur le Quercy.

Gouts – *8 km au Sud de Tournon-d'Agenais par la D 18.* Église romane d'une grande unité. Avec le vieux cimetière et les cyprès, elle compose un tableau charmant.

Moulin de Lustrac – *12 km au Sud-Ouest par la D 911. Avant le pont ferroviaire prendre une petite route en direction de Ladignac.*
Dépendance du château de même nom, ce moulin fortifié du 13ᵉ s. a conservé ses meules et vannes. Des abords, agréable point de vue sur les méandres du Lot.

MONTANER

509 habitants
Cartes Michelin n⁰ˢ 85 pli 8 ou 234 pli 35

Position avancée du Béarn du côté de l'Adour, le château de Montaner verrouillait, avec Mauvezin au Sud-Est, les issues du comté de Bigorre vers la plaine. Il servait ainsi la politique d'expansion de la maison de Foix-Béarn, visant à rassembler en un seul État ses domaines échelonnés entre Foix et Orthez.

Château ⊙ – Bâtie entre 1374 et 1380 par Sicard de Lordat *(voir p. 48)*, la forteresse de brique présente la forme d'un polygone à 20 pans soutenus par des contreforts. Le donjon carré, en avancée, s'élève à 42 m de hauteur. Un pont basculant y donnait accès. Les fouilles effectuées à l'intérieur de l'enceinte permettent de retrouver le plan et l'affectation des constructions aujourd'hui disparues.
De la plate-forme du donjon, le **panorama**★ vers le Sud fait découvrir la chaîne des Pyrénées.

Église St-Michel ⊙ – Élevée au 15ᵉ s. en contrebas de la butte portant le château, elle renferme des peintures murales du début du 16ᵉ s., relatant dans le chœur la Création et la Nativité. Dans la nef, elles figurent les Apôtres et, sur le mur Ouest, le Jugement Dernier.

ENVIRONS

Tarasteix – *5 km. Quitter Montaner au Sud par la D 225. A 1 800 m, tourner à droite dans la D 63 en direction de Tarasteix. Au lieu-dit Jacou, s'engager dans la petite route presque en face ; au carrefour signalé par une chapelle, poursuivre tout droit puis prendre à gauche dans la D 27. Un chemin non revêtu, à droite, mène à travers bois jusqu'à l'abbaye.*

Donjon de Montaner

A l'emplacement du monastère du Saint-Désert, fondé au 19e s. par le père Hermann Cohen, élève de Liszt, s'élève aujourd'hui l'**Abbaye N.-D.-de-l'Espérance** ⊙ *(en cours d'aménagement)*, centre d'accueil et de vie communautaire magnifiquement situé face à la chaîne pyrénéenne au milieu d'une végétation luxuriante, où dominent les essences exotiques.

Castéra-Loubix – *6 km. Quitter Montaner au Nord par la D 225. A Pontiacq-Viellepinte, tourner à droite dans la D 202 jusqu'à Castéra-Loubix.*
L'**église romane St-Michel** ⊙ du 11e s. mais remaniée aux 15e s. et 18e s., abrite dans le chœur un ensemble de peintures murales représentant la Passion du Christ et le Jugement Dernier.

MONT-DE-MARSAN

28 328 habitants (les Montois)
Cartes Michelin nos 82 pli 1 ou 234 pli 23 – Schéma p. 32

Capitale du pays de Marsan au Sud-Est des Landes, Mont-de-Marsan, placée au confluent de la Douze et du Midou, vit sous un régime climatique doux en hiver, chaud en été, permettant la venue en pleine terre de palmiers, magnolias, lauriers-roses... De la forêt proche arrivent par bouffées les senteurs balsamiques des pins.
Mont-de-Marsan, qui déploya, du Moyen Âge à l'Ancien Régime, une grande activité économique, joue surtout, de nos jours, un rôle de centre administratif important ; la ville a conservé un curieux ensemble de bâtiments publics de style Empire-Restauration (préfecture, théâtre, prisons).
Bien que les ressources soient appréciées en maïs, vigne et fruits, la production de volailles et de foies gras domine le marché. Les scieries et le Centre d'expériences aériennes militaires animent le secteur industriel.
Équipée d'un vaste hippodrome, Mont-de-Marsan compte des écuries pouvant abriter près de 300 chevaux ; douze réunions de trot, de galop et d'obstacles y sont organisées chaque année. Les arènes se prêtent à des courses de taureaux ou de vaches landaises qui comptent parmi les plus suivies du Sud-Ouest *(voir p. 28).*

CURIOSITÉS

★ **Musée Despiau-Wlérick** (BY) ⊙ – Installé dans deux édifices (12e s.-14e s.) admirablement restaurés, le musée se divise en deux parties reliées par une galerie.
Le **musée Dubalen**, du nom du premier conservateur du musée en 1885, occupe la maison romane et abrite des collections de préhistoire et d'histoire naturelle *(actuellement fermées au public).*

Dans le jardin, sculptures monumentales de Charles Despiau (1874-1946), artiste natif de Mont-de-Marsan, qui participa au renouveau de la sculpture au début du 20e s.

Le **musée Despiau-Wlérick**, situé dans le donjon aux fenêtres ogivales, est consacré à la sculpture moderne figurative. Parmi les 700 œuvres rassemblées ici, dont la majeure partie date des années 30, figurent les pièces maîtresses d'une centaine d'artistes dont Bourdelle, Bouchard, Zadkine, Manolo, Orloff, Gargallo. De belles faïences de Samadet décorent l'escalier conduisant aux étages réservés aux sculpteurs montois. L'un est réservé à Charles Despiau, dont on peut admirer la *Liseuse*, au naturel saisissant, une série de bustes de femmes, dont *Paulette*, œuvre en marbre, qui valut au sculpteur d'être remarqué par Rodin, et une série de nus *(Apollon, Ève, La Grecque)*. De Robert Wlérick (1882-1944) – à qui l'on doit la statue équestre du maréchal Foch, place du Trocadéro à Paris –, on remarque une œuvre de jeunesse, *L'Enfant en sabots*. Un accent particulier a été mis sur l'Exposition Internationale de 1937 et les œuvres des artistes qui y participèrent.

Un centre de documentation sur la sculpture moderne réunit plus de 650 dossiers de sculptures de la 1re moitié du 20e s.

De la terrasse beau panorama sur la ville.

Point de vue (AZ) – Du pont situé dans l'axe du boulevard F.-de-Candau, vue en amont sur le confluent de la Douze et du Midou qui forment la Midouze : vieilles maisons. En aval, des quais abandonnés rappellent le souvenir du port.

Parc Jean-Rameau (BY) – S'étendant au long de la Douze, ce fut jadis le jardin de la Préfecture, à laquelle le relie une passerelle *(accès interdit)*. Son aménagement fleuri, ses beaux arbres : platanes, magnolias, en font un lieu de promenade de choix.

MONT-DE-MARSAN

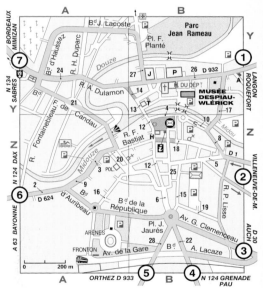

ENVIRONS

Villeneuve-de-Marsan – *17 km à l'Est par la D 1.*
Ancienne bastide du 13e s., Villeneuve-de-Marsan a gardé de cette époque son église ainsi que sa vieille tour. Le puissant vaisseau de l'**église-St-Hyppolite**, tout en brique, est flanqué de contreforts et dominé par une belle tour carrée, de type défensif. A l'intérieur, une fresque de 1529 raconte la vie et le martyre de sainte Catherine d'Alexandrie. Un peu plus loin, du haut de la vieille tour crénelée (beau décor de brique), on découvre le vignoble d'Appelation « Bas Armagnac ».

Prendre, au Sud-Est, la D 1, direction Eauze. A 2 km, tourner à droite vers le Perquié.

Offrant une ordonnance classique, le **château de Ravignan** ⊘ (17e s.) est entouré d'un parc à la française. L'intérieur, richement meublé et décoré de portraits de famille et de gravures évoquant Henri IV, présente en particulier une belle collection de vêtements de cour d'époque Louis XVI.

Roquefort – *22 km au Nord-Est par la D 933.*
Berceau des vicomtes de Marsan au 10ᵉ s., Roquefort fut une ville fortifiée, comme en attestent ses remparts et ses tours des 12ᵉ et 14ᵉ s. Fondée par les Bénédictins de St-Sever au 11ᵉ s., **l'église** abrita ensuite une commanderie d'Antonins, religieux hospitaliers qui soignaient le mal des ardents, fièvre violente appelée aussi « feu de saint Antoine ». C'est un édifice en majeure partie gothique, aménagé pour la défense comme en témoignent les meurtrières qu'on distingue à l'abside et à la tour carrée formant donjon. Sur le côté Sud, un portail flamboyant, donnant accès à l'intérieur, est orné des armes de Roquefort (trois rocs, trois étoiles). A côté de l'église subsiste l'ancien prieuré : portes et baies de style flamboyant.

MONTMAURIN

205 habitants
Cartes Michelin nᵒˢ 82 pli 15 ou 234 pli 40 – 10 km au Sud de Boulogne-sur-Gesse

La région des coteaux de Gascogne drainée par la haute Save offre des points de vue sur les Pyrénées. Mais, avec sa villa gallo-romaine, Montmaurin présente surtout un intérêt archéologique.

Villa gallo-romaine ⊙ – Les héritiers d'un certain Nepotius – de ce nom dériverait celui de la région du Nébouzan – disposaient à Montmaurin d'un terroir de quelque 7 000 ha. La première « villa rustica » (1ᵉʳ s.) concentrait les bâtiments ruraux autour de la résidence, comme dans nos grands domaines agricoles de plaine. Cette demeure fit place, au 4ᵉ s., à un palais de marbre, clos sur lui-même et éloigné des bâtiments agricoles dispersés dans les terres. Le délassement du propriétaire et l'accueil des hôtes inspirèrent les aménagements de cette « villa urbana », dotée de jardins, de portiques et nymphée. Le confort y était assuré par des thermes et par la circulation d'air chaud sous les dallages.
La consommation, régulière, d'huîtres atteste du raffinement épicurien de cette vie aux champs.
La villa gallo-romaine dégagée comprenait 200 pièces réparties autour de trois cours en enfilade, agrémentées de péristyles et de pergolas.
A gauche de la cour centrale les salles exposées au Nord-Ouest et pour partie chauffables constituaient sans doute, à proximité des cuisines et des jardins, des salles à manger.
En fin de perspective, au Nord-Est, l'ensemble s'achevait sur des appartements d'été surélevés aux terrasses étagées.
Du côté des communs s'élevaient les thermes.

Descendre la vallée de la Save sur 1 km, puis traverser la rivière.

Château de Lespugue – Descendre droit à travers la belle chênaie du vallon et, remontant directement à travers bois le versant opposé, gagner la ruine, au bord d'un pic des gorges de la Save.

Reprendre la voiture et descendre jusqu'à la Save. Aussitôt avant le pont, tourner à gauche.

Gorges de la Save – La rivière, en s'encaissant, a mordu ici dans les plis calcaires qui prolongent les Petites Pyrénées. Plusieurs abris-sous-roche, fouillés de 1912 à 1922 par le comte et la comtesse de Saint-Périer, ont mis au jour du matériel magdalénien et azilien, en particulier la statuette de la « Vénus de Lespugue » (dont l'original se trouve au musée de l'Homme à Paris).

La Hillère ⊙ – A la sortie de la gorge, une chapelle, où est exposée une grande **mosaïque** constantinienne, poly-chrome, se dresse dans un ci-metière, à gauche. En contre-bas de la route, les fouilles ont mis au jour un établissement rural gallo-romain, sans doute une villa, comportant des installations thermales, et construite autour d'une ré-surgence de la Save.

Remonter au bourg de Montmaurin.

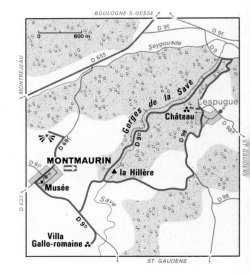

Musée ⊙ – *Aménagé au rez-de-chaussée de la mairie.*
Il comprend deux salles, l'une est consacrée aux fouilles préhistoriques et aux équipes de chercheurs qui illustrèrent la région, l'autre à la civilisation gallo-romaine : une maquette de la villa, des découvertes faites sur le site de celle-ci, surtout un buste d'adolescent, retiendront l'attention.

Table d'orientation – *A 800 m au Nord.* **Panorama★** très étendu mais lointain, des Pyrénées ariégeoises au pic du Midi de Bigorre et au pic de Ger. La trouée de la Garonne laisse découvrir le massif de la Maladetta et la partie glaciaire des montagnes frontières de Luchon.

MONTRÉJEAU

2 857 habitants (les Montréjeaulais)
Cartes Michelin n°s 85 pli 20 ou 234 pli 40

Bâtie sur une terrasse dominant le confluent de la Neste et de la Garonne, cette ancienne bastide (prononcer Monréjeau) fut fondée en 1272. Elle prend tout son caractère le jour de marché. Sa position d'observatoire a justifié l'aménagement de belles esplanades ou avenues panoramiques : place de Verdun (halle et jardin public), place Valentin-Abeille (fontaine au centre, arcades sur les côtés, au n° 21 belle maison à colombage), boulevard de Lassus tracé en corniche. Les **vues★** s'étendent sur les Pyrénées luchonnaises, au-delà des monts boisés de la Barousse.

ENVIRONS

Grottes de Gargas ⊙ – *5 km, puis 3/4 h de visite. Sortir de Montréjeau au Sud-Ouest vers Mazères et Aventignan où l'on prend à gauche.*
Ces grottes, comprenant deux étages de galeries visitables, ont été habitées par les hommes de l'Aurignacien *(voir p. 38)*. Leur originalité est due surtout aux empreintes de mains aux phalanges incomplètes, probablement mutilées – on en a compté plus de 200 – qui couvrent les parois. Ces peintures pourraient se rattacher à un rituel de magie ou d'initiation.

St-Plancard – *16 km – environ 1 h. Sortir de Montréjeau par la route de Toulouse ; à 3 km bifurquer à gauche dans la D 633.*
La chapelle romane **St-Jean-des-Vignes** ⊙ (début du 11e s.), édifiée à l'emplacement d'un sanctuaire gallo-romain, a livré des stèles, autels votifs et monuments funéraires. Son décor peint, peu distinct *(interrupteur face à l'entrée)*, date de la fin du 11e s.
Dans l'abside principale trône à gauche le Christ en gloire entouré des Évangélistes. Au centre défilent les Mages. A droite se superposent la Crucifixion et l'Ascension.
Le décor de l'absidiole Sud montre au cul-de-four le Christ trônant dans une mandorle en forme de 8 soutenue par quatre anges très expressifs ; les parois sont consacrées à la mission de saint Jean-Baptiste ; à droite de l'entrée, le Péché originel.

MORLAÀS

3 094 habitants (les Morlanais)
Cartes Michelin n°s 85 pli 7 ou 234 pli 35

Situé sur un plateau dominant la plaine de Pau, Morlaàs fut capitale du Béarn après la destruction par les Normands de Beneharnum (Lescar) au 9e s. et ce, jusqu'à ce qu'Orthez la supplante, au 12e s. Elle fut la résidence des vicomtes souverains puis celle des rois de France. Mais aujourd'hui, seule son église témoigne encore de son importance passée *(voir à Le Béarn)*.

Église Sainte-Foy – L'origine de sa construction remonte au 11e s. sous Centulle IV, vicomte du Béarn et d'Oloron. Le chevet offre un bel ensemble de style roman, mais la partie la plus intéressante est le vaste portail roman qui s'ouvre dans la façade.

Portail – Les portes sont séparées par un pilier dont la base repose sur deux hommes enchaînés. Les tympans représentent, à gauche, le Massacre des Innocents, à droite, la Fuite en Égypte ; au-dessus, le Christ en majesté, entre un homme ailé et un aigle, attributs des évangélistes saint Matthieu et saint Jean. Les voussures sont ornées de damiers, de losanges, de rosaces et autres motifs décoratifs dans l'intervalle desquels sont représentés une théorie de canards

Morlaàs – Détail du portail de l'église

montant vers le ciel pouvant symboliser la marche des pèlerins vers Compostelle, les 24 vieillards de la Vision de l'Apocalypse tenant dans leurs mains des harpes ou des vases de parfums et les juges de l'Ancien Testament.

Les voussures retombent sur des colonnettes aux chapiteaux sculptés de figurines, de monstres, d'entrelacs : entre les colonnettes, à gauche et à droite du portail, se dressent les statues nimbées des douze apôtres.

MORLANNE

389 habitants
Cartes Michelin n°s 85 Nord du pli 6 ou 234 pli 31

Village bâti sur une colline dominant la rive droite du Luy de Béarn, l'ancien castelnau de Morlanne occupe un site stratégique au cœur du Saubestre, nom donné à ce pays fait de coteaux et de forêts.

Château ⊘ – Le petit château de briques faisait partie du groupe de forteresses languedociennes *(voir p. 48)* élevées à la fin du 14e s. par Gaston Fébus pour garantir la souveraineté du Béarn. A l'abri d'une enceinte polygonale dominée par un donjon crénelé, le logis seigneurial, restauré et remeublé à partir de 1971 par M. et Mme Ritter, charme par ses aménagements raffinés.

Les ensembles mobiliers les plus harmonieux ont été réalisés au 1er étage : chambre Consulat et Empire avec ses deux lits d'acajou ; chambre Louis XVI, tendue d'une soierie bouton-d'or à bouquets ; bureau-bibliothèque où un secrétaire marqué de l'inscription « Le Roi – La Nation – La Loi » évoque la monarchie constitutionnelle (1791). Au 2e étage, chambre Louis XVI et galerie de tableaux modernes.

Parmi les tableaux exposés, remarquer une vue de Venise de Canaletto, une tête de vieillard de Fragonard, et également ceux qui illustrent la « douceur de vivre » : *La Liseuse* (Colson), *L'Heureuse famille* (Lépicié), *La Visite à la nourrice* (Boilly)...

La Basse NAVARRE★

Cartes Michelin n°s 85 plis 3 et 4 ou 234 plis 33, 34, 37, 38

La Basse Navarre montagneuse, boisée et sillonnée de cours d'eau poissonneux, s'étend de la Nive à la Bidouze et constitue la partie centrale du pays. Coupée depuis 1512 de la province mère de Navarre, au Sud des Pyrénées, elle a permis aux rois de France, depuis Henri IV (héritier des rois de Navarre de la maison d'Albret) jusqu'à Charles X, de s'intituler aussi rois de Navarre.

★VALLÉE DE LA NIVE

Circuit au départ de Cambo-les-Bains
80 km – environ 4 h

⧧ **Cambo-les-Bains** – *Voir à ce nom.*
Quitter Cambo au Sud par la route de St-Jean-Pied-de-Port.
A hauteur de Louhossoa la route pénètre en Basse Navarre, pays de grès rouge très utilisé pour la construction.

Bidarray – Par un pont du 14ᵉ s., en dos d'âne, on peut monter au plateau de l'église. L'église, romane, bien située dans un paysage mouvementé, présente un clocher-mur dessinant un fronton. Ses parties basses, en grès rouge, appartiennent à un ancien prieuré de Compostelle fondé là en 1132.

En suivant le rameau principal de la Nive, la route atteint St-Jean.

★ **St-Jean-Pied-de-Port** – *Voir à ce nom.*

Prendre la D 22 au Nord.

La route s'élève au milieu d'un paysage de riantes collines et traverse les petits villages de Jaxu, Irissarry.

A Hélette la D 245 puis la D 251 mènent à St-Esteben.

★★ **Grottes d'Isturitz et d'Oxocelhaya** – *Voir à ce nom.*

Hasparren – *Voir à ce nom.*

Revenir à Cambo par la D 22 puis la D 10.

★ VALLÉE DES ALDUDES

De St-Jean-Pied-de-Port à Urepel
30 km – environ 2 h

La Nive des Aldudes, affluent de la Nive, torrent au lit rocheux, prend sa source en Espagne. Sa vallée boisée est une des plus caractéristiques du Pays Basque. « Les Aldudes » signifie chemin des Hauteurs et la haute vallée fut longtemps l'enjeu de luttes épiques entre les habitants de Baïgorry et ceux du val d'Erro en Espagne, qui donnèrent naissance au Pays Quint.

★ **St-Jean-Pied-de-Port** – *Voir à ce nom.*

Quitter St-Jean-Pied-de-Port par ③, route de Bayonne, puis prendre la D 15 à gauche.

★ **St-Étienne-de-Baïgorry** – Village basque à la fois caractéristique par ses maisons typiques, sa belle place ombragée de platanes, et original par sa disposition en longueur dans la vallée et sa division en deux quartiers autrefois rivaux de part et d'autre du torrent. En amont du pont moderne, un vieux pont « romain » atteste l'ancienneté de l'installation humaine dans ce site.

Reconstruite au 18ᵉ s. sur une souche romane remaniée, l'**église St-Étienne★** est intéressante par ses trois étages de galeries, son chœur surélevé dont les 3 autels sont ornés de retables de bois doré, ses orgues de bois et son arc triomphal peint. Au 18ᵉ s. la forge d'Echaux appartenant par moitié à la célèbre famille basque et à la vallée produisait des canons et des boulets de corsaires.

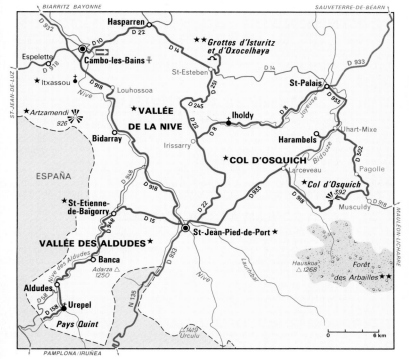

Banca – Le village s'est développé au 18e s. autour de la poudrerie qui traitait le cuivre découvert dans la montagne.
Après un défilé, la vallée s'épanouit dans le bassin des Aldudes.

Aldudes – Cette localité est un grand centre de la chasse à la palombe. Sur une placette très pittoresque l'église présente une belle voûte de bois en berceau et ses galeries caractéristiques.

Urepel – Église basque intéressante avec une voûte de bois à pénétration et une coupole.
La D 158 *(6 km AR)* qui s'amorce à hauteur de l'église d'Urepel mène au Pays Quint.

Pays Quint – Autrefois indivis entre les vallées française et espagnole, ce territoire présente depuis le traité de Bayonne, signé en 1856, la particularité d'être reconnu à l'Espagne mais donné en bail perpétuel aux habitants de la vallée des Aldudes, les Quintoars, qui jouissent – au nombre d'une trentaine de familles – des pâturages en territoire espagnol et ont le statut de ressortissants français à l'étranger.

★ COL D'OSQUICH

Circuit au départ de St-Jean-Pied-de-Port
94 km – environ 4 h

★ **St-Jean-Pied-de-Port** – *Voir à ce nom.*
Quitter St-Jean-Pied-de-Port par ①, D 933.

De St-Jean à la bifurcation de Larceveau, la route filant dans une large dépression suit approximativement le tracé du tronc principal de la route de Compostelle *(carte p. 40).*
Prenant à droite à Larceveau, la D 918 remonte la haute vallée de la Bidouze pour s'élever ensuite vers le col d'Osquich.

★ **Col d'Osquich** – Limite entre la Basse Navarre et le pays de Soule.
Du col géographique (alt. 392 m) au point culminant de la route (alt. 500 m), le **trajet**★ au-dessus de la combe de Pagolle se déroule dans un paysage au relief très doux.
Peu avant Musculdy, prendre à gauche. Forte pente dans la descente sur Pagolle. Prendre la D 302 au Nord, à Uhart-Mixe tourner à gauche dans la D 933, puis à droite.

Harambels – *Voir à St-Palais.*
Revenir à la D 933.

St-Palais – *Voir à ce nom.*
Quitter St-Palais au Sud-Ouest par la D 8.

Iholdy – L'église avec sa grande galerie extérieure en bois et le fronton accolé forment un bel ensemble.
La D 22 pris à Irissarry ramène à St-Jean-Pied-de-Port.

Massif de NÉOUVIELLE★★

Cartes Michelin nos 85 pli 18 ou 234 plis 44, 48 – Schéma p. 246-247

Le massif granitique de Néouvielle attire les promeneurs par sa centaine de lacs et par la pureté de son ciel. Il culmine à 3 192 m au pic Long et montre de nombreux exemples de relief glaciaire.
Les eaux du Néouvielle tributaires de la Neste d'Aure servent depuis 1850 à soutenir le débit des rivières des coteaux de Gascogne *(voir p. 17).* L'exploitation de ce château d'eau s'est poursuivie de nos jours pour la production hydro-électrique.

DE ST-LARY-SOULAN AU COL D'AUBERT
70 km – environ 5 h

Il est conseillé de faire cette excursion au début de l'été, dès que la route (généralement fermée d'octobre à juin) et le sentier du col d'Aubert sont déneigés, pour admirer les cascades et les lacs en hautes eaux.

❄ **St-Lary-Soulan** – *Voir à ce nom.*
La vallée se resserre en gorge. Le village de Tramezaïgues – son château défendait la vallée contre les incursions aragonaises – est posté, en surveillance, à gauche.
De Tramezaïgues prendre la D 19 où alternent des sections non revêtues.
Au-delà de la clairière de Fredançon, croisement impossible sur les 4 derniers kilomètres.

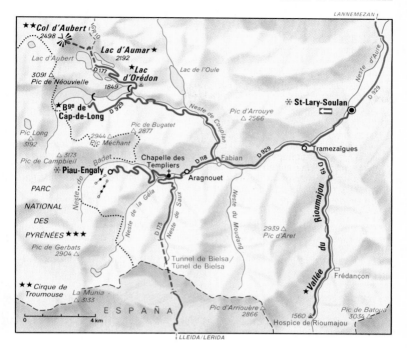

★ Vallée du Rioumajou – Vallée très boisée qu'animent de nombreuses cascades. L'ancien hospice de Rioumajou (alt. 1 560 m) transformé en centre d'hébergement se dresse dans un beau cirque aux pentes gazonnées ou forestières très inclinées.

Revenir à Tramezaïgues et prendre à gauche.

Dans l'enfilade de la vallée de la Neste d'Aure se détache désormais le pic de Campbieil (alt. 3 173 m), l'un des points culminants du massif de Néouvielle, reconnaissable à son arête à 2 pointes soulignée d'un névé.

Peu après Fabian prendre la D 118 à gauche.

La route qui remonte la Neste de la Géla traverse les différents hameaux d'**Aragnouet**. A droite en contrebas apparaît le clocher-mur (12ᵉ s.) de la **chapelle des Templiers** ⊙ ; ce sanctuaire réaménagé abrite deux statues anciennes.

Laisser à gauche la route transpyrénéenne du tunnel de Bielsa.

❋ Piau-Engaly – A 1 850 m d'altitude, la plus haute station des Pyrénées françaises côtoie une nature préservée à deux pas du Parc national des Pyrénées *(voir à ce nom)* et du Parque nacional de Ordesa y Monte Perdido (Espagne). Au pied des pistes, les immeubles modernes en demi-cercle, leurs façades inclinées couvertes de neige, épousent discrètement le relief de la montagne.

Le domaine skiable est l'un des plus beaux des Pyrénées. Il s'étire sur 1 100 m de dénivelée dans un impressionnant cirque glaciaire dont l'ampleur accorde aux skieurs une très grande liberté. Son enneigement et son ensoleillement exceptionnels, ses 37 pistes de ski alpin combinées au très bon rendement de ses remontées mécaniques font de Piau-Engaly un centre de qualité adapté aux skieurs de niveaux moyen à confirmé. La piste du Col s'ouvre, trois jours par semaine, aux amateurs de ski de nuit.

Au mois de janvier, de nombreux artistes participent au « Trophée International de Sculpture sur neige ».

Revenir à Fabian et poursuivre sur la D 929.

Sur l'ancienne route construite par l'E.D.F. pour le chantier de Cap-de-Long s'amorce, à Orédon, la future « route des Lacs » actuellement limitée au lac d'Aubert. En remontant la vallée de la Neste de Couplan, la route escalade un verrou glaciaire par les lacets « des Edelweiss ».

A partir de l'embranchement d'Orédon, la route étroite peut paraître impressionnante.

★ Barrage de Cap-de-Long – L'ouvrage, d'une hauteur maximum de 100 m, a créé une retenue de 67 millions de m³, pièce maîtresse de l'aménagement hydro-électrique de Pragnères. Le lac artificiel (alt. 2 161 m), aux rives inaccessibles, souvent pris par la glace jusqu'en mai, forme fjord au pied des murailles de Néouvielle.

Massif de NÉOUVIELLE

La Route des Lacs donne l'impression de plonger vers le lac d'Orédon, franchit le vieux barrage en terre pour remonter ensuite vers les lacs d'Aumar et d'Aubert.

★ **Lac d'Orédon** – Alt. 1 849 m. Le lac de barrage occupe un bassin aux versants d'éboulis masqués par les sapinières. Il constitue une base de tourisme en montagne (chalet-hôtel). La coupure de la vallée est obturée en amont par le mur du barrage de Cap-de-Long.

Laisser la voiture sur le parking, prendre la navette jusqu'au lac d'Aubert et poursuivre l'excursion à pied en revenant en arrière pour rejoindre le sentier balisé GR 10.

★ **Lac d'Aumar** – Alt. 2 192 m. Paisible lac alimentant le lac d'Aubert, cerné de gazons où poussent quelques pins.
Au bout du lac – on découvre alors le sommet principal du pic de Néouvielle (alt. 3 091 m) avec son petit glacier –, laisser à droite le GR 10 ; monter vers le col d'Aubert par une piste non balisée recoupant la plate-forme de la future route des Lacs, puis s'élevant à travers des éboulis *(le tracé est alors jalonné par des petits amoncellements de pierres)*.
En fin de montée, on retrouve le sentier dont la trace, à flanc de montagne, est très visible.

★★ **Col d'Aubert** – Alt. 2 498 m. Il fait communiquer le bassin des lacs d'Aubert et d'Aumar avec la combe désolée d'Escoubous sur le versant de Barèges. **Vue★★** harmonieuse sur les lacs étagés d'Aumar, d'Aubert et le plan d'eau inférieur des Laquettes, au pied du pic de Néouvielle. Loin au Sud-Est, ensemble glaciaire de la Maladetta.

Lacs d'Aubert et d'Aumar

NÉRAC

7 015 habitants
Cartes Michelin n⁰ˢ 79 pli 14 ou 234 pli 20

Pimpante, Nérac tient son rôle de capitale de l'**Albret**, pays de transition entre les Landes et les coteaux de Gascogne. Après avoir été le siège de la cour lettrée de la reine de Navarre, Marguerite d'Angoulême, qui y conçut *l'Heptaméron* et y donna asile à l'humaniste Lefèvre d'Étaples (1445-1536), précurseur de la Réforme, Nérac devint, avec Pau, la résidence d'Antoine de Bourbon et de Jeanne d'Albret, parents du futur Henri IV. Le Béarnais fait de Nérac une citadelle huguenote et la principale base de ces expéditions tant guerrières qu'amoureuses, dirigées contre les places catholiques, qui constituent ce qu'on a appelé la « guerre des Amoureux ».
La ville ancienne comprend le quartier du château et, sur la rive droite, le Petit Nérac. La ville moderne, bâtie au 19ᵉ s., dont les larges percées s'ordonnent parallèlement aux allées d'Albret, évoque le souvenir du président Fallières qui fut longtemps maire de Nérac avant de résider à l'Élysée, et celui de l'amiral Darlan (Nérac 1881-Alger 1942).

CURIOSITÉS

Pont Neuf (B) – Il enjambe la Baïse (prononcer Béïse) à grande hauteur. Vue en aval sur les quais d'un port, qui fut actif au 19e s. lorsque intervint la canalisation de la rivière, sur le vieux pont et sur d'antiques demeures ; en amont verdoient les frondaisons de la Garenne.

Promenade de la Garenne (B) – Plantée de chênes et d'ormes centenaires, elle s'étire le long de la Baïse, sur 2 km environ. Antoine de Bourbon la créa sur l'emplacement d'une ancienne villa romaine. On rencontre à gauche du chemin une niche abritant une mosaïque romaine, la fontaine de Fleurette, la fontaine des Marguerites érigée en souvenir de Marguerite d'Angoulême, le théâtre de verdure, la fontaine du Dauphin datant de 1602.

Henri IV en Mars,
tableau attribué à Ambroise Dubois
(musée national du château de Pau)

RMN – © SPADEM 1995

Sur l'autre rive, on aperçoit le pavillon des Bains du Roi, sur plan octogonal.

Château (B) ⊙ – De ce gracieux édifice Renaissance terminé sous Jeanne d'Albret, il ne reste qu'une aile sur les quatre qui délimitaient la cour, et une tourelle d'escalier. L'aile rescapée présente au Sud une galerie d'un dessin élégant, en léger encorbellement, aux arcades en anse de panier et graciles colonnes torsadées.

Un **musée** présente des collections gallo-romaines et un émouvant portrait de Marie Bashkirtseff par elle-même. D'origine russe, peintre et écrivain de langue française, Marie Bashkirtseff (1860-1884) révéla par ses écrits une nature tourmentée. Belles salles voûtées au rez-de-chaussée : oratoire de Jeanne d'Albret, salle du Conseil, salle des Gardes. Cette dernière, à voûte plate sur ogives entrecroisées, ornées de belles clefs, possède une curieuse cheminée à triple foyer.

Pont Vieux (B) – Gothique, il est construit en dos d'âne sur des arches en tiers-point et à becs. Vues sur les bâtisses vermoulues du quartier des tanneries en amont, sur le barrage et l'écluse abandonnée en aval.

NÉRAC

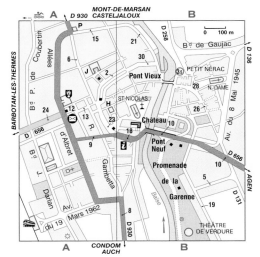

LE PAYS D'ALBRET *circuit de 64 km – compter 2 h 1/2*

Aux confins de la forêt landaise et de la Gascogne, le pays d'Albret est une région agréablement influencée par le climat aquitain. Des vestiges du passé (châteaux, églises, manoirs, moulins et pigeonniers) parsèment le paysage vallonné.

Les produits du terroir y assurent une table de qualité : foies gras et confits, chasselas, prunes, tomates et melons, vins d'Appellation d'Origine Contrôlée « Côtes de Buzet ».

Quitter Nérac au Sud par la route de Condom, D 930.

A 6,5 km, sur la droite, dissimulé par les frondaisons, s'élève le **château de Pomarède** ⊘, maison de maître de type gascon datant des 17ᵉ s. et 18ᵉ s. Le chai, à droite, ainsi que les écuries et la sellerie, à gauche, étaient les bâtiments d'exploitation. Le pigeonnier date de la fin du 17ᵉ s. A l'intérieur du corps de logis, bel escalier de pierre.

Revenir sur la route d'itinéraire et à 1 km, tourner à droite dans la D 149.

Mézin – La localité, qui s'adonne au travail de la vigne et du liège, occupe un site de hauteur surplombant le confluent de la Gélise et de l'Auzoue. La place Armand-Fallières, bordée de couverts sur deux côtés, porte le nom de l'enfant du pays, qui fut président de la République entre 1906 et 1913. Ancienne église d'un prieuré clunisien fondé au 11ᵉ s., l'**église St-Jean-Baptiste**, aux proportions massives, arbore un style composite : abside, absidioles et transept du 12ᵉ s., restaurés au 19ᵉ s., travées gothiques et portail occidental des 13ᵉ s. et 14ᵉ s. A l'intérieur, quelques chapiteaux historiés et le sensible écartement des piliers retiennent l'attention.

Au **musée du Liège et du Bouchon** ⊘, une collection d'outils et de machines rappelle l'époque où Mézin était une des capitales du bouchon en France. Dans le même bâtiment, une exposition est consacrée à Armand Fallières. Une troisième exposition rassemble quelques objets du patrimoine mézinais.

Sortir de Mézin à l'Ouest par la D 656.

Remarquer sur la gauche un pigeonnier « gascon » reposant sur des colonnes.

Poudenas – Le village, sillonné de rues pentues, est dominé par son **château** ⊘, bâti sur les bases d'une forteresse médiévale construite au 13ᵉ s. par les seigneurs de Podenas. Il a subi d'importantes transformations à la fin du 16ᵉ s. et surtout au 17ᵉ s. De cette époque date la façade Sud avec sa belle ordonnance à l'italienne : loggia aux larges baies cintrées et couronnée d'un balcon à balustres. La visite intérieure fait découvrir l'escalier monumental, les salons, la salle des gardes, la salle à manger et les écuries voûtées du 17ᵉ s. Du vieux pont jeté sur la Gélise s'offre un charmant tableau sur la façade du château, le clocher de l'église et au premier plan sur l'Hôtellerie du Roy Henry ornée d'une galerie en bois.

Faire demi-tour en direction de Mézin, où l'on prend à la sortie du bourg la D 656 sur la gauche. Poursuivre tout droit sur la D 408 (vue à droite sur le château de Tasta, du 14ᵉ s.) jusqu'à l'embranchement vers le hameau de Cauderoue, que l'on gagne. Traverser la Gélise, puis prendre à droite vers Barbaste.

La route, longeant la rivière sur sa rive gauche, traverse une belle forêt de pins et longe le lac des Martinets, propice à la baignade.

Barbaste – *Gagner le centre du village puis suivre le balisage « moulin des tours ».*
Le **moulin de Henri IV** (ou le moulin des tours) ainsi nommé parce que le Vert Galant, qui y entretenait une garnison, aimait à s'en intituler « le meunier », dresse, depuis la guerre de Cent Ans, sur la rive droite de la Gélise, ses quatre tours carrées de hauteur inégale : leur constructeur les aurait fait élever proportionnellement à la taille et à l'âge de chacune de ses filles. Le vieux pont roman, à dix arches, que défendait l'ouvrage subsiste.

Prendre la route de Casteljaloux, D 655. A Lausseignan, prendre à droite la route en montée vers Xaintrailles.

Xaintrailles – Le bourg s'étire sur l'échine d'une colline isolée commandant des **vues** immenses, d'un côté sur la vallée de la Garonne et Port-Ste-Marie, de l'autre sur la forêt des Landes. Le château du 12ᵉ s. a été reconstruit au 15ᵉ s. par Jean Poton de Xaintrailles, compagnon de Jeanne d'Arc.

La route dominée par le village de Mongaillard fait découvrir des coteaux plantés de vignobles.

Vianne – Cette ancienne bastide d'origine anglaise fondée en 1284 a conservé, presque intacte, son enceinte fortifiée rectangulaire, avec son plan en damier. Près de la porte Nord, l'église, défendue par un massif clocher carré avec chambre forte, et l'ancien cimetière, planté de cyprès, composent un tableau attachant. Une verrerie d'art et un atelier de créations artisanales animent la petite cité.

Empruntant la D 642, traverser la Baïse et gagner Lavardac.

Lavardac – La petite ville, établie sur la terrasse dominant la Baïse, grossie de la Gélise quelques centaines de mètres en amont, fut, avant l'éphémère canalisation de la rivière, le port d'embarquement des barriques d'Armagnac amenées par chars du Condomois. L'industrie du liège, concurrencée actuellement par le plastique, s'est employée, en partie, à la production des bouchons pour la pêche. La mécanique générale constitue maintenant le secteur de pointe de l'activité économique de la ville.

La D 930 ramène à Nérac.

NOGARO

1 999 habitants (les Nogaroliens)
Cartes Michelin nos 82 pli 2 ou 234 plis 27, 28

Située sur la rive gauche du Midour, au milieu des vignobles et des champs de maïs du Bas-Armagnac, le bourg est une ancienne sauveté *(voir p. 48)*, fondée en 1060 par saint Austinde, l'archevêque d'Auch. Centre religieux actif, la cité reçut entre 1060 et 1315 plusieurs conciles. On doit également à saint Austinde la fondation de la **collégiale**, qui présente encore un aspect fortifié sur le flanc Sud (remarquer à proximité le décor ciselé des arcades murées, vestiges de l'ancien cloître).

Nogaro dispose d'un complexe sportif situé au Nord de la ville, comprenant un aérodrome où se pratique le vol à voile et le circuit Paul-Armagnac où se déroulent d'importantes compétitions automobiles et motocyclistes *(voir le chapitre des Principales manifestations en fin de volume)*. La course landaise est appréciée l'été lors de la fête patronale du 15 août et le 1er dimanche d'octobre.

CIRCUIT EN RIVIÈRE-BASSE

35 km. Quitter Nogaro au Sud par la D 25. Prendre à gauche dans la D 111 puis, par une petite route en forte montée, gagner Sabazan.

Sabazan – Ce village perché possède une église romane remarquablement élancée, au clocher couronné de hourds. Le portail en plein cintre présente une voussure décorée en damiers, motif que l'on retrouve sur la corniche supérieure.

Aignan – A l'orée d'une vaste forêt, Aignan, ancien castelnau, où résidèrent les comtes d'Armagnac, conserve quelques vestiges de son passé médiéval : sa place à couverts supportés par des piliers de bois, des maisons à colombage et une église romane. Celle-ci s'ouvre par un beau portail dont la voussure supérieure est décorée de damiers. Aignan est réputé pour sa production d'Armagnac.

Par la D 48, gagner Termes-d'Armagnac.

Termes-d'Armagnac – Dressé au-dessus du confluent des « rivières » *(p. 18)* de l'Adour et de l'Arros, la forteresse de Thibaud de Termes (1405-1467), compagnon de Jeanne d'Arc et témoin capital lors du procès de réhabilitation de la Pucelle, ne possède plus aujourd'hui que son **donjon** ⊙, avec une partie du corps de logis. Sur la terrasse Sud s'ouvre la porte de l'escalier à vis obscur et raide. En le gravissant, on découvre plusieurs reconstitutions formant le **musée du Panache gascon** : le départ de Thibaud de Termes, l'activité viticole dans les vignobles de Madiran, l'« Espelonquere » ou veillée d'automne, la halte de d'Artagnan et des cadets de Gascogne dans une auberge de Manciet et la figure de Henri de Navarre.

De la plate-forme (à 39 m de hauteur), on jouit d'un beau **panorama**★ sur la vallée de l'Adour : la trouée du fleuve, au Sud, dévoile un large pan des Pyrénées centrales (pic du Midi de Bigorre).

Retour à Nogaro par les D 108 et D 25.

OLORON-STE-MARIE★

11 067 habitants (les Oloronais)
Cartes Michelin nos 85 plis 5, 6 ou 234 pli 38 – Schémas p. 96 et 272

Ville double, dont les deux parties ont été réunies en 1858, Oloron aurait été un poste ibère, puis une citadelle romaine tardive entourée de remparts, sur la colline de l'actuel quartier Ste-Croix. Rendue à la fin du 11e s. à son rôle militaire par une fondation des vicomtes de Béarn, elle sert d'étape sur les chemins de la « Reconquista » contre les Sarrasins en Espagne du Nord. Elle est située au confluent du gave d'Aspe et du gave d'Ossau et tire son nom d'« Illuro », à la fois nom de lieu ibérique et nom de dieu pyrénéen.

Ste-Marie, bourg épiscopal et rural, s'est développé dès le milieu du 11e s. sur la terrasse dominant la rive gauche du gave d'Aspe, où s'était implantée la ville romaine, devenue siège d'un évêché au début du 6e s. avant d'être détruite au cours des incursions vasconnes ou basques, vers la fin du 7e s.

OLORON-STE-MARIE

Oloron et Ste-Marie constituaient autrefois une étape
importante avant le passage
du Somport pour les pèlerins
se rendant à St-Jacques-de-
Compostelle. Pour rappeler
cette tradition, des sculptures
contemporaines ont été disséminées autour des quartiers
historiques. Certaines ont été
réalisées par des artistes de
renom comme Michael War-
ren (**B B**), Carlos Cruz-Dies
(**A F**), Guy de Rougemont (**A L**)
ou Mohand Amara *(voir ci-
contre)*. Cette décoration urbaine insolite s'inscrit dans un
projet global de jalonnement
d'une partie de l'ancien itinéraire de St-Jacques qui doit se
poursuivre dans la vallée
d'Aspe et rejoindre la Galice
via Hecho (Espagne). On peut
actuellement voir d'autres
sculptures à Agnos, Gur-
mençon, Sarrance et au pont
de Sebers.

Oloron-Ste-Marie – Sculpture de Mohand Amara

CURIOSITÉS

Église Ste-Marie (**A**) ⊙ – Cette ancienne cathédrale date des 12ᵉ et 13ᵉ s., sauf
le chœur à cinq chapelles rayonnantes reconstruit au 14ᵉ s. à la suite d'un
incendie.

★★ **Portail** – Le clocher-porche abrite un magnifique portail roman qui, miraculeuse-
ment, est resté presque intact. Cela tient autant à la chance qu'à la dureté du
marbre pyrénéen dont il est fait. Avec les siècles, la pierre a pris le poli de l'ivoire.
Gaston IV, « le Croisé » (1090-1131), vicomte de Béarn, héros de la Première
Croisade et de la Reconquête (de l'Espagne), le fit élever en rentrant de ses
expéditions pour glorifier les prises de Jérusalem et de Saragosse, rendues
possibles par les tours roulantes et les catapultes, dont il avait magistralement
dirigé la manœuvre.

1) Deux atlantes enchaînés (allusion
aux hommes de l'Ancien Testament,
restés dans l'erreur). Le 19ᵉ s. y voyait
des Sarrasins.

2) Descente de croix.

3 et 4) Daniel dans la fosse aux lions (à
gauche) et l'Ascension d'Alexandre (à
droite) – parties refaites au 19ᵉ s.

5) Voussure consacrée au Ciel. Les
24 vieillards de l'Apocalypse, portant
des vases de parfum à très long col,
jouent de la viole ou du rebec – violon
à trois cordes dont usaient les ménes-
trels – et adorent l'Agneau divin portant la Croix. Le Mal est représenté par
la tête d'un dragon. C'est la traduction
littérale, en sculpture, de la vision de
saint Jean, dans l'Apocalypse.

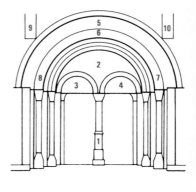

6) Voussure consacrée à la Terre. C'est toute la vie paysanne de l'époque que
l'artiste a représentée : chasse au sanglier, pêche et découpage du saumon – on
pêchait alors à Oloron de 1 000 à 1 500 saumons par jour –, confection d'un
tonneau, fabrication du fromage, préparation du jambon, plumage d'une oie, etc.

7) Statue équestre de Constantin piétinant le Paganisme (thème fréquent sur
les façades des églises poitevines) ; au 19ᵉ s. on y voyait Gaston le Croisé.

8) Monstre dévorant un homme.

9 et 10) Sentinelles gardiennes du Tombeau : aujourd'hui isolées, elles encadraient jusqu'au 19ᵉ s. un haut-relief représentant l'Ascension du Christ.

Intérieur – Dans la première colonne, à gauche en entrant, est incrusté un curieux
bénitier des lépreux, du 12ᵉ s. (chapiteau provenant du cloître). Remarquer à
l'entrée du chœur la lampe du sanctuaire (18ᵉ s.) et un lutrin du 16ᵉ s. sculpté
dans un seul tronc d'arbre.

En outre, retiendront l'attention la chaire datant du 16ᵉ s., le buffet d'orgue de 1650, récemment restauré, un tableau de l'Assomption, attribué à Murillo *(au-dessus de la première grande arcade à gauche près de la tribune d'orgue)*, ainsi que la crèche à santons de bois du 17ᵉ s. dans le bas-côté gauche.

Quartier Ste-Croix (B) – L'ancien quartier du château vicomtal (détruit en 1644) occupe une situation avancée entre les deux gaves.

Église Ste-Croix (B) – Son clocher massif d'allure militaire – un vestige de chemin de ronde subsiste sur sa souche à l'Est – et son dôme lui donnent un aspect rude. Intérieurement l'originalité de cet édifice roman réside surtout dans la coupole de la croisée du transept montée sur des nervures en étoile (13ᵉ s.), dispositif d'origine hispano-mauresque inspiré de la mosquée de Cordoue.

Près de l'église Ste-Croix subsistent deux maisons Renaissance sur « couverts » ; en contrebas, rue Dalmais, se dresse la construction plus noble de la tour de la Grède **(B E)**, à baies géminées (14ᵉ s.) ; tout à côté, la **Maison du Patrimoine (B M¹)** ⊘, installée dans une demeure du 17ᵉ s., rassemble sur trois niveaux des collections d'archéologie, d'ethnographie et de minéralogie relatives à la ville et au Haut-Béarn ainsi que des peintures et des souvenirs du camp d'internement de Gurs.

Le trafic de la grand-route d'Espagne, passant jadis par l'actuelle rue d'Aspe, animait les boutiques et les cabarets de ces rues aujourd'hui plus paisibles.

Promenade Bellevue (B 2) – A l'Ouest de l'église, descendre à la terrasse dominant le gave d'Aspe et le quartier Ste-Marie ; suivre à droite la promenade Bellevue tracée sur les anciens remparts : **vue** d'enfilade sur la vallée d'Aspe et ses montagnes.

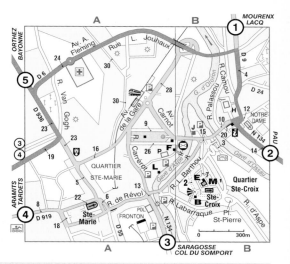

E Tour de la Grède   **B, F, L** Sculptures contemporaines   **M¹** Maison du Patrimoine

EXCURSION

Monein – *20 km. Quitter Oloron par* ①, *route de Mourenx, jusqu'à Monein.* Dominant le bourg, l'**église St-Girons** (15ᵉ s.) ⊘ dresse son imposant clocher-porche haut de 40 m., sous lequel deux portes présentent un riche décor gothique flamboyant. De l'intérieur, on peut admirer l'immense **charpente** de chêne en forme de carène renversée, datant du 15ᵉ s.

ORTHEZ

10 159 habitants
Cartes nᵒˢ 78 pli 8 ou 234 pli 30

Ancienne capitale du Béarn avant Pau, Orthez est une active cité cernée de lotissements clairs. Gaston VII Moncade, vicomte de Béarn, est à l'origine de son développement au 13ᵉ s. Après l'union du comté de Foix et du Béarn, Gaston Fébus y tint une cour brillante dont le chroniqueur Froissart, reçu en 1388 et 1389 au château, a relaté les fastes.

Lors du 600ᵉ anniversaire de la mort de Gaston Fébus, en 1991, des vignes ont été plantées autour de la ville. La première vendange de la vigne de Moncade a eu lieu en octobre 1993 et produit désormais chaque année des vins rouge et blanc commercialisés sous le nom de « Château Fébus » (appellation Béarn-Bellocq contrôlée).

CURIOSITÉS

Orthez conserve le souvenir du poète Francis Jammes. La maison où il habita de 1897 à 1907 est située à la sortie de la ville sur la route de Pau. Un balcon en bois court à l'extérieur de la demeure.

La ville comtale – Au temps de Gaston VII et de Fébus, Orthez ne s'ordonnait pas parallèlement au gave, comme à l'époque moderne, mais suivant la perpendiculaire Vieux Pont – château de Moncade. Aussi l'empreinte du passé subsiste-t-elle dans les rues Bourg-Vieux, de l'Horloge et Moncade, bordées de dignes demeures à portails parfois sculptés.

★ **Pont Vieux** – 13ᵉ s. Défendu par une tour percée d'une porte, il couvrait l'entrée de la ville. Primitivement, une seconde porte fortifiée complétait, au Midi, la défense. La tour remplit encore son office en 1814, lors de la lutte contre Wellington. Du pont, jolie vue sur le gave dont un affleurement de roches calcaires étrangle le lit.

Tour Moncade – Elle subsiste de la grandiose forteresse des 13ᵉ et 14ᵉ s. construite par Gaston VII.

Église – Autrefois reliée aux remparts de la ville, cette église du 13ᵉ s. servit de poste de défense, comme en attestent les fenêtres-meurtrières dans le mur Nord. Le portail, qui a remplacé la tour de défense carrée initiale, est caractéristique du style gothique languedocien du 14ᵉ s. A l'intérieur la double nef unique, sans bas-côtés, est originale. Le chœur, dernier vestige de la construction du 13ᵉ s., est voûté d'ogives (4 belles clés de voûte sculptées).

Maison Jeanne d'Albret – *Angle rue Roarie* – *rue Bourg-Vieux.* Élégante demeure du 16ᵉ s., elle présente une tourelle octogonale mettant en valeur l'entrée principale donnant sur une cour pavée. La toiture, en forte pente, est typique de la région et recouverte de tuiles. Les façades, soigneusement restaurées, laissent apparaître la pierre aux tons chauds.

Monument du Général Foy – *3,5 km au Nord.* Souvenir de la bataille d'Orthez au cours de laquelle Wellington triompha de l'armée Soult et, en particulier, de la résistance du général Foy, « héros citoyen ». Le monument occupe un site agréable : belles fermes béarnaises aux grands toits à plusieurs pentes, vues lointaines vers les Pyrénées.

ZONE INDUSTRIELLE DE LACQ

Entre Orthez et Pau, sur les bords du Gave de Pau, sont regroupés plusieurs usines et complexes industriels liés au développement des gisements de gaz naturel autour de Lacq.

Mourenx – *20 km au Sud-Est d'Orthez par la D 9.*
La cité, sortie de terre entre 1957 et 1960, permet de loger quelque 3 000 techniciens de la zone industrielle de Lacq. Par son ordonnance d'immeubles-tours, cette réalisation d'urbanisme moderne offre un spectacle insolite au milieu des coteaux béarnais.

Belvédère – Du parc de stationnement de la discothèque « le Club », vue sur la zone industrielle : de gauche à droite, l'usine de Lacq S.N.E.A. avec ses torchères et son stockage de soufre, la centrale E.D.F. d'Artix alimentée au gaz, l'usine d'aluminium Pechiney de Noguères dont les fours sont installés sous de longues halles basses.

Gagner la **table d'orientation** installée en contrebas de la discothèque. Le panorama sur les Pyrénées centrales, du pic du Midi de Bigorre au pic d'Anie, offre, plein Sud, une vue sur la vallée d'Aspe.

Le gisement de gaz de Lacq
15 km au Sud-Est d'Orthez

En décembre 1951, au cours d'une campagne de forages menée par la Société Nationale des Pétroles d'Aquitaine, la sonde « Lacq 3 » atteignit, à 3 550 m de profondeur, l'un des plus importants gisements de gaz naturel connus alors dans le monde. Les caractéristiques de ce gaz : grande profondeur (3 500 à 5 000 m), pression très élevée (670 kg par cm² à l'origine de l'exploitation), haute température (140 °C), forte teneur en hydrogène sulfuré (15,2 %) et en gaz carbonique (9,6 %) rendirent très mouvementée l'exploitation à ses débuts. Le gaz brut est extrait d'une trentaine de puits, répartis sur 90 km².

Un complexe industriel s'est implanté autour de l'usine de Lacq : fabrication de méthanol, d'acétylène, d'ammoniaque, d'acide acétique et de matières plastiques.

Le Haut OSSAU★★

Cartes Michelin n°s 85 plis 16, 17 ou 234 plis 43, 47

La vallée d'Ossau se divise en amont des Eaux-Chaudes en trois branches : vallée du gave de Bious, vallée du Soussouéou, vallée du gave de Brousset.

Le pic du Midi d'Ossau – Alt. 2 884 m. Sa cime en forme de croc, identifiable dès l'arrivée à Pau, tranche, par sa hardiesse, avec le style des crêtes pyrénéennes généralement découpées avec plus de finesse que de vigueur. Elle est constituée d'un culot d'andésite, vestige d'une cheminée volcanique dégagée par l'érosion. Le tour du pic au départ de Bious-Artigues, randonnée à la portée du marcheur très entraîné (balisée comme variante du GR 10), pourra être coupé par une nuit au **refuge** ⊙ CAF de Pombie. Sur les contreforts Est prospère un peuplement d'un millier d'isards.

★ 1 DE GABAS A BIOUS-ARTIGUES *4,5 km, puis 3/4 h à pied*

Gabas – Village de montagne, au creux du bassin de réception des torrents descendus du pic du Midi d'Ossau, où se prépare du fromage de brebis à pâte pressée. La chapelle, du 12ᵉ s., aux voûtes portées par de gros piliers demi-cylindriques et par d'épais doubleaux croisés, a fait l'objet d'une décoration moderne.

La route, en forte montée, aboutit au barrage qui a noyé l'« artigue » de Bious.

★ **Lac de Bious-Artigues** – A proximité du barrage (rive gauche), les **vues**★ se dégagent sur le pic du Midi d'Ossau dont les parois passent au coucher du soleil par toutes les nuances des rouges et des violacés et sur le pic d'Ayous.

★★ **Lacs d'Ayous** – *Montée : 2 h 1/2, descente : 1 h 1/2 (dénivellation : 560 m). Suivre les pancartes du Parc national et le balisage rouge-blanc du GR 10.* Du refuge, **vue**★★★ grandiose sur le pic du Midi se reflétant dans le lac du Miey.

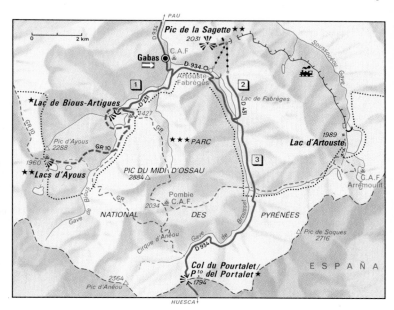

★ 2 EXCURSION AU LAC D'ARTOUSTE *compter 4 h*

Cette excursion combine la télécabine de la Sagette, partant de la rive droite du lac de Fabrèges, et le chemin de fer du lac d'Artouste.

Montée en télécabine à la Sagette ⊙ – De la station supérieure (alt. 1 950 m), la **vue**★★, plongeant sur l'ancienne vallée glaciaire du gave de Brousset, noyée en partie par la retenue de Fabrèges, ne se détache guère de la silhouette du pic du Midi d'Ossau. Monter jusqu'à la table d'orientation du **pic de la Sagette**★★ *(1 h à pied AR)*.

De la Sagette au lac d'Artouste – Le petit train ⊙ serpente à flanc de montagne, sur un **parcours**★★ de 10 km, à 2 000 m d'altitude. Il offre des vues plongeantes sur la vallée du Soussouéou, 500 m en contrebas. Du terminus *(arrêt limité à 1 h 30)*, un sentier *(1/2 h AR)* mène au **lac d'Artouste**. Un barrage a rehaussé le plan d'eau du lac qui baigne les pentes granitiques d'un cirque dont les sommets approchent les 3 000 m.

Lacs d'Ayous

En hiver, la télécabine dessert directement les pistes de la petite station d'**Artouste**, où règne une ambiance familiale et décontractée.

Domaine skiable d'Artouste – Aux portes du Parc national des Pyrénées, il recouvre un site grandiose, sur les deux versants du pic de la Sagette, à 1 400-2 100 m d'altitude. Les 14 pistes de ski alpin, très variées, dévalent principalement le versant Est, au-dessus du gave de Soussouéou. Les skieurs de niveau moyen peuvent découvrir la totalité du domaine sur la piste du Grand Coq, tandis que les skieurs confirmés mettent à l'épreuve leur endurance et leur agilité sur les pistes techniques du Soussouéou et des Isards. La station s'est récemment équipée d'un « snow parc » pour les surfeurs.

Le forfait séjour est valable sur les stations de Gourette et de la Pierre-St-Martin ; le forfait saison s'étend à trois stations espagnoles.

Du pont de Camps part une piste de ski de fond de niveau débutant, qui longe le gave de Brousset et le lac de Fabrèges.

③ DE GABAS AU COL DU POURTALET *15 km*

La route longe les centrales de Fabrèges et d'Artouste, puis s'élève pour arriver au niveau de la retenue de Fabrèges. En avant se dégagent les flancs du pic de Soques montrant une structure géologique tourmentée. La route escalade un verrou et débouche dans le cirque d'Anéou.

★ **Col du Pourtalet** – Alt. 1 794 m. *Le col du Pourtalet reste généralement obstrué par la neige de novembre à juin.* **Vue★** sur l'immense cirque pastoral d'Anéou, tout pointillé de moutons en été, et sur le pic du Midi d'Ossau.

PAU ★★

Agglomération 144 674 habitants (les Palois)
Cartes Michelin n⁰ˢ 85 plis 6, 7 ou 234 pli 35 – Schémas p. 97

Pau, patrie de Henri IV, ville la mieux située et la plus élégante de la bordure pyrénéenne, n'est plus la villégiature d'hiver si prisée des Anglo-Saxons au siècle dernier pour son air sédatif, mais les Palois apprécient toujours la grande stabilité de son climat « mol et qui cicatrise ».

Étape tout indiquée d'un voyage aux Pyrénées, pour les souvenirs du bon roi Henri et de la famille d'Albret, pour son panorama sur la chaîne, Pau propose un programme de choix dans le domaine des courses hippiques et des sports introduits au 19ᵉ s. par la colonie britannique. Au nombre des manifestations comptent le **Grand Prix de Pau**, se déroulant dans les rues mêmes de la ville sur 2,76 km et soumettant pilotes et mécaniques à de rudes efforts, ainsi que le **Festival de Pau**, proposant chaque été des représentations de qualité *(voir le chapitre des Principales manifestations)*.

La découverte du gaz de Lacq *(p. 234)* avait déjà entraîné, dans les années 1950, une véritable restructuration urbaine, qui se poursuit encore de nos jours avec l'implantation du **Centre Bosquet**, nouveau cœur de la ville, créé de part et d'autre de la rue Jean-Monnet et rassemblant, outre des logements et des bureaux, de nombreux commerces et une médiathèque. Au Nord de la ville se dresse le **Palais des Sports**, d'architecture futuriste (7 500 places), où se déroulent des manifestations sportives de haut niveau ; à côté, le **Zénith** est destiné à recevoir des manifestations culturelles majeures. Dotée depuis 1970 de l'**Université de Pau et des Pays de l'Adour** dont les facultés se répartissent entre Pau et Bayonne, Pau possède des centres de recherches et un parc d'activités « Pau-Pyrénées » (entre le boulevard Cami-Salié et le boulevard de la Paix), promu à une nouvelle phase d'extension.

D'autres réalisations viendront conforter la ville en tant que métropole régionale à vocation européenne : le futur Palais des Congrès qui sera intégré au casino, et la prochaine liaison avec Saragosse par le tunnel du Somport.

Comme centre militaire d'instruction parachutiste, Pau rassemble une importante garnison.

UN PEU D'HISTOIRE

La quatrième capitale du Béarn – A l'origine, Pau est un poste fortifié défendu par une palissade (« pau » en langue d'Oc), commandant d'abord un gué, puis un pont. Gaston Fébus dote Pau d'une enceinte et jette les bases du château actuel. Il y séjourne souvent. Ses successeurs continuent son œuvre et, en 1450, Pau devient capitale du Béarn, après Lescar, Morlaàs et Orthez. Modeste capitale à vrai dire : les jours où se tiennent les États, une partie des députés ne peut trouver de logis et doit coucher à la belle étoile.

En 1527, Henri d'Albret, roi de Navarre, seigneur souverain du Béarn, comte de Foix et de Bigorre, épouse Marguerite d'Angoulême, sœur du roi François Iᵉʳ. La « Marguerite des Marguerites » transforme le château dans le goût de la Renaissance, crée de somptueux jardins où sont jouées des pastorales de sa composition.

Naissance d'Henri IV – **Jeanne d'Albret**, fille de Marguerite, mariée à Antoine de Bourbon (descendant d'un des fils de Saint Louis, ce qui mettra leur fils, le futur Henri IV, en mesure de recueillir l'héritage des Valois quand cette branche s'éteindra avec Henri III), n'a rien d'une femmelette. Bien que portant le futur Henri IV, elle accompagne son mari qui se bat en Picardie contre Charles Quint.

Quand le terme approche, elle revient à Pau pour que l'enfant y naisse. Dix-neuf jours de carrosse, et sur quels chemins ! Arrivée le 3 décembre 1553, elle accouche le 13.

Comme le lui a recommandé Henri d'Albret, elle chante en béarnais pendant les douleurs afin que l'enfant ne soit « ni pleureux, ni rechigné ». Selon la tradition, dès que Henri est né, le grand-père d'Albret lui frotte les lèvres avec une gousse d'ail et les mouille d'un peu de vin de Jurançon. Avant de placer l'enfant dans l'écaille de tortue qui lui servira de berceau, il le montre à la foule, s'écriant : « Voici le lion enfanté par la brebis de Navarre », répondant ainsi au trait insolent qui avait accueilli autrefois la naissance de Jeanne : « Miracle ! la vache (motif héraldique du Béarn) a enfanté une brebis. »

Austérité, galanterie, paperasserie – Henri de Navarre passe sa « jeunesse paysanne » (*lire à : le Béarn : Lou nouste Henric*) au château de Coarraze près de Pau, puis est envoyé étudier à Paris.

C'est sa mère Jeanne d'Albret convertie au protestantisme qui, pendant ce temps, maintient les Palois sous une férule austère. Finie l'aimable fantaisie du règne précédent.

Plus de fêtes brillantes, plus d'arbres de mai, plus de danses ni de jeux. Les églises sont transformées en temples, les sculptures brisées, les prêtres emprisonnés ou pendus, les catholiques traqués. Après la mort de Jeanne d'Albret, c'est la sœur d'Henri, Catherine, qui devient régente du Béarn, pendant que son frère fait campagne. Elle poursuit l'aménagement du château et en embellit les jardins. Le Béarnais ne revient qu'en 1579.

237

Alors, pendant huit ans, c'est **Corisande**, comtesse de Guiche, qui règne sur le cœur et l'esprit du roi de Navarre, mari désabusé de Marguerite de Valois, la « reine Margot ». Il trouve près de Corisande, avec la tendresse, des conseils précieux et une aide sans limite. Elle engage ses domaines, ses bijoux, pour payer les troupes du prétendant. L'amitié survit à l'amour et, jusqu'à sa mort, Henri entretiendra avec la comtesse une confiante correspondance.

La déclaration de 1589, par laquelle Henri IV se proclame « roi de France et de Navarre », laissait prévoir, à plus ou moins brève échéance, la réunion du Béarn à la France. En 1620, les 19 et 20 octobre, Louis XIII fait son entrée à Pau et rétablit solennellement le culte catholique dans sa ville. Le Parlement de Navarre est créé. La basoche (les gens de loi) tient désormais le haut du pavé et vaut à Pau d'être appelée « la ville des gratte-papier ». De nombreux couvents s'édifient pour combattre la religion réformée dont les racines sont encore vivaces. Une université vient s'y ajouter, mais, à la veille de la Révolution, Pau est toujours une petite ville.

Une découverte anglaise – Dès la Monarchie de Juillet, Pau compte des résidents anglais, dont certains anciens officiers attachés au pays pour y avoir combattu en 1814. Ce n'est toutefois qu'en 1842 qu'un médecin écossais, le docteur Alexander Taylor (1802-1879), préconise la cure hivernale à Pau, par un ouvrage rapidement traduit dans la plupart des langues européennes. Le succès en est éclatant auprès des malades.

La colonie donne une impulsion décisive au sport : steeple-chase (1841) – le parcours de Pont-Long est l'un des plus redoutables d'Europe avec Liverpool –, golf (1856, premier terrain du continent) –, chasse au renard (1842), encore pratiquée aujourd'hui. Cependant lorsque la reine Victoria choisit Biarritz, en 1889, pour un séjour d'un mois, le déclin de Pau, villégiature internationale d'hiver, est amorcé.

ANIMATIONS ET LOISIRS A PAU

Où sortir à Pau ?

Se restaurer, prendre un verre – Le quartier du château offre le charme de ses rues pittoresques bordées de terrasses, de bars et de restaurants où l'on peut savourer les spécialités régionales (confits, poule au pot, foie gras de canard frais aux pommes). Le secteur de la place Georges-Clemenceau regroupe de nombreux cinémas, bars ou brasseries élégantes (la « Coupole », la « Taverne de Maître Kanter »).

La rue du Hédas est animée par ses bodegas (la « Cucaracha », la « Cantina »). Dans le quartier du boulevard des Pyrénées, très animé de jour comme de nuit, le « Black Bear », décoré de toutes sortes d'accessoires sportifs, est le rendez-vous de tous les « accros » du rugby et autres sports populaires.

Se détendre – Le casino, dans le parc Beaumont, est le lieu incontournable des joueurs (machines à sous, black jack, roulette, etc.), mais on peut également apprécier la chaleureuse ambiance et le décor années folles du piano-bar le « Beaumont » ou aller danser au night-club le « Royal ». Les concerts sont nombreux, en particulier en saison, au Zénith (6 500 places).

Les loisirs en journée

Pour les sportifs – Pau est parfaitement équipée en complexes sportifs de tous genres (piscines, tennis, gymnase et stades). Il existe également deux **golfs** : le Pau Golf Club (☎ 05 59 32 02 33), aménagé par les Anglais au siècle dernier dans un cadre très victorien, présente un parcours de golf, un salon de bridge et un restaurant ; le Golf de Pau Artiguelouve (☎ 05 59 83 09 29) possède un parcours de 18 trous, 3 tennis, 2 squash, une piscine et un restaurant donnant sur le parcours.

Lèche-vitrines – Le centre ville de Pau offre une agréable promenade à travers ses rues piétonnes, où nombre de petits commerces sont venus s'installer. Le Centre Bosquet, à quelques pas de là, abrite un grand centre commercial.

★★ BOULEVARD DES PYRÉNÉES (BCZ)

C'est sur l'initiative de Napoléon Ier que la place Royale, où trône la statue du bon roi Henri IV, fut prolongée en véritable terrasse au-dessus de la vallée : le boulevard des Pyrénées était né. Des somptueux hôtels qui le bordaient autrefois subsiste l'**hôtel Gassion**, aujourd'hui transformé en appartements.

A l'extrémité du boulevard, le petit **parc Beaumont** (CZ), riche en arbres de toutes essences et agrémenté d'un lac, entoure le casino municipal.

Le boulevard domine des jardins en terrasses et un funiculaire, qui, au niveau de la place Royale, le relie à la gare, mais surtout il offre sur la chaîne des Pyrénées une vue que maints écrivains ont décrite avec lyrisme.

Boulevard des Pyrénées

★★★ **Le panorama** – Au-delà des coteaux de Gelos et de Jurançon, il s'étend du pic du Midi de Bigorre au pic d'Anie. Le pic du Midi d'Ossau se détache parfaitement. Par temps clair, surtout le matin et le soir et notamment en période hivernale, le spectacle est d'une grande beauté. Les plaques apposées sur la balustrade désignent les sommets en vis-à-vis avec leurs altitudes respectives.

★★ LE CHÂTEAU ⊙

Dominant le gave, le château, élevé par Gaston Fébus au 14e s., a perdu tout caractère militaire, malgré son donjon carré de brique caractéristique des constructions de Sicard de Lordat *(voir p. 48)*. Transformé en palais Renaissance par Marguerite d'Angoulême (façades sur cour, grand escalier), il fut entièrement restauré au 19e s. sous Louis-Philippe et Napoléon III. De cette époque datent l'aménagement de la chapelle dans l'avant-corps du donjon, le portique d'honneur, la tour « Louis-Philippe », le décor néo-gothique des façades extérieures et surtout les importantes rénovations réalisées à l'intérieur dont le mobilier et le décor composent un ensemble Louis-Philippe complet, unique par sa cohérence.

1er étage – Des expositions temporaires y sont organisées périodiquement.

Appartements – Ils présentent une suite de salles richement décorées au 19e s. et abritent, en particulier, une admirable collection de **tapisseries**★★★ prélevées sous Louis-Philippe parmi les plus belles du garde-meuble royal (nombreuses tapisseries des Gobelins). L'élégante cuisine du 16e s. ouvre la visite ; une maquette du château, datant du 19e s., y est exposée.
La salle aux cent couverts, dont la table peut accueillir cent convives, révèle un plafond à solives apparentes. Les murs sont tendus de somptueuses tapisseries représentant *Les Chasses de Maximilien* (Gobelins du début du 18e s.) et une partie des *Mois Lucas*, du nom de leur créateur (17e s.) ; statue d'Henri IV par Pierre de Francqueville, exécutée du vivant du roi. Parmi les autres pièces, remarquer au premier étage le fastueux grand salon de réception ; suite des *Mois Lucas* ; vases de Sèvres ; lustres néo-gothiques ; vases de style japonais (18e s.). La chambre des souverains conserve son curieux lit monumental de style Louis XIII et des chaises de type anglo-hollandais du 17e s, ainsi qu'un cabinet espagnol (début du 17e s.). L'appartement de l'Impératrice a été restitué dans son état du Second Empire ; la toilette garnie se trouve dans le boudoir. Les salles historiques renferment des portraits d'Henri IV (16e-17e s.) et des scènes relatant sa légende.
Au 2e étage, on peut voir l'écaille de tortue des Galapagos qui aurait servi de berceau à Henri IV. Dans les appartements dits d'Abd el-Kader (du nom de l'émir arabe, qui fut détenu au château), *Histoire de Psyché* par l'atelier de Raphaël de La Planche (tapisseries du milieu du 17e s.).

Musée béarnais ⊙ – *3e étage, aile Sud*. Il donne un aperçu des arts et traditions populaires du Béarn. D'importantes pièces de mobilier y sont présentées : table-panetière en chêne (17e-18e s.), armoire en noyer (1768) de l'école de Morlaàs (motifs sculptés sur le bas et le haut des portes), coffre en noyer de style gothique lancéolé.

Activités locales, artisanat et loisirs trouvent leur place : fabrication du béret béarnais, de la semelle d'espadrille, du fromage, de la herrade (récipient à eau fait à partir d'un tronc d'arbre évidé), jeu de quilles de neuf (jeu à effet constitué de boules en noyer de 6,5 kg et de quilles en hêtre de 3 kg), costumes de fêtes et de deuil... Faune béarnaise : ours, vautours, coqs de bruyère, papillons. Habitat rural : la maison béarnaise. Évocation de Béarnais illustres : le général Bernadotte, le maréchal Bosquet, le général Bourbaki, Louis Barthou, Francis Jammes, Simin Palay, écrivain en langue du pays.

Les jardins en terrasses entourant le château communiquent par des passerelles avec les massifs ombragés du **parc National**.

Quartiers anciens – A l'Est du château s'étend un lacis de rues pittoresques, bordées de magasins d'antiquaires et de restaurants, où il fait bon flâner. Face au château, la maison dite de Sully, du 17e s., et, à côté, le bâtiment, rénové au 18e s., de l'ancien Parlement de Navarre qui abrite aujourd'hui le Conseil Général des Pyrénées-Atlantiques. La tour accolée est l'ancien clocher de l'église St-Martin, érigée au 15e s. La place Reine-Marguerite, bordée d'arcades, est l'ancienne place du Marché, où l'on dressait le gibet et la roue pour les exécutions capitales.

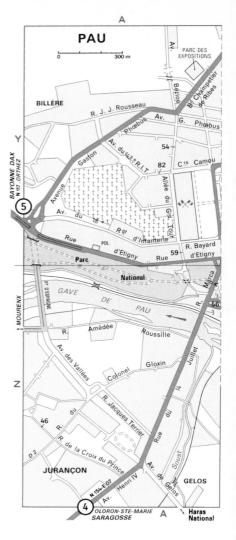

★ **Musée des Beaux-Arts**

(CY) – Écoles italienne, flamande, hollandaise, espagnole, française, anglaise, du 15e au 20e s. A admirer particulièrement, les œuvres de Jordaens, Rubens, José de Ribera, et le *St-François en extase* du Greco, expression fébrile de la ferveur mystique en même temps que synthèse des procédés stylistiques du baroque. Deux beaux portraits de femmes, dont les regards se toisent inopinément, évocateurs d'une imaginaire rivalité, dominent le 18e s. français : *Madame de Barral en Diane*, par Nicolas de Largillière, et *Madame Henriette en vestale*, attribué à Nattier.

L'achat par les Beaux-Arts de Pau, en 1878, du **Bureau du coton à La Nouvelle-Orléans**, œuvre de Degas, marqua l'entrée des impressionnistes au musée. Par des effets de cadrage et l'éparpillement des costumes sombres sur le coton immaculé, le peintre restitue pleinement l'atmosphère de ruche régnant dans cette salle. La période moderne est également servie par des tableaux de Berthe Morisot, Armand Guillaumin ou André Lhote ; dans le *14 juillet en Avignon* et les *Deux Amies*, on retrouve la même jeune femme brune que ce dernier avait rencontrée lors d'une fête en Avignon.

Bénéficiant d'importants dépôts du Fonds National d'Art Contemporain, le musée effectue une présentation consistante des diverses tendances de l'art contemporain. La sculpture mérite une mention particulière, avec des créations de J. Arp, Gilioli, J. et B. Lasserre, etc.

La note régionale est donnée par l'œuvre, romantique, d'Eugène Devéria (1805-Pau 1865) – scènes et paysages pyrénéens, *Naissance d'Henri IV* – et des toiles de son élève Victor Galos (Pau 1828-1879), peintre par excellence du Béarn, de ses gaves tumultueux et de ses horizons barrés par la « sublime enceinte ».

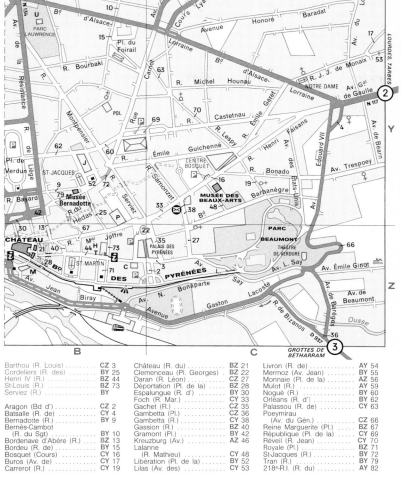

Musée Bernadotte (BY) ⊙ – Il est installé dans la maison natale du maréchal de France devenu en 1818 roi de Suède en titre sous le nom de Charles XIV. La famille de Bernadotte était locataire au 2e étage de cette bâtisse traditionnelle en pisé de galets.

On visite le logement natal (vieille cuisine béarnaise) et les salons du 1er étage consacrés aux fastes dynastiques.

LA VILLE ANGLAISE

Attirés par la douceur du climat, les Anglais s'installent à Pau dès 1840 et font construire de somptueuses villas sur le pourtour du centre ville. Le style architectural adopté est le plus souvent éclectique, comme nombre de constructions publiques ou privées au 19e s. Chaque villa possède son parc et ses dépendances : les serres et surtout les écuries sont deux éléments essentiels à la vie britannique. Aujourd'hui encore, on peut découvrir ces villas, la plupart du temps privées, en parcourant le quartier du parc Lawrence, au Nord du centre ville, et le quartier Trespoey, à l'Est.

Quartier du parc Lawrence – De la place de la République, on rejoint la rue Montpensier qui, avec les rues perpendiculaires Raymond-Planté, O'Quin et Bargoin, reflète encore l'art de vivre britannique. Au bout de la rue Montpensier, le parc Lawrence était autrefois une propriété privée anglaise ; au cœur de ce parc à l'anglaise devenu public, la villa Lawrence, de style flamand avec ses pignons chantournés, peut se visiter. Rue Jean-Mermoz, la villa Rigdway, de style néo-classique, est dotée d'un beau portique couvert en terrasse. Prendre à gauche l'avenue Fouchet où se trouve la villa Beverly (aujourd'hui Institut St-Dominique), de style anglo-normand. D'autres villas anglaises sont visibles avenue de Montardon et boulevard Cami-Salié.

Quartier Trespoey – C'était le quartier préféré des Anglais. On y trouve les villas les plus fastes, dans des parcs immenses. Les villas Tibur, Ste-Hélène et les Allées se trouvent dans les allées de Morlaàs, bordées de jardins. L'élégante avenue Trespoey abrite, derrière de grandes haies et d'imposants portails, les villas Navarre, Regina, La Pausa, le Bosquet et St Basil's. Ces villas sont exposées au Sud, face aux Pyrénées dont elles jouissent de la vue à travers de larges baies vitrées ou des bow-windows. La villa St Basil's peut se visiter, occasion de découvrir son escalier monumental richement sculpté. Dans la rue du Castet-de-l'Array, la villa du même nom s'apparente à l'architecture balnéaire italienne avec ses loggias, son campanile et son porche soutenu par des cariatides.

ENVIRONS

Haras national de Gelos ⊙ – *1, rue Maréchal-Leclerc. Sortir de Pau au Sud par la route d'Oloron puis celle de Nay.*
Installé dans un ancien château du 18ᵉ s., le haras de Gelos fut créé par Napoléon en 1807. Centre de reproduction et d'élevage hippiques, on peut y voir des pur-sang arabes et anglo-arabes, des chevaux de trait bretons, ardennais et franc-comtois, des pottoks, des poneys landais.

« La Cité des Abeilles » ⊙ – *11 km. Quitter Pau à l'Ouest par la route de Mourenx. A Laroin, prendre la D 502, en lacet, vers St-Faust-de-Bas et poursuivre sur 2 km.* Consacré à l'abeille et à son environnement, ce site didactique, en constante évolution, propose un parcours pédestre tracé à flanc de pente et au milieu de plantes mellifères. On découvre ainsi le monde apicole d'hier et d'aujourd'hui : ruches anciennes typiques de certaines régions de France, rucher couvert provenant d'un monastère de Corrèze et notamment ruche vivante d'observation permettant, à travers des parois vitrées, une approche quasi directe du travail des ouvrières sur leurs rayons.

PENNE-D'AGENAIS★

2 394 habitants
Cartes Michelin nᵒˢ 79 Sud-Ouest du pli 6 ou 235 pli 13

Cette ancienne place forte, quelque temps fief des rois d'Angleterre, puis victime des guerres de Religion, n'offrait guère que des ruines au milieu de ce siècle. Largement restaurée, elle présente aujourd'hui un attrait incontestable et bénéficie d'une grande animation en saison avec ses nombreux artisans et visiteurs.

LA VILLE HAUTE *visite : 1 h*

Place Gambetta – Terrasse ombragée, elle offre un bon point de départ pour faire le tour de Penne. La « porte de la ville » s'ouvre sous deux belles maisons du 16ᵉ s., dont l'une a longtemps servi de prison consulaire.
Franchir la porte et emprunter, tout de suite à droite, le passage couvert devant l'Office de tourisme. Place Aliénor-d'Aquitaine, prendre la rue du 4-Juillet, puis, à gauche, la rue Notre-Dame.

N.-D. de Peyragude – Ce sanctuaire moderne, de style roman-byzantin, se dresse au sommet d'une colline d'où l'on a une vue étendue sur la vallée du Lot. De mai à juin, d'importants pèlerinages à la Vierge se déroulent dans ce lieu.
Contourner l'église et longer les quelques pans de murs qui constituent les restes du château fort.

★ **Point de vue** – De la table d'orientation, on domine la vallée du Lot, de Villeneuve à Fumel ; la vue porte au loin sur le Haut-Quercy.
Emprunter la rue de Peyragude.
Cette rue, livrant de belles échappées à droite, mène à la porte de Ferracap.

Porte de Ferracap – Son voisinage du gibet lui vaut son nom (fer au cap, ce dernier mot devant être pris au sens de tête).

Rue de Ferracap – Cette rue ainsi que les ruelles adjacentes sont bordées de fort belles maisons (certaines à colombage et en encorbellement) rénovées.

Place Paul-Froment – Une remarquable maison de brique précédée d'un porche à arcs brisés abrite un café et des salles d'exposition.
Prendre la rue entre l'église et la mairie.

Porte et fontaine de Ricard – L'ancienne porte fortifiée et la fontaine en contrebas tirent leur nom de Richard Cœur de Lion (« Ricard » en langue d'Oc) qui apporta à la cité ses premières fortifications.
Revenir à la place Gambetta à droite.

PEYREHORADE

3 056 habitants
Cartes Michelin nᵒˢ 78 Sud des plis 17, 7 ou 234 pli 30

Peyrehorade, chef-lieu du Pays d'Orthe – excroissance méridionale du département des Landes particulièrement intéressante du point de vue archéologique *(voir à Sorde-l'Abbaye)* –, marque le début de la navigation fluviale sur les Gaves « Réunis » (de Pau et d'Oloron), prêts à se jeter dans l'Adour. Les yachts tendent à remplacer le long de ses quais les gabares de jadis. Il faut voir la ville le mercredi, lorsque le marché envahit la longue place centrale.
Au bord du gave, le château à quatre tourelles d'angle abrite la mairie.

RIVES DES GAVES RÉUNIS ET DE L'ADOUR

58 km – compter 1/2 journée. Quitter Peyrehorade par le pont sur le gave et la D 19. Aussitôt avant la montée, tourner à droite.

Abbaye d'Arthous ⊘ – Convertie en bâtiments d'exploitation agricole au 19ᵉ s., l'abbaye, fondée dans la seconde moitié du 12ᵉ s., servit de halte aux pèlerins de Compostelle. Les bâtiments abbatiaux ont été reconstruits, non sans charme, aux 16ᵉ et 17ᵉ s. dans le style traditionnel des maisons landaises à colombage.
L'église est surtout remarquable pour son **chevet**, entièrement restauré. Détailler le décor de l'abside et des deux absidioles dont la corniche à frise de billettes est soutenue par des modillons : personnages souvent jumelés, décor géométrique « en copeaux » (évoquant une flûte de Pan), entrelacs, etc. Les modillons de l'absidiole Sud figurent les sept péchés capitaux. Le chœur garde quelques chapiteaux à entrelacs. A la croisée du transept, le pilier Sud-Ouest est surmonté d'un chapiteau sculpté représentant un centaure à corps d'éléphant (fin 12ᵉ s.). Sous la galerie à colombage des bâtiments conventuels sont exposées deux belles mosaïques du 4ᵉ s. provenant d'une villa gallo-romaine située à Sarbazan.
Installé dans les bâtiments abbatiaux au Nord, un **musée** présente le résultat des fouilles archéologiques effectuées dans la région (outils en os de l'époque magdalénienne).

Faire demi-tour ; poursuivre le long de la D 19 qui traverse la vallée de la Bidouze au pied des ruines du château de Gramont.

Bidache – *Voir à ce nom.*

Prendre la D 936 en direction de Bayonne.

La route s'élève dans le paysage très ouvert des premières collines basques. En vue de Bardos, faire halte sur un terre-plein, à gauche : **vue★★** sur les Pyrénées basques jusqu'au pic d'Anie, premier sommet (alt. 2 504 m) de la haute chaîne.

Après Bardos, continuer sur la D 936 jusqu'à Séquillon. Tourner à droite sur la D 123 puis, après 3 km environ, prendre à gauche vers Urcuit.

Urcuit – Affirmant déjà un fort caractère basque comme sa voisine Urt, cette petite ville possède une belle **église** basque à galerie extérieure. Des stèles discoïdales sont disposées dans le cimetière attenant.

Rejoindre Urt par la D 257 puis prendre la D 261.

Longeant de près l'Adour, la D 261 passe à côté de vergers de kiwis, caractéristiques par leur culture en treille.

Après 6 km sur la D 261, prendre à droite vers Guiche.

Guiche – On remarque, au-dessus de l'entrée du cimetière, une amusante construction sur piles dite maison du Fauconnier (ancienne mairie). Plus bas à Guiche-Bourgade se dressent les ruines du château avec son donjon carré.

Descendre à l'ancien port sur la Bidouze et, par la D 253, gagner l'aire d'Hastingues.

Aire d'Hastingues – *Située sur l'autoroute A 64 dans le sens Pau-Bayonne. Des accès sont ménagés pour atteindre l'aire en provenance de Bayonne et des localités voisines.*
Sa configuration géométrique, où s'intègre la station-service, symbolise le point de jonction à proximité (Puente-la-Reina en Espagne) des itinéraires français menant au sanctuaire de St-Jacques-de-Compostelle. Jalonnés par des pictogrammes évoquant des sites connus, des chemins bordés de buis convergent vers un bâtiment circulaire consacré à l'histoire du célèbre pèlerinage. Là, des structures informatives (panneaux, moulages d'œuvres d'art, dioramas, bornes interactives) instruisent sur le personnage de l'apôtre saint Jacques et sur la vie quotidienne des pèlerins affrontés à toutes sortes d'épreuves au cours de leur périple. L'espace « La fin des terres », avec la présentation de l'arbre de Jessé décorant le trumeau du portique de la Gloire à St-Jacques, évoque le terme du pèlerinage.

Prendre à droite la D 23 qui longe la rivière.

Hastingues – La minuscule bastide tire son nom du sénéchal du roi d'Angleterre, John Hastings, qui la fonda en 1289 sur ordre d'Édouard Ier Planta-genêt, duc d'Aquitaine, en paréage *(voir p. 49)* avec l'abbé d'Arthous.

La ville haute, installée sur un promontoire dominant les barthes (prairies basses) d'Arthous, n'a gardé qu'une porte fortifiée, isolée au Sud-Ouest ainsi que plusieurs maisons des 15e et 16e s. Faire halte sur la charmante place de l'église, ombragée par les cyprès de l'ancien cimetière.

Retour à Peyrehorade par la D 23.

Cartes et guides Michelin dans votre voiture : bon voyage !

Pic de PIBESTE★★★

Cartes Michelin nos 85 pli 17 ou 234 pli 39 – Schéma p. 106

Bien que de modeste altitude (1 349 m), le pic de Pibeste constitue l'un des meilleurs belvédères sur les Pyrénées centrales.

Accès – *4 h 30 de marche à pied AR (dont 2 h 20 de montée) au départ d'Ouzous, situé sur la D 202, à l'Ouest de la N 21 reliant Lourdes et Argelès (petit parking à proximité de l'église d'Ouzous). Se munir de bonnes chaussures, de vêtements chauds et prévoir du ravitaillement.*

Le sentier, balisé en traits jaunes, s'élève doucement jusqu'au panorama d'Ouzous (alt. 962 m) à proximité duquel se trouve un arboretum en gestation comprenant neuf essences de pin. La section suivante en lacet, plus rude, mène au col des Portes (alt. 1 229 m). Le sentier se divise ensuite en deux branches qui se réunissent un peu plus loin pour aboutir au Pibeste après un passage à travers un bois de hêtres. A la gare supérieure de l'ancien téléphérique, gravir les escaliers et gagner le relais de télévision.

Du sommet, magnifique **panorama** au Sud sur les pics de Montaigu et du Midi de Bigorre, les sommets de plus de 3 000 m (mont Perdu, Vignemale, Balaïtous), les vallées du gave de Pau et de Cauterets, la chaîne-frontière et les hauteurs dominant la route du col de l'Aubisque ; au Nord sur Lourdes, la plaine de Tarbes et de Pau.

Parc national des PYRÉNÉES★★★

Cartes Michelin nos 85 plis 16 à 19 ou 234 plis 42 à 44 et 46 à 48

Créé en 1967 pour la protection de la nature, le Parc national des Pyrénées dessine le long de la chaîne frontière, sur plus de 100 km, entre la vallée d'Aspe à l'Ouest et la vallée d'Aure à l'Est, une bande large de 1 à 15 km, entre 1 000 m et 3 298 m d'altitude (sommet du Vignemale). Il compte 45 700 ha, réserve naturelle de Néouvielle comprise.

Le parc proprement dit est enveloppé par une zone périphérique de 206 000 ha partagée entre 86 communes des départements des Hautes-Pyrénées et des Pyrénées-Atlantiques.

L'ours des Pyrénées

L'ours brun européen ou « ursus arctos » ne subsiste plus en France qu'en très petit nombre dans les Pyrénées occidentales. Ses lieux de prédilection ou plus précisément ses refuges sont les versants rocheux et les forêts de hêtres et de sapins qui entre 1 500 et 1 700 m d'altitude surplombent les vallées d'Aspe et d'Ossau.

Ce plantigrade qui, autrefois, était carnivore est devenu omnivore et, selon les saisons, se nourrit de tubercules, de baies, d'insectes, de glands mais aussi de petits mammifères et parfois de brebis...

Malheureusement, l'aménagement du réseau routier, l'exploitation forestière et l'engouement touristique joints à un cycle de reproduction très lent (la femelle met bas un ourson tous les 2 ans) ont entraîné la régression de l'espèce ; actuellement on en dénombre sept à huit contre quarante il y a 20 ans...

Pour pallier la menace d'extinction a été signée en janvier 1994 pour 5 ans une charte qui prévoit d'intégrer la protection de l'ours dans un programme global de protection de la nature. Ainsi 7 000 ha seront interdits à la chasse en automne, lorsque l'ours constitue ses réserves avant l'hibernation. Depuis peu, les vallées béarnaises accueillent des plantigrades en provenance des Balkans.

Le programme d'aménagement de cette zone vise à ranimer l'économie pastorale et les anciens villages, tout en prévoyant l'accueil des touristes.

Le parc donne asile à 4 000 isards, notamment dans les vallées d'Ossau et de Cauterets où ils sont le plus facilement visibles, ainsi qu'à plus de 200 colonies de marmottes. La découverte des derniers ours bruns est devenue quasiment impossible, mais il n'est pas exceptionnel d'apercevoir en vol des vautours fauves, des aigles royaux ou des gypaètes barbus dans ces régions des Pyrénées fréquentées encore par le coq de bruyère, le lagopède (perdrix des neiges) ou le desman dit des Pyrénées (petit mammifère aquatique).

Les Maisons du Parc (St-Lary, Luz, Gavarnie, Cauterets, Arrens-Marsous, Gabas, Etsaut, Arudy) donnent des informations sur la flore et la faune du parc, les promenades en montagne et présentent diverses expositions sur le thème de l'ours, des glaciers, du pyrénéisme... Plus de 350 km de sentiers tracés et jalonnés, une vingtaine de refuges de montagne offrent de multiples possibilités aux randonneurs. Le sentier de Grande Randonnée, GR 10, traverse le parc par endroits. La chasse, la cueillette des fleurs, les feux, le camping, l'introduction des chiens y sont interdits ; en revanche, la pêche dans les gaves et dans les quelque 230 lacs du parc (salmonidés) relève de la réglementation générale.

CONSEILS AUX RANDONNEURS

Le Parc national des Pyrénées est le paradis des randonneurs : on peut y effectuer aussi bien des promenades d'une demi-journée que des randonnées de plusieurs jours. Mieux vaut cependant être un peu entraîné à la marche à pied avant de s'engager sur un sentier. Inutile de vouloir battre des records : marcher à son rythme et selon ses capacités est bien plus agréable. Il ne faut jamais partir seul. Il est recommandé de préparer avec soin son itinéraire et d'en faire part à quelqu'un avant de partir.

La météo – Le temps change très vite en montagne. Les conditions météorologiques sont fournies dans la plupart des Offices de tourisme. En appelant le ☎ 08 36 68 04 04 ou en tapant sur Minitel le 3615 METEO (rubrique Montagne et neige), on obtient les prévisions à 5 jours. En outre, si le temps se dégrade trop en cours d'itinéraire, ne pas hésiter à abandonner.

L'équipement – Même si le temps est au beau fixe, il faut prévoir des vêtements chauds, de pluie ainsi que des chaussures de marche imperméables, aux semelles crantées et souples.
Penser également aux produits solaires, aux lunettes de soleil, au chapeau. Une gourde remplie d'eau est indispensable, car la déshydratation en montagne est fréquente. Il faut savoir que l'eau des torrents n'est pas recommandée à la boisson ; préférer les sources et les robinets des refuges. Penser également à prendre des petits en-cas énergétiques (chocolat, barres de céréales, fromage, bananes, etc.).
Emporter des sacs en plastique pour stocker les détritus. Il est interdit de les laisser dans les refuges.
Respecter la réglementation propre au Parc.
Bien entendu, se munir de cartes de randonnées et éventuellement d'une boussole.

Hébergement – Parmi les refuges du Parc, il faut distinguer les refuges gardés, qui ne sont ouverts que de juillet à septembre, et les refuges non gardés, qui sont permanents (10 places en général). Tous sont destinés aux touristes de passage. On y mange ses propres provisions ou le repas préparé par le gardien. En été, les refuges, dont la capacité d'accueil est limitée (30 à 40 places), sont pris d'assaut. Il faut donc réserver à l'avance. Leur liste avec numéros de téléphone est disponible auprès du Parc national des Pyrénées, ☎ 05 62 93 30 60.
Le camping est interdit dans le Parc, mais le bivouac est autorisé (uniquement pour la nuit ou en cas d'intempéries, on peut monter une petite tente, à condition d'être à plus d'une heure de marche de tout accès motorisé).
Il existe également des hôtels, des meublés, des gîtes ruraux et des chambres d'hôte. Renseignements et réservation auprès des services Loisirs-Accueil des Pyrénées-Atlantiques, ☎ 05 59 30 01 30, et des Hautes-Pyrénées, ☎ 05 62 93 03 30. Les Offices de tourisme et Syndicats d'initiative mettent à la disposition des touristes la liste des campings.

Adresses utiles – Parc national des Pyrénées, 59, route de Pau, 65000 Tarbes, ☎ 05 62 93 30 60 ou Minitel 3615 ISARD. Bureau des Guides, 2, place G.-Clemenceau, 65110 Cauterets, ☎ 05 62 92 50 27. Gendarmerie de Cauterets, ☎ 05 62 92 51 13 ou numéro d'urgence ☎ 17 (c'est la gendarmerie qui met en action ses propres moyens de sauvetage ou requiert ceux des sociétés de secours en montagne locales).

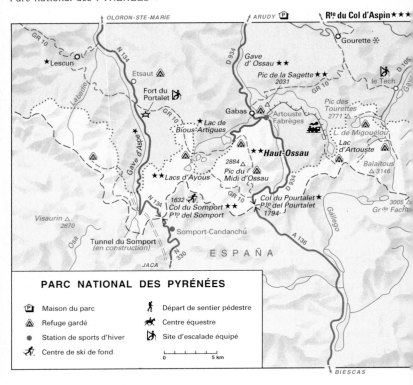

EXCURSIONS

Le Parc national des Pyrénées et sa zone périphérique attirent chaque année des milliers de touristes. En hiver, les montagnes sont le fief des skieurs, petits ou grands, débutants ou confirmés. L'été, d'innombrables randonneurs de tous niveaux empruntent les sentiers de montagne. Le Parc national se parcourt en voiture mais on peut lui préférer la marche à pied ou le vélo, qui permettent de mieux apprécier les paysages. Divers circuits (en voiture et à pied) sont proposés dans ce guide.

Dans le Béarn *(voir à ce nom)*, on pénètre par endroits dans la zone périphérique du Parc national, notamment en empruntant la **ROUTE DE L'AUBISQUE★★★**.

La **ROUTE DU TOURMALET★★** et le **COL D'ASPIN★★★**, dans la Bigorre *(voir à ce nom)*, ainsi que le **Pic du MIDI DE BIGORRE★★★** *(voir à ce nom)* constituent trois autres circuits à l'intérieur de la zone périphérique du Parc.

Les **Vallées de CAUTERETS★★** proposent quatre petits itinéraires au cœur du Parc *(voir à Cauterets)*.

La **Vallée de GAVARNIE★★** *(voir à ce nom)* peut se visiter en trois temps : la **Vallée★★**, le **Cirque de Gavarnie★★★** et le **Pic de Tentes★★**.

Le **Massif de NÉOUVIELLE★★** *(voir à ce nom)* constitue à lui seul une excursion qui permet de découvrir la réserve naturelle de Néouvielle *(interdite à la circulation automobile)*.

Le **Haut OSSAU★★** *(voir à ce nom)* propose trois itinéraires : **de Gabas à Bious-Artigues★**, **l'excursion au lac d'Artouste★**, **de Gabas au col du Pourtalet**.

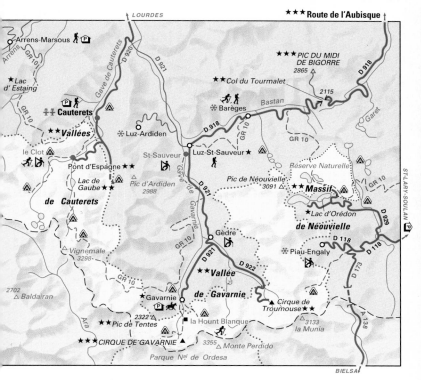

Cet ouvrage, périodiquement révisé, tient compte
des conditions du tourisme connues au moment de sa rédaction.

Certains renseignements perdent de leur actualité en raison de
l'évolution incessante des aménagements et des variations du coût de la vie.

Nos lecteurs sauront le comprendre.

La RÉOLE

4 273 habitants
Cartes Michelin n⁰ˢ 79 plis 2, 3 ou 234 pli 11 – Schéma p. 135

Faisant balcon sur la Garonne, La Réole occupe un site défensif de premier ordre,
face à la vallée qu'elle commande ; aussi bien eut-elle à soutenir des assauts répétés.
De nos jours, c'est surtout un marché agricole et une cité pittoresque, caractérisée
par des rues étroites et sinueuses qui ont conservé des maisons anciennes en
encorbellement et des hôtels aristocratiques.
En venant de Langon, jolie **vue** sur La Réole, son château, ses remparts, ses vieux
toits.

CURIOSITÉS

Ancienne abbaye – Remontant à Charlemagne, cet établissement bénédictin
fut à l'origine de la ville qui lui est redevable de son nom La Réole (du latin regula :
règle).

Église St-Pierre – Elle comprend essentiellement une nef gothique de type
méridional, amputée de ses deux premières travées. Cette nef, dont les voûtes
ne datent que du 17ᵉ s., se termine par un chevet à pans qu'il faut contourner
pour aller visiter les bâtiments conventuels aujourd'hui occupés par des services
administratifs et la mairie.

Bâtiments conventuels – La longue façade à contreforts du logis des moines (18ᵉ s.)
donne sur une terrasse d'où se découvre une **vue** étendue vers la vallée de la
Garonne. On y pénètre par un escalier à double révolution ; se retourner pour
admirer à contre-jour la belle grille d'entrée. A l'intérieur, il faut voir les deux
escaliers monumentaux. L'un est coiffé d'une coupole, l'autre d'une peinture
représentant saint Benoît en extase.
Le cloître, du 18ᵉ s., s'ouvre place Albert-Rigoulet, par une charmante porte
Louis XV.

Musée ⊙ – Il est situé dans le sous-sol des bâtiments conventuels et occupe une salle aux élégantes voûtes. Consacré à l'histoire locale, il contient des objets d'art religieux, des produits résultant de fouilles ou trouvés dans la Garonne (fers de lances, épées gauloises). Reconstitution de l'atelier d'un tonnelier.

Ancien hôtel de ville – Rare édifice civil roman encore intact, l'ancien hôtel de ville fut offert par Richard Cœur de Lion aux bourgeois réolais. Situé au sommet de la ville, son mur Nord était adossé à la première enceinte (fin 12e-début 13e s.), comme en témoignent les meurtrières visibles au rez-de-chaussée et aux pignons, les bretèches et les mâchicoulis, ces derniers ayant été utilisés ensuite pour supporter le balcon des proclamations.
En bas se trouvait la halle aux grains et, à l'étage, la salle de réunion des jurats, suivant une disposition qu'on retrouve à l'époque gothique dans les halles flamandes.

Au-delà de l'ancien hôtel de ville, rue Peysseguin, on verra des maisons de bois en encorbellement ainsi qu'une boutique du 16e s. avec baie en anse de panier.

Musée Automobile ⊙ – *Accès par la rue des Moulins, à gauche de la N 113, route de Marmande.*
Parmi la centaine de véhicules exposés dans les trois halls, remarquer une De Dion-Bouton (1901) ayant appartenu à la « Belle Otéro », une berline Ford (1928) ayant servi aux acteurs américains Laurel et Hardy, des machines à vapeur (1895) et des engins agricoles du milieu du siècle. Réparties au milieu des voitures de prestige européennes des années 30 et 50 se trouvent des voitures de courses (Peugeot Sport de 1927, Salmson de 1929). La section du niveau inférieur est consacrée aux « belles américaines » des années 50 et 60.

Pour choisir un lieu de séjour à votre convenance,
consultez la carte des Lieux de séjour
au début de ce guide.

Elle distingue :
– les Destinations de week-end ;
– les Villes-étapes ;
– les Lieux de séjour traditionnels ;
– les stations balnéaires, thermales ou de sports d'hiver.

Elle signale aussi, lorsque la région décrite s'y prête,
les ports de plaisance, les centres de thalassothérapie,
les bases de découverte de la montagne en été, etc.

La ROMIEU★

528 habitants (les Romeviens)
Cartes Michelin nos 79 Sud-Est du pli 14 ou 234 pli 24

Cette ancienne cité ecclésiastique était autrefois entourée de fossés et de murailles, dont il reste deux magnifiques tours se dressant dans la campagne gasconne. La Romieu est la ville natale du cardinal Arnaud d'Aux (1270-1321), camérier des papes Clément V et Jean XXII, qui fit édifier la collégiale.

★ **Collégiale** – Elle remonte à Arnaud d'Aux (vers 1270-1321), fils d'une famille de la noblesse locale cousinant avec le pape gascon Clément V, premier pontife d'Avignon.
Les motifs décoratifs du **cloître** portent les traces de multiples dégradations. Du cloître, on descend à l'église par un portail ouvert sous un arc à mâchicoulis. Le chœur abrite les tombeaux du cardinal d'Aux et de ses neveux, refaits sous la Restauration.

Tour Est ⊙ – Plantée hors œuvre, la magnifique tour octogonale est aménagée en salles gothiques superposées. Au rez-de-chaussée, la sacristie a conservé ses peintures murales du 14e s. : 16 anges occupent les compartiments de la voûte. Par un escalier à vis (153 marches), on accède à la plate-forme. Vue intéressante sur les combles, la tour-clocher de l'Ouest, la tour du Cardinal, le cloître et la place à « couverts » du village.

Tour du Cardinal – *Accès au Sud du cloître.* Seul vestige du palais du cardinal d'Aux.

Château de ROQUETAILLADE★★

Cartes Michelin n°s 79 pli 2 ou 234 pli 11 – 7 km au Sud de Langon

Cet imposant **château** ⊘ féodal a été construit en 1306 par le cardinal Gaillard de la Mothe, neveu du pape Clément V, et fait partie d'un ensemble composé de deux forteresses des 12e et 14e s. situées à l'intérieur d'une même enceinte. On peut voir, à droite du château, les restes du Château Vieux (donjon de la fin du 11e s.)

Château de Roquetaillade – La chambre rose

VISITE *1 h.*

Six énormes tours rondes, percées d'archères et crénelées, encadrent un corps rectangulaire ; deux d'entre elles flanquent l'entrée. Dans la cour se dressent le puissant donjon carré et sa tourelle. Les baies géminées et tréflées rappellent les dispositions des châteaux clémentins de la région *(voir illustration p. 45).*

Le château a été restauré et réaménagé par Viollet-le-Duc sous le Second Empire. A l'extérieur, il a percé de grandes baies au rez-de-chaussée du donjon et ajouté des bretèches le long des courtines, ainsi qu'une loggia à baies en ogive au-dessus de la porte de la façade Nord. On doit également à Viollet-le-Duc l'escalier monumental du hall d'entrée et les étonnantes décorations des pièces dont les motifs stylisés annoncent déjà les arts décoratifs anglais du début de ce siècle (Williams Morris en particulier) et l'Art Nouveau. Le mobilier, attribué à Edmond Duthoit, collaborateur de Viollet-le-Duc sur ce chantier, suit cette même tendance. On admirera sa richesse décorative notamment dans la **chambre rose**★ et dans la chambre verte *(visible sur demande expresse).* La salle sinodale, dont la décoration reste inachevée, possède une belle cheminée Renaissance et un mobilier de style classique. On visite également la grande cuisine, avec son fourneau central.

Le parc, planté d'arbres centenaires, abrite une chapelle dont l'intérieur, dû à Duthoit, est de style oriental. L'autel néo-gothique à émaux bleus est de Viollet-le-Duc.

Face à l'entrée du château, la **métairie** ⊘ fait découvrir le monde rural du milieu du 19e s. dans le Bazadais.

Le guide Vert Michelin France.

Destiné à faciliter la pratique du grand tourisme en France,
il vous propose des programmes de traversée tout prêts, en cinq jours,
et vous offre un grand choix de combinaisons et de variantes possibles
auxquelles il est facile d'apporter une adaptation personnelle.

ST-AVENTIN

98 habitants
Cartes Michelin nᵒˢ 85 pli 20 – 7 km à l'Ouest de Luchon ou 234 pli 48

Cette petite localité aux toits d'ardoise possède une majestueuse église romane, parmi les plus belles de la vallée de Larboust.

Église ⊙ – *Laisser la voiture 100 m avant le départ de la rampe de l'église.*

Extérieur – Les deux tours méritent un examen attentif particulier pour les fragments sculptés pris dans les maçonneries : au pilier droit du portail, imposante **Vierge à l'Enfant**★ du 12ᵉ s. ; plus à droite, sur un contrefort, bas-relief représentant l'épisode légendaire de l'invention de saint Aventin : un taureau piétinant furieusement dégage le corps du martyr enveloppé d'un suaire ; à la jointure du mur de la nef et de l'absidiole Sud, petits monuments funéraires gallo-romains.

Intérieur – Le bénitier préroman sculpté d'animaux symboliques : agneaux, poissons, colombes ; en face, figuration très grossière d'un Christ en croix, maladroitement rassemblée après cassure. La grille en fer forgé fermant le chœur est un grand travail de ferronnerie, d'un type plus fréquent en Roussillon que dans les vallées des Pyrénées centrales. Parmi les peintures murales du 12ᵉ s., dégagées, on reconnaît les effigies de saint Saturnin (ou Sernin) et de saint Aventin, de part et d'autre de la fenêtre centrale de l'abside.

ENVIRONS

Benque-Dessous-et-Dessus – *De la D 618, 2,5 km par la route de la vallée d'Oueil et l'embranchement de Benque.*
Au terminus de la route, l'église supérieure renferme des peintures murales du 15ᵉ s.

Vous prendrez plus d'intérêt à la visite des monuments si vous avez lu en introduction le chapitre sur l'art.

ST-BERTRAND-DE-COMMINGES★★

217 habitants
Cartes Michelin nᵒˢ 85 pli 20 ou 234 pli 44 – Schéma p. 157

Sur une colline isolée, à l'entrée de la vallée montagnarde de la Garonne, le bourg se dresse dans un **site**★★ remarquable ceinturé de remparts et dominé par une imposante cathédrale visible de loin avec son clocher-porche protégé par un hourd. Ses trésors d'art, les témoins de ses 2 000 ans d'histoire, en font une étape importante dans les Pyrénées, animée l'été par un festival musical, qui se déroule également à Valcabrère *(voir à ce nom)*. Vieilles maisons, vieilles rues en pente, ateliers d'artisans (en saison) donnent à ce village beaucoup de charme.

Le souvenir d'Hérode – Lugdunum Convenarum, capitale de la tribu des « Convenae » *(voir à Le Comminges)*, aurait compté jusqu'à 60 000 habitants au 1ᵉʳ s. de notre ère. L'historien juif Flavius Josèphe la donne, à cette époque, comme le lieu d'exil d'Hérode Antipas, tétrarque de Galilée, et de sa femme Hérodiade, auteurs du meurtre de saint Jean-Baptiste. L'ancienne cité des Convènes, primitivement établie sur la colline, descendit par la suite dans la plaine et s'étendit jusqu'aux abords de Valcabrère et de la Garonne. Les fouilles, encore en cours, ont permis de dégager, entre autres, un temple consacré sans doute à Rome et à Auguste, deux établissements thermaux, un théâtre, une basilique chrétienne du 5ᵉ s., un marché précédé d'une grande place bordée de portiques.

Les deux Bertrand – Durant le haut Moyen Âge, toute vie reste absente de la colline. Mais, vers 1120, l'évêque de Comminges, Bertrand de L'Isle-Jourdain, futur saint Bertrand, appréciant l'admirable situation de l'acropole dévastée par les Burgondes, fait déblayer les ruines et élever une cathédrale. Pour la desservir, il établit un chapitre de chanoines. Le branle est donné ; les fidèles et les pèlerins accourent ; la petite ville reçoit le nom de celui qui l'a ressuscitée.
A la fin du 13ᵉ s., l'église élevée par saint Bertrand devient trop petite. Bertrand de Got, le futur Clément V, premier pape d'Avignon, poursuit l'œuvre ; l'agrandissement de la cathédrale est terminé par ses successeurs en 1352.

St-Bertrand-de-Comminges – Cloître de la cathédrale

★ CATHÉDRALE STE-MARIE-DE-COMMINGES ⊘ visite : 2 h

Laisser la voiture au parking obligatoire, puis gagner la porte Majou, qu'empruntait l'ancienne voie romaine menant à la citadelle.

La cathédrale comprend une partie romane : la façade couronnée d'un clocher à hourds du 18ᵉ s., le porche et les trois travées occidentales. Le portail montre au tympan une Adoration des Mages et l'évêque saint Bertrand. Le reste de l'édifice est gothique.

★★ **Cloître** – A la paix spirituelle qui se dégage du cadre architectural s'ajoute la poésie du beau paysage de montagnes qu'on aperçoit par les arcades. La galerie Sud est, en effet, ouverte sur l'extérieur, disposition extrêmement rare. Trois galeries sont romanes (12ᵉ et 13ᵉ s.). La quatrième, contre l'église, a été refaite aux 15ᵉ et 16ᵉ s. ; elle contient des sarcophages. Les chapiteaux du cloître sont remarquables (entrelacs, feuillages, scènes bibliques, etc.). Au centre de la galerie Ouest (à droite en entrant), célèbre pilier des quatre Évangélistes (Matthieu, Marc, Luc et Jean) (1) dont le chapiteau représente les signes du Zodiaque associés à chaque saison de l'année.

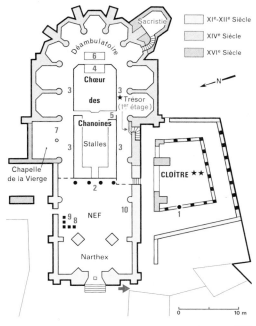

251

★ **Trésor** – Installé au-dessus de la galerie Nord du cloître *(accès par l'intérieur de l'église. Ouvert uniquement pour les visites accompagnées)*. Dans la chapelle surélevée, deux tapisseries de Tournai du 16ᵉ s. ; dans les anciennes salles capitulaires, chape de la Vierge et chape de la Passion, splendide travail de broderie liturgique dite anglaise, offertes par Bertrand de Got à l'occasion de la translation des reliques de saint Bertrand (1309), ornements épiscopaux (mitre) et hampe de la crosse de saint Bertrand en « corne d'alicorne » (dent de narval).

Chœur des chanoines – Les splendides **boiseries**★★ commandées par l'évêque Jean de Mauléon à des sculpteurs toulousains et inaugurées par lui en 1535 comprennent le jubé (**2**), la clôture du chœur (**3**), le retable du maître-autel (**4**) (enlaidi par un badigeon, avec ses deux étages de niches garnies de statues), le trône épiscopal (**5**) surmonté d'un dôme pyramidal à trois étages et soixante-six **stalles** dont trente-huit hautes et vingt-huit basses. Seules les hautes possèdent de hauts dossiers surmontés par un dais. Ces bois sculptés qui content l'histoire de la Rédemption forment un petit monde où se donnent libre cours la piété, la malice, la satire.

Mausolée de saint Bertrand (**6**) – Édicule de pierre en forme de châsse (15ᵉ s.) et couvert de peintures représentant les miracles de saint Bertrand contre lequel s'appuie un autel.

Chapelle de la Vierge – Tombeau en marbre de Hugues de Châtillon (**7**) qui termina la cathédrale au 14ᵉ s. Les voûtes à liernes et tiercerons dénotent la fin du gothique.

Nef et narthex – Au revers du jubé les fidèles disposaient d'un espace réduit mais riche en mobilier : orgues du 16ᵉ s. (**8**) (récitals en saison), chaire (16ᵉ s.) (**9**), autel paroissial (1621) (**10**) décoré d'un beau devant d'autel en cuir de Cordoue.

Après la visite descendre à la porte Cabirole : remarquer au passage des maisons des 15ᵉ et 16ᵉ s. De la barbacane, jolie vue sur la campagne avec la basilique St-Just de Valcabrère seule au milieu de son cimetière.

Suivre le rempart au Sud, et regagner le parking par la porte Lyrisson, une ruelle à gauche et le jardin de l'ancien musée.

Pour préparer son voyage ou pour se rappeler les bons moments passés en Aquitaine et dans les Pyrénées, la cassette Vidéo Découverte Michelin Pyrénées Aquitaine est le complément images idéal du guide Vert.

ENVIRONS

★ **Valcabrère** – *2 km au Nord-Est par la D 26. Voir à ce nom.*

Gouffre de Saoule – *11 km au sud par la D 26ᴬ vers Luchon, puis la D 925 vers Sarp.*
La vallée de l'Ourse frappe par la multitude de villages lilliputiens semés sur ses pentes. De Sarp à Mauléon la route longe la rivière, offrant un parcours agréable.

Franchir le pont à Mauléon pour longer l'Ourse de Ferrère et laisser la voiture près du sentier qui mène au gouffre.

Pont naturel sur le torrent, dans un site ombragé (belvédère).

*Pour organiser vous-même votre voyage
vous trouverez, au début de ce guide,
la carte des principales curiosités et un choix d'itinéraires de visite.*

ST-ÉMILION★★

2 799 habitants
Cartes Michelin nᵒˢ 75 pli 12 ou 234 pli 3 – Schéma p. 33

Au milieu de son vignoble, St-Émilion est une cité attachante, bâtie en amphithéâtre sur le versant d'un plateau calcaire dominant la vallée de la Dordogne. Ses remparts, des monuments originaux, un dédale de ruelles, d'escaliers, de placettes éveillent l'intérêt, même du plus blasé des touristes. Avec les vins généreux qui ont illustré le nom de cette cité, les macarons constituent une spécialité appréciée des gourmets.
Par beau temps, le soleil accentue la teinte dorée de la pierre dont est bâtie la ville, tandis que se créent des contrastes d'ombres et de lumières qui donnent beaucoup de caractère à une flânerie dans les vieux quartiers.

Amateurs de tranquillité – Après le poète latin Ausone qui y eut un domaine dont le nom d'un cru fameux rappelle le souvenir, **Émilion**, un ermite, rechercha en ces lieux la tranquillité nécessaire à la méditation. D'origine bretonne, Émilion exerçait la profession d'ouvrier boulanger lorsqu'il embrassa la vie monastique à Saujon, près de Royan. S'étant ensuite retiré sur les pentes calcaires de la vallée de la Dordogne, il s'aménagea une grotte alimentée en eau par une source et y vécut en troglodyte, au 8e s. de notre ère. Dix siècles plus tard, ce fut un proscrit qui vint chercher refuge à St-Émilion, sa ville natale. **Élie Guadet** était devenu un des chefs du parti girondin à la Convention et, suspect d'un modérantisme au demeurant très relatif, fut compris dans la haine que Robespierre portait à la Gironde. Déguisé en tapissier, il s'évada alors de Paris pour gagner la Normandie puis St-Émilion où il se terra en compagnie de Pétion et Buzot, ses collègues à l'Assemblée. C'est là qu'un jour de 1794 il fut arrêté et emmené à Bordeaux où il mourut sur l'échafaud.

Jurade et jurats – Les célèbres vins rouges de St-Émilion *(voir aussi p. 33)* étaient qualifiés au Moyen Âge vins « honorifiques » parce qu'on les offrait en hommage aux souverains et aux personnalités de marque. Dès l'époque médiévale le conseil municipal d'alors avait la charge de contrôler leur qualité : c'était la Jurade qui, reconstituée en 1948, assume encore cette fonction.

Tous les ans, au printemps, les jurats vêtus de leurs robes écarlates bordées d'hermine, et coiffés de leurs chaperons de soie, entendent la messe puis se dirigent, en procession, vers le cloître de l'église collégiale, où ils procèdent à de nombreuses intronisations. En fin d'après-midi, du haut de la Tour du Roi, la Jurade proclame le jugement du vin nouveau.

A l'automne, les mêmes jurats, du haut de la Tour du Roi, proclament l'ouverture du ban des vendanges. Ces diverses solennités s'accompagnent de banquets dignement arrosés, qui se déroulent dans la salle des Dominicains du syndicat vinicole.

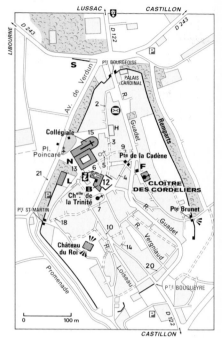

ST-ÉMILION

B Église monolithe
F Logis de la Commanderie
L Logis de Malet de Roquefort
N Cloître de la Collégiale
S Mur des Dominicains

CURIOSITÉS

★★ **Le site** – Face au midi, St-Émilion trône sur deux collines se recourbant en fer à cheval et délimitant une sorte d'amphithéâtre, le tout couvert de maisons aux toits de tuiles creuses. A la jonction des deux collines, le haut clocher de l'église monolithe souterraine surmonte un promontoire creusé de cavités : l'église monolithe, l'ermitage, les catacombes, la chapelle de la Trinité et de nombreuses caves. Au pied du promontoire et de l'église, la place du Marché est le cœur de la ville. Elle fait la liaison entre les quartiers couvrant les deux collines, dont l'une porte le Château du Roi, jadis siège du pouvoir civil, et l'autre la collégiale, symbole de la puissance religieuse.

On a une bonne vue du site de St-Émilion du sommet de la Tour du Roi.

Porte de la Cadène – Le nom de cette porte, en arc brisé, rappelle la chaîne (du latin catena : chaîne) qui la fermait pendant la nuit : au travers de l'arche, curieuse perspective sur la tour de l'église monolithe. Une maison à pans de bois du 15e s. est accolée à la porte.

Place du Marché (12) – Elle est très pittoresque. On y découvre une vue originale sur l'église monolithe que domine son clocher des 12e, 14e et 15e s. Ce dernier, majestueux et élancé, percé de belles baies romanes ébrasées, et terminé par une flèche du 15e s., atteint 67 m de hauteur.

★ **Église monolithe** (B) ◷
– D'un type très rare, cette église souterraine « d'une seule pierre », la plus importante de France, a été aménagée dans le rocher, de la fin du 8ᵉ au 12ᵉ s., en agrandissant des grottes et des carrières déjà existantes.

La façade donnant sur la place du Marché correspond au chœur dont l'éclairage est assuré par trois baies du 16ᵉ s. s. qui marquent les trois nefs intérieures. A gauche de ces baies, l'entrée principale de l'église se faisait par le grand portail gothique du 14ᵉ s. orné d'un Jugement dernier et d'une Résurrection des morts au tympan, portail auquel succède un passage voûté que bordent des tombeaux. Au fond de la nef centrale, sous l'arcade de travée, un bas-relief représente deux anges tétraptères ou chérubins.

Église monolithe – Chapelle St-Nicolas

Du **clocher** ◷ *(198 marches)*, coiffé d'une flèche ajourée du 15ᵉ s., belle vue d'ensemble sur la bourgade, ses monuments et le vignoble.

L'intérieur frappe tant par l'ampleur des nefs taillées en profondeur dans la pierre que par la découpe parfaitement régulière des voûtes et des piliers quadrangulaires, dont deux seulement soutiennent le clocher. *Des travaux de consolidation ont entraîné la mise en place provisoire dans l'édifice de poteaux de soutènement.*

Chapelle de la Trinité ◷ – Ce petit édifice fut construit au 13ᵉ s. par les bénédictins. Harmonieux et rare exemple dans le Sud-Ouest d'une abside gothique à pans, il se distingue à l'intérieur par une élégante voûte, à nervures rayonnantes convergeant sur une clef frappée de l'agneau symbolique. Au-dessous de la chapelle, la grotte, dite **ermitage St-Émilion** ◷, adopte la forme d'une croix grecque : on peut y voir le « lit de saint Émilion », son fauteuil creusé dans la roche et une source protégée par une balustrade du 17ᵉ s. ; au fond, un autel est surmonté d'une statue du saint. Dans la falaise voisine de la chapelle s'ouvrent des galeries, ou **catacombes** ◷, qui servaient à l'origine de nécropole, comme le montrent de nombreuses tombes creusées dans la pierre. Plus tard, la partie principale fut transformée en charnier : on distingue dans la coupole centrale un orifice par lequel étaient déversés les ossements du cimetière établi au sommet de la falaise. A la base de cette coupole remarquer une représentation naïve de la Résurrection des morts : trois personnages sculptés sortent de leurs sarcophages en se tendant la main.

Château du Roi ◷ – Fondé selon les uns par Louis VIII, selon les autres par Henri III Plantagenêt au 13ᵉ s., il a servi d'hôtel de ville jusqu'en 1720. Le donjon rectangulaire, dit Tour du Roi, isolé sur un socle rocheux, est muni de latrines sur sa face extérieure. Du sommet se découvre une **vue**★ sur la ville, ses principaux monuments, ses vieux toits, et, au-delà, sur les vallées de la Dordogne et de l'Isle.

Cloître des Cordeliers ◷ – Construit, ainsi que la chapelle, au 14ᵉ s., le **cloître**★ carré, aux ruines de noble allure, est composé de graciles colonnettes géminées, sur lesquelles prennent appui des arcs d'aspect roman.
Au fond et à droite, un arc ogival du 15ᵉ s. précède l'escalier qui conduisait aux cellules des moines.
A gauche se trouve l'ancienne église du 15ᵉ s., au clocher soutenu par deux arcs curieusement superposés.
La nef est séparée de l'abside par un bel arc triomphal gothique de style flamboyant, servant d'accès aux galeries des caves creusées dans le roc à 20 m de profondeur, où s'élaborent les crémants de Bordeaux blancs et rosés traités suivant la méthode champenoise.
De l'ancien **logis de la Commanderie** (F), il ne subsiste que le chemin de ronde et une échauguette d'angle.
De l'esplanade (place du Cap-du-Pont), vue sur St-Émilion.

Collégiale – Ce vaste édifice long de 79 m offre un plan original. Il compte en effet une nef romane et un chœur gothique larges respectivement de 9 m et 28 m.

L'entrée se fait sur le côté gauche du chœur par un somptueux portail du 14e s. monté à l'époque où Gaillard de la Mothe, neveu de Clément V, était doyen des chanoines. Son tympan est sculpté d'un Jugement dernier. Il ne reste que les bases des statues d'Apôtres, mutilées pendant les guerres de Religion ou la Révolution, qui garnissaient les niches.

La nef est composée de trois travées dont deux voûtées de coupoles sur pendentifs et la troisième d'ogives. A l'extrémité du mur droit, on admire des peintures murales du 12e s. représentant la Vierge et la Légende de sainte Catherine.

Dans le chœur, les stalles du 15e s. distrairont par la fantaisie de leurs personnages.

Cloître de la collégiale (N) ⊙ – *Passer par l'Office de tourisme.*

Il s'étend à droite de l'église. Bien conservé, il date du 14e s. et présente des analogies avec le cloître des Cordeliers, notamment dans le dessin des colonnettes géminées, d'une grande élégance.

Aux angles, des arcs consolident les galeries dont l'une abrite une série de beaux enfeus qui servaient jadis de sépultures. Sur un autre côté ont été dégagées des arcades romanes qui ouvraient sur la salle capitulaire.

Le réfectoire et le dortoir des religieux, restaurés, forment le « Doyenné », siège de l'Office de tourisme. Plus à l'Ouest se trouve la chapelle du chapitre (13e s.).

Logis de Malet de Roquefort (L) – En face de la collégiale, une maison du 15e s. est incorporée dans le rempart : sous son toit passe le chemin de ronde de l'enceinte à créneaux et mâchicoulis.

Remparts – Ils remontent au 13e s. mais leurs murs ont été renforcés aux siècles suivants par un chemin de ronde sur mâchicoulis ; six portes les jalonnaient. Le front Est, qu'on peut suivre en voiture, est le plus évocateur.

Partant de la porte Bourgeoise, on rencontre d'abord les vestiges de la façade romane du palais Cardinal, ainsi nommé parce que le cardinal Gaillard de la Mothe, neveu de Clément V, l'habita.

On longe ensuite l'enceinte, en bordure du vignoble. A droite défilent le couvent des Jacobins et celui des Cordeliers, ce dernier tout revêtu de lierre.

Apparaît enfin la **porte Brunet** d'où se découvrent des vues sur le vignoble. Par cette porte s'échappèrent, une nuit de janvier 1794, les proscrits girondins, compagnons de Guadet.

Mur des Dominicains (S) – Les « grandes murailles » formaient le mur Nord d'une église gothique, abandonnée lorsque les religieux se réfugièrent en ville, lors de la guerre de Cent Ans.

EXCURSION

Le St-Émilion – *Circuit de 52 km. Voir à Vignoble de Bordeaux.*

ST-GAUDENS

11 266 habitants (les Saint-Gaudinois)
Cartes Michelin nos 86 pli 1 ou 235 plis 37, 41

Ancienne capitale du Nébouzan, St-Gaudens occupe une terrasse sur le rebord d'un plateau dominant la première « rivière » de la Garonne, sortie des Grandes Pyrénées. Grand marché – chaque jeudi – de veaux blancs du Comminges, St-Gaudens est devenue résidentielle avec l'arrivée dans la région, en 1940, des techniciens employés à la prospection du gisement de gaz naturel de St-Marcet.

L'usine de la Cellulose d'Aquitaine, installée dans la plaine, complète l'apport de la grande industrie à l'économie régionale.

Gaudens le martyr – Dans les Pyrénées centrales eurent lieu de nombreuses persécutions entre les 5e et 8e s. Selon la légende, un jeune berger, Gaudens, à qui la ville doit son nom, fut décapité à cause de sa foi. A l'Ouest de la ville, la chapelle de la Caoue marque l'emplacement du supplice.

CURIOSITÉS

★ **Les belvédères (Z)** – Le boulevard Jean-Bepmale prolongé, au Sud-Ouest, par le boulevard des Pyrénées crée une voie panoramique de 2 km.

Monument des Trois Maréchaux (Z B) – Dédié aux trois maréchaux de France d'origine pyrénéenne : Foch, dont la maison paternelle est devenue la mairie de Valentine, Gallieni *(voir à St-Béat)*, Joffre, né à Rivesaltes. A côté du monument, table d'orientation donnant les silhouettes de la chaîne, des Pyrénées ariégeoises au massif de la Maladetta.

ST-GAUDENS

B Monument des Trois
   Maréchaux
M Musée de St-Gaudens et
   du Comminges

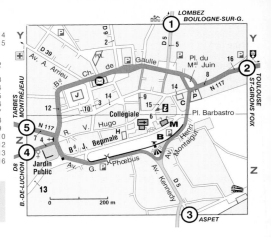

Collégiale (Z) – Bel exemple de style roman, l'édifice se compose d'une nef centrale à cinq travées et de deux bas-côtés surmontés de tribunes voûtées en demi-berceau. Une abside et deux absidioles voûtées en cul-de-four terminent le côté Est. Le portail Nord du 17e s. est couronné d'un pignon en arc de cercle. Se placer à l'angle de la place Jean-Jaurès et de la rue Thiers pour avoir une vue d'ensemble sur le chevet de la collégiale.

Un système de minuterie permet la visite de la collégiale et la mise en valeur d'un riche patrimoine artistique. Les nombreux chapiteaux historiés coiffant les colonnes trouvent ainsi un éclat particulier. Deux belles tapisseries d'Aubusson du 18e s. garnissent le bas-côté, l'une représentant le Martyre de saint Gaudens, l'autre, inspirée par Rubens, le Triomphe de l'Église. Le chœur avec ses stalles du 17e s. et sa galerie est remarquable. Le buffet d'orgue sculpté et en partie doré s'inspire du style classique du 17e s.

Cloître – Adossé au flanc Sud de la collégiale, le cloître du 12e s., démoli en 1807, a été reconstitué avec ses arcades, colonnes et chapiteaux. Côté église, ces derniers présentent une facture commingeoise, côté salle capitulaire, ils sont de style gothique (14e s.).

A l'Ouest, les parties colorées dans le dallage dessinent le tracé des fondations de l'ancien collège des chanoines.

Musée de St-Gaudens et du Comminges (Z M) ⊙ – Le sous-sol, où l'on peut voir une importante collection minéralogique, est surtout réservé au folklore et aux traditions populaires. La vie d'autrefois est évoquée grâce à la présentation d'anciens métiers (cordonnier, sabotier, tisserand, tailleur de pierre), des outils de la ferme et par la reconstitution d'un intérieur rural commingeois avec son mobilier, ses ustensiles de ménage et ses personnages en costumes d'époque. Au rez-de-chaussée une salle historique renferme des lithographies, parchemins et manuscrits du 13e au 16e s. ainsi que des porcelaines de Valentine. Parmi les objets d'art religieux remarquer un Christ en croix du 13e s. offert par Louis XIV à une noble famille de verriers du Quercy et un bel ensemble de statues en bois polychrome du 14e s. Des souvenirs de maréchaux pyrénéens : Joffre, Gallieni, Foch et des souvenirs de la guerre 1914-1918 complètent l'évocation du passé de la région.

Jardin public (Z) – Il s'orne au Sud-Ouest d'une série de colonnes jumelées provenant du cloître de l'ancienne abbaye de Bonnefont.

ENVIRONS

Valentine – *2 km au Sud-Ouest par ④, route de Bagnères-de-Luchon. Voir à ce nom.*

ST-JEAN-DE-LUZ★★

13 101 habitants (les Luziens)
Cartes Michelin nᵒˢ 85 pli 2 ou 234 plis 29, 33
Schéma p. 193

Élégante station balnéaire depuis 1843, St-Jean-de-Luz ne possède qu'une maison antérieure au grand incendie allumé par les Espagnols en 1558 et son front de mer présente un caractère résolument moderne. De la pointe Ste-Barbe, que l'on peut atteindre à pied par la promenade de la Plage et le boulevard Thiers, on découvre une belle vue sur la baie avec dans le fond Socoa et son fort.

St-Jean-de-Luz, la plus basque des villes situées au Nord de la frontière, offre toutes les distractions d'une grande plage jointes au charme d'une communauté très vivante et à la vie d'un port de pêche sentant la saumure. Le centre-ville avec de nombreuses rues piétonnes (rue de la République, rue Gambetta) a beaucoup de caractère. Au nᵒ 17 de la rue de la République (**AZ 17**) se tient la plus vieille maison de la ville ; construite en pierre de taille, elle contraste avec les maisons basques voisines.

Le mariage de Louis XIV – Prévu par le traité des Pyrénées *(voir à Hendaye)*, le mariage du roi avec l'infante d'Espagne est retardé par la passion que le roi éprouve pour Marie Mancini, nièce de Mazarin. Mais le cardinal exile la jeune fille et le roi cède à la raison d'État. Accompagné de sa suite, il arrive à St-Jean-de-Luz le 8 mai 1660.

Le 9 juin au matin, le roi, logé à la maison Lohobiague, rejoint la maison de l'infante. Entre les Suisses qui font la haie, le cortège s'ébranle en direction de l'église. Derrière deux compagnies de gentilshommes, le cardinal Mazarin, en costume somptueux, ouvre la marche, suivi par Louis XIV, en habit noir orné de dentelles.

A quelques pas derrière, Marie-Thérèse, en robe tissée d'argent et manteau de velours violet, la couronne d'or sur la tête, précède Monsieur, frère du roi, et l'imposante Anne d'Autriche. Toute la cour vient derrière.

Le service, célébré par Mgr d'Olce, évêque de Bayonne, dure jusqu'à 3 h. La porte par laquelle sort le couple royal est murée après la cérémonie.

Le cortège regagne la maison de l'infante. Du balcon, le roi et Mazarin jettent à la foule des médailles commémoratives. Puis les jeunes époux soupent à la maison Lohobiague en présence de la cour. Une étiquette rigoureuse les conduit jusqu'au lit nuptial dont la reine mère ferme les rideaux en donnant la bénédiction traditionnelle.

Corbeille de noce – La jeune reine a reçu des présents dignes des Mille et Une Nuits. Le roi a offert six parures complètes de diamants et de pierres précieuses ; Monsieur, douze garnitures de robes en pierreries. Le cadeau du richissime Mazarin est princier : douze cent mille livres de diamants et de perles, un grand service de table en or massif et deux calèches d'apparat tirées l'une par six chevaux de Russie, l'autre par six chevaux des Indes, dont les robes sont assorties aux couleurs des voitures. Marie-Thérèse sera, pour Louis XIV, une épouse douce et digne. Quand elle mourra, le roi dira : « C'est le premier chagrin qu'elle me cause. »

Port de St-Jean-de-Luz – La maison de l'Infante

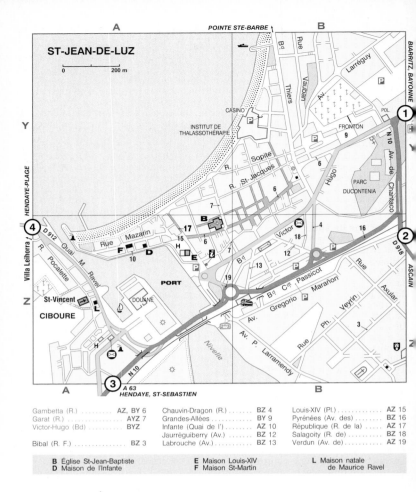

ST-JEAN-DE-LUZ

CURIOSITÉS

Le port (AZ) – Dès le 11ᵉ s., St-Jean-de-Luz consacrait son activité à la pêche
à la baleine. Au début du 17ᵉ s., les Hollandais et les Anglais, initiés à la pêche
par les harponneurs basques, interdisent l'accès des rivages arctiques aux
bateaux luziens. Le capitaine Sopite trouve alors le moyen de fondre le lard à
bord du navire même. Trois tonneaux de graisse produisent un tonneau d'huile
plus facile à transporter. Un seul bateau, rendu ainsi autonome, peut rapporter
la dépouille de sept baleines.
Les baleiniers s'accommodent des conditions précaires d'embarquement et de
débarquement sur rade : il n'est pas question de franchir la « barre » de la Nivelle,
ni d'entrer dans l'estuaire où la rivière divague, à basse mer, dans les marais
qu'évoque le nom basque de la ville : Donibane-Lohizun – « St-Jean-des-Marais ».
La paix d'Utrecht en 1713 consacre la perte de Terre-Neuve, où pullulent les morues
dont la pêche est pratiquée depuis le 15ᵉ s. L'armement luzien et les chantiers navals
installés le long de la Nivelle paraissent alors gravement touchés. Mais, comme à
Bayonne, les navires transformés en corsaires ramènent la richesse.
St-Jean-de-Luz est un port de pêche important pour la sardine, le thon et
l'anchois. Le port occupe le fond de la seule rade qui échancre la côte landaise
entre Arcachon et la Bidassoa, à l'embouchure de la Nivelle, entre les pointes
de Ste-Barbe et de Socoa. Des digues puissantes et le brise-lames de l'Artha
assurent sa protection. Des quais, beaux coups d'œil sur les bateaux, les
demeures anciennes et la Rhune.

★ **Maison Louis-XIV** (AZ **E**) ⊙ – Construite par l'armateur Lohobiague en 1643,
c'est une demeure noble dont la façade côté ville se distingue par ses tourelles
d'angle en encorbellement.
A l'intérieur, le caractère vieux-basque est donné surtout par l'escalier à volées
droites, travail robuste de charpentiers de marine : comme pour tous les
planchers anciens des pièces d'habitation, les lattes sont fixées par de gros clous
apparents, qui interdisent le rabotage et le ponçage. Du palier du 2ᵉ étage une
passerelle intérieure conduit aux appartements où la veuve de Lohobiague reçut

Louis XIV en 1660. En passant dans la galerie à arcades orientées vers le Midi, on découvre le panorama des Pyrénées basques. La cuisine séduit par ses dimensions et sa cheminée. Dans la salle à manger aux lambris verts, table de marbre Directoire et cadeau de l'hôte royal à la maîtresse de maison : un service de trois pièces en vermeil décoré d'émaux niellés.

Maison de l'Infante (AZ **D**) – Elle appartenait à la riche famille Haraneder. Gracieux bâtiment de l'époque Louis XIII, en briques et pierres avec des galeries à l'italienne donnant sur le port. L'infante y logea en compagnie de la reine mère.

Musée Grévin ⊘ – *Visite audio-guidée.* Aménagé dans le pavillon de l'Infante, ancienne dépendance de la maison du même nom, il présente quelques événements majeurs qui ont eu lieu au 17e s. dans le Pays Basque et notamment à St-Jean-de-Luz. Sont évoqués principalement le Traité des Pyrénées, ratifié solennellement le 6 juin 1660 sur l'île des Faisans au milieu de la Bidassoa, et le mariage de Louis XIV célébré trois jours plus tard dans l'église St-Jean-Baptiste ; la scène a été reconstituée d'après un tableau de Laumosnier.

★★ **Église St-Jean-Baptiste** (AZ **B**) ⊘ – C'est la plus grande et la plus célèbre des églises basques. A l'époque du mariage de Louis XIV l'édifice, du 15e s., était en cours d'agrandissement.

Extérieurement elle est d'une architecture très sobre, presque sévère avec ses hautes murailles percées de maigres ouvertures, sa tour massive sous laquelle se glisse un passage voûté. Un bel escalier à rampe de fer forgé donne accès aux galeries. A droite du portail d'entrée, sur le flanc droit, remarquer la porte qui fut murée après le mariage royal.

Intérieur – L'intérieur, somptueux, fait un contraste saisissant avec l'extérieur ; pour l'essentiel, il date du 17e s. *Voir illustration p. 44.*

Trois étages de galeries de chêne (cinq au mur du fond) encadrent la nef unique que couvre une remarquable voûte en carène lambrissée. Le chœur très surélevé, clos par une belle grille de fer forgé, porte un **retable**★ (vers 1670, restauré en 1987) resplendissant d'or. Entre les colonnes et les entablements qui l'ordonnent en 3 registres, des niches abritent des statues d'anges, des saints populaires locaux, d'apôtres (saint Laurent et son gril) ; au 3e étage Vierge de l'Assomption en costume de cour et Dieu le Père dans sa gloire.

Remarquer en outre la chaire (17e s.) supportée par des sphinges (sphinx femelles) ; en face, un beau banc d'œuvre ; le buffet d'orgue ; dans l'embrasure de la porte murée, la statue parée de N.-D.-des-Douleurs et, à côté, une petite Vierge de Rosaire en tenue de cérémonie.

Rue Mazarin (AZ) – Domaine des armateurs au 17e s., la langue de terre isolant la rade du port fut réduite des deux tiers par le raz-de-marée qui, en 1749, anéantit 200 maisons de la ville. Elle conserve quelques demeures distinguées. Dans la rue Mazarin voir surtout la maison St-Martin au n° 13 (**F**) : du sommet de la digue on en découvre mieux les combles et la tour-belvédère d'où le maître surveillait les mouvements des bateaux.

CIBOURE (AZ)

Ciboure (en basque « Zubiburu » : tête de pont) fait face à St-Jean-de-Luz, sur la rive gauche de la Nivelle. En fait, les deux ports ne forment qu'une seule agglomération.

Sur le quai Maurice-Ravel, la maison natale du compositeur, au n° 27 (**L**), est une des silhouettes familières du port. La rue Pocalette mêle les maisons labourdines à pans de bois (maison de 1589 à encorbellements, au coin de la rue Agorette) et de hautes demeures de pierre plus nobles, comme le n° 12, au chevet de l'église.

Église St-Vincent – 16e s. Elle présente un clocher de charpente à deux étages de lanternons de bois en retrait. Elle est accessible, latéralement, par un beau parvis dallé au milieu duquel est plantée une croix de pierre de 1760.

Villa Leïhorra ⊘ – Construite en 1926-1928 par l'architecte Hiriart pour sa famille, cette villa est de style Art Déco, tant dans son architecture que dans sa décoration intérieure. Une partie de la maison, qui s'ordonne autour d'un patio, se visite (en particulier une magnifique salle de bains) ainsi que le jardin.

ENVIRONS

Socoa – *3 km à l'Ouest, par④ du plan. Laisser la voiture sur le port et poursuivre (3/4 h à pied AR) vers la jetée.* De la naissance de la digue, vue sur la baie et la ville.

L'entrée de la baie de St-Jean-de-Luz était défendue autrefois par le fort de Socoa, construit sous Henri IV et remanié par Vauban.

Du port, prendre à droite et monter au phare (rue du Phare), puis au sémaphore (rue du Sémaphore) ; **vue**★★ au Sud-Ouest sur la côte basque, du cap Higuer jusqu'à Biarritz. Au premier plan les falaises plongent en oblique leurs roches feuilletées vigoureusement attaquées par le flot.

★★ LA CORNICHE BASQUE

Circuit de 30 km – environ 3 h. Quitter St-Jean-de-Luz par ④, D 912. La route se rapproche des falaises de Socoa et offre des vues★★ sur l'océan.

Domaine d'Abbadia – Occupant la pointe Ste-Anne, le domaine d'Abbadia est un site naturel protégé offrant les principales caractéristiques géographiques de la côte basque : couvertes de landes à ajoncs et bruyères, ses prairies s'arrêtent aux falaises grises, abruptes au-dessus de la mer. En empruntant le chemin qui longe les falaises, on peut voir, à l'Ouest, les deux célèbres rochers Jumeaux. Abbadia est en outre un poste intéressant pour l'observation d'oiseaux migrateurs comme le pluvier argenté, le busard cendré, l'outarde canepetière et le milan royal. La route d'accès au domaine mène au **château d'Antoine Abbadie** ⊙, demeure néo-gothique du savant Antoine Abbadie (1810-1897) construite par Viollet-le-Duc et Edmond Duthoit. C'est une construction inspirée des châteaux forts du Moyen Âge, avec tours crénelées et toits en poivrière, dans laquelle avait été installé un observatoire d'astronomie. L'intérieur possède encore la décoration polychrome et le mobilier dessinés par Viollet-le-Duc.

Hendaye – *Voir à ce nom.*

Sortir d'Hendaye par la route de Béhobie et prendre la N 10 vers St-Jean-de-Luz.
3 km avant Urrugne, le parc **Florénia** ⊙ présente, à travers un parcours valonné, divers thèmes floraux allant du sous-bois de pins (pins de Montherey, rhubarbe géante) aux terrasses méditerranéennes (eucalyptus, palmiers, jasmin) en passant par un jardin de curé (plantes aromatiques), une roseraie et un jardin aquatique aménagé au bord d'un plan d'eau (nénuphars, lotus). En soirée, le parc est illuminé.

Urrugne – L'église dont le vaisseau peu ajouré garde à l'extérieur une allure militaire s'adosse à un clocher-porche du 16e s. où l'on remarque un cadran solaire.
Prendre sur la grand-place d'Urrugne le chemin en montée de N.-D.-de-Socorri.

Notre-Dame-de-Socorri – Joli **site**★ de chapelle de pèlerinage, dans l'enclos ombragé d'un ancien cimetière, en vue du paysage mamelonné que dominent l'éperon de la Rhune et, à l'horizon, le Jaïzkibel et les Trois Couronnes.

A la sortie d'Urrugne, on peut voir en contrebas, à gauche, le **château d'Urtubie,** construit par autorisation du roi Édouard III d'Angleterre (14e s.) et modifié au cours des âges.

Retour à St-Jean-de-Luz par la N 10.

ST-JEAN-PIED-DE-PORT★

1 432 habitants (les Saint-Jeannais)
Cartes Michelin nos 85 pli 3 ou 234 pli 37 – Schéma p. 225

L'ancienne capitale de la Basse-Navarre, chef-lieu du « Pays de Cize », groupe ses maisons en grès rouge dans un chaud bassin arrosé par les Nives, au pied d'une éminence couronnée par l'ancienne citadelle. La ville haute située sur la rive droite de la Nive est ceinte de remparts du 15e s. datant de la domination navarraise.

Maisons au bord de la Nive

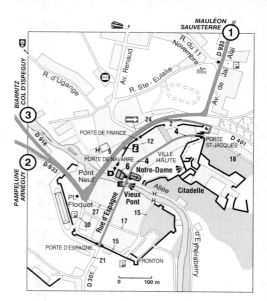

D Maison Jassu
E Ancien hôpital

La citadelle et, sur la rive gauche, les fortifications défendant la route d'Espagne, postérieures au traité des Pyrénées, appartiennent au système de Vauban.

Le nom de St-Jean-Pied-de-Port rappelle que la ville constituait la dernière étape des voyageurs avant la montée au port de Roncevaux (ou d'Ibañeta). Outre-monts, le monastère de Roncevaux entretenait depuis le 12e s. la tradition de l'hospitalité chrétienne et le souvenir du preux Roland, tombé sous les coups des montagnards vascons – transposés en Sarrasins dans la célèbre chanson de geste – lors de l'écrasement de l'arrière-garde de l'armée de Charlemagne en l'an 778.

La coquille et le bourdon – Au Moyen Âge, St-Jean-Pied-de-Port, dernière étape avant l'Espagne, est un grand centre de regroupement de Jacquets *(voir p. 40)* venus de tous les coins d'Europe. Dès qu'un cortège est signalé, la ville est en émoi : les cloches sonnent, les prêtres récitent des prières ; les enfants escortent les pèlerins vêtus du manteau gris, le bâton à la main ; les habitants, sur le pas de leur porte, tendent des provisions. Le cortège s'éloigne en chantant des répons. Ceux qui sont trop las peuvent faire halte rue de la Citadelle où le monastère de Roncevaux leur a ménagé un abri.

★ LE TRAJET DES PÈLERINS *visite : 1 h*

Laisser la voiture près de la porte de France ; suivre les remparts et prendre l'escalier pour gagner la porte St-Jacques par laquelle les pèlerins pénétraient dans la ville.

Rue de la Citadelle (4) – En descente vers la Nive, elle est bordée de maisons des 16e et 17e s. ayant gardé tout leur cachet avec leurs portails arrondis et leurs linteaux droits sculptés.

Église Notre-Dame – Gothique. Beaux piliers de grès.

Rue de l'Église (6) – Elle mène à la porte de Navarre. On y observe l'ancien hôpital (**E**) occupé par une librairie et la maison Jassu (**D**), ancêtres paternels de saint François-Xavier (1506-1552).

Revenir à l'église, passer sous la voûte du clocher et franchir la Nive.

Vieux pont – Belle vue sur l'église qui fait partie des remparts et les vieilles maisons au bord de l'eau.

Rue d'Espagne – Elle s'élève vers la porte d'Espagne par où les pèlerins quittaient la ville ; et comme au temps du pèlerinage elle est très commerçante.

AUTRE CURIOSITÉ

Citadelle – *Accès de l'église ou de la porte St-Jacques.*
Du bastion formant belvédère face à l'entrée du fort, on découvre tout le bassin de St-Jean et ses pimpants villages.

L'estimation de temps indiquée pour un itinéraire de visite correspond au temps global nécessaire pour bien apprécier le paysage et effectuer les visites recommandées.

ST-LARY-SOULAN ✳

1 108 habitants
Cartes Michelin nᵒˢ 85 pli 19 ou 234 pli 48 – Schéma p. 184

St-Lary est située sur l'artère transpyrénéenne ouverte en 1976 par la percée du tunnel de Bielsa. Cette station de sports d'hiver, l'une des plus importantes des Pyrénées, s'est épanouie grâce aux efforts de Vincent Mir, maire du village pendant près de 50 ans et père de la championne de ski Isabelle Mir. La station de vallée (alt. 830 m) exploite depuis 1957 un domaine skiable en altitude, qui fut choisi en 1968 par l'Équipe de France comme site d'entraînement aux Jeux Olympiques de Grenoble.

Grand village montagnard pittoresque et très animé, St-Lary-Soulan s'organise autour de multiples activités : centre de remise en forme des Thermes de St-Lary (indiqué pour les affections rhumatologiques ou respiratoires), expositions de la Maison du Parc national des Pyrénées, plantigrades de la Maison de l'Ours, visites de la centrale EDF, etc.

Durant les vacances d'été, St-Lary devient une base de tourisme en montagne pour le massif de Néouvielle *(voir à ce nom)* et les vallées du bassin supérieur de la Neste d'Aure : vallées de Rioumajou, de Moudang, de Géla, de Badet.

Le domaine skiable – Reliés à la vallée par un téléphérique et par une route de montagne, les deux domaines du Pla d'Adet (alt. 1 680-2 350 m) et d'Espiaude (alt. 1 600-2 450 m) occupent 600 ha sur les ressauts Ouest de la vallée d'Aure. Les 100 km de pistes de ski alpin qui s'étirent dans de grands espaces ensoleillés conviennent à toutes les catégories de skieurs. Si le cœur du Pla d'Adet s'adresse aux débutants, les skieurs sportifs eux se retrouvent plutôt du côté d'Espiaude, beaucoup moins fréquenté, et s'essaient, dans la combe du Lita, sur deux nouvelles pistes bénéficiant d'un enneigement exceptionnel. Les passionnés de ski de bosses et de snowboard ont rendez-vous dans le secteur du Vallon de Portet, où les attendent des stades spécialisés. Les amateurs de **panoramas** grandioses sur les profondes vallées et les pics déchiquetés peuvent aussi se laisser glisser sur les pistes du Soum de Matte, de la Corniche et du Balcon, trait d'union entre Espiaude et Pla d'Adet.

Les fondeurs, de leur côté, ont à leur disposition 15 km de pistes en 3 boucles, au sein du domaine d'Espiaude.

Pour les habitués de St-Lary, la carte magnétique « Altiplus » permet de moduler la journée de ski en conservant le temps non consommé pour une prochaine sortie. L'extension « Neige d'Aure » du forfait permet par ailleurs de skier à Piau-Engaly pour un prix avantageux.

ST-LIZIER ★

1 646 habitants (les Licérois)
Cartes Michelin nᵒˢ 86 pli 3 ou 235 plis 41, 42 – 2 km au Nord de St-Girons

Ancienne capitale religieuse du Couserans *(voir à ce nom)*, St-Lizier occupe un site agréable sur une colline qui domine le Salat face aux Pyrénées. Elle présente la particularité d'avoir eu deux cathédrales, dotées chacune d'un chapitre : la cathédrale St-Lizier et, sur la hauteur, à l'intérieur de l'ancienne enceinte romaine, la cathédrale de la Sède ou du Siège (12ᵉ-15ᵉ s.) accolée au palais épiscopal (14ᵉ s.).

Remparts romains – Ils furent élevés au 3ᵉ s. puis renforcés au 4ᵉ s. Une bonne partie d'entre eux entourent encore St-Lizier.

Pénétrer à l'intérieur des remparts par la Tour de l'Horloge. La cité renferme quelques vieilles maisons du 15ᵉ s., à colombage et encorbellement (rue Notre-Dame, place de l'Église et place des Étendes). On remarquera, rue des Nobles, une maison du 18ᵉ s. ornée de boiseries, de gypseries et d'une bel escalier à rampe de bois sculpé.

Du palais épiscopal (17ᵉ s.), belle vue sur l'ensemble de la ville et sur les Pyrénées. Les bâtiments abritent le musée départemental d'Art et Traditions populaires.

Cathédrale St-Lizier ⊘ – C'est un édifice dont la construction s'échelonne du 10ᵉ au 15ᵉ s. Le clocher octogonal, du 14ᵉ s., en brique, est de type toulousain. L'abside passe du plan pentagonal – remarquer dans la souche de la construction de nombreux matériaux de remploi (débris de pilastres cannelés ayant appartenu à des monuments romains) – au plan demi-circulaire. La voûte en cul-de-four est remarquablement décorée d'un Christ en majesté de la fin du 11ᵉ s.

Sur la place s'ouvre le portail (15ᵉ s.). L'intérieur présente un plan très irrégulier, avec chœur roman désaxé. La nef fut voûtée au 15ᵉ s. Dans le chœur, des fresques romanes présentent les Apôtres, une scène de l'Annonciation et de la Visitation. Leur style et leur iconographie, rappelant les peintures byzantines (stylisation des yeux, du nez et de la bouche, absence de décor et de paysage autour des personnages), sont très proches des fresques que l'on trouve dans les églises catalanes de la même époque.

★ **Cloître** ⊙ – Le cloître, du 12e s., porte des chapiteaux sculptés de style typiquement roman, s'inspirant de motifs gallo-romains (éléments floraux), mozarabes (vannerie), syriens (chapiteau central de la galerie Ouest) et chaldéens (Ier chapiteau de la galerie Est, en partant de la droite). La galerie supérieure a été élevée au 14e s. et conserve quelques traces de fresques.

Trésor – Buste-reliquaire de St-Lizier en argent (16e s.) ; crosse en ivoire (12e s.) ; objets liturgiques ; statues en bois polychrome du 16e s., etc.

Hôtel-Dieu – Attenant à la cathédrale St-Lizier, il possède une pharmacie du 18e s. Ses quatre murs sont plaqués de vitrines en bois roux portant une belle collection de pots en faïence bleue ou polychrome.

ST-MACAIRE

1 459 habitants (les Macariens)
Cartes Michelin nos 79 pli 2 ou 234 pli 11 – Schéma p. 135

Cette cité médiévale s'allonge sur un rocher que baignait la Garonne. Dans ses rues étroites, un peu d'imagination suffit pour recréer la vie au Moyen Âge.
Ses vins blancs font partie de l'appellation contrôlée « Côtes de Bordeaux St-Macaire ». On découvre une jolie vue de l'ensemble de la cité depuis la route de Sauveterre (D 672).

Enceinte – Remontant au 12e s., époque de l'établissement de la ville, elle a conservé trois portes. L'une d'elles, couronnée de puissants mâchicoulis, constitue encore, au Nord, l'accès principal à la vieille ville. Admirer la perspective du front Sud des remparts, au bord de la falaise calcaire baignée jadis par la Garonne et creusée par elle de cavités, permettant l'accès direct au fleuve par des poternes.

Église St-Sauveur ⊙ – Agréablement située sur le rocher de St-Macaire, au-dessus du front Sud de l'enceinte, elle domine la vallée.
Vaste et imposant, l'édifice possède une abside romane ceinturée d'un cordon de billettes ; le plan de cette église dessine un trèfle suivant une formule peu courante, présente au St-Sépulcre de Jérusalem, la 4e abside étant remplacée par la nef. A la croisée du chœur et sur la voûte de l'abside Est, peintures murales du 14e s. sur le thème de l'Apocalypse et de la vie de saint Jean. La nef unique et le clocher polygonal, hors œuvre, sont gothiques.
Sous le porche du 13e s., couronné d'une rosace flamboyante, se trouvent de curieux vantaux de cœur de chêne à ferrures, de la même époque. Au tympan scènes sculptées montrant onze apôtres auréolés et assis. A droite de la façade, on peut voir l'ancien prieuré du 12e s. et son cloître. De la terrasse vue sur la Garonne.

Place du Mercadiou ou Marché-Dieu – Elle est entourée de couverts gothiques et Renaissance, ou « embans ». Quelques demeures des 15e et 16e s., avec baies en accolade ou fenêtres à meneaux, attirent l'attention.

Musée régional des P.T.T. d'Aquitaine ⊙ – Il est installé dans une demeure de la place du Mercadiou, dite « Relais de la Poste Henri IV ». Sur 3 niveaux l'histoire de la communication et de la transmission du message est retracée au moyen de maquettes, documents, costumes, matériel, etc. La philatélie y trouve également une place importante : fabrication du timbre-poste, exposition de timbres, cachets.

Maisons anciennes – Gothiques ou Renaissance, elles subsistent nombreuses et sont régulièrement restaurées.

ST-MARTORY

1 166 habitants
Cartes Michelin nos 86 Nord du pli 2 ou 235 pli 37

Cette localité est resserrée entre la Garonne et la paroi abrupte de l'Escalère. Son nom évoque le « martyre » de chrétiens sous les coups des Sarrasins. Il semble que les Musulmans n'aient passé que trois ans en Aquitaine au début du 8e s. ; les combats entre Sarrasins et chrétiens font l'objet d'une reconstitution historique annuelle à Martres-Tolosane (*voir le guide Vert Michelin Pyrénées Roussillon Albigeois*).
Le **pont**, de 1727, s'inscrit dans une perspective monumentale : à l'arc triomphal de la rive droite répond sur la rive gauche, au-delà du carrefour central, une porte de ville traitée dans le même style.
Le **barrage** élevé à hauteur de l'église (croix du 15e s. à l'intérieur) dévie une partie des eaux de la Garonne dans le canal de « St-Martory » long de 70 km, creusé de 1846 à 1877 pour l'irrigation des hautes terrasses sèches de la Garonne, jusqu'aux abords de Toulouse.

ENVIRONS

Salies-du-Salat – *6 km au Sud par la D 117.*
Station thermale et climatique possédant l'eau la plus minéralisée d'Europe, Salies-du-Salat occupe un site agréable dans les premiers contreforts des Pyrénées, au bord du Salat. De vieilles maisons restaurées (rue de la République avec la halle aux grains du 18ᵉ s. et alentours), des parcs ombragés, des rues piétonnes agrémentent la visite. Juchées sur un promontoire, les ruines du château (12ᵉ s.) et de l'église au clocher-fronton offrent une belle vue sur la vallée et par temps clair sur la chaîne des Pyrénées.

ST-MAURIN

456 habitants
Cartes Michelin nᵒˢ 79 pli 16 ou 235 pli 17 – 8,5 km à l'Est de Puymirol

Dans une agréable région de collines proche de la riche vallée alluviale de la Garonne, le vieux bourg de St-Maurin étage ses maisons coiffées de tuiles rondes au pied de tours carrées, l'une à mâchicoulis, flanquée d'une tourelle abritant aujourd'hui la mairie, l'autre à deux étages d'arcatures aveugles, seul vestige de l'église romane d'une abbaye clunisienne.

Église – De style gothique, elle s'ouvre par un clocher-porche flanqué de contreforts et d'une tourelle à clocheton. Restaurée au début du 17ᵉ s., elle possède des chapiteaux historiés et un devant d'autel peint sur cuir de Cordoue (Adoration des Mages).
Des maisons anciennes et une vieille halle complètent cet ensemble.

EXCURSIONS

Castelsagrat – *7 km au Sud-Est par la D 16, la D 127 et la D 28 à gauche.* Cette ancienne bastide, fondée en 1270, a conservé en partie son plan initial. Sa place à cornières, au milieu de laquelle se dresse un vieux puits, et ses maisons coiffées de jolies tuiles rondes, dont les plus anciennes sont à encorbellement, constituent un ensemble intéressant.
L'**église**, en belle pierre grise, est un édifice du 14ᵉ s. qui offre une façade très sobre et une nef gothique ; le chœur, à chevet plat, est orné d'un gigantesque retable en bois sculpté et doré, du 17ᵉ s.

Puymirol – *10 km au Sud-Ouest par la D 16.* Cette bastide, fondée au 11ᵉ s. sur une colline dominant la vallée de la Séoune et d'où l'on découvre les plantureuses plaines de l'Agenais, a gardé des maisons anciennes. L'église, qui s'inscrit dans un angle de la place à arcades, possède un porche du 13ᵉ s. très profond aux nombreuses voussures.

Beauville, Lacour – *Circuit de 32 km – sortir au Nord par la D 16, pittoresque ; au bout de 8 km prendre à gauche la D 43.*
Beauville – Le village couronne un éperon, dans un paysage de vignes et de vergers. Sur la place à arcades alternent maisons de pierre et maisons à pans de bois. A l'extrémité de l'éperon, château Renaissance avec tour à mâchicoulis.
Descendre par la D 402.
La route, au départ, offre des vues sur la vallée de la Petite Séoune et les collines du Quercy.
Par la D 7 à droite, gagner Lacour.
Lacour – Ce pittoresque village, perché au sommet d'une colline, possède une intéressante **église** ⊙ romane. Un massif clocher surmonte la croisée du transept, accentuant la disproportion entre la nef très courte et le chœur, qui se termine par un chevet plat très profond dont les murs présentent, à l'extérieur, de solides contreforts. A l'intérieur beaux vitraux restaurés.
Regagner la D 7 et, par Bourg-de-Visa, rentrer à St-Maurin.

Afin de donner à nos lecteurs l'information la plus récente possible, les conditions de visite des curiosités décrites ont été groupées en fin de volume.
Dans la partie descriptive du guide, le signe placé à la suite du nom des curiosités soumises à des conditions de visite les signale au visiteur.

ST-PALAIS

2 055 habitants
Cartes Michelin n°s 85 pli 4 ou 234 pli 34 – Schéma p. 225

Dans la Basse-Navarre des collines et des rivières calmes, St-Palais justifie son appartenance au monde basque surtout par ses traditions : galas de pelote, festival de la force basque *(voir tableau des Principales manifestations en fin de volume)*, etc. Les ponts, gués, chapelles, tronçons d'antiques chemins pavés rencontrés aux environs évoquent le passage des pèlerins de Compostelle *(carte p. 40)*.

SUR LES PAS DES PÈLERINS

18 km AR – Sortir de St-Palais par la D 302 en direction de St-Jean-Pied-de-Port. Dans la descente suivant le passage d'un dos-d'âne, à l'endroit où la route revient dominer la vallée de la Bidouze, quitter la voiture à un carrefour multiple de chemins. Prendre le premier à gauche.

Stèle de Gibraltar – Le monument, surmonté d'une stèle discoïdale ancienne, donne l'orientation des chemins de Compostelle passant par le mont St-Sauveur. *1,5 km au-delà du village d'Uhart-Mixe, tourner à droite vers Harambels.*

Harambels – Le hameau, isolé au milieu des chênes, était une halte sur le chemin de Compostelle. Une communauté de « donats » y assurait l'hébergement des pèlerins.

La chapelle St-Nicolas signalait l'étape aux voyageurs arrivés de St-Palais par les hauteurs, au Nord-Est (à l'opposé de l'accès actuel). Passer le portail roman à chrisme (11e s.). L'intérieur, entretenu par les descendants des quatre « maisons » auxquelles l'édifice fut adjugé sous la Révolution, a conservé une décoration de lambris peints. Le retable (15e-16e s.), œuvre de menuisiers du lieu, est dédié à saint Nicolas. A droite, saint Jacques en bois doré (15e s.).

ST-SAVIN

331 habitants
Cartes Michelin n°s 85 pli 17 ou 234 pli 43 –
3 km au Sud d'Argelès-Gazost – Schéma p. 106

St-Savin, qui fut un des plus grands centres religieux du Pays de Bigorre, est aujourd'hui une halte intéressante sur la route de Cauterets ou de Luz.

La **terrasse** qui borde la place principale offre une belle vue sur l'ample vallée d'Argelès, fermée en amont par le pic de Viscos (alt. 2 141 m). A l'arrière-plan, à gauche, se profile le pic Long (alt. 3 192 m). Toute proche pointe la chapelle de Piétat.

Église – Elle appartenait à une abbaye bénédictine. Ses abbés, seigneurs de la « vallée de St-Savin » *(voir à La Bigorre)*, présidèrent à la mise en exploitation des sources de Cauterets. L'édifice, des 11e et 12e s., a été fortifié au 14e s. ; un chemin de ronde intérieur, encore intact, abritait les défenseurs. Le clocher-lanterne recouvre une tour du 14e s. Un beau portail roman orne la façade. Sur le tympan, le Christ, entouré des Évangélistes, est revêtu d'ornements sacerdotaux, représentation extrêmement rare.

A l'intérieur, on voit un petit bénitier roman à cariatides (12e s.) dit « des cagots » *(voir à Pays Basque, la vie basque)*. Un buffet d'orgue (16e s.) porte des masques dont les yeux et la bouche s'animaient lorsque les orgues jouaient. A côté, beau Christ en bois, œuvre espagnole des 13e et 14e s.

Trésor ⊙ – Il occupe l'ancienne salle capitulaire. Des chapiteaux provenant de l'ancien cloître, des Vierges romanes et une châsse, en cuivre argenté, du 14e s. sont à voir spécialement.

La symbolique des tympans sculptés

Sur nombre de portails d'église, le tympan représente le Christ, dans une mandorle, levant les trois doigts (pour évoquer la Trinité) et entouré des quatre signes des Évangélistes. Saint Matthieu est ainsi symbolisé par un homme, car il a commencé son évangile par la liste des ancêtres de Jésus ; saint Marc est représenté par le lion parce que dans son évangile il parle de la voix qui crie dans le désert ; saint Luc porte le signe du taureau, car son évangile débute par le sacrifice offert par Zacharie ; enfin, saint Jean est symbolisé par l'aigle, car c'est le seul animal qui regarde le soleil en face, comme le chrétien doit contempler la divinité. Cette symbolique est elle-même rattachée à la vie de Jésus, l'homme signifiant l'incarnation, le taureau la passion, le lion la résurrection et l'aigle l'ascension. Enfin, les quatre signes peuvent également représenter les vertus que l'homme doit posséder pour mériter la vie éternelle, le signe de l'homme étant la raison, le taureau le sacrifice, le lion le courage et l'aigle la contemplation de Dieu. Placés à l'entrée de l'église, ces symboles rappellent au croyant ses devoirs chrétiens.

ST-SEVER

4 536 habitants

Cartes Michelin n°s 78 Sud-Est du pli 6 ou 234 pli 27

St-Sever (prononcer : Sévé), « cap de Gascogne », occupe, sur le rebord du plateau de Chalosse *(voir à ce nom)* au-dessus de l'Adour, une position dominante en vue des immensités landaises. Ses activités sont orientées en sens inverse : la ville tourne le dos aux Landes et regarde vers le Béarn.

Promenade de Morlanne – Du belvédère, la vue se porte sur l'Adour en contrebas et sur l'immense « mer de pins » dont la platitude contraste avec la Chalosse vallonnée. La statue du général Lamarque (1770-1832), tribun notoire de l'Opposition, à la fin de la Restauration, se dresse au centre du jardin public.

Église ⊙ – Ancienne abbatiale romane, connue pour son chœur à 6 absidioles de profondeur décroissante (plan dit bénédictin). La façade et la nef ont été restaurées aux 17e et 19e s.

A l'intérieur, l'originalité du chœur s'est trouvée un peu atténuée par le réaménagement des absides au 17e s. Les bras du transept se terminent par une tribune reposant sur une seule colonne et développant, à l'étage, une arcature purement décorative. Les colonnes de marbre du chœur et du transept proviennent du palais des gouverneurs romains de Morlanne.

Les **chapiteaux★** sont remarquables, ainsi :

Église de St-Sever - Chapiteau

A. Thuillier

– les chapiteaux à « feuilles d'eau » (début du 11e s.) ou à décor de lions : voir l'énorme chapiteau à feuilles d'eau, entre la 1re et la 2e absidiole de gauche, le chapiteau à quatre grands lions de la colonne supportant la tribune du transept droit ;

– les chapiteaux historiés, au revers de la façade : à gauche, le banquet chez Hérode et la décollation de saint Jean-Baptiste ; à droite, huit personnages escaladant des arbustes.

La sacristie donne accès au cloître dont il ne reste que deux côtés.

Longer extérieurement l'église par la gauche (rue des Arceaux). Prendre du recul sur la place de Verdun pour voir le chevet.

Le chœur couvert d'un dôme à lanternon apparaît flanqué au Nord par les absidioles romanes aux amusants modillons (voir aussi ceux de l'absidiole Sud représentant des têtes d'animaux).

Rue du Général-Lamarque – Elle conserve quelques hôtels du 18e s. : n°s 6, 18, 20 et 26 ; du 19e s. (n° 8 et n° 11, ancienne maison du général Lamarque flanquée de deux pavillons et s'ouvrant sur un portail néo-classique). L'**ancien couvent des Jacobins**, transformé en centre culturel, possède un cloître en brique de la fin du 17e s. et un **musée archéologique** ⊙ abritant une exposition sur le manuscrit enluminé de l'Apocalypse de St-Sever (11e s.), chef-d'œuvre de l'enluminure romane du Midi (95 images). Au n° 21, hôtel particulier du 16e s.

EXCURSIONS

★ **La Chalosse et le Tursan** – *127 km. Quitter St-Sever au Sud-Est par la D 944. Voir à ce nom.*

Audignon – *5,5 km au Sud par la D 21. Voir à ce nom.*

Souprosse – *18 km à l'Ouest par la D 924.*
L'église St-Pierre abrite un ensemble original. Derrière un imposant maître-autel en chêne massif et un tabernacle en cuivre et laiton richement décoré d'émaux se dressent un Christ Ressuscité (haut de 2,20 m) en cuivre rouge martelé et une Croix (haute de 3 m) en marqueterie d'olivier. A gauche du chœur, la chapelle de la Vierge contient un bel autel en pierre.

STE-CROIX-DU-MONT★

804 habitants (les Montécruziens)
Cartes Michelin nos 71 Sud-Est du pli 10 ou 234 pli 11 – Schéma p. 135

Les paisibles habitations de Ste-Croix-du-Mont, commune typiquement viticole, s'égrènent sur la colline calcaire dominant la Garonne. On y arrive par de petites routes serpentant au milieu des vignes qui produisent des vins blancs liquoreux renommés.

★ **Vue** – De la terrasse ombragée de l'église située à l'extrémité de la colline, qui porte également le château, s'offre une vue plongeante sur la vallée. De la terrasse du château, vue très étendue *(table d'orientation)* en direction des Pyrénées.

★ **Grottes** – Elles s'ouvrent en contrebas, creusées dans un banc d'huîtres fossiles déposé par l'océan à l'époque tertiaire ; l'une d'elles a été aménagée en **cave de dégustation** ⊙.

STE-FOY-LA-GRANDE

3 218 habitants (les Foyens)
Cartes Michelin nos 75 plis 13, 14 ou 234 Nord du pli 8

Alphonse de Poitiers, frère de Saint Louis, fonda cette bastide en 1255 sur la rive Sud de la Dordogne.
C'est aujourd'hui un marché régional de fruits, de fleurs, de tabac et un centre vinicole où règne l'animation des villes commerçantes.
Ste-Foy est la patrie des chirurgiens **Paul Broca** (1824-1880), fondateur de l'école d'anthropologie, et **Jean-Louis Faure** (1863-1944), initiateur de techniques nouvelles, d'**Élie Faure** (1873-1937), critique et historien d'art dont les ouvrages ont été un jalon marquant dans l'évolution de l'histoire de l'art, ainsi que celle des frères Reclus.

Les frères Reclus – Le plus célèbre, **Élisée** (1830-1905), a rédigé une *Géographie universelle*, œuvre monumentale. Il dut quitter la France en 1851 pour ses idées républicaines tout comme son frère aîné **Élie** (1827-1904), écrivain qui vécut surtout en Belgique. **Onésime** (1837-1914) et **Armand** (1843-1927) parcoururent l'un l'Afrique, l'autre l'Amérique latine et publièrent plusieurs ouvrages. Enfin le dernier, **Paul** (1847-1914), chirurgien renommé, donna son nom à la maladie de Reclus.

La ville – La place de la Mairie entourée de couverts et les nombreuses maisons médiévales, Renaissance ou 17e s., qui bordent les rues alentour, donnent un cachet ancien à la ville dominée par la haute flèche (62 m) de l'église néo-gothique. Signalons dans la rue de la République, au no 53, une maison flanquée d'une jolie tourelle d'angle, au no 94 une demeure du 15e s. à pans de bois sculptés et, au no 102, une autre tourelle d'angle.
Les quais paisibles de la Dordogne, au pied de ce qui subsiste des remparts, invitent à la flânerie.

SALIES-DE-BÉARN⚓

4 974 habitants (les Salisiens)
Cartes Michelin nos 78 pli 8 ou 234 pli 30

Le Saleys s'attarde dans la ville en reflétant dans ses miroirs d'eau, de part et d'autre du pont de la Lune, des maisons à galeries du 17e s. qui, avec leurs toits bruns aux lignes faîtières incurvées, représentent le style régional béarnais.

Le ruisseau sépare la vieille ville, tassée autour de l'irrégulière place du Bayàa, de la cité thermale du sel où règne le style néo-mauresque et où se pratiquent le traitement des affections gynécologiques et infantiles, la consolidation des fractures, etc. Sur la route de Bayonne, les installations sportives du parc de Mosqueros ont renouvelé l'équipement de la station.

EXCURSIONS

Bellocq – *7 km au Nord par la D 30*. Cette ancienne bastide, la plus ancienne du Béarn, fut fortifiée au 13e s. par Gaston VII de Moncade. Elle en a conservé son plan caractéristique.
Le **château** ⊙, bâti au bord de la rivière, à l'exception d'une tour carrée-porte d'entrée, présente un ensemble de quatre tours rondes construites pour mieux résister aux projectiles. Réaménagé au 14e s. à l'époque de Gaston Fébus, le château fut démantelé sous Louis XIII de peur qu'il ne serve de refuge aux Protestants.

Château de Laàs, Sauveterre-de-Béarn – *Circuit de 34 km* – *environ 3 h. Sortir de Salies au Sud-Est par la rue St-Martin et suivre la D 30.*

La petite route, tracée sur les crêtes, révèle des vues lointaines, par la trouée du gave de Mauléon, jusqu'aux Pyrénées, et dessert des fermes encapuchonnées à la mode béarnaise.

Atteignant à Narp la vallée du gave d'Oloron, tourner à droite vers Sauveterre.

Château de Laàs – *Voir à Sauveterre-de-Béarn.*

★ **Sauveterre-de-Béarn** – *Voir à ce nom.*

Retour à Salies par la D 933.

La SAUVE

1 100 habitants
Cartes Michelin nᵒˢ 75 Ouest du pli 12 ou 234 pli 7 – Schéma p. 135

Deux sanctuaires, placés de part et d'autre d'un vallon, font l'ornement de la Sauve, dont le nom viendrait de la grande forêt, « Silva », défrichée par les moines bénédictins. Beaucoup de pèlerins de St-Jacques *(voir p. 40)* y faisaient bénir bourdons et panetières.

★ **Ancienne abbaye** ⊙ – Fondée en 1079 par saint Gérard, l'abbaye de la Sauve-Majeur devint une puissante seigneurie foncière. Elle avait établi de nombreux prieurés jusqu'en Espagne et en Angleterre. Abandonnée au 16ᵉ s., la vie monastique reprend au 17ᵉ s. pour s'achever avec la Terreur. En 1809 les voûtes de l'abbatiale s'écroulèrent.

L'abbatiale du 12ᵉ s., de style roman saintongeais, et du début du 13ᵉ s. (restaurée) marque la transition du roman au gothique. Romans sont en effet l'abside et les absidioles orientées, en cul-de-four, ainsi que les magnifiques **chapiteaux** qui surmontent les massives colonnes rondes de la travée droite du chœur ; certains sont historiés : scènes de l'Ancien et du Nouveau Testament ou animaux fabuleux. Par contre, gothiques étaient les voûtes dont subsistent les départs d'ogives, et le clocher (157 marches ; panorama) à hautes baies ébrasées. A droite de l'abbatiale s'étendent les vestiges du cloître du 13ᵉ s., de la salle capitulaire et du réfectoire.

Église St-Pierre ⊙ - Élevée en style gothique à la fin du 12ᵉ s., elle occupe une situation dominante. Prendre du recul pour sentir le caractère d'austère grandeur que revêt sa façade terminée par un clocher-mur et rythmée par des contreforts à ressauts. Le chevet plat est percé de trois baies aux côtés desquelles s'alignent quatre statues du 13ᵉ s. : de droite à gauche, saint Michel, saint Jacques, la Vierge et saint Pierre. Le portail Sud est surmonté d'une autre statue de saint Pierre.

SAUVETERRE-DE-BÉARN★

1 366 habitants
Cartes Michelin nᵒˢ 78 pli 8 ou 234 pli 34

Le bourg est bâti dans un **site★** de terrasse, au-dessus du gave d'Oloron.

Le jugement de Dieu – En 1170, Sancie, veuve de Gaston V de Béarn, accusée d'avoir fait mourir l'enfant né après la mort de son époux, est soumise au jugement de Dieu. Sur l'ordre du roi de Navarre, son frère, elle est jetée dans le gave, pieds et poings liés, du haut du pont fortifié. Le courant l'ayant rejetée saine et sauve sur la rive, elle est reconnue innocente et rétablie dans ses droits.

Un marché avantageux – Près de Sauveterre, à la limite des territoires sous souveraineté française, navarraise et béarnaise, se déroule l'entrevue du 12 avril 1462 entre Louis XI, Jean II d'Aragon (et de Navarre) et Gaston de Foix-Béarn. Moyennant 300 000 écus d'or gagés sur les deux comtés du Roussillon et de la Cerdagne, le roi de France met 700 « lances » (unité de combat de 6 hommes à cheval, plus les gens de pied) à la disposition du roi d'Aragon pour réduire la rébellion catalane. Le traité fut signé le 9 mai 1462 à Bayonne mais, la somme prévue n'ayant pas été versée, Louis XI mit la main sur les deux provinces en cause.

CURIOSITÉS

Terrasses de l'église et de la mairie – Vue plongeante sur le gave, le vieux pont, l'île boisée, la tour de Montréal, le clocher roman de l'église ; au loin se profilent les Pyrénées.

Vieux pont (« de la Légende ») – Il subsiste du pont, dont la légende est expliquée sur un panneau, une arche avec une porte fortifiée du 12ᵉ s.
De là, la **vue★★** embrasse le gave, les fortifications, l'église et la superbe tour de Montréal.

Sauveterre-de-Béarn

Église St-André – Le tympan du portail représente un Christ en majesté entouré des quatre Évangélistes. Les voûtes ogivales s'harmonisent parfaitement avec l'intérieur de style roman. Au pilier situé à gauche du chœur, remarquer un chapiteau historié représentant la Médisance et la Gourmandise. Le chevet flanqué de deux absidioles est surmonté d'un clocher quadrangulaire percé de fenêtres géminées.

ENVIRONS

Château de Laàs ⓥ – *9 km au Sud-Est par la D 27.*
Les collections avaient été léguées au Touring Club de France par les derniers propriétaires, M. et Mme Serbat, qui en ont fait un véritable musée. En rassemblant le **mobilier★**, les objets d'art et les tableaux de famille provenant de trois résidences familiales, ceux-ci constituèrent un musée d'arts décoratifs, évoquant l'art de vivre dans le Hainaut au 18e s.
Les chambres et salons furent ornés de boiseries Louis XVI – remarquer la décoration « aux fables de La Fontaine » de la chambre de Mme Serbat –, de tapisseries, de toiles peintes (salon de musique) mettant en valeur des tableaux de l'École du Nord (Watteau de Lille).
L'histoire anecdotique n'est pas oubliée avec la chambre du 1er étage évoquant les lendemains de Waterloo : lit de Napoléon à Maubert-Fontaine (19 juin 1815).

Musée du Maïs ⓥ – Cette céréale, cultivée en Amérique centrale et australe depuis 5000 avant J.-C., fut introduite en Europe à la fin du 15e s., après la découverte de l'Amérique. Elle pénétra en France par l'Espagne et s'imposa dès le 17e s. comme une composante essentielle du système agricole traditionnel du Béarn, qui fut avec le Pays Basque le berceau de la culture française du maïs. Installé dans les communs du château, le musée présente successivement l'outillage de la culture ancienne du maïs et les méthodes traditionnelles de récolte, dépouillage et égrenage ; puis la mécanisation survenue après la Seconde Guerre mondiale ; enfin l'utilisation du maïs dans l'alimentation humaine et animale, et la révolution apportée par la mise au point d'espèces hybrides à fort rendement.

Pour trouver la description d'une curiosité,
l'évocation d'un souvenir historique,
le plan d'un monument,
consultez l'index à la fin du volume.

SIMORRE

708 habitants (les Simorrains)
Cartes Michelin nᵒˢ 82 Nord-Est du pli 15 ou 235 pli 33

Le bourg garde de son passé une église de briques résolument « féodalisée » par Viollet-le-Duc et des « mirandes » – larges ouvertures ou galeries sous comble – typiques de l'architecture régionale du Toulousain. Tout autour de l'église et dans les rues avoisinantes, on pourra voir de vieilles maisons à pans de bois.

★ **Église** ⊙ – L'édifice gothique dresse une tour octogonale percée de baies en mitre, à l'intérieur d'une couronne de contreforts à clochetons reliés par des murs crénelés. A l'exception de la travée en pierre ajoutée au 15ᵉ s., à l'Ouest, l'ensemble ne présente pas de détail discordant. Viollet-le-Duc a-t-il rendu au monument sa pureté en rabaissant les toitures, en arasant le couronnement du clocher et de la tour-lanterne, en crénelant les murs disponibles ou a-t-il au contraire fait œuvre de théoricien ? Le débat divise les archéologues.

Intérieurement, le chœur est illuminé par des verrières des 14ᵉ s. (baie supérieure) et 15ᵉ s. (baies inférieures). On comparera le sujet de la verrière (16ᵉ s.) de saint Cérats, dans le croisillon droit du transept, avec la statue en pierre (15ᵉ s.) du même saint, évangélisateur de la région, à l'entrée du croisillon gauche. Des arcs en ogive sont supportés par des pilastres en brique. Les stalles du chœur forment un ensemble intéressant et s'étagent sur deux rangs. La stalle abbatiale, très ouvragée, montre de chaque côté du dossier les statuettes de la Vierge et de l'Archange Gabriel figurant l'Annonciation. Remarquer les accoudoirs où les sculpteurs ont laissé libre cours à leur imagination (caricatures grimaçantes, têtes d'animaux).

Sacristie – On y admire des peintures murales du 14ᵉ s., l'olifant de saint Cérats, cor d'ivoire de 0,50 m (11ᵉ s.), et une Pietà en bois polychrome du début du 15ᵉ s.

SORDE-L'ABBAYE

569 habitants (les Sordians)
Cartes Michelin nᵒˢ 78 plis 7, 8 ou 234 pli 30 – 4 km au Sud-Est de Peyrehorade

Sur une route de migrations des Landes aux Pyrénées, parcourue dès l'époque néolithique et ranimée au Moyen Âge par les pèlerins de Saint-Jacques-de-Compostelle *(carte p. 40)*, Sorde, ancienne bastide, doit son intérêt aux vestiges de son abbaye, bordant l'un des plus jolis plans d'eau du gave d'Oloron. On apprécie le site dans son ensemble, des abords de la petite centrale électrique.

CURIOSITÉS

Église – L'absidiole Sud, du 11ᵉ s., est la partie la plus ancienne de l'église qui est remarquable, extérieurement, par son aspect composite – le transept doté au Sud d'un pignon gothique a l'allure d'une seconde église, transversale – et par les beaux tons roses des pierres du chevet.

Logis des Abbés ⊙ – *Passage signalé au chevet de l'église.* Le bâtiment, flanqué d'une tour d'escalier polygonale, fut construit sur les ruines de thermes romains des 3ᵉ et 4ᵉ s. D'une galerie d'observation intérieure, la vue plonge sur les restes du système hypocauste et sur de très importants fragments de mosaïques.

Monastère bénédictin ⊙ – Des autres bâtiments abbatiaux détruits pendant les guerres de Religion, restaurés au 18ᵉ s., subsistent des pans de murs *(opération de sauvegarde en cours).* De la terrasse et de la galerie couverte (cryptoportique), flanquée de celliers, belle vue sur le gave d'Oloron.

SOULAC-SUR-MER ⌲

2 790 habitants
Cartes Michelin nᵒˢ 71 pli 16 ou 233 pli 25 – Schéma p. 164

Station balnéaire bordée de dunes boisées de pins, Soulac est relativement protégée de la houle par un banc en haut fond qui portait jadis l'antique cité de Noviomagus, engloutie au 6ᵉ s. Du boulevard du Front de mer, jolie vue sur le phare de Cordouan. Un **petit train touristique** ⊙ permet de découvrir la Pointe de Grave.

Jusqu'au 16ᵉ s., il y eut à Soulac une rade importante, ouvrant sur la Gironde, où débarquaient les pèlerins de St-Jacques et qui fut colmatée au 17ᵉ s. par des marais.

Basilique N.-D.-de-la-Fin-des-Terres ⊙ – Cet édifice bénédictin du 10ᵉ s. qui était, au milieu du 18ᵉ s., presque entièrement recouvert par les sables a été dégagé et restauré à la fin du 19ᵉ s.

Il présente les caractères de l'architecture romane poitevine ; l'actuel clocher a remplacé au 14e s. celui qui se trouvait sur la croisée du transept. La manière de bâtir de l'école poitevine s'affirme dans la nef centrale sans ouverture, et par les collatéraux aussi hauts qu'elle. Certains chapiteaux sont historiés ; trois d'entre eux évoquent : au pilier gauche qui précède le chœur, le tombeau et la châsse de sainte Véronique, qui aurait évangélisé le Médoc ; à l'entrée du chœur, à gauche, saint Pierre aux liens ; dans le chœur, Daniel dans la fosse aux lions. Dans le bras droit du transept : statue polychrome de Notre-Dame-de-la-Fin-des-Terres, objet du pèlerinage dont l'origine remonte au passage des pèlerins vers Saint-Jacques-de-Compostelle.

Musée archéologique ⊙ – *28, rue Victor-Hugo.* Le recul constant de la côte dans le Médoc a favorisé les découvertes archéologiques rassemblées ici par la Fondation Médullienne. De la période néolithique (5000-2200 avant J.-C.), silex, grattoirs, burins, poteries à décor cardial (coquilles dentelées), pointes de flèches. Les haches à bords rectilignes sont caractéristiques de l'âge du bronze dans le Médoc. Le magnifique sanglier en laiton aux formes stylisées est une enseigne militaire gauloise du 1er s. avant J.-C. La plage de l'Amélie et la pointe de la Négade ont fourni la plupart des vestiges de l'époque gallo-romaine : monnaies, céramiques sigillées, vases à engobe orangé (à décor de lunules ou à guillochages), verreries, fibules.

Fondation Soulac-Médoc ⊙ – *Près du Casino, rue Ausone.* Elle regroupe dans un bâtiment moderne des peintures et des sculptures d'artistes contemporains d'Aquitaine. Ces œuvres sont exposées par roulement.

La SOULE★

Cartes Michelin nos 85 plis, 4, 5, 14, 15 ou 234 plis 34, 38, 39, 42

Le Saison ou gave de Mauléon (en basque « Uhaïtz-Handi » : grand torrent) forme l'axe du Pays de Soule, l'une des sept provinces basques. Sa vallée, la seule des Pyrénées atlantiques à avoir connu la glaciation dans sa partie supérieure, se divise, en amont de Licq-Athérey, en deux rameaux parcourus par le gave de Larrau et l'Uhaïtxa. Les affluents montagnards de ces torrents, affouillant la couverture calcaire qui masque la zone axiale de la chaîne à l'Ouest du pic d'Anie, ont creusé d'impressionnantes fissures.
Déjà influencée par le Béarn, comme en témoignent les types de maisons, cette province garde les danses et les traditions théâtrales les plus caractéristiques.

Des oiseaux dorés – L'une des particularités de l'économie régionale réside, comme dans les « pays » voisins (Cize, Baïgorry, Ostabaret), dans l'importance de la propriété collective, la plupart des pacages et des forêts de montagne étant gérés par des syndicats de communes. La Commission syndicale du Pays de Soule groupe 43 communes, pour 15 392 ha.
La location des postes de chasse à la palombe est devenue pour les divers syndicats du Pays Basque un complément appréciable de ressources, car les trois grands axes de migration de ces oiseaux convergent du Poitou, du Massif Central et de la bordure Nord des Pyrénées vers les passages de Haute Soule.

LA BASSE SOULE

Circuit au départ de Mauléon-Licharre
78 km - environ 3 h

Le touriste curieux d'histoire anecdotique retrouve ici le souvenir des « Mousquetaires » d'Alexandre Dumas *(voir à Auch).*

Mauléon-Licharre - *Voir à ce nom.*
Quitter Mauléon au Sud par la D 918.

Gotein - Clocher-calvaire caractéristique.

Trois-Villes - Le nom, plus que le château construit par Mansart, rappelle la carrière militaire et le personnage littéraire de M. de Tréville, capitaine des Mousquetaires du roi sous Louis XIII.

D'après photo Perrin

Gotein – Clocher-calvaire

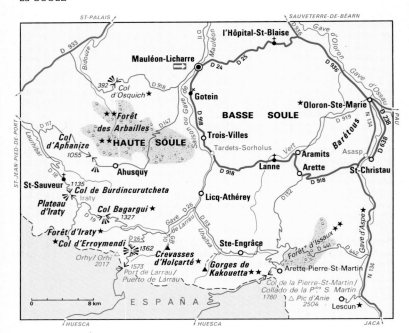

Le **Barétous**, pays de transition entre le Pays Basque et le Béarn, présente un damier de champs de maïs et de magnifiques prairies, entrecoupé de bouquets de chênes, avec un arrière-plan de sommets calcaires.

Lanne – Jolie église à double porche. C'est l'ancienne chapelle du château qui fut la résidence d'Isaac de Porthau, « Porthos ».

Aramits – Ancienne capitale du Barétous. « Aramis » se prévalait du titre d'une abbaye disparue aujourd'hui, dont il recevait le bénéfice comme « abbé laïc ».

Arette – Bourg reconstruit après le tremblement de terre du 13 août 1967. Une route de montagne donne accès à **Arette-Pierre-St-Martin** *(voir à ce nom).*
Après une agréable montée sinueuse au-dessus du bassin d'Arette, la route passe sur le versant de la vallée d'Aspe.

A Asasp, traverser le gave d'Aspe.

St-Christau – *Voir à Le Béarn, gave d'Aspe.*
Par la rive droite du gave, la route gagne Oloron.

★ **Oloron-Ste-Marie** – *Voir à ce nom.*

Sortir d'Oloron par ⑤. Suivre la D 936 sur environ 12 km, puis prendre la D 25 à gauche.

L'Hôpital-St-Blaise – *Voir à Mauléon-Licharre, environs.*

Revenir à Mauléon-Licharre.

★★ LA HAUTE SOULE

La Haute Soule est séparée du bassin de St-Jean-Pied-de-Port par les massifs d'Iraty et des Arbailles formant écran par leur relief difficile et la densité de leur couverture forestière. Cette région est propice aux randonnées en forêt, à la pêche et en hiver, au ski de fond.

Ahusquy – De ce lieu de rassemblement de bergers basques, établi dans un site★★ panoramique, subsiste une auberge (rénovée).
En s'élevant à pied sur 1 km, le long d'une piste, on pourra aller « déguster » l'excellente source d'Ahusquy (derrière un abreuvoir nettement visible sur la pente) qui, jadis, justifiait des cures de boisson très suivies (affections des reins et de la vessie).

Col d'Aphanize – Dans les pacages autour du col errent librement les chevaux. Les pâturages servent de lieux d'estive pour de nombreux troupeaux. 1 km à l'Est du col, la **vue**★★ devient immense, du pic des Escaliers, immédiatement au Sud, au pic de Ger, à l'horizon au Sud-Est, en passant par le pic d'Orthy, le pic d'Anie, le massif de Sesques (entre Aspe et Ossau).

★★ **Forêt des Arbailles** – Elle s'étend sur les hautes surfaces (1 265 m au pic de Behorléguy) d'un bastion calcaire bien détaché entre les sillons du Saison, du Laurhibar et de la Bidouze. A cette hêtraie, masquant un sol rocheux chaotique, criblé de gouffres, succède, au Sud, une zone pastorale s'achevant en à-pic face à la frontière.

★ **Col Bagargui** – **Vue**★ à l'Est sur les montagnes de Haute Soule et les hautes Pyrénées d'Aspe et d'Ossau. Proche sur la droite, la lourde masse du pic d'Orthy, plus loin les élégants sommets calcaires du massif du pic d'Anie derrière lequel se profile le pic du Midi d'Ossau. Sous les couverts de la forêt s'échelonnent les différents centres du village touristique d'Iraty.

Col de Burdincurutcheta – *Faire halte 1 km en contrebas au Nord du col, à l'endroit où la route se rapproche d'une crête rocailleuse.* Prendre pied sur l'arête : vue sur les contreforts, tout lacérés, du massif frontière, séparés par des vallons déserts ; au loin s'épanouit le bassin de St-Jean-Pied-de-Port, centre du Pays de Cize.

★ **Col d'Erroymendi** – Alt. 1 362 m. *De Larrau, 7,5 km par la route du port de Larrau (généralement obstruée par la neige de novembre à juin).* Vaste **panorama**★ de montagne, caractérisant la vocation pastorale et forestière du haut Pays de Soule. Faire quelques pas, à l'Est, pour mieux découvrir l'éventail de vallées du haut Saison et, à l'horizon, le massif rocheux du pic d'Anie.

Gorges de Kakouetta

Novali/IMAGES TOULOUSE

La SOULE

★ **Crevasses d'Holçarté** – *1 h 1/2 à pied AR par le sentier balisé GR 10, s'amorçant aussitôt après le café et le pont de Laugibar.* Après une rude montée on aperçoit l'entrée des « crevasses », gorges taillées dans le calcaire sur près de 200 m de hauteur. Le sentier s'élève au-dessus de la gorge affluente d'Olhadubi, qu'il franchit sur une impressionnante passerelle, très aérienne, lancée à 171 m au-dessus du gave, en 1920.

★ **Forêt d'Iraty** – A cheval sur la frontière, la hêtraie d'Iraty, qui dès le 18ᵉ s. fournissait des mâts de navires aux marines de France et d'Espagne, constitue l'un des plus vastes massifs feuillus d'Europe (en France : 2 310 ha).

Plateau d'Iraty – Chevaux et têtes de bétail à l'estive. *Vente de fromage de brebis.*

Domaine skiable d'Iraty – Le petit village de loisirs des « Chalets d'Iraty » fut construit dans les années 60, au cœur de la forêt d'Iraty. Entre 1 200 et 1 500 m d'altitude, les 109 km de pistes de ski de fond et les nombreux sentiers pédestres offrent une vue unique sur la montagne.

★★ **Gorges de Kakouetta** ⊘ – *Il est recommandé de faire cette excursion fatigante et parfois impressionnante en période de basses eaux (de début juin à fin octobre). Se munir de bonnes chaussures en raison du terrain glissant. Accès D 113, route de Ste-Engrâce. Traverser l'Uhaïtxa sur une passerelle, escalader l'autre rive et descendre dans les gorges.*
Taillées à pic dans le calcaire, ces gorges sont très belles. L'entrée du « Grand Étroit » est le passage le plus grandiose de Kakouetta. C'est un splendide canyon, large seulement de 3 à 10 m et profond de plus de 200 m. Le torrent mugit dans la longue fissure à la végétation touffue. Le sentier, souvent difficile, s'approche du torrent que l'on franchit sur des passerelles. Il aboutit en vue d'une cascade haute de 20 m formée par une résurgence. Une grotte ornée de stalactites et de stalagmites géantes marque le terme de ce parcours sportif.

Licq-Athérey - Centre d'excursions dans la région.

Chapelle St-Sauveur - Elle ne se distingue guère, vue de loin, d'une bergerie. A cette ancienne chapelle-hôpital de l'ordre de Malte se rattache un pèlerinage, le jour de la Fête-Dieu. On remarque à l'extérieur une suite de colonnettes, stations de chemin de croix. L'intérieur garde quelques naïves statuettes.

Ste-Engrâce – Village de bergers entouré de montagnes boisées, entaillées de canyons. L'**église** romane, une ancienne abbatiale du 11ᵉ s., dresse son architecture puissante et son toit asymétrique dans le site★ pastoral de la combe supérieure de l'Uhaïtxa ; elle jalonnait un itinéraire des Chemins de St-Jacques. Le chœur, fermé par une robuste grille du 14ᵉ s., montre des chapiteaux richement ornés. On identifie : à gauche, des scènes de bateleurs ; au centre, des scènes de chasse et une Résurrection ; à droite, Salomon et la reine de Saba, l'éléphant de la visiteuse portant sur son dos un palanquin à l'indienne.

TARBES

Agglomération 74 639 habitants
Cartes Michelin nᵒˢ 85 pli 8 ou 234 pli 40

Tarbes, capitale de la Bigorre depuis le 9ᵉ s., est la métropole des Pyrénées centrales. C'est une ville de garnison, un centre commercial important et un lieu traditionnel de foires et de marchés.
Les activités économiques s'exercent principalement dans le domaine du bâtiment, de la construction électrique et électronique, de l'armement. Deuxième pôle universitaire de la région Midi-Pyrénées après Toulouse, Tarbes possède un Institut régional de tourisme et d'hôtellerie et bénéficie de la proximité des stations de sports d'hiver.

CURIOSITÉS

★ **Musée international des Hussards (musée Massey)** (AY **M**) ⊘ – Ville de garnison traditionnelle des hussards, Tarbes possède le plus important musée français consacré à ces vaillants et illustres cavaliers. Il est installé dans l'ancienne demeure de **Placide Massey**, naturaliste de talent (1777-1853) qui dessina le **jardin** de la propriété, peuplé d'essences nombreuses et orné d'éléments d'un cloître gothique (**B**) prélevés au monastère des Carmes de Trie-sur-Baïse.
Les *huszars*, cavaliers légers hongrois (le terme désignerait en magyar une troupe de vingt cavaliers, ancêtre du « peloton » des unités de cavalerie modernes), sont apparus à la fin du 17ᵉ s. dans les armées d'Europe occidentale où leurs uniformes seyants, exotiques, et leur aptitude à mener la « petite guerre » les ont imposés. Il fallut cependant combattre leur comportement indiscipliné, brutal (que traduit encore l'expression « à la hussarde ») et leur propension à la désertion

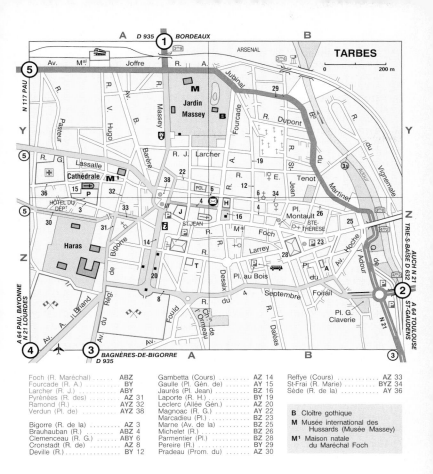

TARBES

0   200 m

B Cloître gothique
M Musée international des Hussards (Musée Massey)
M¹ Maison natale du Maréchal Foch

---

par une discipline de fer. En France, le premier véritable régiment de hussards fut levé en 1720 par **Ignace-Stanislas de Bercheny**, gentilhomme hongrois ; le 1ᵉʳ Hussards Parachutistes, basé à Tarbes depuis 1963, en est l'héritier direct. La volonté de tous les chefs militaires d'enrôler des hussards provoqua rapidement le tarissement du recrutement hongrois, et on dut recourir à des Turcs, des Polonais, des Allemands... Il n'y eut bientôt plus, pour rappeler l'origine de cette cavalerie, que l'uniforme, adopté dans 34 pays. Mais la bravoure et la compétence ne fléchirent pas ; les hussards continuèrent à se couvrir de gloire, et à enfanter des soldats aussi remarquables que les maréchaux Ney, Kellerman, Blücher ou Lyautey.

Uniformes, équipements et armements provenant d'unités de 18 pays habillent plus de 130 mannequins, retraçant l'évolution des effets si caractéristiques du hussard : le marteau d'armes, le sabre-lance (« hegyestor ») et la hache des premiers temps ; la fameuse sabretache, véritable trousse de voyage palliant l'absence de poches d'un uniforme très ajusté ; le dolman et la pelisse barrés de tresses ou de brandebourgs ; la large ceinture écharpe bicolore ; les coiffures : colback, mirliton, schako...

Photothèque du Musée international des Hussards, Tarbes

Le comte de Bercheny, chef de corps du 1ᵉʳ Régiment de Hussards (1689-1778)

L'époque contemporaine est illustrée entre autres par des tenues portées au Liban ou pendant la guerre du Golfe, mais les plus beaux ensembles appartiennent au passé : hussard de la Garde allemande en tenue de parade (1913), général de hussards de la Garde russe en tenue de gala...

Particulièrement impressionnants, et de sinistre mémoire : les « hussards de la mort » germaniques. Insolites : les uniformes de hussards français détachés en 1914-18 dans l'aéronautique ou les groupes alpins.

De très nombreuses illustrations (précieuse « gouache habillée » du début du 19e s., souvenirs régimentaires éclatants de couleurs, tableaux de maîtres, etc.) et une riche collection de guidons, fanions ou flammes de trompette accentuent le prestige de cette présentation.

Archéologie et Beaux-Arts – Une salle du musée expose des couteaux et fibules du 1er Age du fer ainsi qu'un masque de bronze (1er ou 2e) figurant probablement le dieu pyrénaïque Ergé. D'autres salles rassemblent des tableaux d'écoles française, flamande, italienne et espagnole du 15e au 19e s. Remarquer le triptyque de Cock *La Vierge, l'Enfant, saint Jean et saint Jérôme*, du 15e s., une *Sainte Famille* (école italienne, 16e s.) où la félicité peut se lire sur les visages, une *Chasse au sanglier* (17e s., école flamande) et un *Marché bigourdan*, œuvre du régional Henri Borde (1888-1958).

Maison natale du maréchal Foch (AY M¹) ⊘ – Ferdinand Foch y naquit le 2 octobre 1851. La salle du rez-de-chaussée rassemble des portraits, photographies et sculptures du maréchal. Au premier étage, des meubles, comme le fauteuil où il est mort, provenant de son appartement de la rue de Grenelle à Paris, garnissent quelques pièces. Une salle évoque sa brillante carrière : le lycée, Polytechnique, la Grande Guerre, les plus hautes distinctions (il était également maréchal de Grande-Bretagne et de Pologne), l'Académie française (près des uniformes de soldat, on peut voir le célèbre habit vert). La salle des souvenirs renferme de nombreux titres honorifiques et témoignages de reconnaissance français et étrangers.

Cathédrale Notre-Dame-de-la-Sède (AY) – D'origine romane, elle a fait l'objet au cours des 13e, 14e, 18e. et 19e s. d'importants remaniements, rendant difficile la perception de l'édifice médiéval. La partie la plus intéressante est le chevet avec son appareillage de pierres et de briques (en assises réglées ou en damier) ; dans la partie supérieure alternent les rangées de pierres et de galets.

Haras (AZ) ⊘ – Dans un parc de 9 ha, ombragé de cèdres et de magnolias, il forme avec ses pavillons clairs et bas un ensemble empreint de la distinction du Premier Empire.

Les écuries ont été, au 19e s., le berceau du fameux « Tarbais », l'anglo-arabe des hussards et des chasseurs montés qui firent les beaux jours de Tarbes, ville de garnison. Les produits sont maintenant orientés vers la compétition (courses d'obstacles), le dressage, le tourisme équestre et les utilisations d'agrément.

EXCURSIONS

Montaner – *Circuit de 45 km – environ 2 h 1/2. Sortir de Tarbes par* ⑤, *N 117.*

Ibos – Les maisons de ce bourg, autrefois fortifié, adoptent un plan concentrique autour de l'ancienne collégiale devenue l'église St-Laurent. Bâti aux 14e et 15e s., l'édifice, avec son donjon carré et son massif chevet polygonal, conserve une allure de forteresse. La nef avec ses chapelles latérales enserrées dans les puissants contreforts est de style gothique languedocien.

Monter par un lacet panoramique sur le plateau de Ger. 1 km au-delà du carrefour de Ger, tourner deux fois à droite, dans la D 202. A Ponson-Dessus, descendre à droite dans le vallon que domine bientôt la tour de Montaner.

Montaner – *Voir à ce nom.*

Retour à Tarbes par la D 225, Siarrouy et la D 7, à droite.

Abbaye de St-Sever-de-Rustan – *22 km – environ 1 h. Sortir de Tarbes par* ②, *puis prendre la N 21 en direction de Rabastens. A l'entrée d'Escondeaux, prendre la D 27 à droite (itinéraire jalonné).*

L'**abbaye** ⊘ bénédictine de St-Sever-de-Rustan existait dès le 10e s. ; elle fut restaurée par les Mauristes, congrégation réformée de l'ordre bénédictin qui s'attacha à ennoblir l'architecture monastique des apports du classicisme. Le pavillon des Hôtes porte encore la marque de cette époque.

Église – Dans l'édifice, en grande partie roman, observer les 4 groupes de chapiteaux (hauteur : 1 m) de la travée sous coupole : aigles, lions, Péché originel et châtiment du Mauvais riche, arrestation du Christ et Christ en majesté ; le bel ensemble de boiseries (18e s.) formé par les lambris à cartouches rocaille de la sacristie et les stalles du chœur ; de chaque côté du maître-autel, deux bas-reliefs : saint Sever redonnant sève à un néflier desséché et la devise PAX des bénédictins.

Parc ornithologique du TEICH★

Cartes Michelin n⁰ˢ 78 pli 2 ou 234 pli 6 – 5 km à l'Est de Gujan-Mestras – Schéma p. 196

Cette **réserve naturelle** ⊘ occupe 120 ha du delta de l'Eyre, dont 80 ha de plans d'eau anciennement utilisés pour l'élevage des poissons communiquant avec le bassin d'Arcachon par un système d'écluses. Les missions de cette réserve sont de sauvegarder les espèces d'oiseaux sauvages menacées, de préserver un milieu naturel original et d'accueillir le public pour le sensibiliser à la découverte de l'avifaune européenne.

Parc ornithologique du Teich – Cigogne

Le parc se divise en quatre parties : le parc des Artigues, le parc de la Moulette, le parc de Causseyre et le parc Claude Quancard. Le visiteur a le choix entre plusieurs parcours pédestres, tous étant fléchés et jalonnés de postes d'observation : le petit parcours (2,4 km), le grand parcours (3,6 km) et le parcours complet (6 km). *Location de jumelles recommandée.*

Étapes traditionnelles au printemps et à l'automne pour des dizaines de milliers de migrateurs (comme la spatule blanche, l'oie cendrée ou la mouette rieuse), les prairies et les digues bordant l'Eyre ou ceinturant les anciens réservoirs à poissons hébergent aussi l'hiver de nombreux oiseaux tels la sarcelle, le bécasseau variable ou le grand cormoran. On y dénombre aussi des espèces nicheuses comme la colonie de hérons composée de plus de 1 000 couples de hérons cendrés, d'aigrettes garzettes ou de hérons garde-bœufs. En été, la rare gorge-bleue anime de son chant et de ses couleurs le bord des sentiers.

La végétation riche et variée comblera les amateurs de botanique : arbres à baies (arbousiers, ronciers) dont sont friands les oiseaux frugivores, iris d'eau, joncs, aulnes où viennent se nourrir et nicher canards et poules d'eau ; tamaris et chênes plantés pour consolider les digues.

Maison de la Nature du bassin d'Arcachon ⊘ – Structure du Parc naturel régional des Landes de Gascogne, elle est axée sur la protection de la nature et les problèmes de l'environnement. Elle organise, entre autres, des descentes de la Leyre en canoë ou en kayak et des week-ends d'ornithologie.

OÙ OBSERVER...

des **cigognes blanches** : depuis l'observatoire du milan ;

des **foulques macroules** : dans la lagune Claude Quancard (en hiver) et depuis l'observatoire du cormoran (en été) ;

des **spatules blanches** : dans le marais des aigrettes, la vasière des spatules (observatoire de la spatule) et la lagune Claude Quancard ;

des **goélands** : dans la lagune Claude Quancard et la vasière des spatules (observatoire de la spatule) ;

des **cygnes tuberculés** : sur tout le territoire ;

des **sarcelles d'hiver** : dans le marais des aigrettes (observatoire de l'aigrette), la vasière des spatules et la lagune Claude Quancard ;

des **petits échassiers** : dans la vasière des spatules et la lagune Claude Quancard ;

des **grands comorans** : depuis l'observatoire du cormoran (été comme hiver), depuis l'observatoire du héron et dans la lagune Claude Quancard (en hiver) ;

des **canards colverts** : depuis l'observatoire du chipeau et dans la vasière des spatules (en été) ;

des **tadornes de Belon** : dans la lagune Claude Quancard (observatoire du tadorne).

La TÉNARÈZE

Cartes Michelin n°s 79 pli 13 et 82 plis 3, 13, 14 ou 234 plis 20, 24, 28 – Schéma p. 32

Ce nom, connu par l'appellation d'une région délimitée des eaux-de-vie d'Armagnac, s'applique à une antique voie de passage *(carte p. 39)* suivant la ligne de partage des eaux entre l'Adour et la Garonne. Si l'on en croit l'adage gascon, cet itinéraire aurait permis d'aller « des Pyrénées jusques à Bordeaux, sans passer de pont ni prendre bateaux… ».

Le parcours de crête – Il est possible de cheminer entre Eauze, au Nord, et Miélan, au Sud, sans quitter la ligne de faîte des coteaux où tournaient jadis des moulins à vent (à l'entrée de Lupiac, l'un d'eux a été restauré). Selon les sinuosités du chemin (D 20, D 102, D 943, D 159 vers St-Christaud, D 156), les panoramas sur la chaîne des Pyrénées alternent avec les vues sur les collines de l'Astarac, piquetées de châteaux d'eau d'un blanc cru. A mi-chemin, l'église de Peyrusse-Grande (11e s.) constitue l'un des plus anciens témoins de l'époque romane. Le donjon de Bassoues *(voir à ce nom)*, au Sud-Est, et, au second plan, au Sud, le clocher pointu d'Auriébat, dans la dépression de l'Adour, forment des repères remarquables.

« **Monsieur d'Artagnan** » – On évoquera le souvenir de Charles de Batz *(voir à Auch)*, autour de Lupiac, soit au château de **Castelmore** *(on ne visite pas)*, probablement maison natale *(4 km au Nord)*, soit au château de **la Plagne** *(1,5 km au Nord-Est – on ne visite pas)*, maison paternelle.

VALCABRÈRE★

130 habitants
Cartes Michelin n°s 85 pli 20 ou 234 pli 44
2 km au Nord-Est de St-Bertrand-de-Comminges

Situé sur la rive gauche de la Garonne à proximité de St-Bertrand-de-Comminges *(voir à ce nom)*, le petit village de Valcabrère conserve quelques vieilles maisons restaurées, mais l'attraction essentielle est la basilique St-Just.

★ BASILIQUE ST-JUST

La **basilique** ⊙, isolée au milieu des champs, entourée de son cimetière de campagne aux beaux cyprès, forme un tableau d'une grâce incomparable. L'édifice, bâti aux 11e et 12e s., en bonne part avec des matériaux d'origine antique (ville romaine de Lugdunum Convenarum), est dédié à saint Just et saint Pastor, deux jeunes frères mis à mort en Espagne pendant la persécution de Dioclétien, et à saint Étienne, premier martyr. Pénétrer dans le cimetière. Remarquer, de part et d'autre du portail Ouest, une belle inscription funéraire du 4e s., puis le portail latéral Nord (12e s.) de l'église, pour ses quatre statues-colonnes.

Les chapiteaux qui les surmontent évoquent le martyre des saints patrons, saint Just et saint Pastor, puis saint Étienne. Le quatrième personnage, une femme présentant une croix, serait sainte Hélène. Mais ce qui fait l'originalité de l'église, c'est le « relief en creux » de son **chevet**★ *(illustration p. 43)* évidé de niches triangulaires encadrant un réduit central, rare exemple d'architecture romane où toute la fantaisie se projette à l'extérieur.

A l'intérieur, remarquer face à l'entrée la pierre tombale de la chrétienne Valera Severa ; du 4e s. reste d'une importante nécropole qui devait s'étendre sur ces lieux.

Des fragments de sarcophages enchâssés dans les murs, des frises antiques (boucliers, casques) rappellent la ville romaine.

H. Liard/MICHELIN

Basilique St-Just de Valcabrère – Détail du portail

VALENTINE

907 habitants (les Valentinois)
Cartes Michelin nⁱˢ 86 pli 1 ou 235 pli 41
2 km au Sud-Ouest de St-Gaudens

Valentine, célèbre par les ruines de la villa gallo-romaine et ses fouilles archéologiques, conserve le souvenir du maréchal Foch dont on pourra voir la statue dans le square portant son nom.

VILLA GALLO-ROMAINE ⊙

Cette villa a appartenu à Nymfius, gouverneur de la province d'Aquitaine au 4ᵉ s. Derrière un bâtiment de façade, une cour d'honneur longue de 52 m, qui était entourée d'un portique, donne accès à une vaste piscine en hémicycle – alors alimentée (canalisations visibles) par les eaux thermales captées au village voisin. Plusieurs des colonnes de marbre gris qui la cernaient ont été redressées. Au-delà, on reconnaît la salle de réception, carrée avec absides d'angle ; les appartements s'ordonnaient autour d'une cour à péristyle de 33 m de côté. Remarquer, à droite du chemin, une grande salle chauffée par hypocauste à conduits rayonnants (2 foyers).

A 50 m au Sud-Ouest de la villa s'étendent les restes d'**édifices religieux**. On reconnaît le tracé d'un temple de même époque. Au fond, à l'angle gauche, remarquer les murets d'une chapelle paléo-chrétienne à abside carrée, qui fut aménagée à partir du mausolée de Nymfius.

D'autres bâtiments postérieurs ont été mis au jour. De nombreuses tombes attestent la présence de nécropoles sur les lieux, entre le 4ᵉ et le 13ᵉ s.

VERDELAIS

869 habitants
Cartes Michelin nⁱˢ 71 Sud-Est du pli 10 ou 234 pli 11
Schéma p. 135

Verdelais se dissimule dans un repli de terrain au sein de coteaux tout plantés de vignes.

CURIOSITÉS

Basilique Notre-Dame ⊙ – L'église a été reconstruite au 17ᵉ s. Elle est le but d'un important pèlerinage à la Vierge qui, les jours de fêtes solennelles (15 août et 8 septembre) et les dimanches d'été, attire une grande affluence. Aussi les murs du sanctuaire sont-ils presque entièrement garnis d'ex-voto. Au-dessus du maître-autel trône la statue du 14ᵉ s., en bois, de la Vierge, invoquée surtout dans les naufrages et pour la guérison des paralytiques.

Tombe de Toulouse-Lautrec – Dans le paisible cimetière de Verdelais repose le peintre Henri de Toulouse-Lautrec-Monfa (1864-1901).
Sa pierre tombale se voit à l'extrémité de l'allée centrale, à gauche.

Calvaire – Au sommet de la colline qui domine le cimetière a été érigé un calvaire, aboutissement d'un chemin de croix : **vue★** étendue sur le vignoble, la vallée de la Garonne, Langon, la forêt des Landes.

ENVIRONS

Domaine de Malagar ⊙ – *2 km à l'Ouest.*
Situé sur la commune de St-Maixant, ce domaine fut le lieu de villégiature de François Mauriac (1883-1970) pendant de nombreuses années. Sa maison, ouverte au public, permet de découvrir, entre autres, le bureau dans lequel l'écrivain rédigea l'essentiel de ses écrits. Installé dans un des chais attenant à la maison, le musée François-Mauriac présente l'œuvre et la vie de Mauriac, dans un environnement rappelant les lieux que l'écrivain affectionnait. En sortant du musée, rejoindre la petite terrasse de pierre, d'où Mauriac aimait contempler ses vignes et, au loin, les landes.

Château de Malromé ⊙ – *3 km au Nord-Est.*
C'est dans ce château construit au 14ᵉ s. par les comtes de Béarn, puis agrandi aux 18ᵉ et 19ᵉ s., que Toulouse-Lautrec passa quelques années de sa vie aux côtés de sa mère, la comtesse Adèle de Toulouse-Lautrec. La chambre où il mourut, à l'âge de 37 ans, des photos, des reproductions de tableaux, des dessins et aquarelles rappellent cette partie de la vie de l'artiste *(voir le guide Vert Michelin Pyrénées Roussillon Albigeois sous la rubrique Albi)* dans le château, au milieu des vignes.

VILLANDRAUT

777 habitants
Cartes Michelin n°s 79 pli 1 ou 234 pli 11

Environné par les futaies de la forêt landaise, Villandraut est établi sur la rive gauche du Ciron qui coule doucement, formant un miroir d'eau.

Le bourg a donné naissance à Bertrand de Got, élu pape en 1305 sous le nom de **Clément V**, qui accorda à Philippe le Bel la condamnation des Templiers.

Château ⊙ – Cet imposant ouvrage constitue un exemple frappant de l'architecture des châteaux forts de plaine à l'époque gothique. On notera qu'il réserve une large place aux aménagements résidentiels, à l'image des châteaux médiévaux d'Italie ou du Moyen-Orient. Bâtie pour Clément V qui y fit de fréquents séjours, la forteresse affecte le plan d'un rectangle long de 52 m et large de 43. Cantonnées de tours rondes, les courtines sont protégées par un fossé profond de 6 m ; deux tours supplémentaires flanquent l'entrée, sur la face Sud.

Ce côté est d'ailleurs le plus spectaculaire par l'alignement de ses quatre grosses tours, celle de droite ayant été arasée en 1592, par ordre du Parlement de Bordeaux.

Par la poterne centrale où se voient encore les rainures de la herse ainsi que les assommoirs, on pénètre dans la cour intérieure, entourée par une galerie à cinq arcades et trois corps de logis ruinés, mais ayant conservé leurs baies en tiers point : sous l'un d'eux s'étend une vaste salle, ancien atelier couvert d'une belle voûte en berceau brisé.

Les tours, jadis couronnées de hourds en bois, sont construites sur le même modèle : salle de garde au rez-de-chaussée sur cave, salle de séjour à l'étage avec clef de voûte sculptée. Chaque salle comporte cheminée et latrines. Une des salles de la tour Sud-Ouest porte une clef de voûte sculptée figurant le pape (il était barbu) assis entre deux anges.

Musée municipal ⊙ – Situé près de l'église, il comprend cinq salles avec des collections consacrées à l'archéologie (de la préhistoire au 16e s.) et aux arts et traditions populaires du Bazadais.

ENVIRONS

★ **Collégiale d'Uzeste** – *5 km. Prendre la route de Bazas (D 3) et, à droite, la D 110.* Au cœur du bourg d'Uzeste, l'amateur d'art découvrira une église qui rivalise avec la cathédrale de Bazas. Le pape Clément V prit une part prépondérante à l'achèvement de l'édifice, érigé par lui en collégiale en 1312, et désigné dans son testament comme lieu de sa sépulture.

Admirer, à l'extérieur, l'étagement que forment le chevet et le clocher, ce dernier terminé seulement au 16e s.

Pénétrer dans l'église par le portail Sud dont le tympan porte un beau Couronnement de la Vierge. Le plan intérieur comprend nef et collatéraux à voûtes sexpartites, chœur à déambulatoire et chapelles rayonnantes, mais pas de transept. Derrière l'autel, qui supporte un Crucifix présumé du 15e s., on voit le gisant de marbre blanc de Clément V, mutilé par les protestants. Dans la chapelle axiale, Vierge de la fin du 13e s., vénérée par Bertrand de Got, en sa jeunesse ; dans la chapelle voisine, gisant d'un membre de la famille de Grailly (14e s.).

★★ **Château de Roquetaillade** – *11 km au Nord-Est par D 3, D 222, D 125. Voir à ce nom.*

Gorges du Ciron – *17 km – environ 1 h.* Le Ciron, affluent de la Garonne, a déblayé sur 24 km les sables des « Petites Landes » et atteint les marnes sous-jacentes, créant un sillon fortement marqué dont les versants, couverts d'une abondante végétation, se resserrent, en amont du pont de Cazeneuve jusqu'au Pont-de-la-Trave, pour former des gorges aux parois abruptes. Aucune voie carrossable n'empruntant le fond de la vallée, les principaux sites ne sont accessibles que par des routes transversales ou en cul-de-sac.

Quitter Villandraut à l'Est et, par Uzeste et la D 222, gagner le Pont-de-la-Trave.

Pont-de-la-Trave – Du pont sur le Ciron, jolie perspective sur la rivière, un barrage et une centrale électrique. En amont, ruines du château (14e s.) qui commandait le passage.

★ **Château de Cazeneuve** – *Voir à ce nom.*

VILLENEUVE-SUR-LOT

22 782 habitants
Cartes Michelin nᵒˢ 79 Sud du pli 5 ou 235 pli 13 – Schéma p. 49

Fondée en 1253 par Alphonse de Poitiers, aux confins du Périgord et de la Guyenne,
pour servir de point d'appui aux places fortes échelonnées dans le haut Agenais,
Villeneuve-sur-Lot comptait parmi les plus vastes et les plus puissantes bastides du
Sud-Ouest *(voir p. 49)*.
La ville, qui a conservé de nombreuses ruelles et d'anciennes maisons du
Moyen Âge (notamment autour de la place La Fayette, place typique à cornières),
s'étale largement aujourd'hui sur les rives du Lot. La riche vallée alluviale, qui
produit en abondance fruits et primeurs, a fait de Villeneuve un centre actif
d'échanges et, comme Agen, un marché régional pour la prune d'ente *(voir
p. 18)*.

CURIOSITÉS

Portes de ville – Seuls vestiges des anciens remparts, la **porte de Pujols** (**AZ**) et
la **porte de Paris** (**BY**) dressent leur haute silhouette au Sud-Ouest et au Nord-Est
de la ville ancienne.
Toutes deux, bâties en pierre et en brique, sont couronnées de créneaux et de
mâchicoulis et couvertes d'un toit de tuiles brunes. La porte de Pujols comporte
trois étages, avec fenêtres à meneaux. La porte de Paris permit une farouche
résistance aux troupes de Mazarin, lors du siège de 1653.

Église Ste-Catherine (**BY**) – Cette église de brique de style roman-byzantin,
reposant sur un socle en granit, fut consacrée en 1937. Son orientation Nord-Sud
est inhabituelle pour un édifice religieux. L'intérieur est décoré, sauf pour le
chœur, d'une suite de vitraux restaurés, avec des parties des 14ᵉ et 15ᵉ s. – provenant de l'ancienne église – attribuées à l'école d'Arnaud de Moles, maître-
émailleur de la cathédrale d'Auch.

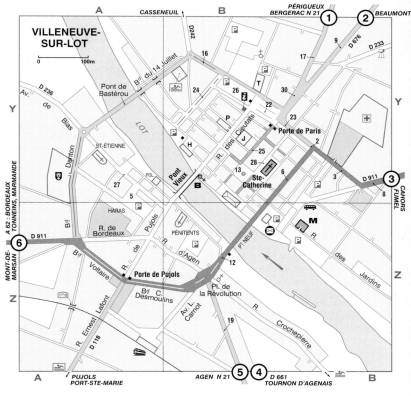

B N.-Dame-du-Bout-du-Pont
M Musée municipal

De belles statues en bois doré des 17e et 18e s. garnissent les quatre piliers de la nef (N.-D.-du-Rosaire, saint Joseph, sainte Madeleine et saint Jérôme), au-dessus de la porte du baptistère Ste-Catherine d'Alexandrie. Les fonts baptismaux en marbre, sous des rayons de lumière bleutée, se détachent nettement. Les peintures de la nef montrent une procession se dirigeant vers le chœur.

Pont Vieux (BY) – Ce pont aux arches inégales, construit au 13e s. par les Anglais, offre une vue pittoresque sur les bords du Lot et sur la chapelle N.-D.-du-Bout-du-Pont (**B**), du 16e s., dont le chevet s'avance au-dessus de l'eau.

Musée municipal (BZ M) ⊘ – Le nouveau musée municipal de Villeneuve *(ouverture prévue courant 1997)*, installé dans un ancien moulin surplombant le Lot, présente notamment des collections de peintures du 18e s. (école de Lebrun), du 19e s. (Hyppolyte Flandrin, Eva Gonzalès et André Crochepierre) et du 20e s. (Henri Martin, Brayer), ainsi qu'un cabinet de gravures et d'art graphique (Piranèse). Une importante collection d'archéologie et une section « Histoire du Lot et de la bastide » sont également ouvertes à la visite.

LA BASSE VALLÉE DU LOT *Circuit de 65 km – compter la journée.*

Quitter Villeneuve, au Nord-Ouest, par la D 242 en direction de Casseneuil.

Casseneuil – Bâtie dans un méandre au confluent de la Lède et du Lot, Casseneuil groupe autour de son église ses toits couverts de jolies tuiles brunes. Vivant autrefois de la batellerie, elle a orienté son activité vers la fabrication de conserves alimentaires.
En contournant le bourg *(en direction de St-Pastour puis Hauterive)*, on découvre de belles perspectives sur les **maisons anciennes** à loggias penchées vers la Lède ainsi que sur les jardins en terrasses. L'église offre un portail de style gothique surmonté d'une rose. Dans la nef, les chapiteaux sont ornés de frises où apparaissent de curieux animaux ; des fresques sont visibles à la voûte du chœur et à celle des bas-côtés.

Descendre au Sud-Ouest par la D 217 jusqu'à Ste-Livrade et bifurquer à gauche dans la D 667. A 1 km, tourner à gauche vers Fongrave.

Fongrave – Le prieuré de Fongrave fut fondé en 1130 et placé sous la règle de Fontevraud n'admettant que des religieuses de noble extraction. Son **église** possède un monumental **retable**★ du 17e s. en chêne sculpté et à colonnes torses où s'enroulent des sarments de vigne contre lesquels rampent des serpents ; une Adoration des Mages en occupe le centre.

Rejoindre Castelmoron-sur-Lot à l'Ouest. Prendre la D 249 puis la D 263 vers Laparade.

Laparade – Des remparts de cette bastide commandant la vallée du Lot se dégage une **vue**★ très étendue allant de Villeneuve-sur-Lot à gauche jusqu'au confluent du Lot et de la Garonne à droite. La rivière décrit des courbes harmonieuses au milieu du damier que forment les cultures ponctuées de vergers.

De Laparade, prendre la D 202 à l'Ouest puis la D 911.

Clairac – Les pittoresques maisons à colombage comblé de briques sont les témoins du riche passé de Clairac. Siège d'une abbaye bénédictine, elle a maintes fois été détruite puis reconstruite au cours des guerres religieuses (les Croisés reprennent la ville aux Cathares en 1224, mais elle devient fief protestant en 1560). Elle abrite aujourd'hui trois musées qui feront en particulier la joie des enfants.

L'abbaye des Automates ⊘ – Aménagé dans l'abbaye bénédictine, cet étonnant musée d'automates explique la vie quotidienne des moines dans les abbayes (ce sont ceux de Clairac qui auraient ramené la prune d'ente de croisade et le tabac du Brésil en 1555) et retrace l'histoire de la cité : des personnages célèbres lui sont liés comme le poète Théophile de Viau (né à Clairac en 1590) ou Montesquieu, dont l'épouse était originaire de Clairac.

Le **musée du Train** ⊘ présente des trains miniatures évoluant dans des décors animés de petits personnages, et la **Forêt Magique** ⊘, exploitant elle aussi l'animation automate, plonge le visiteur dans un univers peuplé de lutins et d'animaux de la forêt.

Prendre la D 911 à l'Est et suivre les panneaux annonçant le « musée du Pruneau », peu avant Granges-sur-Lot.

Granges-sur-Lot – Le **musée du Pruneau** ⊘, au domaine du Grabach, entouré de pruniers d'ente, présente divers outils qui, il y a encore quelques années, servaient au ramassage et à la fabrication des pruneaux. Un film explique le déroulement de cette fabrication ancestrale et le visiteur, en fin de parcours, est invité à déguster les spécialités de la maison, à base de pruneaux bien entendu.

Revenir à Villeneuve par la D 911.

LES SERRES DU BAS-QUERCY

Circuit de 49 km – compter la journée.
Quitter Villeneuve, au Sud-Ouest, par la D 118.

Le Bas-Quercy est une région au relief paisible de bas plateaux allongés, les planliès, disséqués en lanières, les serres, que séparent des vallonnements fertiles.

Pujols – Ce bourg ancien est perché sur une colline d'où l'on découvre une belle **vue★** sur Villeneuve-sur-Lot et la large vallée du Lot, couverte de cultures maraîchères et d'arbres fruitiers.
Un passage, ménagé sous une tour servant de clocher à l'église St-Nicolas, donne accès au vieux village encore enserré dans les restes de ses remparts du 13ᵉ s. La rue principale a conservé des maisons à pans de bois, aux toits en auvents. L'église St-Nicolas possède une nef aux voûtes d'ogives ; celle de **Ste-Foy-la-Jeune**, servant actuellement de salle d'expositions, est ornée de fresques du 15ᵉ s., assez dégradées. Un vieux puits, des vestiges de fortifications, des maisons d'époque Renaissance ajoutent à l'agrément de la visite.

Prendre à gauche dans la D 118 puis dans la D 220.

Grottes de Lastournelles ⊘ – Des ossements trouvés sur les lieux sont exposés dans des vitrines à l'entrée. Les galeries ont été creusées par le ruissellement souterrain. Des voûtes pendent de petites stalactites en voie de formation ; parmi les sept salles, celle des Colonnes est décorée de robustes piliers.

Atteindre la D 212 où l'on tourne à gauche, puis tourner encore à gauche en direction de St-Antoine-de-Ficalba.

Grottes de Fontirou ⊘ – Les galeries et salles creusées dans le calcaire gris de l'Agenais sont ornées de concrétions, colorées en ocre-rouge par l'argile, parmi lesquelles se détachent de jolies stalagmites blanches.
Des ossements d'animaux de l'époque tertiaire, trouvés sur place, sont rassemblés dans l'une des salles.

Parc préhistorique de Fontirou ⊘ – Un sentier boisé permet de parcourir les quelque 4,6 milliards d'années qui séparent l'apparition des premiers animaux de celle de l'homme. Des reconstitutions scientifiques et grandeur nature de dinosaures (autour d'un volcan en activité), d'oiseaux et de reptiles primitifs, de mammifères préhistoriques et des premiers hommes illustrent l'évolution de la vie sur Terre. Un village du néolithique, à travers des scènes reconstituées de la vie quotidienne, montre les divers types d'habitats et d'activités des hommes de cette époque.

Rejoindre la N 21, tourner à droite, puis prendre à gauche la D 110.

La route traverse les Serres, collines calcaires séparées par de larges vallées.

Laroque-Timbaut – Cette petite localité a conservé dans sa partie Sud de vieilles demeures. Près des halles anciennes reposant sur des piliers en pierre, emprunter un passage pratiqué sous une tour et suivre, pendant environ 100 m, la pittoresque rue du Lô, resserrée entre les vestiges de l'enceinte d'un château et de vieilles maisons dont les toits très bas sont couverts de tuiles rondes.

Prendre la D 10 puis la D 656 à gauche. Tourner à la 3ᵉ route à gauche, vers Frespech.

Frespech – Entouré de murailles du 11ᵉ s. (renforcées durant la guerre de Cent Ans), ce petit village plein de charme conserve une église romane du 11ᵉ s. ainsi que quelques vieilles maisons de pierre.

Prendre à droite la direction de Hautefage-la-Tour.

Hautefage-la-Tour – Près de l'église N.-D.-de-Hautefage, de style gothique et dont le portail flamboyant est surmonté d'un auvent, se dresse une belle tour hexagonale d'époque Renaissance qui sert de clocher à l'église. Une tourelle ronde surmontée d'un clocheton est accolée à la tour, dont certains pans sont percés de fenêtres à meneaux. Sa partie supérieure est ornée d'une balustrade ajourée, de gargouilles et de pinacles. Sur la place en contrebas plantée de beaux platanes se trouve un ancien lavoir. Contre l'église, également en contrebas, se dresse une fontaine de pèlerinage.

La D 103, la D 223 à gauche, puis la N 21 à droite ramènent à Villeneuve-sur-Lot.

Figure de surf : roller

Renseignements pratiques

Avant de partir

OÙ SE RENSEIGNER ?

La plupart des renseignements pratiques concernant l'hébergement, les loisirs sportifs, la découverte de la région, les stages chez les artisans, peuvent être donnés par les Comités de tourisme régionaux, départementaux, les Maisons régionales installées à Paris, les services de réservation Loisirs-Accueil et les Offices de tourisme et Syndicats d'initiative listés en début de rubrique dans le chapitre des « Conditions de visite ».

Comités régionaux du tourisme

Aquitaine : Cité mondiale, 23 parvis des Chartrons, 33074 Bordeaux Cedex, ☎ 05 56 01 70 00.

Midi-Pyrénées : 54, boulevard de l'Embouchure, BP 2166, 31022 Toulouse Cedex, ☎ 05 61 13 55 55.

Comités départementaux du tourisme

Ariège : 31 bis, av. du Général de Gaulle, BP 143, 09004 Foix Cedex, ☎ 05 61 02 30 70.

Haute-Garonne : 14, rue Bayard, 31000 Toulouse, ☎ 05 61 99 44 00.

Gers : 7, rue Diderot, BP 106, 32002 Auch Cedex, ☎ 05 62 05 95 95.

Gironde : 21, cours de l'Intendance, 33000 Bordeaux, ☎ 05 56 52 61 40.

Landes : 22, rue Victor-Hugo, BP 407, 40012 Mont-de-Marsan Cedex, ☎ 05 58 06 89 89.

Lot-et-Garonne : 4, rue André-Chénier, BP 158, 47005 Agen Cedex, ☎ 05 53 66 14 14.

Pyrénées-Atlantiques : 22 ter, rue Jean-Jacques-de-Monaix, 64000 Pau, ☎ 05 59 30 01 30.

Hautes-Pyrénées : Hautes-Pyrénées Tourisme Environnement, 6, rue Eugène-Tenot, BP 450, 65004 Tarbes Cedex, ☎ 05 62 56 48 00.

Tarn-et-Garonne : 2, boulevard Midi-Pyrénées, 82000 Montauban, ☎ 05 63 63 31 40.

Maisons de province

Maison des Pyrénées (Hautes-Pyrénées, Pyrénées-Orientales) :
- à Paris : 15, rue St-Augustin, 75002, ☎ 01 42 86 51 86.
- à Bordeaux : 6, rue Vital-Carles, 33000, ☎ 05 56 44 05 65.
- à Nantes : 7, rue Paré, 44000, ☎ 02 40 20 36 36.

Loisirs-Accueil

La Fédération nationale des services de réservation Loisirs-Accueil (280, bd St-Germain, 75007 Paris, ☎ 01 44 11 10 44) propose un large choix d'héberge-ments et d'activités de qualité. Elle édite un guide national annuel, et pour certains départements, une brochure détaillée. En s'adressant au service de réservation de ces départements, on peut obtenir une réservation rapide. Service télématique : 3615 code DETOUR. Les coordonnées pour chaque département (pas de service pour les Landes, ni pour les Pyrénées-Atlantiques) sont, à part celles du Gers et de la Haute-Garonne, les mêmes que pour les Comités départementaux du tourisme :

Gers : Maison de l'Agriculture, route de Tarbes, BP 161, 32003 Auch Cedex, ☎ 05 62 61 79 00.

Haute-Garonne : BP 845, 31015 Toulouse Cedex 6, ☎ 05 61 99 44 19.

Stations vertes

La Fédération Française des Stations Vertes de Vacances et des Villages de Neige édite annuellement un répertoire de localités rurales sélectionnées pour leur tranquillité et les distractions de plein air qu'elles proposent. Renseignements auprès de la Fédération, Hôtel du Département, BP 598, 21016 Dijon Cedex, ☎ 03 80 43 49 47.

Tourisme et handicapés

Un certain nombre de curiosités décrites dans ce guide sont accessibles aux handicapés. Elles sont signalées par le symbole ♿ dans le chapitre des Conditions de visite. Pour de plus amples renseignements au sujet de l'accessibilité des musées aux personnes atteintes de handicaps moteurs ou sensoriels, contacter la Direction des Musées de France, service Accueil des Publics Spécifiques, 6, rue des Pyramides, 75041 Paris Cedex 01. ☎ 01 40 15 35 88.

Les **Guides Michelin France** et **Camping Caravaning France**, révisés chaque année, indiquent respectivement les chambres accessibles aux handicapés physiques et les installations sanitaires aménagées.

3614 Handitel, service télématique du Comité National Français de Liaison pour la Réadaptation des Handicapés (236 bis, rue de Tolbiac, 75013 Paris, ☎ 01 53 80 66 66) assure un programme d'information au sujet des transports et des vacances.

Le **Guide Rousseau H... comme Handicaps** (Association France Handicaps, 9, rue Luce de Lancival, 77340 Pontault-Combault, ☎ 01 60 28 50 12) donne de précieux renseignements sur la pratique du tourisme et des loisirs.

COMMENT Y ALLER ?

Par la route

Plusieurs autoroutes convergent vers l'Aquitaine : A 10 (Paris-Bordeaux), A 62 (Bordeaux-Toulouse), A 63 (Bordeaux-Bilbao), A 64 (Bayonne-Toulouse). **Information autoroutière** : Centre de renseignements autoroutes, 3, rue Edmond Valentin, 75007 Paris, du lundi au vendredi, ☎ 01 47 05 91 01, Minitel **3615 AUTOROUTE**. Consulter la carte Michelin n° 989 au 1/1 000 000 ou l'Atlas autoroutier n° 914.

Le **3615 MICHELIN** vous aide à préparer votre voyage en donnant le meilleur itinéraire, en calculant le temps et la distance de parcours et en fournissant d'utiles informations routières.

La « Route des Estuaires », reliant Calais à Bayonne (1 200 km), passera par Saintes, Bordeaux et Bayonne, avec des antennes vers le Verdon, Arcachon et Pau. Les travaux d'aménagement progressent d'année en année et devraient prendre fin en 1998.

En avion

La compagnie AIR INTER EUROPE assure des liaisons entre Bordeaux et : Lyon, Marseille, Nice, Paris et Strasbourg, entre Biarritz et Paris. D'autres liaisons sont assurées par la compagnie AIR LITTORAL entre Bordeaux et Montpellier, entre Biarritz et Lyon, Marseille, Nice et Pau. La compagnie AIR TRANSPORT PYRÉNÉES relie Pau et Nantes. La compagnie TAT European Airlines relie Bordeaux et Nantes et la compagnie RÉGIONAL AIRLINES relie Pau et Clermont-Ferrand, Dijon, Mulhouse, Nice, Strasbourg et Marseille.

AIR INTER EUROPE : Renseignements, ☎ 0 802 802 802 ou par Minitel : **3615 AIR INTER.**

AIR LITTORAL : 417, rue Samuel-Morse, 34961 Montpellier Cedex, ☎ 04 67 65 49 49.

AIR TRANSPORT PYRÉNÉES : aéroport de Pau-Pyrénées, 64230 Uzein, ☎ 05 59 33 23 33.

RÉGIONAL AIRLINES : Renseignements, ☎ 05 59 33 33 01.

TAT European Airlines, 17, rue de la Paix, 75002 Paris. ☎ 01 42 61 82 10 ou numéro indigo ☎ 0 803 805 805.

En train

TGV – Les liaisons de Train à Grande Vitesse relient Paris à Bordeaux ou Agen en 3 heures, à Dax, Mont-de-Marsan et Pau en 4 h.

Grandes lignes – Des trains directs permettent de se rendre à Bordeaux depuis Brest, Quimper, Nantes, La Rochelle, Toulouse, Marseille, Nice, Clermont-Ferrand, etc.

TER – Les Trains Express Régionaux sillonnent toute la région au départ des villes principales. Ces lignes ferroviaires sont renforcées, dans certains cas doublées, par des lignes d'autocars (services réguliers). Renseignements dans les gares de la région Aquitaine, sur Minitel **3615 TER** ou au ☎ 08 36 35 35 35.

MÉTÉO

Pour toute visite ou activité de plein air, il est utile de disposer à l'avance d'informations météorologiques.

Météo France a mis en service un système de répondeur téléphonique :
– prévisions à 5 jours : ☎ 08 36 68 01 01,
– prévisions départementales à 5 jours : ☎ 08 36 68 02 suivi du numéro du département (☎ 08 36 68 02 33 pour la Gironde par exemple),
– prévisions à 5 jours pour les massifs montagneux : ☎ 08 36 64 04 04,
– prévisions à 5 jours pour les bords de mer : ☎ 08 36 68 08 suivi du numéro du département côtier et ☎ 08 36 68 08 08 pour les informations au large.

Toutes ces informations sont également disponibles sur minitel **3615 METEO** (rubriques Météorologie générale, Marine, Monde ou Montagne et neige).

Rappelez-vous que par temps d'orage ou de brouillard, il est absolument déconseillé de pratiquer tout sport de plein air (du ski à la randonnée en passant par le canoë-kayak), que le vent interdit le vol libre et le ski alpin et qu'une baisse brutale de température rend dangereux les sports de montagne (alpinisme, randonnées pédestres, VTT, etc.).

Lieux de séjour

Choisir son lieu de séjour

La carte des pages 10 et 11 propose une sélection de localités particulièrement adaptées à la villégiature en raison de leurs possibilités d'hébergement, des loisirs qu'elles offrent et de l'agrément de leur site.

La carte fait apparaître des **villes-étapes**, localités de quelque importance possédant de bonnes capacités d'hébergement, et qu'il faut visiter. En plus des **stations de sports d'hiver**, et des **stations thermales** sont signalés des **lieux de séjours traditionnels** sélectionnés pour leurs possibilités d'accueil et l'agrément de leur site.

Bordeaux, Arcachon et Biarritz constituent à elles seules des **destinations de week-end** de par leur site remarquable, auquel s'ajoutent un riche patrimoine architectural muséographique pour la première et un rôle de bases d'excursions, promenades et randonnées pour les autres.

Les bases de départ de promenades et randonnées en altitude de tous niveaux confèrent à certaines stations la qualification complémentaire de **station de montage**. Les **cartes Michelin au 1/200 000** *(assemblage p. 3).* Un simple coup d'œil permet d'apprécier le site de la localité. Elles donnent, outre les caractéristiques des routes, les emplacements des baignades en rivière ou en étang, des piscines, des golfs, des hippodromes, des terrains de vol à voile, des aérodromes, des refuges de montagne, des sentiers de grande randonnée.

HÉBERGEMENT

Guide Rouge Michelin France – Mis à jour chaque année, il recommande un choix d'hôtels établi après visites et enquêtes sur places. Entre autres informations le guide signale pour chaque établissement les éléments de confort proposés, les prix de l'année en cours, les cartes de crédit acceptées et les numéros de téléphone et fax pour réserver. Le symbole 🌭 signale, à l'attention des vacanciers, les hôtels tranquilles. Il propose une large sélection de restaurants qui concerne non seulement les bonnes tables « étoilées » mais aussi les établissements plus simples où l'on aura la possibilité de déguster les spécialités régionales. Dans ce guide, lorsque le mot « Repas » figure en rouge, il signale à l'attention du gastronome un repas soigné à prix modéré. N'hésitez pas à faire confiance aux établissements qui bénéficient de cette mention.

Guide Michelin Camping Caravaning France – Mis à jour également chaque année, il propose une sélection de terrains. Pour chacun, il détaille les éléments de confort et d'agrément, le nombre d'emplacements et le n° de téléphone pour réservation. Un symbole précise pour chaque terrain la possibilité de louer caravanes, mobile homes, bungalows ou chalets.

Auberges de jeunesse – La carte internationale des AJ est en vente à la Ligue française pour les Auberges de la jeunesse, 38, bd Raspail, 75007 Paris, ☎ 01 45 48 69 84, Minitel **3615 Auberge de jeunesse.**

Café-Couette – Le *Guide des chambres d'amis* édité par l'organisme Café-Couette propose une sélection de demeures authentiques et amicales. Centrale de réservation, 8, rue de l'Isly, 75008 Paris, ☎ 01 42 94 92 00, Minitel **3615 CAFECOUETTE.** Délégations départementales : Gironde et Lot-et-Garonne, ☎ 05 56 41 96 24 ; Landes et Pyrénées-Atlantiques, ☎ 05 59 42 31 64 ; Hautes-Pyrénées et Ariège, ☎ 05 62 98 15 08 ; Tarn-et-Garonne, ☎ 05 63 41 63 72 ; Haute-Garonne, ☎ 05 61 83 87 77.

Hébergement rural – La **Fédération nationale des gîtes de France**, 59, rue St-Lazare, 75009 Paris, ☎ 01 49 70 75 75, publie des guides départementaux et nationaux sur les différentes possibilités d'hébergement en milieu rural, le plus souvent associées à des activités de plein air (randonnées, sports d'hiver, pêche, etc.) : gîtes ruraux, chambres et tables d'hôte, gîte d'étape, chambres d'hôte et gîtes de prestige, gîtes de neige, gîtes et logis de pêche, gîtes équestres. Les Gîtes de France proposent également des vacances à la ferme avec trois formules : ferme de séjour, camping à la ferme et ferme équestre.

Renseignements et réservations dans les relais départementaux : Ariège, ☎ 05 61 02 09 73 ; Gers, ☎ 05 62 63 16 55 ; Gironde, ☎ 05 56 81 54 23 ; Haute-Garonne ☎ 05 61 10 43 48 ; Landes, ☎ 05 58 85 44 44 ; Lot-et-Garonne, ☎ 05 53 47 80 87 ; Pyrénées-Atlantiques, ☎ 05 59 80 19 13 ; Hautes-Pyrénées, ☎ 05 62 34 31 50 ou 05 62 34 64 37 ; Tarn-et-Garonne, ☎ 05 63 66 04 42. Minitel **3615 Gîtes de France.**

Le guide *Bienvenue à la ferme* (Éditions Solar) recense les fermes-auberges, les fermes équestres, les fermes de séjour (6 chambres maximum) et les campings en ferme d'accueil.

Le guide *Vacances et week-ends à la ferme* (Éditions Balland) propose 1 000 bonnes adresses et 200 fermes-auberges.

Hébergement pour randonneurs – Les randonneurs peuvent consulter le guide *Gîtes et refuges, France et frontières*, par A. et S. Mouraret (Éditions la Cadole, 74, rue Albert-Perdreaux, 78140 Vélizy, ☎ 01 34 65 10 40, Minitel **3615 CADOLE**). Ce guide est principalement destiné aux amateurs de randonnées, d'alpinisme, d'escalade, de ski, de cyclotourisme et de canoë-kayak.

Vacances familiales – Pour préparer des vacances en famille dans les meilleures conditions, consulter le *Guide des vacances en famille* qui recense les possibilités de vacances familiales (villages de vacances privés et associatifs, locations, campings, hôtels, restaurants) et mentionne les stations qui ont reçu le label « Kid » réservant le meilleur accueil aux enfants.

RESTAURATION

Guide Rouge Michelin France – Il propose une très large sélection de restaurants qui permettront de découvrir et de savourer les meilleures spécialités de l'Aquitaine et des Pyrénées.
Dans ce guide, lorsque le mot repas figure en rouge dans le texte et que le symbole ⌂ se trouve dans la marge, il signale à l'attention du gastronome un repas soigné, souvent de type régional, pour un prix particulièrement favorable.

Des lieux typiques où manger – Dans le Bordelais, les bars à vins permettent de déguster des plats régionaux accompagnés du verre de vin de son choix. Dans le Bassin d'Arcachon, savourer des huîtres dans une cabane d'ostréiculteur peut faire l'objet d'un agréable repas. De Biarritz à la frontière espagnole, on trouve de nombreux bars à tapas, dans la pure tradition espagnole. Le littoral basque fournit aux restaurants des fronts de mer d'innombrables et savoureux fruits de mer. Dans le Gers et le Lot-et-Garonne, foies gras et confits sont immanquablement proposés à la carte des restaurants.

Les bienfaits de l'eau

Sur la carte p. 10 et 11 sont localisés les stations thermales et les centres de thalassothérapie de la région couverte par ce guide.

LE THERMALISME

L'abondance des sources minérales et thermales a fait la renommée des Pyrénées dès l'Antiquité. Par leur nature et leur composition variées, elles offrent un large éventail de propriétés thérapeutiques.

Le thermalisme fut remis au goût du jour dès la fin du 18e s. et en particulier au milieu du 19e s., grâce à l'amélioration des transports et à la création par Napoléon III d'une route thermale reliant les stations.

Prenant le relais du thermalisme mondain d'autrefois, le thermalisme actuel attire des foules de curistes venus se soigner pour des affections très diverses, respiratoires et rhumatismales principalement.

Les eaux pyrénéennes appartiennent à deux grandes catégories, les sources sulfurées et les sources salées.

Le **guide Michelin France** signale les dates officielles d'ouverture et de clôture de la saison thermale.

Les sources sulfurées

Elles se situent principalement dans la zone axiale des Pyrénées. Leur température, tiède, peut s'élever jusqu'à 80 °. Le soufre, qualifié de « divin » par les Grecs, en raison de ses vertus médicales, entre dans leur composition en combinaisons chloro-sulfurées et sulfurées-sodiques. Sous la forme de bains, douches et humages, ces eaux sont utilisées dans le traitement de nombreuses affections : oto-rhino-laryngologie (oreilles, nez, gorge et bronches), maladies osseuses et rhumatismales, rénales et gynécologiques.

Les principales stations de ce groupe sont Bagnères-de-Luchon, Barèges, Cauterets, Eaux-Bonnes, St-Sauveur.

Les sources salées

Elles se trouvent en bordure du massif ancien. Selon leur composition, on distingue les eaux sulfatées ou bicarbonatées-calciques, dites « sédatives », et les eaux chlorurées-sodiques. Les premières sont employées à Bagnères-de-Bigorre et Capvern-les-Bains dans le traitement des affections nerveuses, hépatiques et rénales. Les secondes (Salies-de-Béarn, Salies-du-Salat), utilisées sous forme de douches et de bains, soulagent les affections gynécologiques et infantiles.

Les boues

Dans les Landes, les boues de Dax ont une action bénéfique sur les rhumatismes. Les limons prélevés sur les bords de l'Adour sont mis en maturation au contact d'une eau chaude thermale (de 53 à 62 °). La boue qui en résulte est appliquée sur les articulations. Les soins thérapeutiques sont complétés par divers bains et douches à l'eau thermale.

LA THALASSOTHÉRAPIE

A la différence du thermalisme, la thalassothérapie n'est pas considérée comme un soin médical (le séjour n'est d'ailleurs pas remboursé par la sécurité sociale), même si le patient a la possibilité d'être suivi par un médecin. L'eau de mer possède certaines propriétés qui sont surtout utilisées pour des stages de remise en forme, de beauté, des séjours pour futures ou jeunes mamans, des forfaits spécial dos, anti-stress et anti-tabac.

La côte basque est célèbre pour ses centres de thalassothérapie, proposant des séjours d'une semaine ainsi que des séjours week-ends, avec ou sans logement : Atlanthal à Anglet, Louison-Bobet et Thermes marins à Biarritz, Hélianthal à St-Jean-de-Luz, Serge-Blanco à Hendaye.

A Grayan-l'Hôpital (Gironde), le centre naturiste Eurnot propose des stages de thalassothérapie.

BLOC-NOTES

Fédération thermale et climatique française, 16, rue de l'Estrapade, 75005 Paris, ☎ 01 43 25 11 85.

Chaîne thermale du Soleil/Maison du Thermalisme, 32, avenue de l'Opéra, 75002 Paris, ☎ 01 44 71 37 37 ou minitel 3614 NOVOTHERM.

Fédération Mer et Santé, 8, rue de l'Isly, 75008 Paris, ☎ 01 44 70 07 57.

Des informations complémentaires peuvent être obtenues sur minitel avec le serveur **3615 THALASSO**.

Sports, détente, loisirs

SPORTS DE MONTAGNE

La sécurité en montagne

La montagne a ses dangers, redoutables pour le néophyte, toujours présents à l'esprit de ses fervents les plus expérimentés.

Avalanches, « dévissages », chutes de pierres, mauvais temps, brouillard, traîtrises du sol et de la neige, eau glaciale des lacs d'altitude ou des torrents, désorientation, appréciation défectueuse des distances peuvent surprendre l'alpiniste, le skieur, voire le simple promeneur.

Les avalanches – Les évolutions des skieurs et randonneurs sur les magnifiques espaces de neige ne doivent pas faire oublier les dangers toujours présents d'avalanches, naturelles ou déclenchées par le déplacement du skieur. Les Bulletins Neige et Avalanche (BNA), affichés dans chaque section et lieux de randonnée, avertissent des risques et doivent être impérativement consultés avant tout projet de sortie. Pour affiner l'information auprès des adeptes du « hors piste », de la randonnée nordique ou en raquettes, particulièrement exposés, une nouvelle échelle de risques a été établie.

Échelle des risques d'avalanche

1 – **Faible** : un manteau neigeux bien stabilisé n'autorise que des coulées et de rares avalanches spontanées sur des pentes très raides.

2 – **Limité** : pour un même état neigeux que précédemment, des déclenchements peuvent se produire par « forte surcharge » (passage de nombreux skieurs ou randonneurs) sur des sites bien déterminés.

3 – **Marqué** : avec un manteau neigeux modérément stabilisé, les avalanches peuvent être déclenchées par des personnes isolées sur de nombreux sites ; les risques 4 d'avalanches spontanées deviennent possibles.

4 – **Fort** : la faible stabilité de la couche neigeuse sur toutes les pentes raides rend les déclenchements d'avalanches très probables au passage d'individuels ; les départs spontanés risquent d'être nombreux.

5 – **Très fort** : la grande instabilité de la couche neigeuse après de fortes chutes va multiplier d'importantes avalanches y compris sur des terrains peu raides.

Cette échelle précise le niveau de risque hors des pistes ouvertes et nécessite parfois d'être complétée par une information concernant la destination de la sortie. En outre, il n'est pas recommandé de se fixer un niveau plafond de risque en deçà duquel toutes les activités seraient praticables.

On peut également connaître les risques d'avalanches sur le répondeur téléphonique de Météo France, ☎ 08 36 68 10 20.

La foudre – Les coups de vent violents sont annonciateurs d'orage et exposent l'alpiniste et le randonneur à la foudre. Éviter de descendre le long des arêtes faîtières, de s'abriter sous des rochers en surplomb, des arbres isolés sur des espaces découverts, à l'entrée de grottes ou toute anfractuosité rocheuse ainsi qu'à proximité de clôtures métalliques. Ne pas conserver sur soi de grands objets métalliques : piolet et crampons, ne pas s'abriter sous les couvertures à âme métallique. Si possible, se placer à plus de 15 m de tout point élevé (rocher ou arbre) et prendre une position accroupie, genoux relevés, en évitant que les mains ou une partie nue du corps ne touchent la paroi rocheuse. Souvent efficients en secteur rocheux, les coups de foudre sont précédés d'électrisation de l'atmosphère (et des cheveux) et annoncés par des « bruits d'abeilles », bourdonnements caractéristiques bien connus des montagnards. Enfin, se souvenir qu'une voiture reste un bon abri en cas d'orage, car elle constitue une excellente cage de Faraday.

Pour tout renseignement sur la foudre : Minitel **3615 LAFOUDRE**.

Ski

Dans les Pyrénées, on distingue les **stations de vallée**, qui exploitent en altitude un domaine skiable de hautes courbes ou de plateaux (Cauterets, St-Lary, Superbagnères) et les **stations hautes**, qui en dehors de Barèges, berceau du ski pyrénéen, sont souvent des créations (Arette-Pierre-St-Martin, Gourette, La Mongie, Piau-Engaly). L'équipement performant de certaines stations pyrénéennes les rend tout à fait comparables à leurs sœurs alpines.

On pratique plus spécialement le **ski de fond** dans les stations d'Iraty, Issarbe, Somport-Candanchu, Cauterets-Pont d'Espagne, Campan-Payolle, Val d'Azun, Nistos-Cap-Nestes.

Pour avoir plus d'informations sur la montagne, consulter **3615 TSLM** (Tout Sur La Montagne).

STATIONS	Altitude au pied de la station	Altitude au sommet	Remontées mécaniques	Nombre de pistes de ski alpin	Km de pistes de ski de fond	☎ Renseignements
Arette-Pierre-St-Martin	1650	2200	18	25	5	05 59 66 20 09
Artouste-Fabrèges	1400	2100	9	14	10	05 59 05 34 00
Barèges	1250	2350	22	34	48	05 62 92 68 19
Bourg d'Oueil	1400	2150	–	3	14	05 61 79 34 07
Cauterets	1850	2400	18	28	36	05 62 92 50 27
Gavarnie-Gèdre	1850	2400	10	19	15	05 62 92 49 10
Gourette	1400	2400	26	37	15	05 59 05 12 17
Guzet-Neige	1400	2000	21	34	5	05 61 96 00 01
Hautacam	1500	1800	11	18	12	05 62 97 00 25
Iraty	1200	1500	–	–	109	05 59 28 51 29
Luz-Ardiden	1680	2450	19	33	5	05 62 92 81 60
La Mongie	1800	2500	33	36	2,5	05 62 91 94 15
Le Mourtis	1420	1890	13	26	30	05 61 79 47 55
Peyragudes	1600	2500	16	32	12	05 62 99 69 99
Piau-Engaly	1420	2500	21	37	10	05 62 39 61 69
St-Lary-Soulan	1600	2450	32	38	15	05 62 39 50 81
Superbagnères	1440	2260	15	23	33	05 61 79 21 21
Val Louron	1450	2200	12	20	–	05 62 98 64 12

Alpinisme, escalade

La chaîne des Pyrénées se prête à la pratique de l'alpinisme sous la conduite de guides agréés. *Se reporter au chapitre sur la montagne pyrénéenne, en Introduction.*
Club Alpin Français, 24, avenue de Laumière, 75019 Paris, ☎ 01 53 72 87 13.
CIMES Pyrénées 4, rue Maye-Lane, 65421 Ibos Cedex, ☎ 05 62 90 09 92.

SPORTS AÉRIENS

Parapente et deltaplane

Les formes de loisirs aériens ont trouvé dans les reliefs pyrénéens autant de bases d'envol permettant une découverte différente du panorama des vallées. La plupart des écoles de parapente louent du matériel et dispensent des cours, proposent des stages d'initiation.
Le **parapente** n'exige pas un entraînement particulier. Le départ se fait, voile déployée, d'un site naturel en hauteur et l'évolution de la voilure rectangulaire utilise au mieux les courants ascensionnels qui traversent la vallée. Le **deltaplane**, quant à lui, exige une plus grande technicité.

Parapente

M. Colonel/EXPLORER

Fédération Française de Vol Libre, 4, rue de Suisse, 06000 Nice, ☎ 04 93 88 62 89.
Pyren'Aventure, Moulis, 09200 St-Girons, ☎ 05 61 04 84 84.
Les Hommes Oiseaux, Serre, 31510 Lourdes, ☎ 05 61 79 67 62.
Air Aventure Pyrénées, Viella, 65120 Luz-St-Sauveur, ☎ 05 62 92 91 60.

Écoles de pilotage, parachutisme

Installées un peu partout dans la région, les écoles de pilotage, généralement situées sur les aérodromes, proposent des baptêmes de l'air, des vols et des cours de pilotage (vols biplaces, planeur, vol à voile, ULM, etc.).
Fédération Française de Vol à voile, 29, rue de Sèvres, 75006 Paris, ☎ 01 43 40 19 82.
Aéro-club de l'Ariège, aérodrome de St-Girons-Antichan, BP 32, 09200 St-Girons, ☎ 05 61 66 11 00.
Aéro-club de Bagnères-de-Luchon, 3110 Bagnères-de-Luchon, ☎ 05 61 79 00 48.
Aéro-club de l'Armagnac, aérodrome du Herret, 32100 Condom, ☎ 05 62 28 09 06.
Aéro-club du Bassin d'Arcachon, aérodrome Villemarie, Cidex 163, 33260 La Teste-de-Buch, ☎ 05 56 54 72 88.
A Biscarosse, fief de l'hydraviation, on peut apprendre à piloter un hydravion ou faire un baptême de l'air : Europe Hydravion, Espace Latecoère, 265, rue Louis-Bréguet, 40600 Biscarosse, ☎ 05 58 78 71 27.
Pour les amateurs de sensations fortes, certains prestataires donnent des cours de **parachutisme sportif** :
Soulac Air Océan, aérodrome de la Runde, 33780 Soulac-sur-Mer, ☎ 05 56 73 65 29.
CERPS Pau Pyrénée Océan, aérodrome de Lasclaveries, 64450 Lasclaveries, ☎ 05 59 04 85 89.
Renseignements disponibles auprès de la Fédération Française de Parachutisme, 35, rue St-Georges, 75009 Paris, ☎ 01 44 53 75 00.

RANDONNÉES

Randonnées pédestres

Activité de choix pour découvrir en toute tranquilité les paysages, la randonnée pédestre peut s'adresser à tout le monde. La Fédération Française de Randonnée Pédestre a mis en place trois sortes de sentiers balisés : les GR (sentiers de Grande Randonnée), les GRP (sentiers de Grande Randonnée de Pays) et les RP (sentiers de Randonnées de Pays). Les GR et les GRP s'adressent aux marcheurs avertis, sur plusieurs centaines de kilomètres pour les GR, limités à une seule région pour les GRP. Les PR sont plus accessibles car faciles, courts et n'exigeant pas une préparation spécifique. Tous ces sentiers sont décrits dans les topo-guides édités par la Fédération (point d'information et de vente : 64, rue de Gergovie, 75014 Paris, ☎ 01 45 45 31 02 ou Minitel **3615 RANDO**).
Les GR : le GR 6 relie St-Macaire et Montbazillac et sa variante, le GR 636, traverse le Lot-et-Garonne par Monflanquin ; le GR 65, dit « sentier de St-Jacques », relie Moissac à St-Jean-Pied-de-Port et sa variante, le GR 653, relie Toulouse à Auch, Pau et le col du Somport ; le GR 10 traverse les Pyrénées d'Ouest en Est ; le GR 8 parcourt la Côte d'Argent de Lacanau à Urt.
Les GRP : parcours au « Cœur de la Gascogne » (La Romieu, Lectoure, Auch) ; « Val de Garbet » ; autour de Bagnères-de-Luchon ; « Tour du Val d'Auzun » ; autour de Navarrenx.
Les Comités régionaux et départementaux du tourisme, les Syndicats d'initiative et les Offices de tourisme éditent leurs propres parcours, faisant découvrir les paysages spécifiques à leurs régions ou pays, le patrimoine culturel et naturel qui s'y rattache. Des brochures sont disponibles gratuitement auprès de ces organismes *(voir les adresses dans la rubrique Avant de partir)*.

Quelques recommandations aux randonneurs

Pour partir en randonnée dans les meilleures conditions possibles, il faut tout d'abord se renseigner sur la météo *(voir p. 287)*. Quelle que soit la durée ou la difficulté du parcours, en particulier en montagne, l'équipement sera composé d'une carte au 1/25 000 ou au 1/50 000, d'un à deux litres d'eau par personne, de denrées énergétiques, d'un vêtement imperméable, d'un pull-over, de lunettes de soleil, de crème solaire et d'une pharmacie légère. De bonnes chaussures de marche sont également recommandées.
Respecter la nature est une des premières règles à respecter lorsqu'on se promène : ne pas cueillir les plantes, ne pas effrayer les animaux, ne pas déposer ses ordures ailleurs que dans des poubelles, etc.
La randonnée n'est pas une course contre la montre : marcher à son rythme et profiter du paysage rendra la marche plus agréable.

Randonnées Pyrénéennes (4, rue Maye-Lane, BP 24, 65420 Ibos, ☎ 05 62 90 09 90) publie des ouvrages et des cartes au 1/50 000 sur la chaîne des Pyrénées.

D'innombrables associations de randonnée, dans chaque département décrit dans ce guide, proposent des randonnées accompagnées (elles peuvent être intéressantes pour la découverte de la faune et de la flore et pour les parcours en montagne, nécessitant une certaine expérience du terrain), des circuits préparés.

La Balaguère organise des « voyages à pied » dans les Pyrénées, avec ou sans portage, parfois sur des thèmes (histoire, flore, faune…) et pour tous niveaux : La Balaguère, 65400 Arrens-Marsous, ☎ 05 62 97 20 21 ; à Paris : 37, passage du Désir, 75010 Paris, ☎ 01 42 47 10 74 ou Minitel **3615 BALAGUERE.**

Chamina-Sylva (BP 5, 48300 Langogne, ☎ 04 66 69 00 44) propose des parcours d'une semaine dans le Parc national des Pyrénées.

Tourisme équestre

La randonnée équestre est une activité en plein développement. Il existe des itinéraires balisés dans toute la région, à travers la forêt, la campagne ou la montagne. Pour les connaître et obtenir les topo-guides et cartes correspondantes, s'adresser aux Comités départementaux du tourisme équestre (CDTE), dont les adresses sont disponibles auprès de la Délégation Nationale au Tourisme Équestre, 30, av. d'Iéna, 75116 Paris, ☎ 01 53 67 44 44 ou Minitel **3615 FFE.** Diverses associations proposent des randonnées accompagnées, sur une ou plusieurs journées.

Une formule originale pour découvrir les Pyrénées consiste à louer un âne bâté. Contacter « Flânerie », Mazères, 65700 Castelnau-Rivière-Basse, ☎ 05 62 31 90 56 ou la Fédération Nationale Anes et Randonnées, Broissieux, 73340 Bellecombe-en-Bauges, ☎ 04 79 63 84 01.

Cyclotourisme et VTT

La randonnée cyclotouristique est une activité très pratiquée en Gironde et dans les Landes. De nombreuses pistes sillonnent la Haute Lande Girondine, le Bazadais, le Pays de Podensac, le Langonnais, le Pays de St-Macaire, le Haut Entre-Deux-Mers. Pour chacune de ces régions, le Comité départemental du tourisme de la Gironde édite des plans-guides.

La montagne (Ariège, Haute-Garonne, Hautes-Pyrénées, Pyrénées-Atlantiques) se prête à des randonnées en vélo « tout terrain ». La liste des loueurs de cycles est fournie par les Syndicats d'initiative et les Offices de tourisme.

Les gares SNCF de Bagnères-de-Luchon, de Valence-d'Agen et du Verdon proposent pour une durée variable (1/2 journée, un ou plusieurs jours) trois types de bicyclettes : des vélos de type traditionnel, randonneur ou des vélos « tout terrain ». Serveur minitel : **3615 SNCF**, rubrique : services offerts en gare.

Fédération Française de Cyclotourisme, 8, rue Jean-Marie-Jégo, 75013 Paris, ☎ 01 44 16 88 88.

Il est désormais possible de visiter Bordeaux en vélo, soit en louant une bicyclette à la journée, soit en découvrant la ville avec un guide, chaque dimanche matin. Renseignements à l'Office du tourisme de Bordeaux.

ACTIVITÉS NAUTIQUES

Ports de plaisance

De l'embouchure de la Gironde à celle de la Bidassoa, de nombreux ports de plaisance peuvent accueillir les plaisanciers. Sélectionnés pour leur nombre de places important et les services dispensés, ils figurent sur la carte des lieux de séjours, p. 10-11.

Renseignements auprès des capitaineries des ports d'Arcachon (☎ 05 56 22 36 75), de Bordeaux (☎ 05 56 52 51 04) de Pauillac (☎ 05 56 59 12 16), de Capbreton ☎ 05 58 72 21 23), d'Anglet (☎ 05 59 63 05 45) et d'Hendaye (☎ 05 59 48 06 10).

Quelques précautions à prendre
Le permis de naviguer peut être obtenu dès 16 ans ; il est obligatoire pour piloter un navire à moteur à partir de 6 CV.
Tout bon navigateur se renseignera avant de prendre la mer sur les conditions météorologiques et l'heure des marées.
La vitesse est limitée à 5 nœuds à moins de 300 mètres du littoral.

Surf

Les plages des côtes landaise et basque, avec les impressionnants rouleaux du Golfe de Gascogne, constituent un paradis pour les adeptes du surf et du body board. A condition de savoir nager et de ne pas appréhender de mettre la tête sous l'eau, tout le monde peut s'adonner à ce sport. Pour obtenir les adresses des locations de matériel et clubs dispensant des cours, s'adresser à la Fédération Française de Surf, BP 28, 30, impasse du Nord, 40150 Hossegor, ☎ 05 58 43 55 88.

Voile, planche à voile, char à voile

Bon nombre de lacs et plans d'eau de la chaîne des Pyrénées et de la Côte d'Argent font le bonheur des amateurs de voile et de planche à voile. Le réseau France Station Voile regroupe les communes les mieux équipées pour la pratique de la voile, parmi lesquelles Arcachon, La Teste-de-Buch et Hendaye.

Les amateurs de char à voile quant à eux apprécieront les grandes plages de sable de la Côte d'Argent (Centre d'Aéroplage de la Côte d'Argent, Soulac-sur-Mer, ☎ 05 56 73 62 16).

En Gironde : Cercle de Voile de Cazaux (La Teste-de-Buch), ☎ 05 56 22 91 00 ; Centre nautique d'Arcachon, ☎ 05 56 22 36 83. Dans les Landes : Club de voile de Sanguinet, ☎ 05 58 78 64 30 ;

Grégor/EXPLORER

École de voile de Parentis-en-Born, ☎ 05 58 78 58 47 ; Centre nautique de Soustons, ☎ 05 58 41 14 61. Dans les Pyrénées-Atlantiques : Centre nautique d'Hendaye, ☎ 05 59 48 06 07 ; Centre nautique du Lac de St-Pée, ☎ 05 59 54 18 48. Fédération Française de Voile, 55, av. Kléber, 75084 Paris Cedex 16, ☎ 01 44 05 81 00.

Kayak de mer

Cette nouvelle discipline utilise le même équipement que le kayak, mais avec des embarcations plus longues et plus étroites. Il est interdit de s'éloigner de plus d'un mille (1 852 m) de la côte et il est préférable d'avoir de solides notions du milieu marin. Les premières sorties se font accompagné de navigateurs expérimentés. Le kayak de mer est possible dans le bassin d'Arcachon, à condition de ne pas chercher à franchir les passes pour gagner l'océan. Maison de la Nature du bassin d'Arcachon, Le Teich, ☎ 05 56 22 80 93.

Baignade

Les plages de la Côte d'Argent sont en général surveillées durant les mois d'été. Il faut cependant faire attention aux vagues déferlantes du fait de leur puissance, des courants qui entraînent le nageur loin des côtes ; il faut éviter de nager après un repas ou une longue station au soleil ; il ne faut pas sortir de la zone surveillée. En outre, les pavillons hissés chaque jour sur les plages surveillées indiquent si la baignade est dangereuse ou non, l'absence de pavillon signifiant l'absence de surveillance :

Vert ▶ Baignade surveillée sans danger

Jaune ▶ Baignade dangereuse mais surveillée

Rouge ▶ Baignade interdite

La baignade dans les lacs et plans d'eau n'est pas toujours autorisée ; se renseigner au préalable dans les Offices de tourisme.

Chaque année, les Pavillons Bleus sont accordés à certaines stations balnéaires et ports de plaisance selon des critères allant de la qualité de l'eau à l'étendue des équipements, la sécurité et le respect de l'environnement. Arcachon, Arès, Carcans, Hourtin, Soulac, La Teste-de-Buch et Vendays-Montalivet pour la Gironde, Lit-et-Mixe, Messanges, Hossegor, Moliets, Labenne, Seignosse et Tarnos pour les Landes ont reçu ce label pour l'ensemble de leurs plages. Seul, dans la région, Arcachon a reçu le Pavillon Bleu pour son port.

Plongée sous-marine

La plongée sous-marine nécessite un apprentissage long et motivé, dispensé par des moniteurs titulaires des diplômes de moniteurs fédéraux premier et deuxième degré ou par des moniteurs titulaires des brevets d'État d'éducateur sportif premier ou deuxième degré, option plongée subaquatique. La liste des clubs où l'on peut apprendre à plonger est disponible en s'adressant à la Fédération Française d'Études et de Sports Sous-Marins, 24, quai de Rive-Neuve, 13007 Marseille, ☎ 04 91 33 99 31.

SPORTS D'EAUX VIVES

La Garonne, l'Eyre, l'Adour, et les nombreux gaves et nives pyrénéens se prêtent à la pratique des sports d'eaux vives. Dans les régions montagneuses, il est conseillé, en été, de s'y prendre l'après-midi en raison du débit d'eau qui s'accroît suite à la fonte des neiges d'altitude.

Plusieurs bases de loisirs permettent de découvrir les divers aspects de ces activités à travers des animations de groupe, des cours particuliers, des stages ou des séjours « découverte » sur plusieurs sites et avec plusieurs sports d'eaux vives. Le plus souvent, le matériel, les assurances et l'accompagnement sont compris dans le tarif.

Ariège : Horizon Vertical, St-Girons, ☎ 05 61 96 08 22.
Haute-Garonne : Base Canoë-kayak, Antignac, ☎ 05 61 79 19 20.
Gironde : Centre d'animation du Graoux, Belin-Béliet, ☎ 05 57 71 99 29 ; Base de Loisirs Canoë-kayak de Cléret, Port-Ste-Foy, ☎ 05 53 24 86 12 ; Canoë-kayak Club Teichois, Le Teich, ☎ 05 56 22 67 57.
Landes : Landes Base Canoë-kayak de Mexico, Commensacq, ☎ 05 58 07 05 15 ; Canoë-club des Gaves, Peyrehorade, ☎ 05 58 73 01 78.
Pyrénées-Atlantiques : Centre nautique de Sœix, Oloron-Ste-Marie, ☎ 05 59 39 61 00 ; CUP-Pyrénées Eaux Vives, Jurançon, ☎ 05 59 06 52 49 ; Ur Bizia, Bayonne, ☎ 05 59 55 78 16.
Hautes-Pyrénées : Hautes-Pyrénées Sport Nature, St-Pé-de-Bigorre, ☎ 05 62 41 81 48.

Canoë-kayak

Le **canoë**, d'origine canadienne, se manie avec une pagaie simple. C'est l'embarcation pour la promenade fluviale en famille, à la journée, en rayonnant au départ d'une base ou en randonnée pour la découverte d'une vallée à son rythme. Le **kayak**, d'origine esquimaude, est utilisé assis et se déplace avec une pagaie double. Les lacs et les parties basses des cours d'eau offrent un vaste choix.

La Fédération Française de Canoë-kayak (87, quai de la Marne, 94344 Joinville-le-Pont Cedex, ☎ 01 45 11 08 50 ou Minitel **3615 CANOE PLUS**) édite un guide annuel, *Vacances en canoë-kayak*, et publie des cartes des cours d'eau praticables.

Rafting

C'est le plus accessible des sports d'eaux vives. Il s'agit de descendre le cours des rivières à fort débit dans des radeaux pneumatiques à six ou huit places maniés à la pagaie et dirigés par un moniteur-barreur installé à l'arrière. L'équipement isotherme et antichoc est fourni par le prestataire.

Société AN Rafting, 42-46, rue Médéric, 92110 Clichy, ☎ 01 47 37 08 77.

Hydrospeed

L'hydrospeed, ou nage en eaux vives, consiste à descendre un torrent, le buste appuyé sur un flotteur caréné très résistant. Il exige une bonne condition physique ainsi que la maîtrise de la nage avec palmes. Le sportif doit porter un casque et une combinaison, qui sont fournis par le prestataire.

Hydrospeed

Canyoning

La technique du canyoning emprunte à la fois à la spéléologie, à la plongée et à l'escalade. Il s'agit de descendre, en rappel ou en saut, le lit des torrents dont on suit le cours au fil des gorges étroites et des cascades. Deux techniques de déplacement sont particulièrement utilisées : le tobogan (allongé sur le dos, bras croisés), pour glisser sur les dalles lisses, et le saut (hauteur moyenne de 8 à 10 m), plus délicat, où l'élan du départ conditionne la bonne réception dans la vasque. Il est impératif d'effectuer un sondage de l'état et de la profondeur de la vasque avant de sauter. L'initiation débute par des parcours n'excédant pas 2 km, avec un encadrement de moniteurs brevetés. Ensuite, il demeure indispensable d'effectuer des sorties avec un moniteur sachant « lire » le cours d'eau emprunté et connaissant les particularités de la météo locale.

TOURISME FLUVIAL

Sur les fleuves et les rivières ou sur les canaux, la promenade en bateau constitue une agréable activité permettant de découvrir les paysages le long des berges : sur l'Adour (de Bayonne à Dax) et ses affluents la Nive (d'Esterençuby à Bayonne), la Bidouze (de Bidache au pont de Peyroutiq), les Gaves Réunis (de Peyrehorade au Bec du Gave) et le Luy (de Oeyreluy à Tercis-les-Bains) ; sur la Baïse (de Condom à Castets) et le Canal de la Garonne (de Toulouse à Castets) ; sur les courants d'Huchet et de Léon ; sur la Douze et la Midouze ; sur L'Isle (Gironde) ; sur la Dordogne (au départ de Ste-Foy-la-Grande) ; sur le bassin d'Arcachon.

Les croisières accompagnées

Nombre d'organismes proposent des promenades en bateau sur les rivières, les canaux, les courants, etc. Ces croisières peuvent durer quelques heures, une ou plusieurs journées. Un forfait avec déjeuner ou dîner à bord est parfois proposé. Se reporter aux Conditions de visite, à Arcachon (Promenades en pinasse), Bordeaux (Visite du port et mini-croisières), Condom (Promenades en bateau), Pointe de Grave (Excursions en bateau) et Courant d'Huchet (Excursions en barque).

Locations de bateaux

Le *Guide Vagnon n° 7 Canaux du Midi* (Éditions du Plaisancier, BP 27, 100, av. du Général-Leclerc, 69641 Caluire Cedex, ☎ 04 78 23 31 14), ainsi que les cartes nautiques *Navicartes* (Éditions Grafocarte, 125, rue Jean-Jacques Rousseau, BP 40, 92136 Issy-les-Moulineaux Cedex, ☎ 01 41 09 19 00) donnent des informations générales et spécifiques sur les bassins de navigation dans le Sud-Ouest. Renseignements sur les péages : Voies Navigables de France, 175, rue Ludovic Boutleux, 62408 Béthune Cedex, ☎ 03 21 63 24 22.

Quelques loueurs de bateaux :
Crown Blue Line, 47430 Le Mas d'Agenais, ☎ 05 53 89 50 80. Aquitaine Navigation, Halte nautique, 47160 Buzet-sur-Baïse, ☎ 05 53 84 72 50. Locaboat Plaisance, quai de Dunkerque, 47000 Agen, ☎ 05 53 66 00 74 ou **3615 PENICHETTE**.

PÊCHE ET CHASSE

Pêche en eau douce

Les Pyrénées et l'Aquitaine offrent aux pêcheurs un grand choix de rivières, lacs et étangs. Généralement, le cours des rivières est classé en 1re catégorie (salmonidés dominants comme la truite, l'ombre ou l'omble chevalier) ou en 2e catégorie (cyprinidés dominants comme la carpe, la brème ou l'ablette et carnassiers comme le brochet, la sandre et le black-bass).
Le Parc National des Pyrénées est particulièrement réputé avec ses quelque 230 lacs, alevinés en salmonidés. Un dépliant sur la pêche dans les Hautes-Pyrénées est disponible à la Fédération des Hautes-Pyrénées pour la pêche et la protection du milieu aquatique, 20, boulevard du 8-Mai-1945, 65000 Tarbes, ☎ 05 62 34 00 36. Quel que soit l'endroit choisi, il convient d'observer la réglementation en vigueur et d'être affilié à une association de pêche et de pisciculture agréée. Se renseigner auprès du Conseil Supérieur de la Pêche, 134, avenue Malakoff, 75116 Paris, ☎ 01 45 02 20 20.
Des stages d'initiation à la pêche au toc ou à la mouche sont proposés par des guides de pêche : Christian Paris, Féas, 64570 Aramits, ☎ 05 59 39 01 10 ; Max Duquesne, 09140 Seix, ☎ 05 61 66 91 21 ; Centre régional Loisirs-Pêche, 4, av. du Grand-Jean, 40220 Tarnos, ☎ 05 59 64 23 21;

Chasse

Les Pyrénées attirent les chasseurs à la recherche de gros gibier. Les amateurs de pièces rares telles que le lagopède et le coq de bruyère sont des passionnés qui fréquentent les stations d'altitude.

Dans les Pyrénées-Atlantiques et les Hautes-Pyrénées se pratique principalement la chasse à la palombe, en octobre et en novembre. Certains prestataires organisent des week-ends de chasse à la palombe, avec transfert sur les lieux de chasse : Hôtel des Touristes, 64560 Licq-Atherey, ☎ 05 59 28 61 01 ; Auberge l'Étable, 64470 Montory, ☎ 05 59 28 56 34.

Pour toute information concernant la chasse, se renseigner auprès du St-Hubert Club de France, 10, rue de Lisbonne, 75008 Paris, ☎ 01 45 22 38 90 ou auprès des fédérations départementales de chasseurs.

Pêche en mer

L'amateur de pêche en eau salée pourra exercer son sport favori à pied, en bateau ou en plongée dans l'enclave du bassin d'Arcachon ou sur les côtes landaise et basque. Des sorties de pêche en mer sont organisées à la belle saison : pêche à la ligne, à la traîne, au « gros » (thon), pour une demi-journée ou à la journée entière en fonction du temps, du nombre de participants et du poisson à prendre. Le matériel est toujours fourni par l'équipage du bateau. Il est conseillé de s'inscrire à l'avance :
- A.P.P.B.A., 53, boulevard de la Plage, 33120 Arcachon, ☎ 05 56 83 82 29
- Club de Pêche et de Loisirs, 12, avenue Brémontier, 40150 Seignosse, ☎ 05 58 72 83 32
- le Marie-Rose II, 100, rue Gambetta, 64500 St-Jean-de-Luz, ☎ 05 59 26 23 87.

SPORTS TRADITIONNELS

En Aquitaine, certains sports se pratiquent depuis toujours, au point de faire partie du folklore local. On peut pratiquer ces sports mais y assister en spectateur permet d'en découvrir toute la saveur et d'apprécier le tempérament des Aquitains.

Rugby

En dehors des grands matchs nationaux et internationaux, on pourra se procurer le calendrier des matchs d'amateurs aux adresses suivantes :
- à la Section paloise, Stade municipal du Hameau, boulevard de l'Aviation, B.P. 580, 64012 Pau Cedex, ☎ 05 59 02 47 74
- Comité du Béarn Rugby, 27, avenue de l'Europe, B.P. 9048, 64050 Pau Cedex 9, ☎ 05 59 02 78 03
- au Comité de Rugby de la Côte Basque – Landes, Résidence Soult, avenue du Maréchal-Soult, 64100 Bayonne, ☎ 05 59 63 36 57
- au Bar du Stade Montois, place Joseph-Pancaut, 40000 Mont-de-Marsan, ☎ 05 58 75 05 57.
Les Offices de tourisme diffusent également ces programmes.

Courses landaises

Demander le calendrier officiel à la Fédération française de la Course landaise, 1600, avenue du Président-Kennedy, 40282 St-Pierre-du-Mont Cedex, ☎ 05 58 46 50 89.

Pelote basque

Fédération française de Pelote basque « Trinquet Moderne », B.P. 816, 64108 Bayonne Cedex, ☎ 05 59 59 22 34.

DÉCOUVRIR LA NATURE

Les parcs naturels régionaux et les parcs nationaux sont le paradis des amateurs d'activités de plein air. Dans ces espaces protégés, des structures ont été mises en place pour permettre de découvrir la nature à travers des activités sportives, l'initiation à la faune et à la flore et la sensibilisation aux problèmes d'environnement.

Pour chacun des deux parcs décrits dans ce guide, une carte, p. 196 et 246, situe les sentiers de randonnées pédestres ou cyclistes, les bases de loisirs, les hébergements, les points d'accueil.

Parc naturel régional des Landes en Gascogne

Information permanente sur les activités proposées : Parc naturel régional des Landes de Gascogne, 22, avenue d'Aliénor, 33830 Belin-Beliet, ☎ 05 56 88 06 06. Les adresses des points-information du Parc se trouvent p. 195.

Les trois centres permanents du Parc regroupent plusieurs activités sportives de plein air : Centre d'animation du Graoux (canoë-kayak, cyclotourisme, VTT, sentiers de découverte, courses d'orientation, tir à l'arc et escalade), ☎ 05 56 88 04 62 ; Atelier-gîte de Saugnac-et-Muret (canoë-kayak, cyclotourisme, VTT, sentiers de découverte, courses d'orientation, tir à l'arc), ☎ 05 58 07 73 01 ; Maison de la nature et du bassin d'Arcachon (canoë-kayak, sentiers de découverte, ornithologie), ☎ 05 56 22 80 93.

Randonnées pédestres – Le Conseil Régional de Gironde édite deux plans guides décrivant les sentiers du Val de l'Eyre et de la Lande Girondine. Des fiches itinéraires des *Chemins du Parc* proposent plusieurs boucles dans la partie landaise du parc. Ces documents sont disponibles dans les Offices de tourisme, les Syndicats d'initiative et les Centres permanents du parc.

Centres équestres – L'association ADEL regroupe différents centres équestres de la Haute Lande et organise des randonnées équestres (☎ 05 56 88 03 33).

Canoë-kayak – La Petite et la Grande Leyre se réunissent dans le Val de l'Eyre jusqu'au bassin d'Arcachon. La découverte de leurs rives sauvages en canoë-kayak peut se faire sur une ou plusieurs journées.

VTT et cyclotourisme – Renseignements sur les locations de VTT et de bicyclettes, les sorties accompagnées et les itinéraires balisés au ☎ 05 58 07 52 70.

Baignade – Le plan d'eau du Teich (☎ 05 56 22 88 99) et le domaine de loisirs d'Hostens (☎ 05 56 88 53 44) assurent la baignade surveillée. Des piscines de plein air, ouvertes en juillet et août, existent à Audenge – piscine d'eau de mer – (☎ 05 56 26 85 17), Sore (☎ 05 58 07 60 55), Sabres (☎ 05 58 07 52 51) et Pissos (☎ 05 58 08 91 45).

Parc national des Pyrénées

- siège : 59, route de Pau, 65000 Tarbes, ☎ 05 62 44 36 60 et Minitel 3615 ISARD.
- vallée d'Azun, 65400 Arrens-Marsous, maison du parc, ☎ 05 62 97 43 13.
- vallée d'Aspe, 64880 Etsaut, ☎ 05 59 34 88 30.
- vallée d'Aure, 65170 St-Lary-Soulan, ☎ 05 62 39 40 91.
- vallée d'Ossau, 64440 Gabas, ☎ 05 59 05 32 13.
- vallée de Luz, 65120 Luz-St-Sauveur, maison du parc et de la vallée à Luz-St-Sauveur, ☎ 05 62 92 38 38 ; maison du parc à Gavarnie, ☎ 05 62 92 49 10.
- vallée de Cauterets, 65110 Cauterets, maison du parc, ☎ 05 62 92 52 56.

Hébergement – Les refuges tenus par le Parc sont au nombre de cinq :
- refuge de Barroude (2 370 m), vallée d'Aure, 20 places, gardé du 15 juin au 15 septembre, ☎ 05 62 98 45 32.
- refuge des Espuguettes (2 077 m), vallée de Luz, 60 places, ☎ 05 62 92 40 63.
- refuge de Migouélou (2 290 m), vallée d'Auzun, ☎ 05 62 97 44 92.
- refuge d'Ayous (1 960 m), vallée d'Ossau, ☎ 05 59 05 37 00.
- refuge d'Arlet (1 990 m), vallée d'Aspe, ☎ 05 59 36 00 99.
Les autres refuges sont en général gérés par le Club Alpin Français (commission de gestion des refuges et chalets, 24, av. de Laumière, 75019 Paris, ☎ 01 53 72 88 00).

Randonnées pédestres – De nombreuses possibilités sont offertes aux amateurs de randonnées, grâce aux sentiers tracés dans toutes les vallées du parc, aux itinéraires du GR 10 accessibles aux bons marcheurs et à ceux de la Haute Randonnée Pyrénéenne, plus accessibles aux randonneurs ayant une bonne expérience de la montagne.
L'Association des Amis du Parc (32, rue Samonzet, 64000 Pau, ☎ 05 59 27 15 30) ainsi que les gardes-moniteurs du parc (renseignements au siège et dans les maisons du parc) proposent des sorties à la journée. Le Centre d'Information Montagne et Sentiers (CIMES Pyrénées, 4, rue Maye-Lane, 65421 Ibos Cedex, ☎ 05 62 90 09 92) propose des séjours de plusieurs jours en montagne à la découverte de la faune, de la flore, de la géologie, etc.

Escalade – Renseignements et réservations pour l'escalade auprès des bureaux des guides : vallée d'Aure, 65170 St-Lary-Soulan, ☎ 05 62 40 02 58 ; vallée d'Argelès, 65400 Argelès-Gazost, ☎ 05 62 97 02 63 ; vallée de Luz, 65120 Luz-St-Sauveur, ☎ 05 62 92 87 28 ; vallée de Cauterets, 65110 Cauterets, ☎ 05 62 92 62 02 ; vallée d'Ossau, 64440 Laruns, ☎ 05 59 05 33 04 ; vallée d'Aspe, 64490 Accous, ☎ 05 59 34 71 48.

Voyages à thème

ROUTES HISTORIQUES

Les Routes Historiques regroupent le patrimoine architectural d'une région autour d'un thème historique commun. Cinq routes s'inscrivent en partie ou en totalité dans la région couverte par ce guide : la **Route Historique des Plantagenêts**, la **Route Historique des châteaux et cités de Garonne**, la **Route Historique des Cadets de Gascogne**, la **Route Historique Gaston Fébus**, la **Route Historique sur les pas des seigneurs du Béarn et du Pays Basque**. Elles sont signalées, le long des routes, par des panneaux.
Chacune d'elles fait l'objet d'une brochure disponible dans les Offices du tourisme.

Route Historique des Plantagenêts – 11 itinéraires sillonnent l'Ouest de la France qui fut marqué par la grande dynastie des Plantagenêts. Dans ce guide est situé l'itinéraire passant par La Sauve-Majeur, Blaye, St-Émilion, Bazas, Dax et Bayonne. Renseignements aux Archives de France, ☎ 01 40 27 63 50.

Route Historique des châteaux et cités au cœur d'Aquitaine – Ce circuit prestigieux fait halte dans les châteaux de La Brède, Cadillac, Malle, Roquetaillade et Cazeneuve ainsi que dans les cités de Loupiac, Ste-Croix-du-Mont et Bazas. Renseignements au château de Cazeneuve, ☎ 05 56 25 48 16.

Route Historique des Cadets de Gascogne – Dans le pays des Cadets de Gascogne, villes d'art, villages pittoresques, châteaux et belles demeures témoignent de l'art de vivre gascon. La route historique passe par les châteaux de Lupiac, Lacaze, Cassaigne, Busca-Maniban, Lebéron, Castelmore, Beaumont-sur-l'Osse et Fourcès. Elle traverse également Termes-d'Armagnac, Sabazan, Condom, La Romieu, Lacassaigne, Flamarens, Gramont, Auch, Terraube et St-Puy. Renseignements au CDT du Gers, ☎ 05 62 05 37 02.

Route Historique Gaston Fébus – Cet ininéraire suit les pas de Gaston Fébus, seigneur de Foix et du Béarn, qui tenta d'unifier au 14e s. les pays pyrénéens, de Foix à Orthez. Ses châteaux et de remarquables églises constituent les principales étapes de la Route Gaston Fébus. Ce guide décrit Mongaston, Sauveterre-de-Béarn, Bellocq, Orthez, Morlanne, Pau, Lourdes, Montaner, Mauvezin, Lannemezan, Montréjeau, St-Bertrand-de-Comminges, St-Gaudens, Montsaunes, Salies-du-Salat et St-Lizier. La route continue à l'Est vers Foix et Mirepoix (*voir le guide Vert Michelin Pyrénées Roussillon Languedoc Albigeois*). Renseignements au château de Pau, ☎ 05 59 82 38 00.

Route Historique sur les pas des seigneurs du Béarn et du Pays Basque – Cette route fait étape dans quelques-unes des plus belles demeures du Béarn et du Pays Basque, témoins de l'histoire de l'Aquitaine, du 13e au 18e s. : château d'Urtubie, Cambo-les-Bains, château de Guiche, de Bidache, Sauveterre, château de Momas, château d'Andurain, château de Laas, Navarrenx, château d'Aren, Oloron-Ste-Marie, Salies-de-Béarn, château de Bellocq, Orthez, château de Morlanne, château de Momas, Lescar, château de Pau, Mascaraàs-Haron, châteaux de Coarraze et de Montaner. Renseignements au château de Mongaston, ☎ 05 59 38 65 92.

La CNMHS délivre un laissez-passer permettant d'accéder librement à plus de cent monuments gérés par elle en France et de bénéficier de la gratuité aux expositions organisées dans les monuments concernés. Ce laissez-passer est valable un an. On peut l'obtenir sur place dans certains monuments ou par correspondance, à la CNMHS (adresse ci-dessus). Les sites concernés par le laissez-passer et décrits dans ce guide sont l'abbaye de La Sauve-Majeur, le château de Cadillac, la grotte de Pair-non-Pair, la Tour Pey-Berland à Bordeaux, le cloître de la cathédrale de Bayonne, le site archéologique de Montmaurin, la maison du Maréchal Foch à Tarbes et le château de Gramont.

Quelques autres parcours thématiques

La route du fromage Ossau-Iraty Brebis Pyrénées – Le traditionnel brebis des Pyrénées est fabriqué au cœur du Béarn et du Pays Basque. De St-Jean-de-Luz au col d'Aubisque (182 km), une trentaine d'étapes jalonnent cette route ; producteurs fermiers ou fromageries offrent une dégustation à tous les pèlerins amateurs de fromage. Renseignements : Association interprofessionnelle du Lait et des Produits Laitiers de Brebis des Pyrénées-Atlantiques, ☎ 05 59 80 70 28 ; Syndicat de Défense de l'AOC Ossau-Iraty Brebis Pyrénées, ☎ 05 59 80 70 36.

Circuits locaux – Les Offices de tourisme ont créé leurs propres itinéraires. Ils éditent des brochures décrivant les parcours, disponibles gratuitement dans leurs bureaux.

A LA DÉCOUVERTE DES VIGNOBLES

Les visites de caves et de chais

Les caves sont généralement ouvertes à la visite et proposent la plupart du temps une dégustation (à pratiquer avec modération). Certaines visites de caves sont indiquées dans le chapitre des Conditions de visite. Le guide *Vignobles et chais en Bordelais – terroirs de Gironde* donne de précieux renseignements sur plus de 600 établissements viticoles ; on peut se le procurer dans tous les Offices de tourisme de Gironde. Quelques adresses utiles pour faire vos propres « routes des vins » :
– Vins de Bordeaux : Maison du Vin de Bordeaux, 3, cours du XXX-Juillet, 33075 Bordeaux Cedex, ☎ 05 56 00 22 88 ; Maison du Tourisme et du Vin de Pauillac, 33250 Pauillac, ☎ 05 56 59 03 08 ; Maison du Vin de St-Estèphe, 33180 St-Estèphe, ☎ 05 56 59 30 59 ; Maison du Vin de St-Émilion, place Pierre-Meyrat, BP 52, 33330 St-Émilion, ☎ 05 57 55 50 55.
– Irouleguy : Cave des Vignerons du pays basque, 64430 St-Étienne-de-Baïgorry, ☎ 05 59 37 41 33.
– Madiran et Pacherenc du Vic-Bilh : Syndicat des Vins AOC de Madiran et Pacherenc du Vic-Bilh, 65700 Madiran, ☎ 05 62 31 90 67.
– Armagnac : Bureau National Interprofessionnel de l'Armagnac AOC, 11, place de la Liberté, BP 3, 32800 Eauze, ☎ 05 62 08 11 00 ; Maison du Floc de Gascogne, 32800 Eauze, ☎ 05 62 09 85 41.

Les stages d'œnologie

Ce type de stage se développe de plus en plus, en particulier dans le Bordelais, car il est désormais accessible à tout public alors qu'il y a quelques années, il était l'exclusivité des professionnels.
L'Office du tourisme de Bordeaux propose une initiation à la dégustation chaque jeudi à 16 h 30 (12, cours du XXX-Juillet, 33080 Bordeaux, ☎ 05 56 00 66 00). La Maison du Vin de St-Émilion a mis en place deux formules : toute l'année, initiation de deux heures, une demi-journée, une journée ou un week-end, et formule été, de mi-juillet à mi-septembre, tous les jours de 11 h à 12 h (initiation à la dégustation). Des initiations à la dégustation sont organisées le mardi et le jeudi de 17 h 30 à 18 h 30 et chaque vendredi de 11 h 30 à 12 h 30 à la Maison du Tourisme et du Vin de Pauillac.
L'École du Vin du Château Loudenne (33340 St-Yzans-de-Médoc, ☎ 05 56 73 17 80) organise des stages de 2 à 5 jours (cours sur le cycle complet de l'élaboration du vin, de la vigne à la bouteille).
L'École du Vin du Château Maucaillou (Espace Maucaillou, 33480 Moulis-en-Médoc, ☎ 05 56 58 01 23) enseigne les techniques de dégustation durant deux jours. Le château propose également des journées découverte du vignoble médocain et des week-ends vins, châteaux et golf.

Quelques idées pour parcourir le vignoble

A pied – Une promenade dans le Médoc avec pique-nique dans une propriété viticole est organisée le mercredi de 10 h à 15 h, de juillet à mi-septembre par la Maison du Vin de Pauillac. Le « Marathon des châteaux du Médoc » n'est pas un marathon ordinaire : les concurrents traversent villages et châteaux, déguisés, se ravitaillant en vin de kilomètres en kilomètres et toujours dans la bonne humeur (inscription dès janvier pour le mois de septembre auprès de la Maison du Vin de Pauillac). En octobre a lieu le « Prix international des grands vins » à St-Émilion, traversant ou longeant des châteaux viticoles (inscriptions à partir de la mi-septembre auprès de M. Frustier, Secrétariat ASPTT, Cidex 203, boîte n° 2, 33500 Libourne, ☎ 05 57 51 12 70).

En autocar – Ce type de circuit est généralement organisé par les Offices de tourisme ou les Maisons du Vin et comprennent la visite commentée des châteaux et des chais avec dégustation : visite guidée du Bordelais, tous les jours de mai à octobre, le mercredi et le samedi de novembre à avril, rendez-vous devant l'Office du tourisme de Bordeaux à 13 h 30 ; dégustation des grands vins dans les châteaux du Bordelais organisée par l'Office du tourisme de Bordeaux, le mercredi et le samedi à 9 h 30 de mai à octobre.

En VTT – Location de VTT avec itinéraires à la Maison du Tourisme et du Vin de Pauillac.

En train – Au départ de St-Émilion, le « Train des Grands Vignobles » fait découvrir les vignobles de St-Émilion et ses châteaux. Il fonctionne tous les jours de mai à octobre. Renseignements et réservation : ☎ 05 57 51 13 76. Le petit train touristique « Le P'tit Blayais » propose une visite dégustation de 2 h 30 dans le vignoble autour de Bourg (☎ 05 57 42 06 46).

Par les airs – L'organisme « Vue du ciel » (320, rue St-Honoré, 75001 Paris, ☎ 01 53 73 12 15) organise des survols commentés du vignoble bordelais. Les grands crus du Libournais peuvent eux aussi être survolés (Lambert Voyages, 84, rue Montesquieu, 33500 Libourne, ☎ 05 57 25 98 10). La découverte du vignoble se fait également en hélicoptère, avec escales dégustatives (Airlec Aviation, Aéroport de Mérignac, 33700 Mérignac, ☎ 05 56 34 02 14).

Les fêtes autour du vin

La Foire aux sarments de St-Ysans-de-Médoc (Mairie, ☎ 05 56 09 05 06) propose une soirée autour d'entrecôtes grillées à la bordelaise sur des sarments de Cabernet-Sauvignon et accompagnées de vins du Médoc.
Les fêtes des vins de Buzet en Pays d'Albret ont lieu en juillet à Buzet (☎ 05 53 84 74 19).
La fête du vin de Jurançon se déroule fin août à Monein (Mairie, ☎ 05 59 21 30 06).
En octobre, les vendanges « à l'ancienne » sont fêtées à Montfort-en-Chalosse (Domaine de Carcher, ☎ 05 58 98 69 27) et Marcillac (Mairie, ☎ 05 57 32 41 03).

La Jurade de printemps à St-Émilion

Tout commence, un dimanche matin de juin, par une messe dans l'église de la Collégiale, à laquelle assistent les éminents membres de la Jurade de St-Émilion, vêtus d'une longue robe rouge bordée d'hermine. La sortie de la messe est attendue par les touristes, déjà nombreux : les Jurats vont défiler, précédés d'une fanfare en costume Renaissance, jusqu'au cloître de la Collégiale. Là, au beau milieu du jardin du cloître, sur une estrade, les Jurats intronisent de nouveaux membres : hommes politiques, personnalités du spectacle, grands noms du monde économique et financier... venus des quatre coins de la Terre. L'humour est de rigueur dans les portraits de ces intronisés que le 1er Jurat brosse avec talent. Une heure plus tard il est temps pour la Jurade d'aller festoyer et on imagine, avec envie, que les vins seront goûtés avec tout l'amour et la conscience professionnelle des Jurats. Au terme du repas, en fin d'après-midi, la Jurade se dirige, toujours en fanfare, jusqu'en haut de la Tour du Roi. De là, un discours est prononcé par le 1er Jurat, déclarant la récolte excellente. Un jugement qui permet à chacun d'aller déguster le précieux millésime !

Avant de prendre la route,
consultez 3615 MICHELIN (1,29 F/mn) sur votre Minitel :
votre meilleur itinéraire,
le choix de votre hôtel, restaurant, camping,
des propositions de visites touristiques.

A LA DÉCOUVERTE DE LA GASTRONOMIE

Les marchés au gras

Traditionnels sont ces marchés, qui avaient autrefois lieu exclusivement en hiver, où l'on peut acheter des canards et des oies, des foies crus ou déjà préparés. Les plus pittoresques ont lieu à Pomarez (Landes) le lundi, à Montfort-en-Chalosse (Landes) le mercredi (marché au cadran, réservé aux professionnels ; la vente a lieu par lots dans un laps de temps défini par le cadran de l'horloge), Samatan (Gers) le lundi de novembre à avril et Mirande (Gers) le mardi de novembre à mars.

Les stages culinaires

A l'Auberge de la Belle Gasconne (47170 Poudenas, ☎ 05 53 65 71 58), on peut, le temps d'un week-end, apprendre à préparer les foies gras et les confits.
Le bon achat du foie, la découpe du canard, la préparation des magrets, foies gras et cous farcis, autant de choses que l'on découvre durant un stage d'initiation à la cuisine des foies et confits de canard dans une ferme de Chalosse, durant trois jours d'octobre à mars (renseignements à l'Office de tourisme, 40700 Hagetmau, ☎ 05 58 79 38 26).
Un stage d'initiation à la cuisine traditionnelle à la ferme est organisé à « La Reine Jeanne » (44, rue du Bourg Vieux, 64300 Orthez, ☎ 05 59 69 00 76) de mi-octobre à avril.

Fêtes gourmandes

Mi-février a lieu la fête des bœufs à Bazas (☎ 05 56 25 25 84), avec défilé des bœufs à travers la ville, leurs cornes enrubannées et fleuries.
En avril, la fête de l'agneau de Pauillac (☎ 05 56 59 03 08) permet d'assister à la reconstitution d'une bergerie, à la tonte d'un mouton, à la transhumance et à une démonstration de chiens de bergers.
Le mois de juin est l'époque des cerises d'Itxassou (☎ 05 59 29 70 06), dignement fêtées... et dégustées.
Début juillet, au moment des moissons, les journées du seigle, « du champ au four à pain », perpétuent un savoir-faire vieux de plusieurs siècles (Sabres, ☎ 05 58 07 52 70).
A Oloron-Ste-Marie (☎ 05 59 39 98 00) a lieu, en septembre, le championnat international de garbure.

Sites remarquables du goût

Quelques sites de la région (lieux de production, foires et marchés ou manifestations), dont la richesse gastronomique s'appuie sur des produits de qualité liés à un environnement culturel et touristique intéressant, ont été dotés du label « sites remarquables du goût ». Il s'agit de St-Émilion (Gironde) pour ses vins, du bassin d'Arcachon pour ses huîtres et ses anguilles, de Labastide-d'Armagnac (Landes) pour l'eau-de-vie d'Armagnac et le Floc de Gascogne, de St-Aubin (Lot-et-Garonne) pour sa foire aux pruneaux, de l'abbaye de Bellocq (Pyrénées-Atlantiques) pour son fromage de brebis, du pays d'Ossau-Iraty pour le fromage de brebis Ossau-Iraty, d'Espelette (Pyrénées-Atlantiques) pour sa fête du piment et de Luz-St-Sauveur (Hautes-Pyrénées) pour sa foire aux côtelettes de mouton.

ARTISANAT TRADITIONNEL

Le Pays Basque – Dans ce pays de traditions, l'artisanat est bien présent. Les **espadrilles** que portent tous les Basques sont fabriquées à Mauléon-Licharre. Semelle de corde et empeigne de toile, elles se conjuguent à toutes les couleurs, à toutes les pointures. Office du tourisme de Mauléon-Licharre, ☎ 05 59 28 02 37.

Le **makhila** est à la fois un bâton de marche et une arme de défense. Le bâton en bois de néflier sauvage est muni, en haut, d'un aiguillon, pointe que l'on découvre en dévissant la poignée et, en bas, d'une massue. Les riches décorations en acier ciselé font de ces objets de véritables œuvres d'art. Ainciart Bergara, fabrique de makhilas à Larressore : consulter les Conditions de visite.

Le **tissu basque** est bien connu des maîtresses de maison qui apprécient sa qualité et sa résistance pour leur linge de maison. Tissé en coton et en lin, il est le plus souvent décoré de bandes de couleur, parfois constituées de motifs floraux stylisés. Tissage de Coarraze, 6, avenue de la Gare, 64800 Coarraze, ☎ 05 59 61 19 98.

La **chistera** est l'accessoire indispensable du joueur de pelote basque. Sa structure en bois de châtaigner est garnie d'osier tressé. La poignée de cuir est rattachée à la chistera en fin de fabrication. Atelier Jean-Louis Gonzalez, 6, allée des Liserons, 64600 Anglet, ☎ 05 59 03 85 04.

Les montagnes pyrénéennes – Symbole de la France, le **béret** est en fait originaire du Béarn, avant d'être basque. En laine tricotée, il servait aux bergers des montagnes à se protéger du froid. Deux grandes fabriques de bérets subsistent à Oloron-Ste-Marie. Pour acheter un véritable béret : Maison Beighan, rue Alfred-de-Vigny, 64400 Oloron-Ste-Marie, ☎ 05 59 59 08 98.

Dans les Pyrénées, la **laine** apportée par les bergers à la filature est tricotée puis frottée sur un « métier de cardes », qui remplace les chardons d'autrefois, pour donner aux couvertures et aux pull-overs une douceur pelucheuse. Office du tourisme de Bagnères-de-Bigorre, ☎ 05 62 95 50 71.

La vallée du Lot – Dans le Lot-et-Garonne où le pruneau est roi, on se sert encore de **claies**, sorte de plateaux en bois, pour faire sécher les prunes, autrefois à l'air libre, aujourd'hui dans des étuves. Établissements Delard, Zone industrielle du Rooy, 47300 Villeneuve-sur-Lot, ☎ 05 53 40 26 00.

Les Landes – Aujourd'hui curiosité folklorique, les **échasses** ont longtemps servi aux bergers pour se déplacer dans les landes marécageuses. Hautes de 85 cm à 1 m 20, elles sont maintenues à la jambe par des sangles de cuir, le pied reposant sur un petit plateau de bois. L'association Nouvelles Échasses, qui propose des randonnées en échasses *(voir le chapitre consacré au Parc naturel régional des Landes de Gascogne, dans les Villes et curiosités)*, vend et loue des échasses.

Principales manifestations

De février à octobre
Mont-de-Marsan . . . . Courses hippiques. ☎ 05 58 75 22 23.

Fin mars – début avril
Pau . . . . Gala du film de montagne.

Vendredi Saint – dimanche après Pâques
Lourdes . . . . Festival de Musique Sacrée. ☎ 05 62 42 77 40.

Dimanche des Rameaux
Amou 78 pli 7 *(1)* . . . . Courses de vaches landaises. ☎ 05 58 89 00 22.

1ᵉʳ mai
Mimizan-Plage . . . . Fête de la Mer. ☎ 05 58 09 11 20.

2ᵉ dimanche de mai
Condom . . . . Festival de Bandas. ☎ 05 62 28 00 80.

Samedi, dimanche et lundi de la Pentecôte
Pau . . . . Grand Prix automobile de Formule 3 000.
Vic-Fezensac 82 pli 4 *(1)* . . . . Grandes corridas. ☎ 05 62 06 56 55.

2ᵉ et 3ᵉ dimanche après la Pentecôte
Bidarray, Hélette 78 pli 19
(1), *Iholdy* . . . . Processions de la Fête-Dieu.

Juin-septembre
Dans le département de la
Gironde . . . . « L'Été girondin » : manifestations musicales et
théâtrales dont Jazz en Médoc, Jazz Andernos,
Uzeste musical, Festival de théâtre de Blaye.
☎ 05 56 52 61 40 ou 3615 INFOS 33.

3ᵉ dimanche de juin
St-Émilion . . . . Fête de Printemps de la Jurade : proclamation du
jugement du vin nouveau. ☎ 05 57 55 50 51.

3 jours autour de la St-Jean
St-Jean-de-Luz . . . . Fête de la Saint-Jean : grand-messe – concert –
chistera – force basque – retraite aux flambeaux
– bal – toro de fuego. ☎ 05 59 26 03 16.

Fin juin
Arcachon . . . . Jumping international d'Arcachon.
☎ 05 56 83 21 79.

Juin-Juillet
Pau . . . . Festival de Pau (théâtre, musique, danse).
☎ 05 59 27 27 08.

Début juillet
Bazas . . . . Fête historique « La Juillade ». ☎ 05 56 25 25 84.
Arcachon . . . . 18 heures Arcachon Sud-Ouest. ☎ 05 56 83 05 92.
Festival du Cinéma des Mondes latins au Paladium.
Condom . . . . Festival international de Folklore.
☎ 05 62 28 00 80.
St-Jean-de-Luz . . . . Fête du Thon : défilé – animation et jeux –
dégustations – bal – toro de fuego.
☎ 05 59 26 03 16.

Mi-juillet
Mont-de-Marsan . . . . Festival d'art flamenco. ☎ 05 58 06 86 86.
Ferias de la Madeleine – corridas – défilé de chars.
☎ 05 58 75 22 23.

Fin juillet
Gavarnie-Gèdre . . . . Festival de théâtre dans le cirque de Gavarnie, à
1400 m d'altitude. ☎ 05 62 92 48 05.
St-Sever . . . . Festival folklorique international.
☎ 05 58 76 34 64.

Juillet-août
St-Bertrand-de-Comminges . . Festival du Comminges. ☎ 05 61 88 32 00.

Fin juillet – début août
St-Lizier . . . . Festival de musique classique. ☎ 05 61 96 07 89.

Duras . . . . Festival lyrique et musical. ☎ 05 53 83 63 06.

Biarritz . . . . Gant d'Or professionnel de cesta punta.
☎ 05 59 23 91 09.

Début août

Hagetmau . . . . Les 5 jours d'Hagetmau : corridas - courses landaises - feux d'artifice - orchestres. ☎ 05 58 79 38 26.

Oloron-Ste-Marie . . . . Festival international des Pyrénées (folklore). ☎ 05 59 39 37 36.

Saint-Sever . . . . Reconstitution historique : vie de la cité du Moyen Âge à nos jours. Spectacle « son et lumière ». ☎ 05 58 76 34 64.

Soustons . . . . Pelote basque au grand chistera - course landaise.

1er dimanche d'août

Moncrabeau 79 pli 14 *(1)* . . . Concours international de menteries et sacre du « roi des Menteurs » selon une tradition gasconne perpétuée par l'Académie des Menteurs (40 membres), fondée à Moncrabeau au 18e s. ☎ 05 53 65 42 21.

Amou 78 pli 7 *(1)* . . . . Courses de vaches landaises. ☎ 05 58 89 00 22.

1re semaine d'août

Bayonne . . . . Fêtes traditionnelles : courses de vaches landaises - corridas - jeux nautiques - corso lumineux - concerts - bals - toro de fuego. ☎ 05 59 46 01 47.

2e dimanche d'août

Ascain . . . . Course à la Rhune : course à pied (montée et descente de la montagne).

15 août

Arcachon . . . . Fêtes de la Mer. ☎ 05 56 83 17 20.

Biarritz . . . . Nuit féerique : spectacle pyrotechnique. ☎ 05 59 22 37 00.

Mirande . . . . Fête locale : course cycliste - courses de chevaux - calvacades dans les rues. ☎ 05 62 66 68 10.

Pomarez 78 pli 7 *(1)* . . . . Courses landaises. ☎ 05 58 89 30 28.

Vayres . . . . Feu d'artifice devant le château. ☎ 05 57 55 25 55.

Mi-août

Gujan-Mestras . . . . Fête de l'huître. ☎ 05 56 66 12 65.

Dax . . . . Fêtes traditionnelles : corridas - concours landais - jeux avec vachettes - spectacles folkloriques - bals - feux d'artifice. ☎ 05 58 90 99 09.

Marciac . . . . Jazz in Marciac. ☎ 05 62 09 33 33.

Festival de jazz de Marciac

Craveros/IMAGES TOULOUSE

1er dimanche après le 15 août
St-Palais . . . . Festival de la Force basque. ☎ 05 59 65 71 15.

Avant-dernier ou dernier week-end d'août
Labastide-d'Armagnac . . . . . . Reconstitution historique en costumes d'époque.
Repas aux chandelles sous les arcades.
☎ 05 58 44 67 56.

Août-septembre
Biarritz . . . . Biarritz Surf Festival : championnat professionnel
de surf (Grande Plage).
☎ 05 59 23 56 75.

Début septembre
St-Sever . . . . Festival de musiques croisées.
☎ 05 58 76 34 64.

Licq-Athérey . . . . Rallye des Cimes (épreuve réservée aux véhicules
tout-terrain 4 x 4 ou 4 x 2 séries ou prototypes).

1re quinzaine de septembre
**Côte basque : Anglet,
Bayonne, Biarritz, Ciboure,
St-Jean-de-Luz, St-Pée-sur-
Nivelle** . . . . Musique en Côte Basque. ☎ 05 59 51 19 95.

1er week-end d'octobre
Nogaro . . . . Grand Prix Automobile. ☎ 05 62 09 02 49.

Mi-septembre
Eugénie-les-Bains . . . . Fêtes impériales.

St-Jean-de-Luz . . . . Championnat du monde de pelote basque.

3e dimanche de septembre
St-Émilion . . . . Proclamation du Ban des Vendanges par la
Jurade. ☎ 05 57 55 50 51.

4e dimanche de septembre
Ste-Croix-du-Mont . . . . Fête de la Commanderie du Bontemps.
☎ 05 56 62 01 39.

Un dimanche en octobre
Espelette . . . . Fête du Piment. ☎ 05 59 93 91 44.

De novembre à avril (le lundi)
Samatan 82 pli 16 *(1)* . . . . . . Marché au gras.

1re quinzaine de novembre
Bordeaux . . . . Festival SIGMA : théâtre, danse.
☎ 05 56 50 39 85.

---

*(1) Pour les localités non décrites dans le guide, nous indiquons le n° de la carte Michelin au
1/200 000 et le n° de pli.*

Quelques livres

Ouvrages généraux – Géographie – Histoire – Art

Beauté des Pyrénées *(Genève, Éditions Minerva)*.

Pays et gens d'Aquitaine *(Larousse, Sélection du Reader's Digest)*.

Aquitaine, par J.-L. DELPAL, **Midi-Pyrénées**, par R. MAURIÈS *(Nathan)*.

L'Aquitaine touristique, le Midi pyrénéen touristique *(Larousse, coll. « Beautés de la France »)*.

Aquitaine, Midi-Pyrénées *(Larousse, coll. « La France et ses trésors »)*.

Le Guide des Châteaux de France : Gers – Gironde *(Paris, Hermé)*.

L'aventure des bastides, par Gilles BERNARD *(Toulouse, Privat)*.

La Côte Basque, Le Pays Basque, par J. CASENAVE *(Biarritz, Éditions Lavielle)*.

Pays basque, par J.-L. DELPAL *(Arthaud)*.

Histoire du peuple basque : le peuple basque dans l'histoire, par L.-L. DAVANT *(Bayonne, Elkar)*.

Le Pays de Béarn (promenades historiques) par P. TUCOO-CHALA *(Pau, Librairie des Pyrénées)*.

Béarn, Bigorre, Bordelais Gironde, par un collectif d'auteurs *(Paris, Éditions Bonneton, coll. « Encyclopédies régionales »)*.

Les Landes, par M.-F. CHAUVIREY *(Biarritz, Éditions Lavielle)*.

La forêt landaise, par J. MONTANÉ *(Privat)*.

Comminges et Couserans : deux pays pyrénéens, par S. HENRY *(Toulouse, Privat, Collection « Pays du Sud-Ouest »)*.

Luchon et son passé, par H. PAC *(Toulouse, Privat)*.

Arcachon, la Ville d'Hiver, par l'Institut Français d'Architecture *(Liège, Mardaga, Collection « Villes »)*.

A la découverte de Mont-de-Marsan et sa région, par M. VEAUX *(Mont-de-Marsan, Éditions Jean Lacoste)*.

Pyrénées romanes, Guyenne romane *(Coll. Zodiaque, exclusivité Desclée de Brouwer)*.

Guide européen des chemins de St-Jacques-de-Compostelle, par J. BOURDARIAS *(Fayard)*.

Revue **Pyrénées Magazine**.

Revue **Pays Basque**.

Randonnées

Guides OLLIVIER : Pyrénées Occidentales II *(Ibos, Rando-Éditions)*. Vallée d'Ossau, d'Arudy à la frontière espagnole.

Lacs des Pyrénées, par L. AUDOUBERT et H. ODIER *(Milan)*.

Haute Randonnée Pyrénéenne, Randonnées en Ariège, en Béarn, dans les Hautes-Pyrénées, dans les Pyrénées-Atlantiques, Randonnées choisies autour de Luchon, par G. VÉRON *(Ibos, Rando-Éditions Pyrénéennes)*.

Les Sentiers d'Émilie en Ariège, en Béarn, au Pays Basque, en Gironde, dans les Hautes-Pyrénées, dans les Landes *(Ibos, Rando-Éditions)*.

L'aventure du Balaïtous, par Jean-François LABOURIE, **L'aventure du Vignemale**, par Didier LACAZE *(Ibos, Rando-Éditions)*.

Les Pyrénées à vélo, par P. ROQUES, **Grande traversée des Pyrénées à cheval**, par A. BERROTTE *(Toulouse, Cépaduès-Éditions)*.

Randonnées en Pays Basque, dans les Landes, par M. ANGULO *(Biarritz, Éditions Lavielle)*.

Les plus belles balades en Pays Basque, par F. FONTAINE *(Créations du Pélican)*.

Les grands vignobles pas à pas, par J.-P. XIRADAKIS et A. AVIOTTE *(Rando-Éditions)*.

Randonnées à skis en Béarn et Aragon : circuits raquettes, par R. RATIO *(Héraclès)*.

Gastronomie

Les bonnes recettes de Maritchu, Les bonnes recettes des Landes par M.-F. CHAUVIREY, **Les bonnes recettes du Béarn** par C. LAGREOULLE *(Biarritz, Éditions Lavielle)*.

La cuisine des Mousquetaires, par MAÏTÉ et JACQUELINE, racontée par A. PUJOL *(Éditions de la Presqu'île, Diffusion Flammarion, FR 3 Aquitaine)*.

Encyclopédie des Crus Bourgeois du Bordelais, par M. DOVAZ *(Paris, Les Éditions de Fallois)*.

Le Bordeaux, par G. JACQUEMONT et A. HERNANDEZ *(Chêne)*.

Littérature

Les châtaignes, par Jean CAYROL *(Seuil).*

Crépuscule, taille unique, par Christine DE RIVOYRE *(Le Livre de Poche).*

Le buveur de Garonne, par Michèle PERREIN *(Flammarion).*

Chez nous en Gascogne, par Joseph de PESQUIDOUX *(Éditions C. de Bartillat, coll. Terres).*

Bords d'eaux, par Pierre VEILLETET *(Paris, Éditions Arléa).*

Aux trois « M », Montaigne *(Essais),* Montesquieu *(Lettres Persanes, De l'esprit des Lois),* et Mauriac (l'ensemble de son œuvre romanesque) s'ajoutent d'autres auteurs originaires de la région Pyrénées-Aquitaine : Jean Anouilh (dramaturge), Robert Escarpit (billetiste, écrivain), Jean Lacouture et Henri Amouroux, journalistes-écrivains.

Contes et légendes

Contes traditionnels du Pays basque, par M. COSEM *(Milan).*

Contes populaires de la Grande Lande, par F. ARNAUDIN *(Parc naturel régional des Landes de Gascogne/éditions Confluence).*

Langues

Manuel pratique du basque, par J. ALLIERES *(Picard).*

Guide de la conversation français/basque *(Éditions Elkar).*

La toponymie basque, par J.-B. ORPUSTAN *(Presse universitaire de Bordeaux).*

Initiation au gascon, par R. DARRIGRAND *(Per Noste).*

Librairies spécialisées

Librairie basque Zabal, 52, rue Panneceau, Bayonne, ☎ 05 59 63 66 29.
Librairie des pays d'oc Pam de Nas, 30, rue des Grands Augustins, 75006 Paris, ☎ 01 43 54 04 84.

Musiques traditionnelles

Adixkideak, Chœurs basques *(Agorila).*

Chorales basques *(Agorila).*

Euskal Herriko Musika – compilation de musiques basques – *(Elkar).*

Fifres et tambours de Gascogne *(Princi Negre).*

Les Troubadours aquitains, par l'ensemble Tre Fontane *(Princi Negre).*

Quelques films

Certains sites de la région couverte par ce guide ont servi en partie ou en totalité au tournage des films suivants :

Ramuntcho, 1937, par Raymond BARBERIS (Pays Basque).

Des gens sans importance, 1955, par Henri VERNEUIL (Bordeaux).

Le soleil se lève aussi, 1957, par Henry KING (côte basque).

Le salon de musique, 1958, par Satyajit RAY (Château Cos d'Estournel).

Tout l'or du monde, 1961, par René CLAIR (Castillonès, carte Michelin n° 79 pli 5).

Hôtel des Amériques, 1981, par André TÉCHINÉ (Biarritz).

J'ai épousé une ombre, 1983, par Robin DAVIS (Médoc).

Le lieu du crime, 1985, par André TÉCHINÉ (Lot-et-Garonne).

Le rayon vert, 1986, par Éric ROHMER (Biarritz).

Le miraculé, 1987, par Jean-Pierre MOCKY (Salies-de-Béarn).

Valmont, 1989, par Milos FORMAN (Bordeaux).

Merci la vie, 1990, par Bertrand BLIER (Lacanau).

Le petit garçon, 1994, par Pierre GRANIER-DEFERRE (Sentein, carte n° 86 pli 2).

L'ange noir, 1994, par Jean-Claude BRISSEAU (Bordeaux).

La reine Margot, 1994, par Patrice CHÉREAU (Bordeaux, rue St-Éloi), avec Isabelle Adjani.

Conditions de visite

Les renseignements énoncés ci-dessous s'appliquent à des touristes voyageant isolément et ne bénéficiant pas de réduction. Pour les groupes constitués, il est généralement possible d'obtenir des conditions particulières concernant les horaires ou les tarifs. Ces données ne peuvent être fournies qu'à titre indicatif en raison de l'évolution du coût de la vie et de modifications fréquentes dans les horaires d'ouverture de nombreuses curiosités. Lorsqu'il nous a été impossible d'obtenir des informations à jour, les éléments figurant dans l'édition précédente ont été reconduits. Dans ce cas ils apparaissent en italique.

*Les **édifices religieux** ne se visitent pas pendant les offices. Certaines églises et la plupart des chapelles sont souvent fermées. Les conditions de visite en sont précisées si l'intérieur présente un intérêt particulier ; dans le cas où la visite ne peut se faire qu'accompagnée par la personne qui détient la clé, une rétribution ou une offrande est à prévoir.*

*Dans certaines villes, des **visites guidées** de la localité dans son ensemble ou limitées aux quartiers historiques sont régulièrement organisées en saison touristique. Cette possibilité est mentionnée en tête des conditions de visite, pour chaque ville concernée. Dans les Villes d'Art et d'Histoire et les Villes d'Art , les visites sont conduites par des guides-conférenciers agréés par la Caisse Nationale des Monuments Historiques et des Sites.*

Lorsque les curiosités décrites bénéficient de facilités concernant l'accès pour les handicapés, le symbole & figure à la suite de leur nom.

A

Domaine d'ABBADIA

Château d'Antoine Abbadie – Visite accompagnée (1 h) tous les jours (sauf le dimanche) à 11 h, 15 h, 16 h et 17 h de juillet à septembre, le mardi, le jeudi et le vendredi à 15 h en avril, mai et octobre. 35 F. Est également proposée une visite (1 h 3/4) plus complète du château tous les jours (sauf le dimanche) à 10 h de juillet à septembre. 60 F. Fermé le 1er mai, à l'Ascension, les 14 juillet et 15 août. Réserver au ☎ 05 59 20 04 51.

Cité des ABEILLES

& Visite tous les jours (sauf le lundi de Pâques à mi-juillet et de fin août à mi-octobre) de 14 h à 19 h de Pâques à mi-octobre. Fermé le reste de l'année. 32 F, enfant : 19 F. ☎ 05 59 83 10 31.

AGEN   🚹 107, boulevard Carnot - 47000 - ☎ 05 53 47 36 09

Visite guidée de la ville – S'adresser à l'Office de tourisme.

Musée des Beaux-Arts – Visite tous les jours (sauf le mardi) de 11 h à 18 h (20 h le jeudi) de mai à septembre, de 11 h à 17 h le reste de l'année. Fermé les 1er janvier, 1er mai, 1er novembre et 25 décembre. 15 F. ☎ 05 53 69 47 23.

AINHOA

Chapelle Notre-Dame de l'Aubépine – Ouvert de 9 h à 18 h. Pèlerinage le lundi de Pentecôte avec messe en basque à 10 h 30.

AIRE-SUR-L'ADOUR   🚹 place du Général-de-Gaulle - 40800 - ☎ 05 58 71 64 70

Église et crypte St-Pierre-du-Mas – Visite accompagnée tous les jours (sauf le mardi matin et le samedi matin) de 9 h à 12 h et de 14 h à 18 h. Il est préférable de prendre rendez-vous pour les visites le dimanche. M. Labadie, 12, rue du Mas, ☎ 05 58 71 64 70.

ALLEMANS-DU-DROPT

Église – *Visite de 9 h à 18 h. Pour les visites guidées, s'adresser au Syndicat d'initiative,* ☎ *05 53 20 25 59.*

ANGLET   🚹 avenue de la Chambre d'Amour - 64600 - ☎ 05 59 03 77 01

ARAGNOUET

Chapelle des Templiers – S'adresser à l'Office de tourisme. ☎ 05 62 39 61 69.

ARCACHON ⓩ esplanade Georges-Pompidou – B.P. 137 – 33311 Cedex – ☏ 05 56 83 01 69

Aquarium et musée – Visite de 9 h 30 à 12 h 30 et de 14 h à 23 h en juillet et août, de 9 h 30 à 12 h 30 et de 14 h à 20 h en juin, de 10 h à 12 h 30 et de 14 h à 19 h de février à mai et de septembre à novembre. Fermé en décembre et janvier. 22 F, enfant : 14 F. ☏ 05 56 83 33 32.

Musée de la Maquette marine – Visite de 10 h à 13 h et de 15 h à 19 h en juillet et août, tous les jours (sauf le mardi) de 14 h à 18 h d'avril à juin et en septembre. Fermé d'octobre à mars. 20 F, enfants : 15 F. ☏ 05 57 52 00 03 ou ☏ 05 56 83 01 69 (Office de tourisme).

Ville d'hiver – Visite commentée (1 h) le mardi et le vendredi à 10 h 30 en juillet et août. Rendez-vous devant l'Office de tourisme ; minimum 3 personnes. Pas de visite les 1er janvier, 1er mai et 25 décembre. 20 F. ☏ 05 56 83 01 69.

Promenades en pinasse – Les vedettes UBA (Union des Bateliers Arcachonnais) proposent : en saison, la traversée Arcachon-Cap Ferret aller-retour (50 F), la visite commentée des parcs à huîtres (55 F), la visite de la réserve du Banc d'Arguin (70 F), des parties de pêche à la ligne (70 F), le circuit du littoral (70 F) ; toute l'année, le tour de l'Ile aux Oiseaux (70 F). Embarquements : jetée Thiers et jetée d'Eyrac (Arcachon), jetée Bélisaire (au Cap Ferret). Renseignements : ☏ 05 56 54 60 32.

ARGELÈS-GAZOST ⓩ Grande Terrasse – 65400 – ☏ 05 62 97 00 25

Musée de la Faune Sauvage – Visite de 9 h à 18 h de juin à août, de 10 h à 12 h et de 14 h à 18 h le reste de l'année. 33 F, enfant : 22 F. ☏ 05 62 97 91 07.

ARRENS-MARSOUS ⓩ 65400 – ☏ 05 62 97 49 49

Chapelle de Pouey-Laün – Visite de 10 h à 18 h.

Porte d'ARRENS

Maison du Parc national et du Val d'Azun – ♿ Visite de 9 h à 12 h et de 14 h à 19 h pendant les vacances scolaires, tous les jours (sauf le dimanche) de 9 h à 12 h 30 et de 13 h 40 à 18 h le reste de l'année. Fermé les 1er janvier, 1er mai, lundi de Pentecôte, 1er et 11 novembre, 25 décembre. ☏ 05 62 97 49 49.

Abbaye d'ARTHOUS

Visite tous les jours (sauf le mardi) de 9 h à 12 h et de 14 h à 18 h de mars à octobre, de 10 h à 12 h et de 14 h à 17 h le reste de l'année. Fermé les jours fériés. 10 F. ☏ 05 58 73 03 89.

Lac d'ARTOUSTE

Montée en télécabine à la Sagette – Service régulier de juin à septembre. 35 F aller-retour, enfant : 22 F. ☏ 05 59 05 36 99.

Parcours en chemin de fer de la Sagette au lac – Fonctionnement permanent de juin à septembre. Billet combiné avec télécabine : 82 F aller-retour, enfant : 41 F en juillet et août ; 72 F, enfant : 41 F en juin et septembre. Renseignements auprès de l'Établissement Public des Stations d'Altitude à Pau. ☏ 05 59 05 36 99.

ARUDY

Maison d'Ossau – Visite de 10 h à 12 h et de 15 h à 18 h en juillet et août, le lundi de 10 h à 12 h, le mardi, le jeudi et le samedi de 14 h 30 à 17 h, le dimanche de 15 h à 18 h le reste de l'année. 14,50 F. ☏ 05 59 05 61 71.

ASSON

Parc zoologique – ♿ Visite de 8 h à 20 h (18 h en hiver). 40 F, enfant : 25 F. ☏ 05 59 71 03 34.

ASTE-BÉON

Falaise aux vautours – Visite de 10 h à 13 h et de 14 h à 19 h d'avril à septembre, de 15 h à 18 h durant les vacances de la Toussaint et les vacances d'hiver. 35 F, enfant : 22 F. ☏ 05 59 82 65 49.

AUCH ⓩ 1, rue Dessoles – 32000 – ☏ 05 62 05 22 89

Visite guidée de la ville – S'adresser à l'Office de tourisme.

Cathédrale Ste-Marie – Fermée pendant la pause de midi. À l'entrée, des commentaires enregistrés présentent les caractéristiques de l'édifice. Pour la visite du déambulatoire et des verrières, des baladeurs sont disponibles : 10 F, dépôt d'une pièce d'identité en caution.

Stalles de la cathédrale – Visite de 8 h 30 à 12 h et de 14 h à 18 h d'avril à septembre, de 9 h 30 à 12 h et de 14 h à 17 h le reste de l'année. 6 F.

Musée des Jacobins - Visite tous les jours (sauf le lundi) de 10 h à 12 h et de 14 h à 18 h d'avril à octobre, de 10 h à 12 h et de 14 h à 17 h le reste de l'année. Fermé les jours fériés. 15 F. ☎ 05 62 05 74 79.

AUDIGNON

Église - Visite de 9 h à 18 h. S'adresser à la maison située à droite de l'entrée du cimetière en cas de fermeture.

AURIGNAC

Musée de Préhistoire - Visite de 10 h à 12 h et de 15 h à 18 h en juillet et août, le samedi de 10 h à 12 h et de 15 h à 18 h en juin, tous les jours (sauf le dimanche) de 10 h à 12 h et de 14 h à 18 h le reste de l'année. Fermé les jours fériés (sauf en juillet et août). 10 F. ☎ 05 61 98 70 06.

Château d'AVEZAN

Visite accompagnée (1/2 h) de 14 h à 18 h d'avril à octobre. Fermé le reste de l'année. 12 F. ☎ 05 62 66 47 11.

B

BAGNÈRES-DE-BIGORRE   🖪 3, allée Tournefort - 65200 - ☎ 05 62 95 50 71

Musée Salies - Visite de 10 h à 12 h et de 15 h à 18 h. Fermé le samedi matin et le dimanche matin en juillet et août, le lundi, le samedi matin et le dimanche matin en mai et juin et de septembre au 20 novembre ; période annuelle de fermeture du 20 novembre à avril. 20 F. ☎ 05 62 91 07 26.

Musée du Vieux Moulin - Visite tous les jours (sauf le lundi, le samedi matin et le dimanche) de 10 h à 12 h et de 15 h à 18 h. Fermé les jours fériés ainsi que de mi-septembre à mi-octobre. 10 F. ☎ 05 62 91 07 33.

BAGNÈRES-DE-LUCHON   🖪 allées d'Etigny - 31110 - ☎ 05 61 79 21 21

Établissement Thermal - ♿ Visite accompagnée (1 h) le mardi et le jeudi à 14 h de juin à septembre, le jeudi uniquement à 14 h en avril, mai et octobre. Fermé de fin octobre à mars, ainsi que les 1er mai, 14 juillet et 15 août. 30 F (billet à retirer à la caisse, le matin de la visite). ☎ 05 61 79 03 88, poste 352.

Musée du Pays de Luchon - Visite de 9 h à 12 h et de 14 h à 18 h d'avril à septembre, le mercredi de 9 h à 12 h, le vendredi de 9 h à 12 h et de 14 h à 18 h et le samedi de 14 h à 18 h le reste de l'année. Fermé les jours fériés. 10 F. ☎ 05 61 79 29 87.

BARBOTAN-LES-THERMES   🖪 place Armagnac - 32150 Cazaubon - ☎ 05 62 69 52 13

BARÈGES   🖪 65120 - ☎ 05 62 92 68 19

Funiculaire de l'Ayré - Trajet de 20 mn. Se renseigner à la Régie des Remontées Mécaniques. ☎ 05 62 92 68 26.

BARSAC

Église - *Visite accompagnée sur demande à M. Pouchepadass.* ☎ *05 56 27 19 06.*

BASSOUES   🖪 (rez-de-chaussée du donjon) - 32320 - ☎ 05 62 70 97 34

Donjon - Visite de 10 h à 19 h de juillet à octobre, de 10 h à 12 h et de 14 h à 18 h d'avril à juin, de 10 h à 12 h et de 15 h à 18 h le reste de l'année. Fermé le 1er janvier. 15 F. ☎ 05 62 70 97 34.

BAYONNE   🖪 place des Basques - 64100 - ☎ 05 59 46 01 46

Visite guidée de la ville 🅰 - S'adresser à l'Office de tourisme.

Musée Bonnat - ♿ Visite tous les jours (sauf le mardi) de 10 h à 12 h et de 14 h 30 à 18 h 30 (nocturne le vendredi jusqu'à 20 h 30). Fermé les jours fériés. 20 F. ☎ 05 59 59 08 52.

Musée Basque - Fermé pour travaux de restauration.

Cathédrale Ste-Marie - Visite de 10 h à 11 h 45 et de 15 h à 19 h, le dimanche de 15 h 30 à 19 h. ☎ 05 59 59 17 82.

Cloître - ♿ Visite de 9 h 30 à 12 h 30 et de 14 h à 18 h de juin à septembre, de 9 h 30 à 12 h 30 et de 14 h à 17 h le reste de l'année. Fermé les 1er janvier, 1er mai, 1er et 11 novembre, 25 décembre. 15 F.

BAZAS

🏛 1, place de la Cathédrale - 33430 - ☎ 05 56 25 25 84

Visite guidée de la ville – S'adresser à l'Office de tourisme.

Cathédrale St-Jean-Baptiste – Visite de 9 h à 19 h. Pour les visites accompagnées, s'adresser à l'Office de tourisme.

BEAUCENS

Donjon des Aigles – Visite de 10 h à 12 h et de 14 h 30 à 18 h 30 des vacances de printemps à fin septembre. Vols de rapaces (40 mn) tous les après-midi. Fermé le reste de l'année. 45 F, enfant : 30 F. ☎ 05 62 97 19 59.

BEAUMONT-DE-LOMAGNE

🏛 3, rue Fermat - 82500 - ☎ 05 63 02 42 32

Visite guidée de la ville – S'adresser à l'Office de tourisme.

BELLOCQ

Château – Visite du lundi au vendredi de 8 h à 12 h et de 14 h à 18 h, le samedi de 14 h à 18 h et le dimanche après-midi sur rendez-vous d'avril à octobre ; du lundi au vendredi de 8 h à 12 h et de 13 h 30 à 16 h 30, le dimanche après-midi sur rendez-vous le reste de l'année. Gratuit. ☎ 05 59 65 20 66.

Grottes de BÉTHARRAM

Visite accompagnée (1 h 1/4) de 8 h 30 à 12 h et de 13 h 30 à 17 h 30 (13 h à 18 h en août) du 25 mars au 25 octobre. 48 F. ☎ 05 62 41 80 04.

Sanctuaire de BÉTHARRAM

Église Notre-Dame – Visite de 10 h à 12 h et de 14 h à 18 h. ☎ 05 59 71 92 30.

Musée – ♿ Visite tous les jours de 14 h à 17 h de mai à octobre, le samedi et le dimanche ainsi que durant les vacances scolaires de 14 h à 16 h le reste de l'année. 5 F. ☎ 05 59 71 92 30.

BIARRITZ

🏛 (Javalquinto), square d'Ixelles - 64200 - ☎ 05 59 24 20 24

Musée de la Mer – ♿ *Visite tous les jours de 9 h 30 à 20 h de juillet à mi-septembre (nocturne jusqu'à minuit de mi-juillet à mi-août), de 9 h 30 à 18 h (19 h le week-end) du 15 au 30 septembre, de 9 h 30 à 12 h 30 et de 14 h à 18 h (19 h le week-end en mai et juin et durant les vacances de printemps) le reste de l'année. Fermé pendant la 2e semaine de janvier. 45 F, 40 F de 12 à 16 ans, 25 F de 5 à 12 ans.* ☎ 05 59 24 02 59.

Phare de la pointe St-Martin – Visite de 10 h à 12 h et de 14 h à 18 h 30 de juin à août.

BIDACHE

Château de Gramont et volerie – Visite de 14 h 30 à 18 h 30. Démonstration de vol de rapaces (3/4 h) à la volerie à 15 h 30 et 17 h de mi-juin à mi-septembre, du lundi au vendredi à 15 h 30, le samedi et le dimanche à 15 h 30 et 17 h le reste de l'année. 35 F, enfant : 20 F. ☎ 05 59 56 08 79.

BIRAN

Église N.-D.-de-Pitié – *Pour visiter, s'adresser à l'épicerie du village.*

BISCARROSSE

🏛 432, avenue de la Plage - 40600 - ☎ 05 58 78 20 96

Musée historique de l'Hydraviation – Visite de 10 h à 19 h en juillet et août, de 15 h à 19 h d'avril à juin et en septembre, de 14 h à 18 h le reste de l'année. 25 F. ☎ 05 58 78 00 65.

Ancienne abbaye de BLASIMON

Église – *Horaires libres.* ☎ *05 56 71 52 12.*

BLAYE

🏛 allées Marines - 33390 - ☎ 05 57 42 12 09

Musée d'Histoire et d'Art du Pays Blayais – ♿ Visite tous les jours de 14 h à 19 h de Pâques à la Toussaint. Fermé le reste de l'année. 10 F. ☎ 05 57 42 13 70.

Château de BONAGUIL

Visite accompagnée (1 h 1/2) tous les jours de 10 h à 17 h 45 de juin à août ; de 10 h 30 à 12 h et de 14 h 30 à 16 h 30 de début février à mai et de septembre à octobre ; tous les jours (sauf le lundi) de 14 h 30 à 16 h 30 en novembre et pendant les vacances scolaires de Noël. 25 F, enfant : 15 F. ☎ 05 53 71 13 70.

BORDEAUX

🏠 12, cours du XXX Juillet - 33080 - ☎ 05 56 00 66 00
🏠 gare St-Jean (esplanade arrivée) - 33000 - ☎ 05 56 91 64 70
🏠 aéroport de Bordeaux-Mérignac (hall d'arrivée) - 33700 - ☎ 05 56 34 39 39

Visite guidée de la ville  - S'adresser à l'Office de tourisme.

Grand théâtre - *Visite accompagnée (1 h 1/2) selon le planning des répétitions et sur réservation. 30 F.* ☎ *05 56 00 66 09 (Office de tourisme).*

Église Notre-Dame - Visite tous les jours (sauf le lundi matin) de 8 h à 12 h et de 14 h 30 à 18 h.

Musée des Douanes - Visite tous les jours (sauf le lundi) de 10 h à 12 h et de 13 h à 18 h d'avril à septembre, de 10 h à 12 h et de 13 h à 17 h le reste de l'année. Fermé les 1er janvier et 25 décembre. 10 F. ☎ 05 56 52 45 47.

Porte Cailhau - Visite de 14 h à 18 h en juillet et août. *20 F.* ☎ 05 56 00 66 00.

Basilique St-Michel - Visite tous les jours de 9 h à 18 h, le dimanche de 9 h à 12 h.

Tour St-Michel - Viste de 14 h à 18 h en juillet et août. *20 F.* ☎ 05 56 00 66 00.

Cathédrale St-André - Visite tous les jours (sauf le dimanche en hiver) de 7 h 30 à 11 h 30 et de 14 h à 18 h. Visites accompagnées le mercredi. ☎ 05 56 52 68 10.

Tour Pey Berland - Visite de 10 h à 19 h en juillet et août, de 10 h à 18 h d'avril à juin et en septembre, de 10 h à 17 h le reste de l'année. Fermé les 1er janvier, 1er mai et 25 décembre. 25 F. ☎ 05 56 81 26 25.

Centre Jean-Moulin - Visite du lundi au vendredi de 14 h à 18 h. Fermé les jours fériés. Gratuit. ☎ 05 56 79 66 00.

Hôtel de ville - Visite accompagnée (1 h) du Palais Rohan le mercredi à 14 h 30. 10 F. ☎ 05 56 00 66 00.

Musée des Arts décoratifs - Visite tous les jours (sauf le mardi) de 14 h à 18 h. Fermé les jours fériés. 20 F, gratuit le mercredi. ☎ 05 56 00 72 50.

Musée et galerie des Beaux-Arts - ♿ Visite tous les jours (sauf le mardi) de 10 h à 12 h 30 et de 13 h 30 à 18 h. Fermé les jours fériés. 20 F, gratuit le mercredi. ☎ 05 56 10 17 18.

Musée d'Aquitaine - ♿ Visite tous les jours (sauf le lundi) de 10 h à 18 h. Fermé les jours fériés. 20 F, gratuit le mercredi. ☎ 05 56 01 51 03/04.

Musée d'Art contemporain - ♿ Visite tous les jours (sauf le lundi) de 12 h à 18 h (22 h le mercredi). Fermé les 1er janvier, 1er mai et 25 décembre. 20 F ou 30 F (billet donnant accès aux expositions) ; gratuit le mercredi. ☎ 05 56 00 81 50.

Musée des Chartrons - Visite tous les jours (sauf le dimanche) de 10 h à 12 h 30 et de 14 h à 18 h. Fermé les jours fériés. 20 F. ☎ 05 57 87 50 60.

Croiseur Colbert - Visite du lundi au vendredi de 10 h à 18 h, le samedi, le dimanche et les jours fériés de 10 h à 19 h d'avril à septembre ; du mardi au vendredi de 14 h à 18 h, le samedi, le dimanche et les jours fériés de 14 h à 19 h le reste de l'année. Fermé les 1er janvier et 25 décembre. 42 F, enfant : 31 F. ☎ 05 56 44 96 11.

Bordeaux - Boulangerie du croiseur Colbert

P. Roy/Croiseur Colbert

BORDEAUX

Vinorama – Visite du mardi au samedi de 10 h 30 à 12 h 30 et de 14 h 30 à 18 h 30, le dimanche de 14 h à 18 h 30 de juin à septembre ; du mardi au vendredi de 14 h à 18 h 30, le samedi de 10 h 30 à 12 h 30 et de 14 h 30 à 18 h 30 le reste de l'année. 35 F. ☎ 05 56 39 39 20.

Musée Goupil – ♿ Visite tous les jours (sauf le lundi et le dimanche) de 14 h à 18 h. Fermé le 15 août. 20 F, gratuit le mercredi. ☎ 05 56 69 10 83.

Site paléochrétien de St-Seurin – Visite de 14 h à 18 h en juillet et août. 20 F. ☎ 05 56 00 66 00.

Musée d'Histoire Naturelle – *Visite tous les jours (sauf le mardi) de 14 h à 18 h de mi-juin à mi-septembre, tous les jours (sauf le mardi) de 14 h à 17 h 30 le reste de l'année. Fermé les jours fériés.* 20 F, gratuit le mercredi. ☎ *05 56 48 26 37.*

Conservatoire International de la Plaisance – *Visite du mercredi au vendredi (et le mardi de mi-juin à mi-septembre) de 13 h à 19 h, le week-end de 10 h à 19 h. 30 F.* ☎ *05 56 11 11 50.*

Promenades en bateau, embarcadère des Quinconces, quai Louis-XVIII :

Visite du port – Visite commentée des installations portuaires à bord du bateau « Ville de Bordeaux » ; départ à 15 h, retour vers 16 h 30. 50 F, enfant : 40 F. Possibilité de croisières-déjeuner ou dîner sur la Garonne à partir de 195 F. ☎ 05 56 52 88 88.

Mini-croisières – À bord du bateau « Aliénor » sont organisés plusieurs types de croisières fluviales vers le Bec d'Ambès, Langoiran, Blaye, Cadillac, Libourne, etc. Renseignements : Hangar 7, quai Louis XVIII. ☎ 05 56 51 27 90.

Château du BOUILH

Visite libre de l'extérieur tous les jours (sauf le dimanche matin) de 8 h 30 à 18 h. Visite accompagnée (1/2 h) de l'intérieur le jeudi, le samedi et le dimanche de 14 h 30 à 18 h 30 de juillet à septembre. 30 F pour l'intérieur, 5 F pour l'extérieur. ☎ 05 57 43 01 45.

BRASSEMPOUY

Grotte du Pape – Visite accompagnée (1/2 h) le lundi, le mercredi et le vendredi de 17 h à 18 h de début juillet à août. Gratuit.

Musée de la Préhistoire – ♿ Visite tous les jours (sauf le lundi d'avril à juin et en octobre) de 15 h à 18 h d'avril à octobre, tous les jours (sauf le lundi) de 14 h 30 à 17 h 30 le reste de l'année. 10 F. ☎ 05 58 89 02 47.

Château de la BRÈDE

Visite accompagnée (1/2 h) tous les jours (sauf le mardi) de 14 h à 18 h de juillet à septembre, le samedi, le dimanche et les jours fériés de 14 h à 18 h d'avril à juin, le samedi, le dimanche et les jours fériés de 14 h à 17 h 30 le reste de l'année. 30 F.

Château du BUSCA-MANIBAN

Visite accompagnée (1 h) de 14 h à 19 h (18 h le lundi) de Pâques à mi-novembre, sur demande le reste de l'année. 15 F. ☎ 05 62 28 40 38.

C

CADILLAC

Château des ducs d'Épernon – Visite tous les jours (sauf le lundi) de 9 h 30 à 13 h et de 14 h à 19 h en juillet et août, tous les jours (sauf le lundi) de 9 h 30 à 12 h 30 et de 14 h à 18 h d'avril à juin et de septembre à mi-octobre, tous les jours (sauf le lundi) de 10 h à 12 h et de 14 h à 17 h 30 le reste de l'année. Fermé les 1er janvier, 1er mai et 25 décembre. 25 F. ☎ 05 56 62 69 58.

CAMBO-LES-BAINS ⛵ parc St-Joseph - 64250 - ☎ 05 59 29 70 25

Villa Arnaga (musée Edmond-Rostand) – Visite *de 10 h à 12 h 30 et de 14 h 30 à 18 h 30* d'avril à septembre, *de 14 h 30 à 18 h 30* en octobre, le samedi et le dimanche *de 14 h 30 à 18 h 30* de fin février à mars. Fermé de novembre à fin février. 28 F. ☎ 05 59 29 70 57.

CAPBRETON ⛵ avenue Georges-Pompidou - 40130 - ☎ 05 58 72 12 11

Écomusée de la Mer – ♿ Visite de 9 h 30 à 12 h et de 14 h 30 à 19 h de juin à août, de 14 h à 18 h en avril, mai et septembre, le dimanche, les jours fériés et durant les vacances scolaires de 14 h à 18 h le reste de l'année. 25 F. ☎ 05 58 72 40 50.

CAP-FERRET
🛈 place de l'Europe - 33970 Le Canon - ☎ 05 56 60 86 43

Phare – Visite accompagnée (1/2 h) de 10 h à 12 h et de 14 h 30 à 18 h 45 en juillet et août ; le jeudi et le vendredi sur rendez-vous à l'Office de tourisme de Lège-Cap-Ferret en septembre. Fermé le reste de l'année. 12 F. ☎ 05 56 60 86 43 (Office de tourisme) ou ☎ 05 56 60 63 26.

Plage de l'Océan : accès en petit train – Des tramways équipés de voitures de la Belle Époque partant de la jetée Belisaire circulent : de 10 h à 18 h 10 en juillet et août, de 11 h à 17 h 45 en juin et septembre, de 14 h 15 à 16 h 45 en avril et mai. 22 F aller-retour, enfant : 17,50 F. ☎ 05 56 60 86 43 (Office de tourisme).

CAPVERN-LES-BAINS
🛈 rue des Thermes - 65130 - ☎ 05 62 39 00 46

Château de La CASSAGNE

Visite tous les jours (sauf le lundi) de 15 h à 18 h 30. Prendre rendez-vous hors saison. Fermé de décembre à mi-février. 20 F. ☎ 05 62 68 83 24.

Château de CASSAIGNE

♿ Visite accompagnée (3/4 h) tous les jours (sauf le lundi de mi-octobre à mi-mars) de 9 h à 12 h et de 14 h à 19 h. Fermé de fin janvier à mi-février ainsi que les 1er et 2 janvier, 1er novembre et 25 décembre. ☎ 05 62 28 04 02.

CASTELJALOUX
🛈 B.P. 57 - 47700 - ☎ 05 53 93 00 00

Visite guidée de la ville – S'adresser à l'Association « Les Amis de Casteljaloux » (☎ 05 53 93 01 29) ou à l'Office de tourisme.

CASTELVIEL

Église – Visite sur rendez-vous à la mairie, ☎ 05 56 61 98 69, ou auprès de M. Jaumain, à Castelviel, ☎ 05 56 61 97 58.

CASTÉRA-LOUBIX

Église – *En cas de fermeture, s'adresser à Mme Andrée Gouyen au bourg.*

Château de CAUMONT

Visite accompagnée (3/4 h) de l'intérieur du château de 15 h à 18 h en juillet et août, le samedi et le dimanche de 15 h à 18 h en mai, juin, septembre et octobre. Fermé de novembre à février. 25 F. ☎ 05 62 07 94 20.

CAUTERETS
🛈 place du Maréchal-Foch - 65110 - ☎ 05 62 92 50 27

Maison du Parc – Visite de 9 h 30 à 12 h et de 15 h 30 à 19 h 30 de mi-juin à mi-septembre, tous les jours (sauf le mercredi) de 9 h 30 à 12 h et de 15 h 30 à 19 h de mi-septembre à mi-octobre, tous les jours (sauf le mercredi) de 9 h 30 à 12 h et de 15 h 30 à 18 h 30 de mi-décembre à mi-juin. Fermé de mi-octobre à mi-décembre. 12 F. ☎ 05 62 92 52 56.

Château de CAZENEUVE

Visite accompagnée (1 h) de 10 h à 18 h 30 de mi-juin à mi-septembre, le samedi et le dimanche de 14 h à 18 h de Pâques à mi-juin et de mi-septembre à la Toussaint. Fermé le reste de l'année. 35 F. ☎ 05 56 25 48 16.

CHÂTEAU BEYCHEVELLE

Visite accompagnée (3/4 h) du lundi au vendredi de 9 h 30 à 12 h et de 14 h à 17 h, le samedi de 9 h à 12 h et de 14 h à 17 h en juillet et août ; du lundi au vendredi de 9 h 30 à 12 h et de 14 h à 17 h le reste de l'année. Fermé les jours fériés. Gratuit. ☎ 05 56 73 20 70.

CHÂTEAU LAFITE ROTHSCHILD

Visite accompagnée (3/4 h) du lundi au vendredi de 13 h 30 à 16 h. Fermé les jours fériés, en août et pendant les vendanges. Gratuit. Réserver au Château Lafite Rothschild, 33 rue de la Baume, 75008 Paris. ☎ 01 53 89 78 00.

CHÂTEAU LANESSAN

Visite accompagnée (1 h 1/4) incluant le musée du Cheval, de 9 h à 12 h et de 14 h à 18 h 30. 30 F. ☎ 05 56 58 94 80.

CHÂTEAU MARGAUX

Chais – Visite accompagnée (1 h) du lundi au vendredi de 10 h à 12 h et de 14 h à 16 h, sur demande téléphonique ou écrite au moins deux semaines à l'avance : Mme Bizard, Château Margaux, 33460 Margaux. ☎ 05 57 88 83 93. Fermé en août et pendant les vendanges. Gratuit. Le château n'est visible que de l'extérieur.

CHÂTEAU MAUCAILLOU

Musée des Arts et Métiers de la Vigne et du Vin – ♿ Visite tous les jours de 10 h à 12 h 30 et de 14 h à 18 h 30. Fermé le 1er janvier le matin. 35 F. ☎ 05 56 58 01 23.

CHÂTEAU MOUTON ROTHSCHILD

Visite accompagnée (1 h) du lundi au vendredi de 9 h 30 à 11 h et de 14 h à 16 h (15 h le vendredi) toute l'année, le samedi, le dimanche et les jours fériés à 9 h 30, 11 h, 14 h et 15 h 30 d'avril à octobre. Fermé le 1er mai et entre Noël et le jour de l'An. 20 F. Réserver deux semaines à l'avance : Mlle Parinet, Château Mouton Rothschild, 33250 Pauillac, ☎ 05 56 73 21 29.

CHÂTEAU SIRAN

♿ Visite accompagnée (1/2 h) de 10 h 15 à 18 h. Gratuit. ☎ 05 57 88 34 04.

CIBOURE

Villa Leïhorra – Visite accompagnée (3/4 h) de la villa tous les jours (sauf le lundi, le mercredi et le vendredi) de 15 h à 18 h 30 d'avril à octobre, le mardi, le samedi et le dimanche de 14 h à 17 h de janvier à mars, le samedi et le dimanche de 14 h à 16 h 30 en novembre et décembre. Fermé les jours fériés. 25 F, 5 F pour la visite libre des jardins. ☎ 05 59 47 07 09.

CLAIRAC

Abbaye des Automates – Visite de 10 h à 18 h d'avril à octobre, le mercredi, le samedi et le dimanche aux mêmes horaires le reste de l'année. 45 F, enfant : 25 F. ☎ 05 53 79 34 81.

Musée du Train – ♿ Visite de 10 h à 18 h d'avril à octobre, le mercredi, le samedi et le dimanche aux mêmes horaires le reste de l'année. 20 F, enfant : 15 F. ☎ 05 53 88 04 30.

La Forêt Magique – ♿ Mêmes conditions de visite que pour le musée du Train. ☎ 05 53 84 27 54.

CONDOM
🅱 place Bossuet - 32100 - ☎ 05 62 28 00 80

Promenades en bateau – Il est proposé différentes suggestions de croisières, tous les jours en juillet et août. Réservations auprès de Gascogne Navigation. ☎ 05 62 28 46 46.

Chapelle des Évêques – *Visite en semaine de 9 h à 12 h et de 14 h à 17 h.*

Musée de l'Armagnac – Visite tous les jours (sauf le mardi) de 10 h à 12 h et de 14 h à 18 h. Fermé les 1er janvier, 1er mai et 25 décembre. 15 F. ☎ 05 62 28 24 88.

Hôtel de Cugnac – Visite accompagnée (1 h) du lundi au vendredi de 9 h à 12 h et de 14 h à 18 h 30, le samedi de 10 h à 12 h et de 14 h à 18 h et le dimanche de 15 h à 18 h en juillet et août ; du lundi au vendredi de 9 h à 12 h et de 14 h à 17 h, le samedi et le dimanche sur rendez-vous le reste de l'année. Fermé le 1er mai. Gratuit. ☎ 05 62 28 08 08.

Phare de CORDOUAN

Accès – Départs du Verdon (Gironde) ou de Royan (Charente-Maritime) en fonction des conditions météorologiques. 150 F environ. ☎ 05 56 09 61 78 (Syndicat d'initiative du Verdon-sur-Mer).

Phare – Visite accompagnée (1/4 h) tous les jours (sauf le vendredi) de 1 h 30 avant à 1 h après la basse mer. 15 F, enfant : 5 F. ☎ 05 56 09 61 78 (Syndicat d'initiative du Verdon-sur-Mer).

Étang de COUSSEAU

Réserve naturelle – *Des visites guidées sont proposées tous les jours de mi-juin à mi-septembre. S'inscrire à l'Office du tourisme de Lacanau (une démonstration de gemmage est incluse dans la visite),* ☎ *05 56 03 21 01, ou à l'Office du tourisme de Carcans,* ☎ *05 56 03 34 94.*

COX

Maison du Potier – ♿ Visite de 14 h 30 à 18 h 30 en juillet et août, le samedi et le dimanche aux mêmes horaires en mai, juin et septembre. 10 F. ☎ 05 62 13 70 31.

D

DAX   🖪 place Thiers BP 177 - 40100 - ☎ 05 58 56 86 86

Visite guidée de la ville – S'adresser à l'Office de tourisme.

Musée de Borda – *Visite tous les jours (sauf le mardi et le dimanche) de 14 h à 19 h. Fermé les jours fériés. 10 F.* ☎ *05 58 74 12 91.*

Crypte archéologique – Visite tous les jours (sauf le mardi et le dimanche) de 14 h 30 à 18 h 30 de mars à novembre. Fermé de décembre à février ainsi que les jours fériés. 10 F. ☎ 05 58 74 12 91.

Bassins de culture de boues – Accessible toute l'année, aux heures de travail. Possibilité de se renseigner sur place auprès des agents de la Régie Municipale des Boues. Des conférences sur les produits thermaux sont données toutes les 3 semaines à la mairie. Renseignements à l'Office de tourisme.

Parc du Sarrat – ♿ Visite accompagnée (1 h 1/2) tous les jours (sauf le lundi et le dimanche) à 15 h 30. Fermé en décembre et janvier ainsi que les jours fériés. 20 F. Inscription à l'Office de tourisme, ☎ 05 58 56 86 86.

Croisières sur l'Adour – Tous les après-midi en semaine de mi-mars à mi-septembre, des croisières en amont de la rivière, jusqu'à Saubusse, permettent de découvrir les paysages des rives de l'Adour (départ de Dax à 14 h, retour 18 h 30). Possibilité de croisière-déjeuner. Renseignements : Adour Plaisance, quai du 28e-Bataillon-de-Chasseurs, ☎ 05 58 74 87 07.

Musée de l'Aviation légère et de l'Armée de terre – ♿ Visite tous les jours (sauf le dimanche) de 14 h 30 à 17 h 30 de février à novembre. Fermé en décembre et janvier ainsi que les jours fériés. 30 F. ☎ 05 58 74 66 19.

Corrida - Travail à la muleta

DURAS

Château – Visite de 10 h à 19 h de juin à septembre, de 10 h à 12 h et de 14 h à 19 h en avril, mai et octobre, de 14 h à 18 h le reste de l'année. 25 F. ☎ 05 53 83 77 32.

E

EAUZE   🖪 place de la Mairie - 32800 - ☎ 05 62 09 85 62

Musée archéologique – ♿ Visite tous les jours (sauf le mardi) de 10 h à 12 h et de 14 h à 18 h de juin à septembre, tous les jours (sauf le mardi) de 14 h à 17 h et sur rendez-vous le matin le reste de l'année. Fermé en janvier ainsi que le 25 décembre. 25 F. ☎ 05 62 09 71 38.

Ancienne abbaye de l'ESCALADIEU

Visite tous les jours de 10 h à 13 h et de 14 h à 19 h de juin à mi-octobre ; tous les jours (sauf le lundi) de 14 h à 18 h de mi-octobre à fin mai. Fermé en janvier et le 25 décembre. 18 F. Dans le cadre des « Heures musicales de l'abbaye de l'Escaladieu », des concerts ont lieu dans l'abbatiale tous les dimanches de juillet à octobre à 17 h. ☎ *05 62 39 13 13.*

F

FLAMARENS

Château – Visite accompagnée (3/4 h) tous les jours (sauf le mardi) de 10 h à 12 h et de 14 h à 19 h en juillet et août. Fermé le reste de l'année. 20 F. ☎ 05 62 28 68 25.

Écomusée de la Lomagne – Visite de 14 h à 18 h de mai à septembre, sur rendez-vous 15 jours à l'avance. Fermé le reste de l'année. 15 F. ☎ 05 62 28 64 13.

Abbaye de FLARAN

Visite de 9 h 30 à 19 h en juillet et août, de 9 h 30 à 12 h et de 14 h à 19 h du 16 au 30 juin et du 1er au 14 septembre, de 9 h 30 à 12 h et de 14 h à 18 h le reste de l'année. Fermé de mi-janvier à mi-février. 25 F. ☎ 05 62 28 50 19.

FLEURANCE   🛈 à la mairie en saison - 32500 - ☎ 05 62 06 27 80

FLOIRAC

Observatoire astronomique – Visite accompagnée (2 h) sur rendez-vous du lundi au vendredi aux heures ouvrables, le 1er samedi du mois, alternativement le matin ou l'après-midi. Fermé durant les vacances universitaires ainsi que le dimanche. 10 F, gratuit le samedi. Demande écrite à adresser un mois à l'avance à M. le Directeur de l'Observatoire de Bordeaux-Floirac, B.P. 89, 33270 Floirac. 10 F. ☎ 05 57 77 61 00.

FONTIROU

Grottes – Visite accompagnée (3/4 h) de 10 h à 12 h 30 et de 14 h à 19 h en juillet et août, de 10 h à 12 h 30 et de 14 h à 18 h en juin, de 14 h à 17 h 30 en avril et mai et de septembre à mi-octobre sauf cas de mauvais temps (il est préférable de téléphoner au préalable). 30 F. ☎ 05 53 40 15 29.

Parc préhistorique – Visite aux mêmes horaires que pour les grottes. 40 F, enfant : 25 F. ☎ 05 53 40 15 29.

G

Notre-Dame de GARAISON

Manoir de Garaison – Visite de 15 h à 17 h de juillet à mi-août. Fermé le reste de l'année. Gratuit.

Chapelle – *Ouverte de 9 h à 18 h. Visite accompagnée sur demande au Sanctuaire de N.-D. de Garaison, 65670 Monléon-Magnoac.* ☎ *05 62 99 41 55.*

Grottes de GARGAS

Visite accompagnée (3/4 h) de 10 h à 11 h 30 et de 14 h à 18 h en juillet et août, de 14 h 30 à 17 h durant les vacances de Pâques, en mai et juin et de septembre à mi-octobre, de 14 h à 16 h durant les vacances de Toussaint, de Noël et d'hiver, le mercredi, le samedi, le dimanche et les jours fériés de 14 h 30 à 16 h le reste de l'année. Fermé de mi-novembre à mi-décembre ainsi que les 1er janvier et 25 décembre. 30 F. ☎ 05 62 39 72 39.

Château de GAUJACQ

Château – ♿ Visite accompagnée (1 h) de 10 h à 12 h et de 14 h à 18 h 30 de juillet à septembre, le samedi, le dimanche et les jours fériés de 14 h à 18 h 30 de mi-février à juin et d'octobre à mi-novembre. Fermé de mi-novembre à mi-février. 25 F. ☎ 05 58 89 01 01.

Plantarium – Visite tous les jours (sauf le mercredi) de 14 h 30 à 18 h 30. Fermé les 1er janvier et 25 décembre. 20 F. ☎ 05 58 89 01 01.

Cirque de GAVARNIE   🛈 65120 Gavarnie - ☎ 05 62 92 49 10

Possibilité de louer des ânes ou des chevaux, de 9 h à 17 h. 90 F aller-retour. La promenade se fait sur 10 km et dure 2 h en tout. ☎ 05 62 92 47 16.

GAVAUDUN

Donjon – Visite de 10 h à 18 h de juillet à septembre, tous les jours (sauf le mardi) de 14 h à 17 h d'avril à juin, le samedi, le dimanche et durant les vacances scolaires de 14 h à 17 h le reste de l'année. Fermé en décembre et janvier. 12 F. ☎ 05 53 40 83 55.

GELOS

Haras national – Visite accompagnée (1 h 1/2) de 10 h à 12 h et de 14 h à 17 h de juillet à septembre, sur rendez-vous le reste de l'année. 20 F. ☎ 05 59 06 60 57.

GOURETTE
🅷 64440 Eaux-Bonnes – ☎ 05 59 05 12 17

Château de GRAMONT

♿ Visite accompagnée (3/4 h) de 9 h à 12 h et de 14 h à 19 h de mai à octobre, de 14 h à 18 h le reste de l'année. Fermé de mi-décembre à janvier. 32 F. ☎ 05 63 94 05 26.

GRANGES-SUR-LOT

Musée du Pruneau – ♿ Visite du lundi au samedi de 8 h à 12 h et de 14 h à 19 h, le dimanche et les jours fériés de 15 h à 19 h. Fermé les 1er janvier et 25 décembre. 15 F. ☎ 05 53 84 00 69.

Pointe de GRAVE

Musée du phare de Cordouan – Visite de 10 h 30 à 18 h en juillet et août, le samedi et le dimanche de 14 h 30 à 18 h de Pâques à juin et en septembre. Fermé le reste de l'année. Gratuit. ☎ 05 56 09 61 78.

Excursions en bateau – À bord de la vedette « La Bohême II » sont organisées des visites du phare de Cordouan (durée : 3 à 4 h), des promenades le long des falaises de Meschers (2 h environ), des pêches en mer avec matériel fourni (demi-journée ou journée complète pour les groupes) ainsi que des pêches à pied sur le plateau de Cordouan lors des grandes marées (5 h environ). Renseignements et tarifs au ☎ 05 56 09 62 93 (M. Grass, armateur) ou en juillet et août au pavillon du tourisme, face au bac de la Pointe-de-Grave.

Promenade en train touristique – Promenade en forêt le long de l'océan entre la Pointe de Grave et Soulac. Départs à 10 h, 12 h, 15 h et 17 h depuis la Pointe de Grave, à 10 h 30, 12 h 30 et 15 h 30 depuis Soulac en juillet et août. Départs à 15 h et 17 h de la Pointe de Grave, 15 h 30 depuis Soulac d'avril à juin et de début à mi-septembre. Tarifs non-communiqués. Renseignements auprès de l'Association du Train Touristique (PGVS), 33123 Le Verdon-sur-Mer, ou à l'Office du tourisme du Verdon, ☎ 05 56 09 61 78, ou encore à l'Office du tourisme de Soulac-sur-Mer, ☎ 05 56 09 86 61.

GUÎTRES

Musée du Chemin de fer – L'ouverture du musée est liée à la circulation du train touristique. Départ à 15 h 30 et retour à 18 h 15 le mardi, le jeudi et le samedi de mi-juillet à mi-août, départ à 15 h 30 et retour à 18 h 15 le dimanche et les jours fériés de mai à octobre. Train à vapeur : 55 F aller-retour, enfants : 35 F aller-retour ; train diesel : 45 F aller-retour, enfants : 25 F aller-retour. ☎ 05 57 69 10 69.

GUJAN-MESTRAS
🅷 41, avenue de Lattre-de-Tassigny - 33470 – ☎ 05 56 66 12 65

Maison de l'Huître – Visite de 10 h à 12 h et de 15 h 30 à 18 h en juillet et août, le week-end et les jours fériés de 15 h 30 à 18 h de mai à juin. 15 F. ☎ 05 56 66 23 71.

Mini-golf médiéval – ♿ Parcours de 18 trous praticable tous les jours de 12 h à 19 h de mi-juin à début septembre, le dimanche, les jours fériés et durant les vacances scolaires de 14 h à 19 h le reste de l'année. 30 F le club, enfant : 25 F. ☎ 05 56 66 16 76.

Village médiéval – ♿ Visite de 10 h 30 à 19 h de fin juin à août. Fermé le reste de l'année. 45 F, enfant : 25 F. ☎ 05 56 66 16 76.

Aqualand – ♿ Ouvert de 10 h à 19 h de début juin à début septembre. Fermé le reste de l'année. 85 F, enfant : 75 F. ☎ 05 56 66 15 60.

Parc animalier « La Coccinelle » – ♿ Visite de 10 h à 19 h 30 de mi-juin à août, de 14 h à 18 h du 24 mai à mi-juin. Fermé le reste de l'année. 43 F, enfant : 33 F. ☎ 05 56 66 30 41.

H

HAGETMAU

Crypte de St-Girons – *Visite tous les jours (sauf le mardi) de 14 h 30 à 17 h 30. 10 F. ☎ 05 58 05 77 77 (mairie).*

HASPARREN
🅷 1 rue Jean Lissar - 64240 – ☎ 05 59 29 13 46

Maison de Francis Jammes – Visite de 10 h à 12 h et de 15 h à 18 h 30 de mi-juin à mi-septembre. Fermé le reste de l'année. 5 F. ☎ 05 59 29 62 02.

HÉAS

Chapelle – Visite de 8 h à 12 h et de 14 h à 19 h de mai à octobre. ☎ 05 62 92 48 65.

HENDAYE 🖪 12, rue des Aubépines – 64700 – ☎ 05 59 20 00 34

L'HÔPITAL-ST-BLAISE

Église – Visite de 8 h à 21 h. Un système audio-visuel permet d'écouter l'histoire de l'église et de découvrir son architecture intérieure, en harmonisation avec une mise en lumière graduée.

HOSSEGOR 🖪 place Pasteur – BP 6 40150 – ☎ 05 58 43 72 35

Courant d'HUCHET

Excursions en barque – Départs à 10 h pour l'île aux Chênes (tarif : 50 F), à 9 h pour le pont de Pichelèbe (tarif : 70 F) et à 14 h 30 pour le pont de Pichelèbe et la plage d'Huchet (tarif : 90 F) d'avril à mi-octobre. Réservation obligatoire. ☎ 05 58 48 75 39.

I

L'ISLE-JOURDAIN

Musée européen d'Art campanaire – ♿ Visite tous les jours (sauf le mardi) de 10 h à 12 h et de 14 h 30 à 18 h 30 de mi-juin à mi-septembre, de 9 h 30 à 12 h et de 14 h 30 à 17 h 30 le reste de l'année. Fermé les 1er janvier, 1er mai et 25 décembre. 20 F. ☎ 05 62 07 30 01.

Grottes préhistoriques d'ISTURITZ et d'OXOCELHAYA

Visite accompagnée (3/4 h) de 10 h à 18 h en juillet et août, de 10 h à 12 h et de 14 h à 18 h le reste de l'année. Fermé de mi-novembre à mi-mars. 28 F. ☎ 05 59 29 64 72 ou ☎ 05 59 47 07 06.

K

Gorges de KAKOUETTA

Visite de 8 h à la tombée de nuit de mi-mars à mi-novembre. Fermé le reste de l'année. 20 F, enfant : 17 F. ☎ 05 59 28 73 44 (Bar « La Cascade ») ou ☎ 05 59 28 60 83 (mairie).

L

LAÀS

Château – Visite accompagnée (1 h) tous les jours (sauf le mardi) de 10 h à 19 h d'avril à octobre. Fermé le reste de l'année ainsi que le 1er mai. 20 F. ☎ 05 59 38 91 53.

Musée du Maïs – Visite libre. Se reporter aux horaires et au tarif mentionnés pour le château.

LABASTIDE-D'ARMAGNAC 🖪 place Royale – 40240 – ☎ 05 58 44 67 56

Visite guidée de la ville – S'adresser à l'Office de tourisme.

Le Temple des bastides – Visite *de 10 h 30 à 12 h 30 et de 14 h 30 à 18 h 30* d'avril à mi-novembre. 20 F. ☎ 05 58 44 81 42.

Écomusée de l'Armagnac – Visite du lundi au samedi de 9 h à 12 h et de 14 h à 18 h, le dimanche à partir de 15 h d'avril à novembre, tous les jours (sauf le dimanche) de 9 h à 12 h et de 14 h à 18 h le reste de l'année. 20 F. ☎ 05 58 44 88 38.

LACOUR

Église – Visite tous les jours en été, uniquement en semaine en hiver. En cas de fermeture, s'adresser à la bibliothèque municipale. ☎ 05 63 95 25 62.

Parc naturel régional des LANDES DE GASCOGNE

Se reporter à la rubrique « Découvrir la nature », dans le chapitre des Renseignements pratiques.

Château de LANGOIRAN

Visite de 10 h à 12 h et de 14 h à 20 h en juillet et août, du mardi au samedi de 14 h à 18 h et le dimanche de 10 h à 12 h et de 14 h à 19 h le reste de l'année. Fermé les 1er janvier et 25 décembre. 10 F. ☎ 05 56 67 31 42.

LARRESSORE

Atelier Ainciart-Bergara – Visite tous les jours (sauf le dimanche) de 9 h à 12 h et de 15 h à 18 h. ☎ 05 59 93 03 05.

Grottes de LASTOURNELLE

Visite accompagnée (3/4 h) de 10 h à 12 h et de 14 h à 18 h 30 de juillet à mi-septembre, le dimanche de 10 h à 12 h et de 14 h à 18 h 30 le reste de l'année. 23 F. ☎ 05 53 40 08 09.

LAURÈDE

Maison capcazalière « Peyne » – *Visite accompagnée (3/4 h) le samedi, le dimanche et les jours fériés à 15 h, 16 h, 17 h et 18 h de Pâques à la Toussaint. Fermé le reste de l'année. 20 F. ☎ 05 58 97 95 33.*

Église – Visite de 10 h à 19 h. Visite accompagnée sur demande au ☎ 05 58 97 97 39.

LAUZUN

Château – *Visite accompagnée (3/4 h) de 10 h à 12 h et de 14 h à 18 h de mi-juillet à fin août. Fermé le reste de l'année. 15 F. ☎ 05 53 94 27 17.*

LAVARDENS

Château – Visite de 10 h à 19 h en juillet et août, tous les jours (sauf le lundi) de 14 h à 18 h de mars à juin et de septembre à novembre, le week-end et pendant les vacances scolaires de 14 h à 17 h le reste de l'année. 20 F. ☎ 05 62 64 51 20.

LECTOURE
🛈 cours de l'Hôtel-de-Ville - 32700 - ☎ 05 62 68 76 98

Visite guidée de la ville 🅰 – S'adresser à l'Office de tourisme.

Musée gallo-romain – Visite accompagnée (1 h 1/2) tous les jours (sauf le mardi) de 10 h à 12 h et de 14 h à 18 h. Fermé les 1er janvier et 25 décembre. 12 F. ☎ 05 62 68 70 22.

Pharmacie, salle Maréchal Lannes, salle Boué de Lapeyrère – ♿ Visite accompagnée (1/2 h) de 9 h à 12 h et de 14 h à 18 h en juillet et août, du lundi au vendredi de 9 h à 12 h et de 14 h à 18 h, le samedi de 9 h à 12 h et de 15 h à 17 h, le dimanche et les jours fériés de 15 h à 17 h le reste de l'année. Fermé les 1er janvier et 25 décembre. 8 F. ☎ 05 62 68 76 98.

LESCAR
🛈 place Royale - 64230 - ☎ 05 59 81 15 98

Visite guidée de la ville – S'adresser au Syndicat d'initiative.

LIBOURNE
🛈 place Abel-Surchamp - 33500 - ☎ 05 57 51 15 04

Musée des Beaux-Arts et d'Archéologie – ♿ *Visite tous les jours (sauf le samedi, le dimanche et les jours fériés) de 10 h à 12 h et de 14 h à 17 h 30. 20 F. ☎ 05 57 55 33 44.*

LOURDES
🛈 place Peyramale - 65100 - ☎ 05 62 42 77 40

Visite de la ville – Elle s'effectue en petit train touristique qui fonctionne toutes les 1/2 h de 9 h à 12 h et de 13 h 30 à 18 h 30. Départ : place Mgr-Laurence. 27 F, enfant : 15 F. Le passeport touristique Visa (139 F ou 69,50 F pour les enfants) donne accès au musée de Lourdes, au Château-Fort, au musée de la Nativité, au funiculaire du Pic du Jer, au musée du Petit Lourdes, au musée Grévin et au tour de ville en petit train. Renseignements à l'Office de tourisme.

Musée sainte Bernadette – ♿ Visite de 9 h à 11 h 45 et de 14 h à 17 h 45 de Pâques à la Toussaint, de 14 h 30 à 17 h le reste de l'année. Gratuit. ☎ 05 62 42 78 78.

Musée d'Art sacré du Gemmail – ♿. Visite de 9 h à 11 h 45 et de 14 h à 17 h 45 de Pâques à mi-octobre. Fermé le reste de l'année. Gratuit. ☎ 05 62 94 13 15.

Cachot – ♿ Visite de 9 h à 12 h et de 14 h à 19 h des Rameaux à la Toussaint, de 15 h à 17 h le reste de l'année. Gratuit.

Centre hospitalier – ♿ Visite de 9 h à 12 h et de 14 h à 19 h des Rameaux à la Toussaint, de 15 h à 17 h le reste de l'année. Gratuit.

Moulin de Boly – Visite de 9 h à 12 h et de 14 h à 18 h 30 d'avril à octobre, de 15 h à 17 h le reste de l'année. Gratuit.

Maison Lagües – Visite tous les jours (sauf le dimanche) de 8 h 30 à 19 h d'avril à octobre. Fermé le reste de l'année. Gratuit. ☎ 05 62 94 08 18.

LOURDES

Château fort – Visite de 9 h à 12 h et de 14 h à 19 h d'avril à septembre, tous les jours (sauf le mardi et les jours fériés à partir du 15 novembre) de 9 h à 12 h et de 14 h à 18 h (17 h le vendredi) le reste de l'année. 26 F. ☎ 05 62 42 37 37.

Musée Grévin de Lourdes – ♿ Visite de 9 h à 11 h 40 et de 13 h 30 à 18 h 30 d'avril à octobre, nocturne (en sus des horaires en journée) de 20 h 30 à 22 h en juillet et août. Fermé le reste de l'année. 33 F. ☎ 05 62 94 33 74.

Musée du Petit Lourdes – Visite de 9 h à 19 h d'avril à mi-octobre, du lundi au vendredi de 10 h à 12 h et de 14 h à 17 h de début février à début mars. Fermé le reste de l'année. 30 F. ☎ 05 62 94 24 36.

Musée du Gemmail – Visite du lundi au samedi de 9 h à 12 h et de 14 h à 19 h, le dimanche et les jours fériés de 10 h à 12 h et de 14 h à 19 h. Fermé de mi-octobre à Pâques. Gratuit. ☎ 05 62 94 13 15.

Musée de Lourdes – ♿ Visite de 9 h à 11 h 45 et de 13 h 30 à 18 h 30. Fermé de novembre à mars. 30 F. ☎ 05 62 94 28 00.

Funiculaire du pic du Jer – Départ toutes les 1/2 heures de 9 h à 12 h et de 13 h 30 à 18 h 30 d'avril au 11 novembre. Fermé le reste de l'année. 44 F, enfant : 22 F. Au sommet, possibilité de visiter des grottes d'altitude. ☎ 05 62 94 00 41.

LUXEY

Atelier de Produits résineux Jacques et Louis Vidal (écomusée de la Grande Lande) – Visite de 10 h à 12 h et de 14 h à 19 h de juin à septembre, du lundi au vendredi à 10 h, le samedi de 14 h à 19 h et le dimanche de 10 h à 12 h et de 14 h à 19 h en avril et mai, le dimanche de 10 h à 12 h et de 14 h à 19 h en octobre. Fermé de novembre à mars. 25 F. ☎ 05 58 07 52 70.

LUZ-ST-SAUVEUR   🛈 place du 8 Mai - 65120 - ☎ 05 62 92 81 60

Église fortifiée et musées – Visite de 14 h à 17 h. ☎ 05 62 92 81 75.

Cirque du LYS

Téléphérique du Lys – Trajet de 15 mn de 9 h à 12 h 15 et de 13 h 45 à 17 h 30. Fermé de mai à mi-juin et de mi-septembre à novembre. Aller-retour : 38 F. ☎ 05 62 92 50 27.

Télésiège du Grum – Trajet de 20 mn de 9 h à 12 h 30 et de 13 h 45 à 17 h. Fermé de mai à mi-juin et de mi-septembre à novembre. Aller-retour : 22 F. ☎ 05 62 92 50 27.

M

Domaine de MALAGAR

♿ Visite tous les jours (sauf le mardi) de 10 h à 12 h 30 et de 14 h à 19 h de juin à septembre ; du mercredi au vendredi de 14 h à 17 h et le week-end de 10 h à 12 h 30 et de 14 h à 18 h le reste de l'année. Fermé les 1er janvier, 1er mai et 25 décembre. 35 F. ☎ 05 57 22 40 42.

Château de MALLE

Visite libre des jardins et accompagnée (1/2 h) de l'intérieur du château de 10 h à 18 h 30 en juillet et août, de 10 h à 12 h et de 14 h à 18 h 30 d'avril à juin et en septembre et octobre. Fermé de novembre à mars. 35 F. ☎ 05 56 62 36 86.

Château de MALROMÉ

Visite accompagnée (3/4 h) le samedi sur rendez-vous et le dimanche de 14 h à 18 h de mai à septembre. Fermé le reste de l'année. 30 F. ☎ 05 56 76 44 92.

MARCIAC

« Les Territoires du Jazz » – Visite de 9 h 30 à 12 h 30 (dernière admission à 11 h 45) et de 14 h 30 à 18 h 30 (dernière admission à 17 h 45) d'avril à septembre. Fermé le samedi et les jours fériés d'octobre à mars. 30 F. ☎ 05 62 09 30 18.

MARMANDE   🛈 boulevard Gambetta - 47200 - ☎ 05 53 64 44 44

MARQUÈZE

Écomusée de la Grande Lande – Accès uniquement possible par le « petit train des résiniers ». Départs de la gare de Sabres : un train toutes les 40 mn de 10 h 10 à 12 h et de 14 h à 17 h 20 de juin à septembre ; du lundi au vendredi à 15 h, le samedi de 14 h à 17 h 20 (un train toutes les 40 mn), le dimanche et les jours fériés de 10 h 10 à 12 h 10 et de 14 h à 17 h 20 (un train toutes les 40 mn) en avril, mai et octobre. Fermé de novembre à mars. 45 F. ☎ 05 58 07 52 70.

Château de MASCARAÀS-HARON

♿ Visite accompagnée (1 h) tous les jours (sauf le mardi) de 10 h à 12 h et de 15 h à 18 h de juin à mi-septembre, le samedi, le dimanche et les jours fériés aux mêmes horaires de mi-avril à octobre. Fermé de novembre à mi-avril. 30 F. ☎ 05 59 04 92 60.

Le MAS-D'AGENAIS

🖨 place du Marché – 47430 – ☎ 05 53 89 50 58

Visite guidée du village et de l'église – *S'adresser au Syndicat d'initiative.*

MAUBUISSON

Musée des Arts et Traditions populaires de la Lande Médocaine – Visite tous les jours (sauf le samedi) de 15 h à 19 h de mi-juin à mi-septembre. Fermé de fin octobre à début avril. 20 F. ☎ 05 56 03 36 65.

MAULÉON-LICHARRE

Château d'Andurain – Visite accompagnée (3/4 h) tous les jours (sauf le jeudi et le dimanche matin) de 11 h à 12 h et de 15 h à 18 h de juillet à mi-septembre. Fermé le reste de l'année. 25 F. ☎ 05 59 28 04 18.

Château de MAUVEZIN

Visite de 10 h à 19 h de mai à mi-octobre, de 13 h 30 à 17 h le reste de l'année. 20 F. ☎ 05 62 39 10 27.

Église de MAZÈRES

Pour visiter, s'adresser à Mme Duffaur, maison attenante à l'église.

Fort MÉDOC

Visite de 10 h à 12 h et de 14 h à 18 h. Fermé pendant 3 jours à l'occasion du festival de Jazz (autour du 14 juillet). 10 F. ☎ *05 56 58 98 40.*

Grotte de MÉDOUS

Visite accompagnée (1 h) de 9 h à 12 h et de 14 h à 18 h en juillet et août, de 8 h 30 à 11 h 30 et de 14 h à 17 h 30 d'avril à juin et de septembre à mi-octobre. Fermé de mi-octobre à mars. 34 F. ☎ 05 62 91 78 46.

MÉZIN

Musée du Liège et du Bouchon – ♿ Visite tous les jours (sauf le lundi) de 10 h à 12 h et de 14 h 30 à 18 h 30 de juillet à début septembre, tous les jours (sauf le lundi) de 14 h 30 à 17 h 30 le reste de l'année. Fermé de novembre à mars. 20 F. ☎ 05 53 65 73 90.

Pic du MIDI DE BIGORRE

Route à péage – Du col du Tourmalet à l'hôtel-refuge des Laquets (parking) : piétons 8 F, véhicules 25 F (passagers adultes), 13 F (enfants de 6 à 12 ans). Renseignements : Héliotour ☎ 05 62 91 90 33 (en saison) ou ☎ 05 62 91 16 10 (hors saison).

Observatoire du pic du Midi – Fermé pour travaux jusqu'en 1998.

Pic du Midi de Bigorre

Pic du MIDI D'OSSAU

Refuge du Club Alpin Français (Pombie) – Ouvert de juin à septembre. 78 F la nuitée. ☎ 05 59 27 71 81.

MIRANDE   🛈 rue de l'Évêché - 32300 - ☎ 05 62 66 68 10

Musée des Beaux-Arts – ♿ Visite tous les jours (sauf le dimanche) de 10 h à 12 h et de 14 h à 18 h. Fermé les 1er janvier et 25 décembre. 10 F. ☎ 05 62 66 68 10.

MONEIN

Église St-Girons – Spectacle son et lumière (3/4 h) de la charpente du lundi au vendredi à 11 h, 15 h, 16 h et 17 h, le dimanche et les jours fériés à 16 h et 17 h en juillet et août ; tous les jours (sauf le samedi) à 16 h et 17 h le reste de l'année. 25 F. ☎ 05 59 21 29 28.

Château de MONGENAN

Visite accompagnée (1 h) de 10 h à 19 h de juillet à septembre, de 14 h à 18 h de Pâques à juin et en octobre et novembre, le samedi et le dimanche de 14 h à 18 h le reste de l'année. Fermé en janvier. 30 F. ☎ 05 56 67 18 11.

La MONGIE   🛈 65200 Bagnères-de-Bigorre - ☎ 05 62 91 94 15

Téléphérique d'accès au Taoulet – En travaux de rénovation.

Château MONLUC

Visite accompagnée (1 h) tous les jours (sauf le dimanche matin) de 10 h à 12 h et de 15 h à 19 h. Fermé les 1er janvier, 1er mai et 25 décembre ainsi que la seconde quinzaine de janvier. Gratuit. ☎ 05 62 28 94 00.

MONTAGNE

Écomusée du Libournais – ☎ Visite de 10 h à 12 h et de 14 h à 18 h 30 de mi-juillet à mi-septembre, de 14 h à 18 h de mi-mars à mi-juillet et de mi-septembre à mi-novembre. Fermé le reste de l'année. 25 F. ☎ 05 57 74 56 89.

MONTANER

Château – Visite tous les jours (sauf le mardi) de 10 h à 12 h et de 14 h à 19 h d'avril à octobre. Fermé le reste de l'année ainsi que le 1er mai. 10 F. ☎ 05 59 81 98 29.

Église St-Michel – Visite accompagnée tous les jours (sauf le mardi) de 15 h à 18 h. ☎ 05 59 81 50 94.

MONT-DE-MARSAN   🛈 2, place du Général-Leclerc B.P. 305 - 40011 - ☎ 05 58 05 87 37

Visite guidée de la ville – S'adresser à l'Office de tourisme.

Musée Despiau-Wlérick – Visite tous les jours (sauf le mardi) de 10 h à 12 h et de 14 h à 18 h. Fermé les jours fériés. 20 F, gratuit le lundi. ☎ 05 58 75 00 45.

MONTFORT-EN-CHALOSSE

Musée de la Chalosse – ♿ Visite de 14 h à 18 h 30 du 22 mars au 21 décembre. Fermé le reste de l'année. 30 F. ☎ 05 58 98 69 27.

MONTMAURIN

Villa gallo-romaine – Visite de 9 h 30 à 12 h et de 14 h à 18 h d'avril à septembre, de 9 h 30 à 12 h et de 14 h à 17 h le reste de l'année. Fermé les 1er janvier, 1er mai, 1er et 11 novembre, 25 décembre ainsi que le mardi sauf en juillet et août. 25 F. ☎ 05 61 88 74 73.

Chapelle La Hillère – Visite accompagnée sur demande à la villa gallo-romaine. ☎ 05 61 83 74 73.

Musée – *Visite de 9 h à 18 h.* Prix d'entrée compris dans celui de la villa gallo-romaine. ☎ 05 61 88 10 84.

MONTRÉAL

Musée archéologique – ♿ Visite de 10 h à 12 h et de 14 h à 19 h en juillet et août, de 10 h à 12 h et de 14 h 30 à 18 h d'avril à juin et de septembre à novembre, tous les jours (sauf le dimanche) de 14 h 30 à 17 h le reste de l'année. 5 F (18 F : billet donnant accès à la villa gallo-romaine de Séviac). ☎ 05 62 29 42 85.

MORLANNE

Château – Visite libre des jardins de 10 h à 14 h 30 ; visite accompagnée (1 h) du château de 14 h 30 à 18 h 30. Fermé de novembre à février. *20 F.*

MOUCHAN

Église – Visite du mercredi au dimanche de 15 h à 19 h.

MOUSTEY

Musée du Patrimoine religieux et des Croyances populaires (écomusée de la Grande Lande) – ♿ Visite de 10 h à 12 h et de 14 h à 19 h de juin à septembre, le samedi, le dimanche et les jours fériés de 14 h à 19 h en avril, mai et octobre. Fermé de novembre à mars. 25 F. ☎ 05 58 07 52 70.

N

NÉRAC
🛈 avenue Mondenard - 47600 - ☎ 05 53 65 27 75

Château – Visite tous les jours (sauf le mardi) de 10 h à 12 h et de 15 h à 19 h de juillet à septembre, tous les jours (sauf le lundi matin) de 10 h à 12 h et de 14 h à 18 h d'avril à juin, tous les jours (sauf le lundi) de 10 h à 12 h et de 14 h à 17 h le reste de l'année. Fermé en janvier. 20 F. ☎ 05 53 65 21 11.

O

OLORON-STE-MARIE
🛈 place de la Résistance - 64400 - ☎ 05 59 39 98 00

Église Ste-Marie – Visite tous les jours de 10 h à 18 h. ☎ 05 59 39 04 15.

Maison du Patrimoine – Visite tous les jours (sauf le lundi) de 10 h à 12 h 30 et de 15 h à 19 h de juillet à septembre. Fermé d'octobre à juin. 10 F. ☎ 05 59 39 10 63.

P

Grottes de PAIR-NON-PAIR

Visite accompagnée (3/4 h) de 10 h à 18 h 15 de mi-juin à mi-septembre, de 10 h à 12 h 15 et de 14 h 30 à 17 h 15 le reste de l'année. Fermé les 1er janvier, 1er mai, 1er et 11 novembre, 25 décembre. 14 F. ☎ 05 57 68 33 40.

PARENTIS-EN-BORN
🛈 place du Général-de-Gaulle - 40160 - ☎ 05 58 78 43 60

Musée du Pétrole – Visite accompagnée (1 h) de 10 h à 12 h et de 15 h à 19 h en juillet et août, sur rendez-vous le reste de l'année. Fermé le 1er mai et de mi-novembre à mi-mars. 15 F. ☎ 05 58 78 40 02 (mairie).

PAU
🛈 place Royale - 64000 - ☎ 05 59 27 27 08

Château – Visite accompagnée (1 h) des appartements de 9 h 30 à 11 h 45 et de 14 h à 17 h 15. Fermé les 1er janvier, 1er mai et 25 décembre. 30 F. ☎ 05 59 82 38 19.

Musée béarnais – Visite de 9 h 30 à 12 h et de 14 h 30 à 17 h 30. 10 F. ☎ 05 59 27 07 36.

Musée des Beaux-Arts – Visite tous les jours (sauf le mardi) de 10 h à 12 h et de 14 h à 18 h. Fermé les jours fériés. 10 F. ☎ 05 59 27 33 02.

Musée Bernadotte – Visite tous les jours (sauf le lundi) de 10 h à 12 h et de 14 h à 18 h. Fermé les jours fériés. 10 F. ☎ 05 59 27 48 42.

PÈNE BLANQUE

Accès par télécabine au départ de Gourette, de 9 h à 12 h et de 13 h 30 à 17 h en juillet et août. 1er tronçon : 26 F aller-retour (20 F aller simple), enfants : 20 F (15 F aller simple) ; 2e tronçon : 40 F aller-retour (35 F aller simple), enfants : 25 F (20 F aller simple). ☎ 05 59 05 12 17 ou ☎ 05 59 05 12 60 (Plateforme du Valentin).

PESSAC

Établissement monétaire – Visite accompagnée (1 h 1/2) le lundi à 13 h 45, le mercredi à 8 h 45 et 13 h 45, le jeudi à 8 h 45. Fermé de fin juillet à août. Il est conseillé de téléphoner pour confirmation. Gratuit. ☎ 05 56 36 44 01.

PIERREFITTE-NESTALAS

Musée-marinarium du Haut-Lavedan – *Visite tous les jours (sauf le lundi et le dimanche matin) de 9 h 30 à 12 h et de 14 h à 18 h 30 (18 h de mi-septembre à fin mai). 35 F.* ☎ *05 62 92 79 56.*

PISSOS

Airial artisanale – Visite de 10 h à 12 h et de 15 h à 19 h en juillet et août, de 15 h à 18 h d'avril à juin et en septembre, tous les jours (sauf le mercredi) de 15 h à 18 h en mars et de mi-octobre à décembre, tous les jours (sauf le mercredi et le dimanche) de 15 h à 18 h de mi-janvier à février. Fermé durant la 1re quinzaine de janvier et d'octobre. Gratuit. ☎ 05 58 08 90 66.

Abbaye de PLANSELVE

♿ Visite accompagnée (1 h 1/2) tous les jours (sauf le lundi) de 14 h 30 à 17 h 30 en été, de 14 h 30 à 16 h en hiver. Prendre rendez-vous pour les visites en semaine. Fermé les jours fériés ainsi qu'en janvier et février. 20 F. ☎ 05 62 67 77 87 (Syndicat d'initiative).

PLASSAC

Villa gallo-romaine et musée – Visite libre pour le musée, accompagnée pour la villa (1/2 h) de 9 h à 12 h et de 14 h à 19 h de mai à septembre. Fermé le reste de l'année. 15 F. ☎ 05 57 42 84 80.

PLIEUX

Château – Visite tous les jours (sauf le mardi) de 15 h à 19 h de mai à mi-octobre, de 14 h 30 à 17 h le reste de l'année. Se renseigner sur les dates des colloques. 30 F ou 40 F. ☎ 05 62 28 62 92.

Château de POMARÈDE

Visite accompagnée (1/2 h) de 9 h à 12 h et de 14 h à 18 h de mi-juillet à mi-septembre. Fermé le reste de l'année. 10 F. Prendre rendez-vous : Château de Pomarède, 47600 Moncrabeau. ☎ 05 53 65 43 01.

PONT D'ESPAGNE

Navette téléportée du Puntas – Laisser la voiture au parking du Puntas. Trajet de 5 mn de 9 h à 18 h. Fermé en novembre. Aller-retour : 11 F. ☎ 05 62 92 50 27.

Télésiège de Gaube – Trajet de 15 mn, de 9 h à 18 h (20 mn à pied ensuite pour joindre le lac de Gaube). Fermé en avril, octobre et novembre. Aller-retour : 30 F. ☎ 05 62 92 50 27.

POUDENAS

Château – ♿ Visite accompagnée (1 h) tous les jours (sauf le lundi) de 15 h à 18 h de mi-juillet à août, le dimanche aux mêmes heures de la Pentecôte à la Toussaint. 25 F. ☎ 05 53 65 78 86.

Centrale de PRAGNÈRES

Visite libre ou accompagnée (1/2 h) du lundi au vendredi de 14 h à 18 h. Fermé les jours fériés. Entrée gratuite. ☎ *05 62 92 46 66.*

R

RAUZAN   📍 12, rue Chapelle - 33420 - ☎ 05 57 84 03 88

Château – Pour connaître les conditions de visite, s'adresser au Syndicat d'initiative. ☎ 05 57 84 03 88.

Château de RAVIGNAN

Visite du lundi au vendredi sur rendez-vous et le samedi et le dimanche de 15 h à 19 h de juillet à septembre, sur rendez-vous le reste de l'année. Fermé de décembre à mars. 30 F. ☎ 05 58 45 26 44.

La RÉOLE   📍 place de la Libération - 33190 - ☎ 05 56 61 13 55

Visite guidée de la cité médiévale – S'adresser à l'Office de tourisme.

Ancienne abbaye : musée – Visite de 8 h 30 à 18 h. Gratuit. ☎ 05 56 61 13 55 (Office de tourisme).

Musée Automobile – ♿ Visite de 10 h à 18 h en juillet et août, le mercredi, le samedi et le dimanche de 10 h à 18 h le reste de l'année. 50 F, enfant : 40 F. ☎ 05 56 61 29 25.

La RHUNE

Accès par chemin de fer à crémaillère à partir de la gare de St-Ignace : départs en fonction de la météo et de l'affluence, en général toutes les 35 mn à partir de 9 h de Pâques à novembre. Aller-retour : 50 F, 30 F (enfants et familles nombreuses). ☎ 05 59 54 20 26.

La ROMIEU

🛈 place Étienne-Bouet - 32480 - ☎ 05 62 28 86 33

Tour Est de la collégiale – Visite tous les jours (sauf le dimanche matin) de 10 h à 12 h et de 14 h à 19 h de juin à septembre, de 14 h à 18 h en avril, mai et octobre. Pas de visite pendant les offices. Fermé de novembre à mars. 15 F. ☎ 05 62 28 86 33 (Syndicat d'initiative).

Le petit train de la Rhune

Château de ROQUETAILLADE

Visite accompagnée (3/4 h) de 10 h 30 à 19 h en juillet et août, de 14 h 30 à 18 h de Pâques à la Toussaint, de 14 h 30 à 18 h le dimanche et les jours fériés, ainsi que pendant les vacances scolaires de la zone C de la Toussaint à Pâques. 35 F. ☎ 05 56 76 14 16.

S

SADIRAC

Maison de la Poterie - musée de la céramique sadiracaise – Visite du mardi au samedi de 14 h à 18 h, le dimanche de 15 h à 18 h. Fermé les jours fériés. 15 F. ☎ 05 56 30 60 03.

ST-AVENTIN

Église – *Pour visiter, s'adresser au presbytère.*

ST-BERTRAND-DE-COMMINGES

Cathédrale Ste-Marie-de-Comminges – Visite libre ou accompagnée (cloître, chœur des Chanoines et trésor) de 9 h à 12 h (10 h le dimanche) et de 14 h à 19 h d'avril à septembre, tous les jours (sauf le dimanche matin) de 10 h à 12 h et de 14 h à 17 h le reste de l'année. ☎ 05 61 89 04 91.

Château de ST-CRICQ

Visite toute l'année sauf en cas d'occupation des salles (se renseigner au préalable) de 8 h à 12 h et de 14 h à 17 h. Fermé le dimanche et les jours fériés. Pour la visite du chai et du musée des traditions d'Armagnac, s'adresser à l'Office du tourisme d'Auch. ☎ 05 62 63 10 17 *(château) ou* ☎ 05 62 05 22 89.

ST-ÉMILION

🛈 place des Créneaux - 33330 - ☎ 05 57 24 72 03

Église monolithe, chapelle de la Trinité, grotte de l'ermitage, catacombes – Visite accompagnée (3/4 h) de 10 h à 11 h 30 et de 14 h à 17 h 45 d'avril à octobre, de 10 h à 11 h 30 et de 14 h à 17 h le reste de l'année. Fermé les 1er janvier et 25 décembre. 33 F. ☎ 05 57 24 72 03.

Clocher de l'église monolithe – Visite de 9 h 30 à 19 h en juillet et août, de 9 h 30 à 12 h 30 et de 13 h 45 à 18 h 30 d'avril à juin et en septembre et octobre, de 9 h 30 à 12 h 30 et de 13 h 45 à 18 h le reste de l'année. Fermé les 1er janvier et 25 décembre. 6 F.

Château du Roi – *Accès en haut de la Tour du Roi de 10 h 30 à 12 h 45 et de 14 h 15 à 18 h 45. 6 F.*

Cloître des Cordeliers – *Visite des caves de 10 h 30 à 12 h et de 14 h à 19 h de fin mars à fin septembre, de 10 h 30 à 12 h et de 14 h et de 17 h le reste de l'année.* ☎ 05 57 24 72 07.

Cloître de la collégiale – Mêmes horaires que le clocher de l'église monolithe. Fermé les 1er janvier et 25 décembre.

ST-GAUDENS

🏛 place Mas-St-Pierre - 31800 - ☎ 05 61 89 15 99

Musée de St-Gaudens et du Comminges – Visite tous les jours (sauf le lundi et le dimanche) de 9 h à 12 h et de 14 h à 18 h. Fermé les jours fériés. 13 F. ☎ 05 61 94 78 70.

ST-JEAN-DE-LUZ

🏛 place Maréchal-Foch - 64500 - ☎ 05 59 26 03 16

Visite guidée de la ville – S'adresser à l'Office de tourisme.

Maison Louis-XIV – Visite tous les jours (sauf le dimanche matin) de 10 h 30 à 12 h et de 14 h 30 à 18 h 30 en juillet et août, de 10 h 30 à 12 h et de 14 h 30 à 17 h 30 en juin et septembre. Fermé le reste de l'année ainsi que les 14 juillet et 15 août. Tarif non communiqué.

Musée Grévin – Visite de 10 h à 12 h et de 14 h à 20 h en juillet et août, de 10 h à 12 h et de 14 h à 18 h 30 d'avril à juin et en septembre et octobre, le week-end et durant les vacances scolaires de 14 h à 18 h le reste de l'année. 33 F, enfant : 17 F. ☎ 05 59 51 24 88.

Église St-Jean-Baptiste – Visite de 7 h 30 à 12 h et de 14 h à 18 h.

ST-JEAN-PIED-DE-PORT

🏛 14, place Charles-de-Gaulle - 64220 - ☎ 05 59 37 03 57

Visite guidée de la ville – S'adresser à l'Office de tourisme.

ST-LARY-SOULAN

🏛 37 rue Principale - 65170 - ☎ 05 62 39 50 81

ST-LIZIER

🏛 place de l'Eglise - 09190 - ☎ 05 61 96 77 77

Cathédrale St-Lizier et cloître – Visite de 9 h à 19 h.

ST-MACAIRE

🏛 33490 - ☎ 05 56 63 03 64

Église St-Sauveur – Visite de 9 h à 12 h et de 14 h à 18 h.

Musée régional des PTT d'Aquitaine – *Visite tous les jours (sauf le mardi) de 10 h à 12 h et de 14 h à 18 h 30 d'avril à mi-octobre, le week-end de 14 h à 18 h de mi-octobre à fin novembre. Fermé le 1ᵉʳ mai et de décembre à mars. 12 F. ☎ 05 56 63 08 81.*

ST-PLANCARD

Chapelle romane St-Jean-des-Vignes – *Demander la clef au café Lamoure à St-Plancard. ☎ 05 61 88 98 36.*

Château ST-ROCH

Visite accompagnée de 14 h 30 à 19 h de mi-juillet à mi-septembre, le dimanche et les jours fériés aux mêmes horaires de Pâques à mi-novembre. 30 F. ☎ 05 63 95 95 22.

ST-SARDOS-DE-LAURENQUE

Eglise – Visite un samedi sur deux, de 16 h à 19 h ou sur demande préalable (1 ou 2 jours à l'avance) auprès de M. Lacoste, ☎ 05 53 36 04 62, ou de Mme Austruy, ☎ 05 53 40 82 30.

ST-SAVIN

Trésor de l'église – ♿ Visite de 10 h à 12 h et de 15 h à 19 h de Pâques à mi-octobre, sur demande adressée à l'Abbé Hallier (21, chemin de l'Yser, 65400 Argelès-Gazost, ☎ 05 62 97 20 88) le reste de l'année. 10 F. ☎ 05 62 97 09 60.

ST-SEVER

🏛 place Tour-du-Sol - 40500 - ☎ 05 58 76 34 64

Visite guidée de la ville – S'adresser à l'Office de tourisme.

Église – Visite de 8 h à 12 h et de 14 h à 19 h (à la tombée de la nuit en hiver). Fermé le dimanche après-midi d'octobre à avril.

Musée archéologique – Visite de 14 h 30 à 18 h 30 en juillet et août, sur demande le reste de l'année. ☎ 05 58 76 01 38.

Abbaye de ST-SEVER-DE-RUSTAN

Visite accompagnée (1/2 h) du jeudi au dimanche de 14 h à 18 h. 15 F.

STE-CROIX-DU-MONT

Cave de dégustation – Visite de 10 h à 13 h et de 14 h à 19 h de Pâques à septembre. Fermé le reste de l'année. Gratuit. ☎ 05 56 62 01 54.

SALIES-DE-BÉARN

🏛 1, boulevard St-Guily - 64270 - ☎ 05 59 38 00 33

SAMADET

Musée de la Faïencerie – ♿ Visite de 10 h à 18 h de mai à septembre, tous les jours (sauf le mardi) de 14 h à 18 h d'octobre à décembre et de février à avril, le samedi et le dimanche de 14 h à 18 h en janvier. 20 F. ☎ 05 58 79 13 00.

SANGUINET

Musée archéologique – ♿ Visite de 10 h à 12 h et de 15 h à 19 h en juillet et août. Fermé le reste de l'année. 15 F. ☎ 05 58 78 54 20.

Grotte de SARE

Visite accompagnée (1 h) de 9 h 30 à 20 h du 6 juillet à août, de 10 h à 18 h de Pâques au 5 juillet et en septembre, de 14 h (11 h le samedi et le dimanche) à 17 h de février à Pâques et d'octobre à décembre, le samedi et le dimanche de 14 h à 16 h le reste de l'année (en semaine, visites à 14 h 30 et 16 h). Fermé les 1er janvier et 25 décembre. 28 F. ☎ 05 59 54 21 88.

La SAUVE

Ancienne abbaye – Visite de 10 h à 19 h en juillet à août, de 10 h à 18 h 30 en juin et septembre, de 10 h à 12 h 30 et de 14 h à 18 h en avril, mai et octobre, de 10 h à 12 h et de 14 h à 17 h le reste de l'année. Fermé les 1er janvier et 25 décembre. 25 F. ☎ 05 56 23 01 55.

Église St-Pierre – *Ouverte tous les jours en été, uniquement le dimanche en hiver.* ☎ *05 57 97 02 20 (mairie).*

SAUVETERRE-LA-LÉMANCE

Forteresse – Visite de 10 h à 12 h et de 15 h à 19 h de mi-juin à septembre. 25 F. ☎ 05 53 40 67 17.

SÉVIAC

Villa gallo-romaine – ♿ Visite de 10 h à 19 h de mi-juin à septembre, de 10 h à 12 h et de 14 h à 18 h le reste de l'année. Fermé de fin novembre à début mars. 18 F, billet valable pour le musée archéologique de Montréal. ☎ 05 62 29 48 57 ou ☎ 05 62 29 48 43.

SIMORRE

Église – Visite de 9 h à 18 h (excepté durant les offices et les jours de fêtes locales). Pour visiter la sacristie, s'adresser à l'avance au presbytère. ☎ 05 62 65 30 04.

Pinède des SINGES

Visite de 9 h 30 à 18 h 30 de mai à septembre. Fermé le reste de l'année. 35 F, enfant : 20 F. ☎ 05 59 45 43 66.

SORDE-L'ABBAYE

Logis des Abbés – *Visite accompagnée (3/4 h) de 9 h à 12 h et de 15 h à 19 h en été, sur rendez-vous le reste de l'année.* 10 F. ☎ *05 58 73 07 28.*

Monastère – *Visite accompagnée (20 mn) de 10 h 30 à 12 h et de 15 h à 19 h d'avril à septembre, de 15 h à 18 h le reste de l'année (possibilité le matin sur rendez-vous).* ☎ *05 58 73 06 77.*

SOULAC-SUR-MER

🛈 95, rue de la Plage - 33780 - ☎ 05 56 09 86 61

Pour les promenades en train touristique, se reporter à la rubrique « Pointe de GRAVE ».

Basilique N.-D.-de-la-Fin-des-Terres – Visite de 9 h à 12 h et de 14 h 30 à 17 h 30. ☎ 05 56 09 81 02.

Musée archéologique – Visite tous les jours de 10 h à 12 h et de 15 h à 20 h de juillet à mi-septembre. Fermé le reste de l'année. Gratuit. ☎ 05 56 09 86 61.

Fondation Soulac-Médoc – Visite de 17 h à 19 h 30 de juillet à mi-septembre, nocturne de 21 h à 23 h 30 en juillet et août. Fermé le reste de l'année. Gratuit. ☎ 05 56 09 83 99.

SOUSTONS

Tropica Parc – ♿ Visite de 10 h à 20 h en juillet et août, de 10 h à 12 h et de 14 h à 19 h d'avril à juin et en septembre et octobre. Fermé de novembre à mars. 34 F. ☎ 05 58 48 04 99.

T

TARASTEIX

Abbaye N.-D.-de l'Espérance – Visite accompagnée de préférence l'après-midi. Messe en grégorien le dimanche à 11 h et possibilité de partager le repas (prévenir à l'avance). ☎ 05 62 31 11 93.

TARBES

🛈 3, cours Gambetta - 65000 - ☎ 05 62 51 30 31

Musée Massey (musée international des Hussards, Archéologie et Beaux-Arts) – Visite de 10 h à 12 h et de 14 h à 18 h 30 en juillet et août, tous les jours (sauf le lundi et le mardi) de 10 h à 12 h et de 14 h à 17 h 30 le reste de l'année. Fermé le 1er janvier, à Pâques, Pentecôte, Toussaint et le 25 décembre. 20 F. ☎ 05 62 36 31 49.

Maison natale du Maréchal Foch – Visite accompagnée (1 h) de 9 h à 12 h et de 14 h à 18 h de juin à mi-septembre, tous les jours (sauf le mardi et le mercredi) de 9 h à 12 h et de 14 h à 17 h le reste de l'année. Fermé les 1er janvier, 1er mai, à la Toussaint et le 25 décembre. 25 F. ☎ 05 62 93 19 02.

Haras – Visite accompagnée (1 h) tous les jours (sauf le samedi et le dimanche) de 10 h à 11 h 30 et de 14 h à 17 h de juillet au 12 septembre et durant les vacances de Toussaint et de Noël. 20 F.

Parc ornithologique du TEICH

Réserve naturelle – ♿ Visite de 10 h à 18 h en hiver. 33 F, enfant : 22 F. ☎ 05 56 22 80 93.

Maison de la Nature du bassin d'Arcachon – ♿ Visite de 10 h à 22 h en juillet et août, de 10 h à 18 h le reste de l'année. 33 F. ☎ 05 56 22 80 93.

TERMES-D'ARMAGNAC

Donjon : musée du Panache gascon – Visite de 10 h 30 à 12 h 30 et de 15 h à 20 h de juin à septembre, tous les jours (sauf le mardi) de 14 h à 18 h le reste de l'année. Fermé les 1er janvier, 1er mai et 25 décembre. 20 F. ☎ 05 62 69 25 12.

Cirque de TROUMOUSE

Accès – Route taxée depuis Héas : 22,50 F par voiture avec ses passagers.

U

URRUGNE

Florénia – ♿ Visite de 10 h à 19 h en juillet et août, tous les jours (sauf le lundi) aux mêmes horaires d'avril à juin et de septembre à début novembre. Fermé le reste de l'année. 34 F. ☎ 05 59 48 02 51.

V

VALCABRÈRE

Basilique St-Just – Visite de 9 h à 19 h en juillet et août, de 9 h à 12 h et de 14 h à 19 h d'avril à juin et en septembre et octobre, de 14 h à 18 h pendant les vacances scolaires et le dimanche (hors été). ☎ 05 61 95 49 06 ou ☎ 05 61 95 44 44 (pour les visites commentées en juillet).

VALENTINE

Villa gallo-romaine – *Visite sur demande à la mairie.* ☎ *05 61 89 05 91.*

VAYRES

Château – Visite libre du parc de 14 h à 18 h de juillet à septembre ainsi que le dimanche et les jours fériés le reste de l'année ; visite accompagnée (3/4 h) de l'intérieur à 15 h, 16 h et 17 h de juillet à septembre ainsi que le dimanche et les jours fériés le reste de l'année. Visite accompagnée : 30 F. ☎ 05 57 84 96 58.

VENSAC

Moulin à vent – Visite accompagnée (3/4 h) de 10 h à 12 h 30 et de 14 h 30 à 18 h 30 en juillet et août, le samedi et le dimanche aux mêmes horaires en juin et septembre, le dimanche après-midi et les jours fériés de mars à mai ainsi qu'en octobre et novembre. Fermé de décembre à février. 18 F. ☎ 05 56 09 45 00.

VERDELAIS

Basilique Notre-Dame – Visite de 9 h à 12 h et de 14 h à 19 h. ☎ 05 56 76 70 45.

VILLANDRAUT
🅱 place de la Mairie - 33370 - ☎ 05 56 25 31 39

Château – Visite accompagnée (1 h) du lundi au vendredi de 9 h 30 à 12 h et de 14 h à 18 h, le samedi et le dimanche de 9 h à 12 h 30 et de 14 h à 19 h de juin à septembre ; du lundi au vendredi de 14 h à 17 h, le samedi et le dimanche de 9 h 30 à 12 h 30 et de 14 h à 17 h en avril, mai, octobre et novembre ; du lundi au vendredi sur rendez-vous, le samedi et le dimanche de 14 h à 17 h le reste de l'année. 15 F. ☎ 05 56 25 87 57.

Musée municipal – Visite accompagnée (1 h) du mardi au samedi de 10 h à 12 h et de 14 h à 17 h, le dimanche sur demande. Fermé de mi-décembre à mi-janvier ainsi qu'à Pâques. 10 F. ☎ 05 56 25 37 62.

VILLENEUVE-SUR-LOT
🅱 boulevard de la République - 47300 - ☎ 05 53 70 31 37

Musée municipal – *En cours de transfert.* ☎ *05 53 36 75 06.*

VILLERÉAL
🅱 place de la Halle - 47210 - ☎ 05 53 36 09 65

Visite guidée de la ville – S'adresser à la Maison du tourisme.

W

WALIBI AQUITAINE

 Visite de 10 h à 18 h du 7 juin au 31 août, le mercredi, le samedi, le dimanche et les jours fériés du 26 avril au 6 juin, le samedi et le dimanche en septembre. Fermé le reste de l'année. 115 F, 85 F pour les enfants accompagnés mesurant moins de 1,20 m. ☎ 05 53 96 58 32.

Index

Bétharram . . . . Villes, curiosités et régions touristiques.
Henri IV . . . . Noms historiques ou célèbres et termes faisant l'objet
d'une explication.

Les curiosités isolées (abbayes, barrages, cascades, châteaux, grottes, pics, vallées...) sont répertoriées à leur nom propre.

O

P

R

MANUFACTURE FRANÇAISE DES PNEUMATIQUES MICHELIN

Société en commandite par actions au capital de 2 000 000 000 de francs

Place des Carmes-Déchaux – 63 Clermont-Ferrand (France)

R.C.S. Clermont-Fd B 855 200 507

© Michelin et Cie, Propriétaires-Éditeurs 1997

Dépôt légal février 1997 – ISBN 2-06-036705-0– ISSN 0293-9436

Printed in the EU 2-98/2

Photocomposition : MAURY Imprimeur S.A., Malesherbes

Impression et brochage : CASTERMAN, Tournai (Belgique)

Illustration de la couverture par Bernadette DROUILLOT